14318

CYFOETH Y TESTUN

Cyfoeth y Testun

YSGRIFAU AR LENYDDIAETH GYMRAEG
YR OESOEDD CANOL

golygwyd gan

Iestyn Daniel, Marged Haycock

Dafydd Johnston, Jenny Rowland

*Cyhoeddir ar ran Pwyllgor Iaith a Llên
Bwrdd Gwybodau Celtaidd Prifysgol Cymru*

GWASG PRIFYSGOL CYMRU
CAERDYDD
2003

Manylion Catalogio Cyhoeddi'r Llyfrgell Brydeinig

Mae cofnod catalogio'r gyfrol hon ar gael gan y Llyfrgell Brydeinig

ISBN 0–7083–1827–4

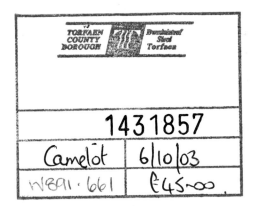
Cysodwyd gan Bryan Turnbull
Argraffwyd gan Bookcraft, Midsomer Norton, Avon

Er cof am

J. E. Caerwyn Williams

Cynnwys

Cynnwys

Rhagair

Y cymhelliad cyntaf ar gyfer y gyfrol deyrnged hon oedd awydd i gydnabod ein dyled ac i ddangos diolchgarwch i'r Athro Caerwyn Williams am ei waith fel cyfarwyddwr ymchwil. Buom ni ein pedwar yn ddigon ffodus i gael astudio'n fyfyrwyr ymchwil yn Aberystwyth dan gyfarwyddyd yr Athro Caerwyn yn y 1970au, ac mae gennym atgofion melys am y sesiynau wythnosol yn trafod testunau gydag ef, am ei amynedd maith yn pwyso a mesur pob gair, am ei feddwl agored a'i barodrwydd i wrando ar ein syniadau ninnau cyn tynnu'n sylw yn gynnil-garedig at ffyrdd eraill o ddehongli'r testun. Ni fyddai byth yn mynnu mai ganddo ef yr oedd yr ateb i bob problem, ond ni fyddai chwaith yn gadael i ni fodloni ar ein dealltwriaeth gychwynnol gyfyng. Ac felly yn raddol, trwy oriau dibendraw o drafod manwl, deuai cyfoeth ystyr y testun i'r amlwg i ni dan ei arweiniad ef. Er gwaetha'i ddysg ryfeddol o eang, roedd ganddo ddawn i wneud i ni deimlo'n gyfforddus yn ei gwmni, ac roedd ei chwilfrydedd a'i awydd i ymgyrraedd at y gwirionedd mor heintus nes i ni deimlo ein bod yn gyfeillion cydradd ar yr un fenter ysgolheigaidd. Mae 'meithrin' yn air ystrydebol am waith cyfarwyddwr ymchwil, ond yn ei ystyr gyflawn ni ellir gair gwell i gyfleu dull annwyl yr Athro Caerwyn o gyfarwyddo'i fyfyrwyr. Yn ein cof amdano y mae personoliaeth y gŵr a'i ysgolheictod yn annatod glwm yn ei gilydd, ac fe erys y cof hwnnw yn esiampl olau i ni yn ein gwaith o hyd.

Cyflwynwyd cyfrol deyrnged i'r Athro Caerwyn Williams ar adeg ei ymddeoliad o'r Gadair Wyddeleg yn Aberystwyth, sef *Bardos*, casgliad o ysgrifau ar y traddodiad barddol gan rai o'i gydweithwyr ym Mangor ac Aberystwyth.[1] Mae cyfranwyr y gyfrol hon at ei gilydd yn perthyn i genhedlaeth iau a brofodd ei gefnogaeth ddiarhebol i ysgolheictod yn ystod ei flynyddoedd olaf ym Mhrifysgol Cymru, Aberystwyth, ac yn y Ganolfan Uwchefrydiau Cymreig a Cheltaidd. Nodwn yn arbennig un garfan ymhlith y cyfranwyr, y pedwar a fu'n cydweithio ag ef ar brosiect Beirdd y Tywysogion yn y Ganolfan Uwchefrydiau, sef Morfydd Owen, Nerys Ann Jones, Peredur Lynch, ac Ann Parry Owen. Yn y blynyddoedd ar ôl ei ymddeoliad ymroes Caerwyn Williams i'w waith fel golygydd ymgynghorol ar y prosiect mawr

---

[1] R. Geraint Gruffydd (gol.), *Bardos: Penodau ar y Traddodiad Barddol Cymreig a Cheltaidd* (Caerdydd, 1982). Cyhoeddwyd nifer o deyrngedau i'r Athro Williams ar ôl ei farwolaeth yn 1999, ac fe'u crynhoir yn gyfleus gan D. Ellis Evans ar ddiwedd ei deyrnged huawdl yntau yn *Proceedings of the British Academy*, 111 (2001), 697–716.

hwnnw â'i holl egni, ac mae'r saith gyfrol fawreddog yn gofadail gwiw i'w ddysg. Mae pob un o'i gydweithwyr ar y prosiect wedi cyhoeddi astudiaethau nodedig ar sail y golygiadau hynny sy'n dyfnhau ein dealltwriaeth o farddoniaeth Beirdd y Tywysogion, a braf yw gweld dwy ohonynt yn dilyn yr un trywydd ymhellach gyda'u cyfraniadau i'r gyfrol hon.

Gan ddilyn esiampl ei gyfarwyddwr ymchwil ef ei hun ym Mangor, Syr Ifor Williams, testunau fu canolbwynt gwaith Caerwyn Williams ar hyd ei yrfa, boed y rheini'n destunau rhyddiaith grefyddol Cymraeg Canol, yn hen ganu, neu'n farddoniaeth y Gogynfeirdd a'r Cywyddwyr, heb sôn am ei waith aruthrol ar lenyddiaeth Wyddeleg a'r ieithoedd Celtaidd eraill. Testunau hefyd yw ffocws y casgliad hwn o ysgrifau, ac mae'r ymagweddau tuag atynt yn dangos yn eglur ei ddylanwad ef yn ogystal â'r camau breision a wnaed yn ystod y blynyddoedd diwethaf tuag at well dealltwriaeth o eirfa, ieithwedd a chystrawen y corpora llenyddol.

Llawysgrifau yw man cychwyn unrhyw astudiaeth ar destunau canoloesol, ac fel y dengys y croesgyfeirio o fewn y gyfrol hon, mae dadansoddiad Daniel Huws o wneuthuriad Llyfr Coch Hergest yn gyfraniad allweddol i'n dealltwriaeth o'r compendiwm mwyaf o lenyddiaeth Gymraeg gynnar. Mae iaith y testun yn elfen sylfaenol arall, ac mae nifer o'r papurau hyn yn herio'r hen syniad bod Cymraeg Canol yn iaith lenyddol safonol a sefydlog, gan gyflwyno darlun mwy deinamig o hanes yr iaith. O safbwynt daearyddol ceir yma ffrwyth diweddaraf ymchwil Peter Wynn Thomas ar amrywio tafodieithol ac arddulliol yn y cyfnod, ac o safbwynt amseryddol mae cyfraniadau Proinsias Mac Cana a Patricia Williams yn amlygu datblygiadau penodol mewn dulliau o enwi a chyfarch. Fel yr iaith ei hun, fe dybir weithiau fod y gynghanedd hithau'n gyfundrefn sefydlog y tu hwnt i amser; amserol iawn, felly, yw ymdriniaeth Peredur Lynch sy'n ailasesu arferion cynganeddol Dafydd ap Gwilym ar sail tystiolaeth y llawysgrifau cynharaf.

Roedd testunau hefyd yn rhan o broses ddeinamig o newid dros amser, ac mae rhai o'n cyfranwyr yn edrych ar y modd y newidiai testun wrth gael ei drosglwyddo. Trafodir fersiwn Llanstephan 58 o chwedl 'Iarlles y Ffynnon' ochr yn ochr â'r fersiynau canoloesol gan Sioned Davies, ac mae Dafydd Johnston yn ystyried y berthynas gymhleth rhwng ysgrifen a chof yn hanes cerddi Gruffudd ab yr Ynad Coch. Enghraifft drawiadol o ryngdestunoldeb a fyddai wrth fodd calon yr Athro Caerwyn yw'r esboniad mydryddol ar Weddi'r Arglwydd a olygir gan Iestyn Daniel. Gweithgarwch Gutun Owain, un o'r prif drosglwyddwyr llenyddiaeth ar ddiwedd yr Oesoedd Canol, sydd dan sylw gan Morfydd Owen. Gwedd ansefydlog arall ar y testun oedd awduraeth, ac fe gwestiynir rhagdybiaethau modern ar y mater mewn papurau gan Jenny Rowland ar yr hen ganu a chan Helen Fulton ar y Cywyddwyr.

Dull arall yr oedd yr Athro Caerwyn yn feistr arno oedd dilyn un trywydd ar draws rhychwant eang o destunau er mwyn taflu goleuni ar eu cefndir diwylliannol, ac mae gennym ddwy esiampl nodedig o'r dull hwnnw yma. Diwylliant cerddorol y beirdd sydd dan sylw gan Patrick Ford yn ei arolwg o gyfeiriadau at delyn a chrwth, ac mae Marged Haycock yn goleuo eu cynhysgaeth chwedlonol a thestunol trwy olrhain y cyfeiriadau at Geridwen.

Proses barhaol oedd ysgolheictod i'r Athro Caerwyn Williams, proses yr oedd gan bob ysgolhaig ran ynddi trwy adeiladu ar waith ei ragflaenwyr a thrwy ddarparu sylfaen ac arweiniad i'w olynwyr. Ac yn sail i'r cwbl yr oedd ei ymwybod â chyfrifoldeb ysgolheictod tuag at y diwylliant Cymraeg cyfoes, ynghyd â'i argyhoeddiad bod meithrin a hybu'r Gymraeg fel cyfrwng dysg o'r radd flaenaf yn hanfodol i barhad y diwylliant hwnnw. Mawr obeithiwn fod y gyfrol hon yn cyfrannu at y delfryd hwnnw trwy ddilyn arweiniad y gŵr a'i hysbrydolodd, a thrwy gynnig dulliau amgen o drafod testunau, a'i bod felly yn deyrnged deilwng ohono ef.

Carem ddiolch i ddarllenydd y Bwrdd Gwybodau Celtaidd am ei sylwadau buddiol, i William Howells am lunio'r mynegai, i Susan Jenkins o Wasg Prifysgol Cymru am ei chefnogaeth gyson, ac i Ruth Dennis-Jones am ei gofal a'i hamynedd maith wrth lywio'r gyfrol trwy'r wasg.

Lluniau

Hoffai'r cyhoeddwyr ddiolch i Brifathro a Chymrodyr Coleg Iesu, Rhydychen, am roi eu caniatâd i gynnwys y lluniau ar dudalennau 14–17, ac i Lyfrgell Genedlaethol Cymru am ganiatâd i gynnwys y lluniau ar dudalennau 358–61, 364–5, 368–9

Byrfoddau

Llyfryddol

Aberdâr	Llawysgrif yng nghasgliad Aberdâr yn Llyfrgell Genedlaethol Cymru, Aberystwyth
Acall.	*Acallamh na Senórach*, gol. Whitley Stokes (Leipzig, 1900)
AH	*Astudiaethau ar yr Hengerdd, Studies in Old Welsh Poetry, Cyflwynedig i Syr Idris Foster*, gol. Rachel Bromwich ac R. Brinley Jones (Caerdydd, 1978)
AP	*Armes Prydein . . . from the Book of Taliesin*, gol. Ifor Williams, fersiwn Saesneg, Rachel Bromwich (Dublin, 1972)
B	*Bwletin y Bwrdd Gwybodau Celtaidd*, 1921–93
BB	*Brut y Brenhinedd*, gol. J. J. Parry (Cambridge, Mass., 1937)
BBGCC	*Blodeugerdd Barddas o Ganu Crefyddol Cynnar*, gol. Marged Haycock (Abertawe, 1994)
BD	*Buchedd Dewi*, gol. D. Simon Evans (Caerdydd, 1959)
BDing	*Brut Dingestow*, gol. Henry Lewis (Caerdydd, 1942)
BHLlG	*Braslun o Hanes Llenyddiaeth Gymraeg*, Saunders Lewis (Caerdydd, 1932)
BL	Llawysgrif yng nghasgliad y Llyfrgell Brydeinig, Llundain
BL Add	Llawysgrif Ychwanegol yng nghasgliad y Llyfrgell Brydeinig, Llundain
BM	*Breuddwyd Maxen*, gol. Ifor Williams, ail argraffiad (Bangor, 1927)
BRh	*Breudwyt Ronabwy*, gol. Melville Richards (Caerdydd, 1948)
BT	*The Book of Taliesin*, gol. J. Gwenogvryn Evans (Llanbedrog, 1910)
BTyw	*Brut y Tywysogyon, Peniarth MS. 20*, gol. Thomas Jones (Caerdydd, 1941)
BTh	*Beirdd a Thywysogion: Barddoniaeth Llys yng Nghymru, Iwerddon a'r Alban, Cyflwynedig i R. Geraint Gruffydd*, gol. Morfydd E. Owen a Brynley F. Roberts (Caerdydd, 1996)

C	*The Black Book of Carmarthen*, gol. J. Gwengovryn Evans (Pwllheli, 1906)
CA	*Canu Aneirin*, gol. Ifor Williams, ail argraffiad (Caerdydd, 1961)
Card	Llawysgrif yn Llyfrgell Ganolog Caerdydd
CBT	*Cyfres Beirdd y Tywysogion* I–VII, gol. R. Geraint Gruffydd *et al.* (Caerdydd, 1991–6)
CBT I	*Gwaith Meilyr Brydydd a'i Ddisgynyddion*, gol. J. E. Caerwyn Williams *et al.* (Caerdydd, 1994)
CBT II	*Gwaith Llywelyn Fardd I ac Eraill*, gol. Kathleen A. Bramley *et al.* (Caerdydd, 1994)
CBT III	*Gwaith Cynddelw Brydydd Mawr I*, gol. Nerys Ann Jones ac Ann Parry Owen (Caerdydd, 1991)
CBT IV	*Gwaith Cynddelw Brydydd Mawr II*, gol. Nerys Ann Jones ac Ann Parry Owen (Caerdydd, 1995)
CBT V	*Gwaith Llywarch ap Llywelyn*, gol. Elin M. Jones (Caerdydd, 1991)
CBT VI	*Gwaith Dafydd Benfras ac Eraill*, gol. Norah G. Costigan *et al.* (Caerdydd, 1995)
CBT VII	*Gwaith Bleddyn Fardd ac Eraill*, gol. Rhian M. Andrews *et al.* (Caerdydd, 1996)
CD	*Cerdd Dafod*, John Morris-Jones (Rhydychen, 1925)
CHC	*Cylchgrawn Hanes Cymru*, 1960–
CLlGC	*Cylchgrawn Llyfrgell Genedlaethol Cymru*, 1939–
CLlH	*Canu Llywarch Hen*, gol. Ifor Williams (Caerdydd, 1935)
CLlLl	*Cyfranc Lludd a Llefelys*, gol. Brynley F. Roberts (Dublin, 1975, ail argraffiad 1995)
CM	Llawysgrif yng nghasgliad Cwrtmawr, yn Llyfrgell Genedlaethol Cymru, Aberystwyth
CMCS	*Cambridge Medieval Celtic Studies*, 1–25 (1981–93); *Cambrian Medieval Celtic Studies*, 26– (1993–)
CO	*Culhwch ac Olwen: An Edition and Study of the Oldest Arthurian Tale*, gol. Rachel Bromwich a D. Simon Evans (Caerdydd, 1992)
CT	*Canu Taliesin*, gol. Ifor Williams (Caerdydd, 1960)

ChO	*Chwedlau Odo*, gol. Ifor Williams (Caerdydd, 1957)
ChSDR	*Chwedleu Seith Doethon Rufein*, gol. Henry Lewis (Caerdydd, 1925)
DB	*Delw y Byd*, gol. H. Lewis a P. Diverres (Caerdydd, 1928)
DGA	*Selections from the Dafydd ap Gwilym Apocrypha*, Helen Fulton (Llandysul, 1996)
DGG	*Cywyddau Dafydd ap Gwilym a'i Gyfoeswyr*, gol. Ifor Williams a Thomas Roberts (Caerdydd, 1914)
DK	*Y Drych Kristnogawl*, gol. Geraint Bowen (Caerdydd, 1996)
DOC	*Drych yr Oesoedd Canol*, gol. Nesta Lloyd a Morfydd E. Owen (Caerdydd, 1986)
ÉC	*Études celtiques*, 1936–
EWSP	*Early Welsh Saga Poetry*, Jenny Rowland (Cambridge, 1990)
FB	*Fled Bricrenn. The Feast of Bricriu*, gol. George Henderson (London, 1889)
FfBO	*Ffordd y Brawd Odrig*, gol. Stephen J. Williams (Caerdydd, 1929)
G	*Geirfa Barddoniaeth Gynnar Gymraeg*, gol. J. Lloyd-Jones (Caerdydd, 1931–63)
GC	*Gwaith Casnodyn*, gol. R. Iestyn Daniel (Aberystwyth, 1999)
GDC	*Gwaith Dafydd y Coed a Beirdd Eraill o Lyfr Coch Hergest*, gol. R. Iestyn Daniel (Aberystwyth, 2002)
GDG	*Gwaith Dafydd ap Gwilym*, gol. Thomas Parry, ail argraffiad (Caerdydd, 1963)
GEO	*Gwaith Einion Offeiriad a Dafydd Ddu Hiraddug*, gol. R. Geraint Gruffydd a Rhiannon Ifans (Aberystwyth, 1997)
GGDT	*Gwaith Gruffudd ap Dafydd ap Tudur, Gwilym Ddu o Arfon, Talhaearn Brydydd Mawr ac Iorwerth Beli*, gol. N. G. Costigan (Bosco) *et al.* (Aberystwyth, 1995)
GGGl	*Gwaith Guto'r Glyn*, gol. John Llywelyn Williams ac Ifor Williams (Caerdydd, 1939)
GGLl	*Gwaith Gruffudd Llwyd a'r Llygliwiaid Eraill*, gol. Rhiannon Ifans (Aberystwyth, 2000)

GGrG	*Gwaith Gronw Gyriog, Iorwerth ab y Cyriog, Mab Clochddyn, Gruffudd ap Tudur Goch ac Ithel Ddu*, gol. Rhiannon Ifans *et al.* (Aberystwyth, 1997)
GIG	*Gwaith Iolo Goch*, gol. D. R. Johnston (Caerdydd, 1988)
GLGC	*Gwaith Lewys Glyn Cothi*, gol. Dafydd Johnston (Caerdydd, 1995)
GLM	*Gwaith Lewys Môn*, gol. Eurys I. Rowlands (Caerdydd, 1975)
GLlG	*Gwaith Llywelyn Goch ap Meurig Hen*, gol. Dafydd Johnston (Aberystwyth, 1998)
GMW	*A Grammar of Middle Welsh*, D. Simon Evans (Dublin, 1964)
GP	*Gramadegau'r Penceirddiaid*, gol. G. J. Williams ac E. J. Jones (Caerdydd, 1934)
GPB	*Gwaith Prydydd Breuan, Rhys ap Dafydd ab Einion, Hywel Ystorm, a Cherddi Dychan Dienw o Lyfr Coch Hergest*, gol. Huw Meirion Edwards (Aberystwyth, 2000)
GPC	*Geiriadur Prifysgol Cymru* (Caerdydd, 1950–2002)
GR	*Gesta Romanorum*, gol. Patricia Williams (Caerdydd, 2000)
GSCyf	*Gwaith Sypyn Cyfeiliog a Llywelyn ab y Moel*, gol. R. Iestyn Daniel (Aberystwyth, 1998)
GSRh	*Gwaith Sefnyn, Rhisierdyn, Gruffudd Fychan ap Gruffudd ab Ednyfed a Llywarch Bentwrch*, gol. Nerys Ann Jones ac Erwain Haf Rheinallt (Aberystwyth, 1995)
GTA	*Gwaith Tudur Aled*, gol. T. Gwynn Jones (Caerdydd, 1926)
Haf	Llawysgrif yng nghasgliad Hafod, yn Llyfrgell Genedlaethol Cymru, Aberystwyth
HG	*Hen Gyflwyniadau*, gol. Henry Lewis (Caerdydd, 1948)
HGK	*Historia Gruffud vab Kenan*, gol. D. Simon Evans (Caerdydd, 1977)
HPE	*Historia Peredur vab Efrawc*, gol. Glenys Witchard Goetinck (Caerdydd, 1976)
IAW	Llawysgrif yng nghasgliad Iolo Aneurin Williams, yn Llyfrgell Genedlaethol Cymru, Aberystwyth
IGE[2]	*Cywyddau Iolo Goch ac Eraill,* gol. Henry Lewis *et al.*, ail argraffiad (Caerdydd, 1937)

J	Llawysgrif yng nghasgliad Coleg Iesu, Rhydychen
KAA	*Kymdeithas Amlyn ac Amic*, gol. J. Gwenogvryn Evans (Llanbedrog, 1909)
LHEB	*Language and History in Early Britain*, Kenneth Jackson (Edinburgh, 1953)
LL	*The Book of Leinster, formerly Lebar na Núachongbála*, gol. R. I. Best, Osborn Bergin, M. A. O'Brien *et al.* (Dublin, 1954–67)
LL Táin	*Táin Bó Cúailnge from the Book of Leinster*, gol. Cecile O'Rahilly (Dublin, 1967)
LU	*Lebor na hUidre: Book of the Dun Cow*, gol. R. I. Best ac Osborn Bergin (Dublin, 1929)
Ll	*Y Llenor*, 1922–51
LlA	*The Elucidarium and Other Tracts from Llyvyr Agkyr Llandewivrevi, A.D. 1346*, gol. J. Morris-Jones a John Rhŷs (Oxford, 1894)
Llanofer	Llawysgrif yng nghasgliad Llanofer yn Llyfrgell Genedlaethol Cymru, Aberystwyth
LlB	*Cyfreithiau Hywel Dda yn ôl Llyfr Blegywryd*, gol. Stephen J. Williams a J. Enoch Powell (Caerdydd, 1961)
LlC	*Llên Cymru,* 1950-
LlDC	*Llyfr Du Caerfyrddin*, gol. A. O. H. Jarman (Caerdydd, 1982)
Llst	Llawysgrif yng nghasgliad Llanstephan yn Llyfrgell Genedlaethol Cymru, Aberystwyth
Ml.	Milan glosses, gol. Whitley Stokes a John Strachan, *Thesaurus Palaeohibernicus*, 2 gyf., adargraffiad (Dublin, 1975)
MM	*Le plus ancien texte des Myddygon Myddveu*, gol. P. Diverres (Paris, 1913)
Most	Llawysgrif yng nghasgliad Mostyn yn Llyfrgell Genedlaethol Cymru, Aberystwyth
MWM	*Medieval Welsh Manuscripts*, Daniel Huws (Cardiff, 2000)
NLW	Llawysgrif yng nghasgliad Llyfrgell Genedlaethol Cymru, Aberystwyth
OPGO	*L'Oeuvre poétique de Gutun Owain*, gol. E. Bachellery (Paris, 1950)

Owein	*Owein or Chwedyl Iarlles y Ffynnawn*, gol. R. L. Thomson (Dublin, 1968)
Pant	Llawysgrif yng nghasgliad Panton yn Llyfrgell Genedlaethol Cymru, Aberystwyth
PBA	*Proceedings of the British Academy*, 1904–
Pen	Llawysgrif yng nghasgliad Peniarth yn Llyfrgell Genedlaethol Cymru, Aberystwyth
PKM	*Pedeir Keinc y Mabinogi*, gol. Ifor Williams (Caerdydd, 1930)
PT	*The Poems of Taliesin,* gol. Ifor Williams, fersiwn Saesneg, J. E. Caerwyn Williams (Dublin, 1968)
PWDN	*The Poetical Works of Dafydd Nanmor*, gol. Thomas Roberts ac Ifor Williams (Cardiff, 1923)
RBB	*The Text of the Bruts from the Red Book of Hergest*, gol. John Rhŷs a J. Gwenogvryn Evans (Oxford, 1890)
RBP	*The Poetry in the Red Book of Hergest*, gol. J. Gwenogvryn Evans (Llanbedrog, 1911)
RC	*Revue celtique*, 1870–1934
RM	*The Text of the Mabinogion and Other Welsh Tales from the Red Book of Hergest*, gol. John Rhŷs a J. Gwenogvryn Evans (Oxford, 1887)
RMWL	*Report on Manuscripts in the Welsh Language*, J. Gwenogvryn Evans (Oxford, 1898–1910)
Rhagymadroddion	*Rhagymadroddion 1547–1659*, gol. Garfield H. Hughes, adargraffiad (Caerdydd, 1988)
RhG	*Rhyddiaith Gymraeg 1488–1609* (Caerdydd, 1954)
SC	*Studia Celtica*, 1966–
TBC I	*Táin Bó Cúailnge, Recension I*, gol. Cecile O'Rahilly (Dublin, 1970)
TC	*Y Treigladau a'u Cystrawen*, T. J. Morgan (Caerdydd, 1952)
TCh	*Troelus a Chresyd*, gol. W. Beynon Davies (Caerdydd, 1976)
THSC	*The Transactions of the Honourable Society of Cymmrodorion*, 1892/3–
TYP	*Trioedd Ynys Prydein,* gol. Rachel Bromwich, ail argraffiad (Cardiff, 1978)

Wb.	Würzburg gloss, gol. Whitley Stokes a John Strachan, *Thesaurus Palaeohibernicus*, 2 gyf., adargraffiad (Dublin, 1975)
WBL	*A Welsh Bestiary of Love*, gol. Graham C. G. Thomas (Dublin, 1988)
WCCR	Glanmor Williams, *The Welsh Church from Conquest to Reformation* (Cardiff, 1961)
WCD	Peter Bartrum, *A Welsh Classical Dictionary* (Aberystwyth, 1993)
WG	*A Welsh Grammar*, John Morris Jones (Oxford, 1913)
WLSD	*The Welsh Life of Saint David*, gol. D. Simon Evans (Cardiff, 1988)
WM	*The White Book Mabinogion*, gol. J. Gwenogvryn Evans (Pwllheli, 1907; adargraffiad, Caerdydd, 1973)
WS	*Welsh Syntax*, John Morris-Jones (Cardiff, 1931)
YB	*Ysgrifau Beirniadol*, gol. J. E. Caerwyn Williams (Dinbych, 1965–97)
YBH	*Ystorya Bown de Hamtwn*, gol. Morgan Watkin (Caerdydd, 1958)
YCM	*Ystorya de Carolo Magno*, gol. S. J. Williams, ail argraffiad (Caerdydd, 1967)
YE	*Ymborth yr Enaid*, gol. R. Iestyn Daniel (Caerdydd, 1995)
YGE	*Ystorya Gereint uab Erbin*, gol. Robert L. Thomson (Dublin, 1997)
YSG	*Ystoryaeu Seint Greal. Rhan I: Y Keis*, gol. Thomas Jones (Caerdydd, 1992)
YT	*Ystoria Taliesin*, gol. Patrick K. Ford (Cardiff, 1992)
ZCP	*Zeitschrift für celtische Philologie*, 1896–

Cyffredinol

c.	*circa*
cf.	cymharer
col.	colofn(au)
cyf.	cyfrol
e.e.	er enghraifft
et al.	*et alii*
etc.	*etcetera*
f.	ffolio
ff.	ffolios
gol.	golygydd, golygwyd gan
gw.	gweler
h.y.	hynny yw
ibid.	*ibidem*
ll.	llinell
llau.	llinellau
llsgr.	llawysgrif
n.	nodyn
OC	Oed Crist
t.	tudalen
tt.	tudalennau

1

Llyfr Coch Hergest

DANIEL HUWS

Fe ellid, yn fwy penodol, ac yn fwy cymwys, fod wedi rhoi i'r ysgrif hon y teitl 'Dail Gwyn y Llyfr Coch'. Gwneuthuriad y llyfr yw'r testun; ond y mae'r prif ffeithiau am y gwneuthuriad eisoes yn hysbys. Y datguddiad mwyaf yn yr hyn sy'n dilyn yw hanes dalennau gwynion y llyfr, a'u nodwedd gyffredin yw nad oes un ohonynt bellach yn rhan o'r llyfr. Nid yw hanes rhyw nifer o ddail gweigion nad ydynt mwyach yn bod (hyd y gwyddom) yn peri cyffro. Y gorau y gellir ei ddweud yw bod i'r dail hyn eu harwyddocâd. A'r newyddion mor dila, crynhoi a thacluso fydd y nod. O ran ffurf, ni ellir crynhoi'n well nag ar daflen; rhyw ymhelaethu ar y daflen fydd y gweddill.

Chwarel fwyaf llenyddiaeth Gymraeg yw Llyfr Coch Hergest. Bu'r llyfr yn hysbys i ysgolheigion ers pedair canrif a hanner. Erbyn heddiw y mae bron pob un o'r testunau sydd ynddo wedi'i argraffu, a rhan helaeth ohonynt mewn print ers can mlynedd yng ngolygiadau gwych Gwenogvryn Evans.[1] Ond er ei fri, diwyneb braidd fu'r llyfr ei hun. Nid oedd iddo na phersonoliaeth na hanes, ac er bod disgrifiad manwl Gwenogvryn Evans o'i gynnwys ar gael yn *Reports on Manuscripts in the Welsh Language*, am yn hir bu llawer amdano yn dywyll. Rhwng 1948 a 1980 daeth goleuni o dri chyfeiriad. Yn gyntaf, dyfalodd G. J. Williams mai ar gyfer Hopcyn ap Tomas yr ysgrifennwyd y llyfr:[2] bellach y mae ei ddyfaliad wedi'i gadarnhau gan dystiolaeth newydd a chan ddeongliadau ysgolheigion eraill.[3] At hyn, fe welir isod (t. 23) reswm sy'n cryfhau'r cysylltiad yn fwy byth. Yna, pan gyhoeddwyd disgrifiad o lawysgrif Philadelphia (Library Company of Philadelphia 8680), a'i choloffon gan Hywel Fychan ap Hywel Goch, daeth nid yn unig gadarnhad i'r cysylltiad honedig â Hopcyn ap Tomas ond, yn bwysicach, enw i brif ysgrifwr y Llyfr Coch.[4] Ac yn drydydd, fe drawodd gweledigaeth hanesyddol Prys Morgan ar yr hyn sy'n esbonio taith y Llyfr Coch, a llyfrau eraill y gellir eu cysylltu â Hopcyn ap Tomas, o waelod Cwm Tawe i Frycheiniog (ac yna, yn achos y Llyfr Coch, i Hergest) rywdro ar ôl 1464.[5] At hyn, mae terfynau amseryddol gwneuthuriad y Llyfr Coch yn weddol gyfyng: rhwng 1382 (blwyddyn derfynol 'Brut y Saesson' ar ff. 248ᵛ–53ᵛ) a marw Hopcyn rywdro ar ôl 1403.[6] Yn gyson â'r terfynau hyn, yn llawysgrif Pen 32 fe ddilynir gwaith y llaw a ychwanegodd at y Llyfr Coch ar ôl Hywel Fychan (Llaw C, gw. isod, tt. 4, 21–3) gan law oedd yn ysgrifennu yn y flwyddyn 1404.

Er mwyn deall gwneuthuriad llyfr y mae'n rhaid yn gyntaf fedru adnabod ei strwythur, sef y modd y mae wedi'i gymalu. Gwendid mawr disgrifiadau Gwenogvryn Evans yw'r arfer o anwybyddu plygiant (neu gydiant) llawysgrifau. Am y Llyfr Coch ni rydd ond y sylw 'deranged more or less in the binding' (RMWL, II, 1). Mae Gifford Charles-Edwards yn cynnig taflen o'i blygiant hyd blyg 28 (sy'n cyfateb i blyg 27 yn y daflen isod, t. 6) gan sylwi bod y gweddill yn anghyflawn a di-drefn.[7] Casgliad tebyg yr oeddwn innau'n disgwyl dod iddo. Syndod oedd graddol sylweddoli wrth ddadansoddi'r plygiant nad oedd yna ddiffyg trefn. Ar wahân i un biffoliwm a bwythwyd i mewn yn y lle anghywir (sef ff. 240–1 yn dilyn f. 239 yn lle f. 238) nid oes unrhyw ddryswch. Ar y llaw arall, mae llawer o ddail wedi eu colli; ac eto, prin yw'r bylchau testunol. Dail gwynion oedd y rhan fwyaf o'r dail coll, a'u pwysigrwydd yw hyn, bod eu rhithiau yn egluro'r diffyg trefn ymddangosiadol.

Cyn cyrraedd y daflen, cystal sôn am y canllawiau sydd yn ein galluogi i ail-greu'r strwythur gwreiddiol. Mae chwech ohonynt.

Rhifau plygion. Gwelir y rhain, mewn rhifau rhufeinig, ar waelod tudalen olaf y plyg (ac ambell un wedi'i golli oherwydd colli dalen olaf y plyg, neu docio gan rwymwr). Ymddengys mai rhifau gwreiddiol ydynt, wedi'u hysgrifennu gan y ddau brif ysgrifwr, Llaw I (a defnyddio label Gifford Charles-Edwards, Llaw A o hyn allan) a Hywel Fychan: mae'r inc yn cyfateb a gwelir newid llaw ym mhlyg 12, yr un cyntaf sydd ag arwydd wedi i Law A beidio (edrycher ar ffurf y llythyren *v*). Mae'r rhifau hyn, felly, yn dystiolaeth bwysig. Eu neges ydyw bod trefn wreiddiol y plygion wedi'i chadw. Dangosir y rhifau hyn yn ail golofn y daflen. Yr unig ddirgelwch yw bod un plyg, yn ôl y rhifau hyn, yn absennol rhwng plyg 21 a phlyg 26: os bu colled, bu hynny cyn rhifo'r dail a chyn ysgrifennu'r ail gyfres o arwyddion plyg yn *A, B, C*. Gan nad oes unrhyw fwlch yn y testun rhwng dau blyg, yr esboniad rhwyddaf yw bod Hywel Fychan wedi camgymryd a neidio un rhif. Fel arall, gan fod dilyniant testun o blyg 21 i 22 ac o 22 i 23, byddai'n rhaid cymryd bod plyg cyfan wedi diflannu rhwng plygion 23 a 24 neu rhwng 24 a 25 heb adael dim o'i destunau ar ôl mewn plyg arall.

Daleniad rhufeinig. Gwelir y rhifau hyn yng nghhornel uchaf allanol pob *recto*. Syr Siôn Prys (a fu farw 1555) piau'r llaw. Mae'r rhifau'n ddarllenadwy ar y rhan fwyaf o'r dail o hyd. Gwelir hwy ym mhumed golofn y daflen. Mae rhai camgymeriadau yn y gyfres: ysgrifennodd *cii* ar ddwy ddalen olynol (ff. 98 a 99); neidiodd o *cxxxiii* ar f. 129 i *cxl* ar f. 130; dyblodd *clv* (ar ff. 144 a 145); neidiodd yn ôl o *ccxi* i *ccii* wrth fynd o f. 199 i f. 200.

Llythrennau plygion. Darparwyd ail gyfres o arwyddion plygion, yn rhedeg *A–Z* ac *Aa–Ll*, ar waelod *recto* cyntaf pob plyg, mewn inc melynaidd ac ysgrifen o droad yr unfed ganrif ar bymtheg a'r ganrif ddilynol. Tebyg eu bod wedi'u darparu ar gyfer ailrwymo'r llyfr. Maent yn cadarnhau na fu unrhyw newid ar drefn y plygion wrth ailrwymo. Dangosir hwy yn nhrydedd golofn y daflen.

Rhifau colofnau. Rhifwyd y colofnau gan Edward Lhuyd, yn ei law ei hun o 1 hyd 42, a chan eraill o'i gynorthwywyr o hynny ymlaen hyd 1442, gydag amryw o lithriadau (er enghraifft ff. 138^v–9^v: 570, 571, 571^a, 571^b, 571^c, 571^d; f. 178^v: 723 a 723^A; ff. 207^v–8: 837^b–7^c) a chan hepgor rhai colofnau gweigion. Mae rhifau colofnau 566–71 wedi'u dileu a'u hailrifo gan Gwenogvryn Evans. Gan fod y rhifau hyn wedi'u defnyddio'n aml gan olygyddion testunau, fe'u hatgynhyrchir hwy yn y daflen yn y drydedd golofn, mewn cromfachau. Ar gyfer disgrifio llyfr, anfoddhaol fyddai colofnau ar y gorau, heb sôn am holl ddiffygion eu rhifo.

Daleniad arabig. Rhifwyd y dail mewn pensel, hwyrach tua dechrau'r ugeinfed ganrif. Y rhifau hyn yw'r canllaw sylfaenol ar gyfer disgrifiad, yr unig un sy'n gyflawn a di-fwlch. Dangosir hwy yn y bedwaredd golofn.

Cyfansoddiad plygion. Arfer gyson ysgrifwyr y Llyfr Coch oedd trefnu plygion fel bod tudalennau a oedd yn wynebu'i gilydd yn cynrychioli'r un wyneb o'r croen, naill ai ochr y cnawd neu ochr y blew (gan amlaf y mae'r gwahaniaeth rhyngddynt yn amlwg i'r llygad). O ddynodi ochr y cnawd gan C ac ochr y blew gan B, fel hyn y byddai trefn y tudalennau mewn plyg rheolaidd: C/B B/C C/B B/C C/B B/C canol C/B B/C C/B B/C C/B B/C. Mae modd gwybod, felly, am unrhyw ddalen p'un ai odrif neu eilrif ydoedd yn y plyg.

Taflen plygiant

Dangosir yn y daflen ar gyfer pob plyg y canlynol:

Rhif y plyg a'i gyfansoddiad, a rhifau'r dail sy'n eisiau o fewn y plyg (**Plyg**). Rhif y plyg yn ôl y gyfres wreiddiol o arwyddion (rhifau rhufeinig) a'i lythyren yn ôl yr ail gyfres o arwyddion (**Arwyddion**).

Rhifau ffolio y plyg ac (mewn cromfachau) rifau'r colofnau (**Ff. (col.)**).
Rhifau ffolio Syr Siôn Prys (**JP**).

Y testunau yn y plyg, gan nodi eu lleoliad yn y llawysgrif (a defnyddio rhifau colofnau gan mai'r rhain a ddefnyddid fel arfer gan olygyddion) ac mewn print (gweler y byrfoddau isod); ni roddir cyfeiriad at destun print, pan fo un i'w gael, oni chodwyd y testun yn uniongyrchol o'r llyfr; gellir troi at lyfryddiaethau am olygiadau eraill. O blyg 27 ymlaen, boed **RBP** yn ddealledig ar gyfer pob testun. Dangosir hefyd y llaw neu'r llawiau a'u hysgrifennodd, a dynodir yr ysgrifwyr gan lythrennau breision **A–E**, gweler isod, lle y cysylltir hwy â'r enwau a roes Gifford Charles-Edwards arnynt (**Testun, llaw**).

* Dynodir â seren y cerddi i Hopcyn ap Tomas a'i fab Tomas ap Hopcyn.

// Dynodir wrth yr arwydd hwn fod toriad yn yr ysgrifennu. Ni nodir y toriadau ond yn y farddoniaeth, ac nid yw'n ymarferol nodi mewn taflen bob un sy'n digwydd yn y farddoniaeth.

Defnyddir y byrfoddau canlynol (gw. uchod, tt. x–xvi): B, ChSDR, DB, GP, KAA, LlC, MM, RBB, RM, RBP, YBH, YCM.

Dyma'r llawiau (gw. isod, tt. 12–23):

A	'Hand I'
B	Hywel Fychan
C	'Pen 32' (sef prif law llawysgrif Pen 32, 'Y Llyfr Teg')
Ch	'Type Pen 32 small text'
D	'Type Hand I'
Dd	'Type Hand I'
E	

Plyg	Arwyddion	Ff. (col.)	JP	Testun, llaw
1^{10}		A	1–10 (1–40)	1–10	*Dares Phrygius* (1–30). RBB. **A, B** *Brut y Brenhinedd* (31–40). RBB. **A**
2^{12}	ii	B	11–22 (41–88)	11–22	eto. **A**
3^{12} heb 5–8	iii	C	23–30 (89–120)	23–34	eto. **A**
4^{12}	iiii	D	31–42 (121–69)	35–46	eto. **A**
5^{12}	v	E	43–54 (170–217)	47–58	eto. **A**
6^{12}	vi	F	55–66 (218–65)	59–70	eto (218–30). **A** *Brut y Tywysogyon* (230–65). RBB. **A**
7^{12}	vii	G	67–78 (266–312)	71–82	eto. **A**

Plyg	Arwyddion		Ff. (col.)	JP	Testun, llaw
8¹²	viii	H	79–90 (313–80)	83–94	eto (313–76). **A** *Gildas hen broffwyd* (376–7). B, 13, 64–5. **B** Cantrefoedd Cymru (377–80). RBB. **B**
9¹²		I	91–102 (381–427)	95–105	*De Carolo Magno* (381–427). YCM, 1–178. **A**
10¹²		K	103–14 (428–75)	106–18	eto. **A**
11¹² heb 1			115–25 (476–519)	119–29	eto (476–502). **A** *Delw y byd* (502–16). DB, 85–104, 112. **B** Cronicl hyd 1318 (516–18). **B**
12¹²	xii	M	126–37 (520–67)	130–47	W. de Henley (520–27). B, 2, 8–16. **B** *Seith doethon Rufein* (527–55). ChSDR. **B** *Breuddwyd Rhonabwy* (555–67). RM. **B**
13¹² heb 2 a 11		N	138–47 (568–603)	148–58	eto (568–71). **B** *Sibli ddoeth* (571–77). LlC, 14, 216–23. **B** *Cyfoesi Myrddin* (577–83). RBP. **B** *Gwasgargerdd Fyrddin* (584–5). RBP. **B** *Hyn a ddyweit S. Awstin* (585). **B** *Hyn a ddyweit yr enaid* (585). **B** *Proffwydoliaeth yr eryr* (585–8). B, 9, 112–15. **B** *Trioedd* (588–600). RM (yn rhannol). **B** *Enweu Ynys Prydein* (600–3).RM (yn rhannol). **B**
14¹⁴ heb 2–5			148–57 (604–40)	[ ]–169	eto (604). **B** *Pererindod Siarlymaen* (605–26). YCM, 179–204. **A** *Owein* (627–40). RM. **B**
15¹²	xv	P	158–69 (641–88)	170–81	eto (641–55). **B** *Peredur* (655–88). RM. **B**
16¹²		Q	170–81 (689–735)	182–93	eto (689–97). **B** *Macsen Wledig* (697–705). RM. **B** *Lludd a Lleuelys* (705–10). RM. **B** *Pwyll* (710–26). RM. **B** *Branwen* (726–35). RM. **B**
17¹²		R	182–93 (736–83)	194–205	eto (736–39). **B** *Manawydan* (739–51). RM. **B** *Math* (751–69). RM. **B** *Geraint* (769–83). RM. **B**
18¹²	xviii	S	194–205 (784–831)	206–7	eto (784–809). **B** *Culhwch ac Olwen* (810–31). RM. **B**
19¹²	xviiii	T	206–17 (832–75)	208–19	eto (832–44). **B** *Bown o Hamtwn* (845–75). YBH. **B**
20¹²	xx	V	218–29 (876–923)	220–31	eto. **B**
21¹⁴ + ff. 241–2 ar ôl f. 239	xxi	X	230–45 (924–87)	232–47	eto (924–8). **B** *Meddygon Myddfai* (928–59). MM. **B** *Diarhebion* (960–75). **B** *Delw y Byd* (975–87). DB, 21–57, 105–11. **B**

Plyg	Arwyddion	Ff. (col.)	JP	Testun, llaw
22[12] heb 9 ac 11		Y	246–55 (988–1031)	248–58	eto (988–99). **B** *Brut y Saesson* (999–1019). RBB. **B** *O oes Gwrtheyrn* (1020–2). RBB. **Ch** *Hengerdd* (1026–31). RBP. **B**
23[12] heb 9–12		Z	256–63 (1032–56)	259–[66]	eto (1032–56). **B**
24[8] heb 8		Aa	264–70 (1057–84)	270–6	*Diarhebion* (1057–83). **B**
25[12] heb 9–12		Bb	271–8 (1085–115)	277–84	*Amlyn ac Amig* (1085–115). KAA. **B**
26[12]	xxvii	Cc	279–90 (1117–64)	[288]–99	*Gramadeg* (1117–42). GP. **B** Canu crefyddol: Elidir Sais *et al.* (1143–64). RBP. **B**
27[12]		Dd	291–302 (1165–212)	300–11	eto (1165–93). **B //** Gr ap Maredudd (1194–212). **B //**
28[12] heb 4–8	xxix	Ee	303–9 (1213–40)	312–22	eto (1213–20). **B** Trahaearn (1221–3). **B** anhysbys (1225). **B** Gwilym Ddu (1225–8). **B // Ch** anhysbys (1229–30). **B //** Gr ap Maredudd (1230–1). **Ch** Casnodyn (1233–40). **B**
29[12]	xxx	Ff	310–21 (1241–88)	323–34	eto (1241–8). **B //** Bleddyn Ddu (1249–53). **B //** Gr ap Dd ap Tudur (1253–5). **B** Dd Bach fab Madog (1255–6). **B** Gr ap Lln Lwyd (1257). **B** Sefnyn (1259–63). **B** Gr fab Dd (1264–6). **B //** Madog Dwygraig (1267–80). **B //** Rhisierdyn (1281–4). **B** Bleddyn Ddu (1284–5). **B** Iorwerth ab y Cyriog (1285–7). **B** Rhisierdyn (1287–8). **B**
30[12]	xxxi	Gg	322–33 (1289–336)	335–46	eto (1289–91). **B** Iolo Goch (1291–2). **B** Gr Fychan (1292–6). **B** Gr Gryg (1297). **B** Gr Fychan (1298–1300). **B** Lln Goch (1301–3). **B** Dd y Coed (1303–5). **B //** Lln Goch (1306–10)*. **B** Madog Dwygraig (1310–11)*. **B //** Y Proll (1311)*. **D** Gr ap Maredudd (1313–14). **Ch** Gr ap Maredudd (1315–29). **B //** Gr ap Maredudd, Dd y Coed (1329–34). **Ch, C** Gr ap Maredudd (1335–6). **B //**

6

Plyg	Arwyddion	Ff. (col.)	JP	Testun, llaw
31¹² heb 6, 7, 11, 12	Hh	334–41 (1337–65)	347–56	Hywel Ystorm, Cynwrig (1337–48). **B** Prydydd Breuan (1349). **B** // Gronw Gyriog, Mab Clochyddyn (1349–52). **Ch** Lln Ddu, Prydydd Breuan (1353–6). **B** Trahaearn (1357). **B** Rhys ap Dd (1357–8). **B** Tudur ap Gwyn Hagr, Tudur Ddall (1358). **B** // Iocyn Ddu (1358–59). **C** Madog Dwygraig (1359). **C** Dd y Coed (1359–61). **C** Y Mab Cryg, (1362–3). **B** Yr Ustus Llwyd (1363–5). **B** // **E**
32¹² heb 1, 5, 6	Ii	342–50 (1366–98)	358–68	*O saith weddi*, etc (1366–9). **B** Iolo Goch (1369–70). **B** // Meurig ap Iorwerth (1373–4)*. **B** // Dd y Coed (1375–9)*. **C** // Dd Benfras, Llygad Gŵr, Lln Fardd, Cynddelw (1381–98). **C**
33¹² heb 5, 6 (neu 8) a 7	Kk	351–59 (1399–430)	369–77	eto (1399–1401). **C** Daniel ap Llosgwrn Mew, Einion Wan (1401–7). **C** // Madog Dwygraig, Iolo Goch (1407–8). **Dd** Lewys Glyn Cothi (1409–12) *Autograph* Ieuan Llwyd (1415–16)*. **Ch** // Gr ab yr Ynad Coch (1417–18). **Ch** // Prydydd y Moch, Cynddelw (1419–30). **C**
34 tair dalen	Ll	360–62 (1431–42)	378–80	eto (1431–2). **C** *Hirlas Owain* (1432–5). **C** Cynddelw, Prydydd y Moch (1436–42). **C**

O ran y plygiant yn gyffredinol, plygion o ddeuddeg yw'r arfer. Nid oes ond pedwar eithriad: plyg 1, cyn i Law A benderfynu ar ei norm; plygion 14 a 21, ill dau yn afreolaidd, a 24 a drefnwyd ar gyfer un testun ychwanegol penodol. Rhaid rhybuddio nad yw cymaliad presennol y dail (yn tarddu o ailrwymiad 1851) yn cynrychioli bob tro y gwneuthuriad gwreiddiol. Oherwydd torri dail allan o'r llyfr, a thraul o bosibl, yr oedd nifer o'r dail yn rhai sengl, heb fod yn gysylltiedig mwyach â'u cymheiriaid gwreiddiol. Cysylltwyd yn barau wrth stribynnau lliain yn 1851 ddail nad oeddent wedi bod yn gysylltiedig o'r blaen; ni fanylir ar hyn yn y nodiadau. Gwelir yn y nodiadau gyfeiriadau at dorri allan ddail gwynion: eglurir hyn isod (tt. 10–11). Fe ddilyn nodiadau ar rai plygion unigol.

Plyg 1. Hwn yw'r unig un yn y llyfr y gallwn fod yn sicr mai plyg o ddeg dalen ydoedd o'r cychwyn. Tebyg fod Llaw A wedi meddwl gwneud ei lyfr o blygion o ddeg ac yna, cyn cyrraedd canol yr ail blyg, wedi penderfynu y byddai plygion o ddeuddeg yn taro'n well ar gyfer llyfr mor fawr. Adlewyrchir ansicrwydd Llaw A ar ddechrau ei orchwyl mawr hefyd gan afreoleidd-dra nifer y llinellau yn ei golofnau sy'n amrywio o 53 i 55 (gw. isod t. 12).

Plyg 3. Mae patrwm y llyfr yn awgrymu mai plyg o ddeuddeg oedd hwn, a'r ddau biffoliwm yn y canol yn eisiau. Mae'r bwlch yn nhestun 'Dares' yn cadarnhau mai pedair dalen sydd wedi mynd ar goll. Collwyd y dail hyn wedi i Syr Siôn Prys eu rhifo.

Plyg 11. Collwyd dalen gyntaf y plyg, un a oedd yn cynnwys testun, wedi i Syr Siôn Prys ei rhifo. Yn y rhwymiad presennol fe gesglir f. 125, dalen sengl, â phlyg 12.

Plyg 13. O'r ddwy ddalen goll, y tebyg yw bod yr ail yn y plyg (yn dilyn f. 138) yn un wen, a bod hanner arall y biffoliwm, y ddalen oedd yn dilyn f. 146, wedi'i cholli oherwydd torri allan ei chymar. Gellir tybied bod testun ar hon: golyga hyn fod dau dudalen o destun yng nghanol y Trioedd yn eisiau, rhwng f. 146 a f. 147 (ni ellir barnu wrth y testun ei hun gan fod un o'r Trioedd yn gorffen ar waelod f. 146^v ac un arall yn dechrau ar f. 147).

Plyg 14. Dyma un o'r plygion afreolaidd. Dail canol y plyg, dau biffoliwm, yw ff. 149–53. Dail sengl bellach yw pob un o'r rhai eraill. Mae'r testun ar y tudalen cyntaf, f. 148, yn parhau o'r cipair ar ddiwedd plyg 13. Mae'r testun yn rhedeg yn ddi-dor o f. 149 hyd f. 157. Rhaid cymryd felly mai plyg o bedair ar ddeg o ddail ydoedd a bod pedair dalen wedi'u colli ar ôl f. 148, rhai gwynion, mae'n debyg, a thair ohonynt cyn i Syr Siôn Prys wneud ei ddaleniad.

Plyg 15. Un rheolaidd. Ond dylid sylwi ar f. 169^v, lle gadawyd yr ail golofn yn wag gan yr ysgrifwr, Hywel Fychan, gan osod ei gipair ar waelod y golofn gyntaf a pharhau yn y plyg nesaf. Y rheswm am hyn oedd ansawdd gwael memrwn y ddalen hon: sylwodd Hywel Fychan yn rhan isaf y golofn gyntaf nad oedd yr inc yn gorwedd yn dda ar wyneb y memrwn.

Plyg 21. Un arall o'r plygion afreolaidd. Pan ddechreuodd Hywel Fychan ysgrifennu f. 236 fe wnaeth blyg o bedair ar ddeg yn anorfod. Anodd esbonio pam. Anodd hefyd esbonio pam y parhaodd ef destun f. 238^v ar ddalen nad oedd yn perthyn i'r plyg o gwbl: mae ff. 240–1 yn biffoliwm ychwanegol. Pwythwyd ef i mewn i'r plyg o bedair ar ddeg yn ychwanegiad (yn y lle anghywir, ar ôl f. 239 yn lle ar ôl f. 238).

Plyg 22. Collwyd dwy ddalen, y naill ar ôl f. 253, cyn y daleniad, a'r llall ar ôl f. 254, wedi'r daleniad, y ddwy, mae'n debyg, yn wynion.

Plyg 23. Collwyd pedair dalen olaf y plyg, ar ôl f. 263, un ohonynt cyn y daleniad. Tebyg eu bod i gyd yn wyn.

Plyg 24. Plyg afreolaidd o wyth dalen. Unig gynnwys y plyg yw diarhebion. Ymddengys mai rhyw destun ychwanegol oedd hwn, un nad oedd ar gael wrth drefnu cynllun y llyfr, a bod darpariaeth arbennig ar ei gyfer. Collwyd y ddalen olaf, un wen, mae'n debyg.

Plyg 25. Collwyd y pedair dalen olaf, un ohonynt cyn y dalennu, yr un fath ag ym mhlyg 23, ac am yr un rheswm, mae'n debyg, sef am eu bod yn wynion.

Plyg 27. Un rheolaidd. Ond gallwn sylwi ar Hywel Fychan ar waelod ail golofn f. 302^v (col. 1212) yn cywasgu ei destun er mwyn ei orffen ac yn osgoi gorfod cario pwt o destun i ddechrau'r plyg nesaf.

Plyg 28. Mae pump o ddail yn eisiau ar ôl f. 305, un ohonynt wedi mynd cyn y daleniad, rhai ohonynt yn debyg o fod yn wyn ond un o leiaf, sef honno oedd o flaen f. 306, yn dwyn testun. Ar frig colofn gyntaf f. 307 (col. 1229) sylwer ar y bwlch o saith llinell. Nid bwlch ydyw mewn gwirionedd ond saith llinell o destun wedi eu dileu trwy grafu'r wyneb. Erys yn rhannol ddarllenadwy.

Plyg 31. Collwyd pedair o ddail, dwy ar ôl f. 338 a dwy ar ddiwedd y plyg, ar ôl f. 341. Tebyg mai gwynion oedd y ddwy olaf ond y mae lle i feddwl bod testun ar y gyntaf, os nad yr ail hefyd, a oedd yn dilyn f. 338. Caiff y darllenydd farnu a yw awdl ddychan Prydydd Breuan ar f. 338^v (col. 1356) yn ddiffygiol. Ymddengys i mi ei bod.

Plyg 32. Mae'r holl ddalennau yn y plyg sydd wedi'u torri bellach yn rhai sengl ond y mae rhediad y testun o f. 345 hyd f. 350 yn dangos eu bod yn ffurfio ail ran y plyg. Rhaid felly mai'r tair dalen a gollwyd yw'r gyntaf, cyn f. 342 (un a gollwyd ar ôl y dalennu ond cyn ysgrifennu'r ail gyfres o blygion), a dwy ar ôl f. 344. Mae lle i feddwl bod y ddwy olaf yn wyn. Am y gyntaf, gellid disgwyl y byddai dalen gyntaf y plyg yn cynnwys testun. Os ydoedd, nid oedd yn barhad o'r plyg blaenorol; ar y llaw arall, fe ymddengys fod agoriad y gerdd sydd ar ail ddalen y plyg yn ddiffygiol.

Plyg 33. Collwyd tair dalen rhwng ff. 354 a 356, y tair ohonynt cyn y daleniad. Nid yw'r testun o gymorth i bennu pa rai yn union. Rhaid bod f. 355 naill ai'n chweched neu'n wythfed yn y plyg, a bod naill ai un ar goll o'i blaen a dwy ar ei hôl, neu fel arall. Yn y rhwymiad presennol y mae un ddalen wen heb ei rhifo yn dilyn f. 355, dalen a ddarparwyd gan rwymwyr 1851.

Plyg 34. Cynnwys y plyg ff. 360–2, tair dalen yn unig. O ran testun, y maent yn dilyn plyg 33, ac yn dilyn ei gilydd. Tair dalen gyntaf y plyg, felly. Eu rhifau yn ôl daleniad Syr Siôn Prys yw 378–80. Y tebyg yw mai plyg arall o ddeuddeg ydoedd yn wreiddiol. Mae cofnod fod 382 o ddail yn y Llyfr Coch tua'r flwyddyn 1600 (gw. isod t. 26). Hwyrach fod saith o ddail eisoes wedi mynd.

Bylchau a cholledion

Crynhoir yma rywbeth am y dail a gollwyd yn y Llyfr Coch. A bwrw bod y plyg olaf yn y llyfr yn un o ddeuddeg, yr oedd y Llyfr Coch yn cynnwys yn wreiddiol o leiaf 408 o ddail (geill fod plygion cyfain wedi eu colli ar ben hynny). Os 408 o ddail, fe gollwyd 46. O'r 46, gwyddom fod rhai o'r dail coll yn dwyn testun, ond prin ydynt:

Plyg 3: pedair dalen o 'Frut y Brenhinedd'
Plyg 11: un ddalen o 'Gân Rolant'
Plyg 13: un ddalen o destun Trioedd (yn debygol)
Plyg 28: un ddalen, mwy nag un o bosibl, o farddoniaeth cyn col. 1225
Plyg 31: un ddalen o farddoniaeth ar ôl col. 1356 (yn debygol), efallai dwy
Plyg 32: un ddalen o farddoniaeth (yn debygol) cyn col. 1366
Plyg 34: nifer amhenodol o ddail ar ôl col. 1442, barddoniaeth

A gosod o'r neilltu blyg 34 a'i golledion ansicr, naw dalen yn cynnwys testun – efallai ychydig yn fwy – sydd wedi eu colli. Dail gwynion, yn ôl pob tebyg, oedd gweddill y 46. Dyma'r rhesymau dros dderbyn hyn. Nid oes yn y Llyfr Coch heddiw yr un ddalen sy'n hollol wyn er bod llawer un â'r rhan fwyaf ohoni'n wyn, lle'r oedd Hywel Fychan wedi gadael gweddill y ddalen yn wag ar ddiwedd testun. Yna, mae pob achos o golli dail (ar wahân i'r rheini lle bo colli testun) yn dilyn dalen sydd â'i diwedd yn wyn: weithiau ychydig o linellau, weithiau rhan o golofn, weithiau mwy nag un golofn, weithiau mwy nag un tudalen. Dyma'r plygion lle digwydd y bylchau hyn, a nifer y dail coll:

Plyg 13, yn dilyn f. 138, un ddalen
Plyg 14, yn dilyn f. 148, pedair dalen
Plyg 22, yn dilyn f. 253 a f. 254, un ddalen bob tro
Plyg 23, yn dilyn f. 263, un ddalen
Plyg 24, yn dilyn f. 270, un ddalen
Plyg 25, yn dilyn f. 278, pedair dalen
Plyg 28, yn dilyn f. 305, pum dalen (ond yr un cyn f. 306 â thestun)
Plyg 31, yn dilyn f. 338, un ddalen efallai'n wyn, ar ôl un ddalen goll â thestun, ac, yn dilyn f. 340, dwy
Plyg 32, yn dilyn f. 341, un ddalen efallai'n wyn ac, yn dilyn f. 344, dwy
Plyg 33, yn dilyn f. 354 a f. 355, tair dalen i gyd

Mae'r dystiolaeth felly'n awgrymu mai dail gwynion a dorrwyd allan yn y plygion hyn i gyd. Ategir y dyb gan y ffaith nad dail gwynion yn unig a dorrwyd allan yn y modd hwn ond hanner-dail hefyd. Lle nad oedd ond un golofn neu ychydig dros un golofn wedi'i hysgrifennu ar *recto* y ddalen, a'r gweddill yn wyn, fe dorrwyd allan ran allanol y ddalen neu gymaint ohoni ag yr oedd modd: gwelir hyn yn ff. 263, 340, 343 a 355. Aeth yr angen am femrwn yn eithafol yn achos f. 132: torrwyd stribyn allanol y ddalen hon er bod arni bedair colofn o destun.

Nid un pechadur yn unig, un mawr ei angen am femrwn glân, a oedd yn gyfrifol am y colledion hyn. Mae daleniad Syr Siôn Prys yn dyst fod rhai dail wedi mynd cyn ei amser ef ac eraill ar ei ôl. Dichon fod gweithredoedd neu ddogfennau eraill ar glawr heddiw â'u memrwn yn femrwn o'r Llyfr Coch.

Yr ysgrifwyr: gwaith paratoadol

Byddai lle mewn disgrifiad ffurfiol llawn i fwy o fanylder nag a gynigir yma. Mae'r Llyfr Coch yn haeddu un. A'r llyfr mor anferth, astudiaeth faith fyddai'i hangen at hynny. Yr hyn sy'n dilyn yn y paragraffau nesaf yw ychydig sylwadau ar brif nodweddion dulliau'r ysgrifwyr.

Plygion. Dechreuir y llyfr gan Law A â phlyg o ddeg. Erbyn cyrraedd yr ail blyg yr oedd y penderfyniad wedi'i wneud mai plygion o ddeuddeg oedd yn gweddu. Plygion o ddeuddeg sydd gan Law A yn gyson o hyn allan, a chan Hywel Fychan yntau, ar wahân i ddau blyg afreolaidd o bedair ar ddeg ac (i gyd-fynd â hyd testun ychwanegol) un o wyth. Mae'r plyg o ddeg ar y dechrau yn adlewyrchu elfen o ansicrwydd, o arbrofi, wrth gychwyn ar y gorchwyl.

Rhiwlio, colofnau a nifer y llinellau. Yr arfer trwy'r llyfr yw pigo yn ymylon allanol y dail a rhiwlio ar gyfer colofnau a llinellau. Dwy golofn i'r tudalen sydd trwy'r llyfr. Mae mesuriadau'r gofod ysgrifenedig yn bur gyson, yn amrywio rhwng tua 295 × 175 mm a thua 280 × 170 mm (maint y ddalen yw tua 345 × 200 mm). Ond fel yn achos y plygion, gwelir eto yr elfen arbrofol a fodolai ar ddechrau'r gwaith. Yn ei blyg cyntaf y mae Llaw A yn amrywio o 55 i 53 o linellau i'r golofn. Erbyn plyg 2 yr oedd wedi sefydlu ei safon: 46 llinell a geir ganddo'n rheolaidd o hynny allan. Yr unig eithriad i hyn yw'r golofn gyntaf ar f. 12 (col. 45) lle'r ysgrifennodd 62 o linellau, gan ddychwelyd at ei safon yn y golofn ganlynol: rhyw arbrawf neu arddangosiad heb esboniad amlwg.

Nid oedd Hywel Fychan mor rheolaidd â Llaw A yn ei lawysgrifen nac yn ei arferion. Wrth ddilyn Llaw A fe lynodd i gychwyn wrth y 46 llinell i'r golofn, ond yn fuan fe'i cawn ym mhlyg 13 yn dechrau amrywio (43 a 44 llinell) ond yna'n dychwelyd at y norm hyd blyg 19. Ym mhlyg 19 digwyddodd rhywbeth rhyfedd, gan ddangos nad oedd anghysonder yn poeni Hywel. Yr oedd tri biffoliwm allanol y plyg wedi cael eu rhiwlio ar gyfer 35 llinell yn unig a'r tri mewnol ar gyfer 43. Parchodd Hywel y rhiwliadau hyn. Y canlyniad yw golwg tra gwahanol i'r chwe thudalen cyntaf ac olaf yn y plyg. Yr esboniad ar hyn, mae'n rhaid, yw bod y tri biffoliwm allanol wedi cael eu rhiwlio yn wreiddiol ar gyfer llyfr arall. Ar gyfer y plygion sy'n cynnwys y farddoniaeth, 41 o linellau i'r golofn sydd gan Hywel fel rheol, gan amrywio o 40 i 44. Er bod maint ei ysgrifen yn amrywio, nid oherwydd newid nifer y llinellau y mae hyn.

Yr ysgrifwyr: ysgrifen

Dangosodd Gifford Charles-Edwards mai gwaith tair prif law oedd y Llyfr Coch (a rhestru'r llawysgrifau eraill a ysgrifennwyd gan ddwy ohonynt, Hywel Fychan a Llaw C). Darparodd hi daflen werthfawr yn dadansoddi cyfraniadau'r holl lawiau i'r llyfr. Yr wyf wedi derbyn y terfynau a ddiffinnir ganddi rhwng y llawiau. Ond awgrymaf ynysu un llaw newydd (sef **E** yn y daflen) ar f. 341^v (col. 1364, ll. 31–col. 1365 diwedd). Ac ar ôl petruso, dof i'r casgliad mai'r un llaw yw'r rhai a restrir ganddi fel 'Pen 32' a 'Type Pen 32' (sef **C** a **Ch** yn y daflen); a gwelaf yn ddwy law annibynnol, y naill yn ychwanegu un gerdd a'r llall ddwy, y rhai a restrir ganddi fel 'Type Hand I', sef col. 1311 a col. 1407–8 (sef **D** a **Dd** yn y daflen). Gwelaf y chwe llaw hyn yn gyfoes (gan anghytuno â sylw RMWL, II, 20, am law **D**, 'about 1475–1500'). Gwelir enghreifftiau o bob llaw ym mhlatiau 1–4.

Anodd gwahaniaethu rhwng Llaw A a Hywel Fychan pan fo Hywel yn ysgrifennu ar ei fwyaf ffurfiol, yn unionsyth a chyson, er enghraifft ar ff. 121^v–5; ac anodd weithiau yw gweld yn un y ddwy law a ddefnyddir gan Hywel Fychan, y ffurfiol a'r fân; felly hefyd mewn perthynas â llaw C. Mae Gifford Charles-Edwards wedi nodi llythrennau i sylwi arnynt wrth wahaniaethu; o'r rhain, *g*, *w* ac *y*, yn arbennig, sy'n haeddu craffu arnynt, ac at y rhain ychwanegwn *d* (yn grwn gan amlaf gan Hywel ond gan Law A a Llaw C yn tueddu i fod â rhyw grwbi ar ei chefn), ac *s* derfynol. Mae gan Hywel gymesuredd mwy cul. Ar ben esgynyddion y mae gan Law C ffurf drionglog, ffurf cŷn, yn hytrach na'r fforch sydd yn nodweddiadol o Law A a Hywel.

Yr oedd Llaw A a Hywel ill dau yn gartrefol yn Lladin (er enghraifft Llaw A ar ff. 120 a 121ᵛ a Hywel ar ff. 236ᵛ–7ᵛ). Dim ond yma a thraw ac ar gyfer Lladin yn unig y defnyddient eu hysgrifen fwyaf ffurfiol (*textura formata*, llaw destun arddangos, 'display'), gan Law A ar ff. 89ᵛ (gw. Ffigur 1) a 120, gan Hywel ar f. 142ᵛ (*Amen*). Nodwedd yr ysgrifen hon yw'r traed a roddir ar waelodion minimau. Diddorol yw sylwi ar olwg wahanol y testun Lladin: er nad oes newid yng ngraddfa'r ysgrifen, ymddengys gwead y testun yn wahanol oherwydd prinder cymharol esgynyddion a disgynyddion yn y Lladin o'i chymharu â'r Gymraeg. Agwedd arall ar hyfforddiant Lladinaidd y ddau yw'r modd y defnyddir fformiwlâu megis *ut supra*, *ut prius*, *idem Gruffud*: fformiwlâu nad oedd eu ffurfiau Cymraeg yn dod mor rhwydd. Cafwyd achlysur i Hywel Fychan ysgrifennu ei law destun fân, ond nid i Law A. Naill ai oherwydd fod y tudalen nesaf eisoes yn dwyn testun neu oherwydd dewis peidio â chario drosodd bwt o ddiwedd testun, cawn Hywel yn cywasgu, ac yn defnyddio ysgrifen fân. Digwydd hyn ar ddiwedd 'Meddygon Myddfai' (f. 238ᵛ), ar f. 302ᵛ (diwedd plyg), ar f. 308 ac ar frig col. 1234, lle y cawliodd, gan orfod dileu saith llinell a chywasgu'n ddirfawr gan anwybyddu'r rhiwliad er mwyn ffitio'i destun. Ar f. 324 y rheswm am orfod cywasgu testun ar waelod y ddalen oedd, mae'n debyg, bod y testun ar y tudalen nesaf eisoes yno. Gwelwn Law C yn gwneud yr un fath ar waelod *recto* f. 333, gan brofi bod Hywel eisoes wedi llenwi'r *verso*.

Llaw ddisgybledig a chyson yw A. Yr oedd y gallu i'w hefelychu gan Hywel Fychan – ac mewn llawysgrifau eraill o'i waith, megis Pen 11 a Llanstephan 27, y mae Hywel yn batrwm o gysonder – ond yn y Llyfr Coch y mae fel petai cyffro anferthwch y daith ansiartiedig o'i flaen yn mynd yn drech na'i ddisgyblaeth arferol (cymharer ei law yn Ffigurau 1 a 3a). Ni allaf ddisgrifio'i law yn well nag y gwna Gifford Charles-Edwards:

> capable of great variation – all opening passages, rubrics and important listings are executed with careful display, his Latin is always prim, and his Welsh is sometimes executed with such careless brio that one does not recognise him instantly. He allows himself to be bored, witness the degeneration of his hand as he rushes through some long drawn out passage that does not interest him.[8]

Gellir ychwanegu bod diofalwch testunol yn cyd-fynd â'r dirywiad yn ei law pan fo ar garlam. Amlygrwydd y bersonoliaeth y tu ôl i'r llaw sy'n

Benedicamus domino. Deo gracia

Ffigur 1 Coleg Iesu, Llsg.111, f. 89ᵛ: col. 1 a chol. 2, ll. 1–8, llaw **A**, ll. 9–25, llaw **B**

Ffigur 2 Coleg Iesu, Llsg.111, f. 332^r: col. 1, ll. 1–14, llaw **B**, ll. 15–25, llaw **Ch**; col. 2, ll. 1–13, llaw **C**, ll. 14–27, llaw **Ch**

Ffigur 3a Coleg Iesu, Llsg.111, f. 327^v: ll. 1–3, llaw B, ll. 4–12, llaw D

Ffigur 3b Coleg Iesu, Llsg.111, f. 341^v: col. 1, ll. 1–3, llaw B, ll. 3–11 a chol. 2, llaw E

Ffigur 4 Coleg Iesu, Llsg.111, f. 353ʳ: col. 1, ll. 1–5, llaw C, ll. 6–25 a chol. 2, llaw Dd gwneud Hywel Fychan mor ddiddorol. Llawn haedda astudiaeth fanwl fel golygydd llawer o destunau Cymraeg pwysicaf yr Oesoedd Canol, a byddai'n rhaid cynnwys astudiaeth o'i lawysgrifen amrywiol a'i orgraff, gan gofio sylw Peter Wynn Thomas am y modd y gallai Hywel atgynhyrchu'n ffyddlon orgraff amrywiol gynseiliau.[9] Byddai astudiaeth o'r fath yn arwain yn anorfod at astudiaeth o'i ffynonellau.

Fel yn achos Hywel Fychan, nid yw'n amlwg yn achos Llaw C mai un llaw piau'r ysgrifen ffurfiol a'r ysgrifen fân (gw. Ffigurau 2 a 4). Mae'r amrywio ym maint ysgrifen Llaw C rhwng ei destun a rhai o'i benawdau coch yn gymorth wrth adnabod y llaw, gw. ar ff. 339^v–40 (col. 1359–61), 345^v (col. 1377) a ff. 355 a 356^v (col. 1415–18).

Yr ysgrifwyr: cywiro

Ffordd amlwg o gadarnhau cydweithredu rhwng nifer o ysgrifwyr yw medru dangos y naill yn cywiro gwaith y llall. Nid yw'r dystiolaeth yn y Llyfr Coch yn eglur. Un rheswm am hyn yw bod arddull Llaw A ac eiddo Hywel Fychan mor debyg i'w gilydd pan fo Hywel Fychan yn ysgrifennu'n ffurfiol ofalus. O graffu'n frysiog ar eu gwaith, anodd canfod enghraifft debygol o Law A yn cywiro gwaith Hywel Fychan; o'r ochr arall, ar lawer tudalen yn nhestun Llaw A y mae llaw sy'n ymdebygu i eiddo Hywel yn gwneud mân gywiriadau a gwelliannau: gweler, er enghraifft, ff. 22^v, 29, 40. Ac eto, anodd bod yn sicr, a'r ddwy law yn gallu bod mor debyg i'w gilydd. Ni fyddai gweld Hywel Fychan yn cywiro Llaw A ond yn cyd-fynd â'r hyn yr ydym yn ei ddyfalu am ran Hywel fel golygydd yng ngwneuthuriad y llyfr.

Dilyn Hywel Fychan a wnaeth Llaw C; nid oes sicrwydd i gyfnodau gweithgarwch y ddau orgyffwrdd. Parhau gwaith Hywel oedd gorchwyl Llaw C. Ar dri thudalen, ff. 325^v, 334^v a 338, gwellodd Llaw C destun Hywel, gan ysgrifennu cywiriadau ac ychwanegu llinellau (dangosir hwy mewn print mân yn RBP, col. 1303–4, 1339–40, 1353–4).

Addurno

Yn gyfarwyddyd i'r rhuddellydd, gadawodd pob un o'r ysgrifwyr mewn ysgrifen fân lythrennau mân (ar gyfer priflythrennau mawr) neu eiriau (ar gyfer teitlau a phenawdau). Serch hynny, fe ymddengys mai'r ysgrifwr fel arfer a ruddellodd ei waith ei hun. Eithriad yw plyg 14, un sydd â gwaith Llaw A ynddo ond a gafodd ei gwblhau gan Hywel Fychan; Hywel Fychan a ruddellodd y plyg i gyd.

Mae'r tri phrif ysgrifwr yn darparu priflythrennau mawr, dwy linell neu fwy o uchder, ar ddechrau testun neu bennod neu gerdd. Dwy linell sy'n arferol, tair neu bedair ar gyfer dechrau testun rhyddiaith, ond ni ellir canfod system hierarchaidd ffurfiol ar waith. Llythyren saith-llinell sydd gan Law A ar dudalen cyntaf y llyfr. Ceir gan Law A a chan Hywel Fychan ryw ymgais at addurniad gwaith pin ar rai o'r priflythrennau mawr coch (o'r math y byddid yn ei ddisgwyl gan weithdy proffesiynol yn y cyfnod hwn): ond er bod llawysgrifen y ddau yn adlewyrchu hyfforddiant da, trwsgl yw eu gwaith addurno llythrennau.

Fel ysgrifwyr ac nid fel addurnwyr yr oedd y ddwy brif law wedi'u hyfforddi. Ond yr oedd yn Llaw A, ac yn Hywel Fychan yn arbennig, ryw awydd i addurno, a'r arddull yn hynod debyg gan y ddau: yr oedd y naill ysgrifwr wedi efelychu'r llall, neu'r ddau wedi efelychu athro cyffredin. Gwelir y duedd hon i addurno mewn dau le: yn esgynyddion llythrennau yn llinell uchaf y tudalen ac yng ngwaelod y tudalen o gwmpas cipeiriau neu eiriau sydd wedi rhedeg ymlaen o dan y llinell isaf. Yn y llinell uchaf, defnyddir yr esgynnydd i gynnal lluniau wynebau, pysgod ac adar – lluniau wedi'u tynnu mewn inc, a choch wedi'i ychwanegu. Mae'r ffurfiau'n dra unffurf, yn amlwg ddilyn hen arfer.[10] Anodd gwahaniaethu rhwng gwaith y naill a'r llall: gwelir aeliau ar rai o wynebau Hywel ond nid gan Law A; defnyddient eu coch ychydig yn wahanol. Fe ddigwydd yr addurno hwn trwy gydol testunau Llaw A ac yn y rhan fwyaf o destunau rhyddiaith yn llaw Hywel Fychan, ond ar wahân i un enghraifft ar f. 281, ni ddigwydd ganddo ar ôl f. 248[v]. Ni ddigwydd o gwbl yn y farddoniaeth; yr oedd fel petai ei ffocws erbyn hyn ar y testun yn llwyr.

Yng ngwaelod y tudalen ceir lluniau anifeiliaid mewn inc gan y ddau ysgrifwr, yn betrus gan Law A, yn hyderus gan Hywel Fychan. Ond gan Hywel fe geir hefyd, yn y rhyddiaith, luniau wedi'u hychwanegu wrth ruddellu, mewn coch, lluniau dyfeisgar o ddreigiau a bwystfilod.[11]

Peth arferol oedd gosod rhyw fath o batrwm yn addurn i lanw llinell ar ddiwedd paragraff, mewn lliw os oedd modd. Nid oes dim byd uchelgeisiol gan dair prif law y Llyfr Coch. Ond gan ei fod yn un agwedd ar eu gwaith lle mae modd sylwi ar wahaniaeth syml, cystal fydd ei grybwyll: gan y tair fe geir patrymau tonnog, yn goch, ond gan Hywel Fychan yn unig y ceir hefyd yn aml batrymau cadwynog coch.

Coch yw'r unig liw addurn a ddefnyddir yn y rhan fwyaf o'r llyfr. Ond am ryw gyfnod yn ystod gwneuthuriad y llyfr yr oedd lliw glas wrth law neu, yn hytrach, rhyw wyrddlas. Yr oedd hyn wedi i waith Llaw A ddod i ben a chyn i law C ymddangos. Hywel Fychan yn unig a ddefnyddiodd y glas. Tra oedd y glas ganddo, fe'i defnyddiai ar gyfer priflythrennau, yn null safonol yr oes, am yn ail â'r coch (a chan fywiogi'r tudalen yn fawr). Dechreuodd ddefnyddio glas yng nghanol testun 'Meddygon Myddfai' ym mhlyg 21 (ff. 234–8); digwydd glas unwaith, ar f. 248, ym mhlyg 22; yna fe'i defnyddir trwy gydol plygion 23 a 24, nid o gwbl ym mhlyg 25, trwy gydol plyg 26 a hyd ddiwedd y canu crefyddol ym mhlyg 27, trwy blyg 28 ac ym mhlyg 29 hyd f. 313ᵛ. Yna fe ddaw eto ym mhlyg 31. Rhydd hyn rywfaint o sail dros ddyfalu bod plyg 25 (sydd yn un o'r ychydig o rai hunan-gynhaliol) yn un a ysgrifennwyd yn ddiweddarach na rhai o'r plygion sy'n ei ddilyn, os nad yn gynharach na rhai o'r plygion sy'n ei ragflaenu. Felly hefyd, gellir dyfalu bod ail ran plyg 29 a phlyg 30 i gyd yn ddiweddarach na phlyg 31 o ran eu hysgrifennu.

Yr unig ruddellu a gawn gan Law C yw priflythrennau a theitlau a phenawdau, a'i addurn llanw-llinell. Droeon, lle bo'n ychwanegu cerddi mewn gofod gwyn, ni ddychwelodd gyda'r coch i gwblhau ei waith (er enghraifft ff. 254ʳ⁻ᵛ, 328). Nid yw Llaw C, yn y Llyfr Coch, yn addurno esgynyddion y llinell uchaf na chipeiriau na rhediadau-ymlaen ar waelod y tudalen, ond gwelir enghreifftiau ganddo yn Pen 32, llyfr arall o'i waith, ac yntau'n brif law a'i feddwl mwy ar y cyflwyniad.[12]

Cydweithio

Soniwyd am y dystiolaeth sy'n dangos gwaith arbrofi Llaw A yn y plyg cyntaf wrth ddechrau ysgrifennu'r llyfr. Ond, yn fuan, canfu i ba gyfeiriad yr oedd yn rhaid mynd, a pharhaodd yn ddiwyro hyd ddiwedd 'De Carolo Magno' ym mhlyg 11. Ni chyfrannodd ddim arall ar wahân i'r estyniad i chwedl Siarlymaen, y 'Pererindod', ym mhlyg 14. Cwestiwn nad oes modd ei ateb yn bendant yw ai un yn rhagflaenu Hywel Fychan oedd Llaw A, un a oedd wedi cwblhau ei holl gyfraniad cyn dyfodiad Hywel, ynteu a oedd y ddau yn gweithio ochr yn ochr, ar yr un pryd? Mae dau bwynt yn gofyn sylw.

Ym mhlyg 1, mae rhan olaf testun 'Dares' (f. 8, col. 29–30) yn llaw Hywel. Yr esboniad ar hyn, mae'n rhaid, yw bod cynsail Llaw A yn ddiffygiol yn ei diwedd. Gadawodd fwlch. Erbyn i Hywel gael hyd i gopi cyflawn a chwblhau'r testun yr oedd Llaw A wedi rhuddellu ei destun ei hun; ni chafodd ychwanegiad Hywel byth mo'i ruddellu. Nid oes yma le i gasglu bod y ddau yn gweithio ochr yn ochr.

Mwy cymhleth yw'r cwestiynau sy'n codi o blyg 14, plyg afreolaidd. Mae testun 'Pererindod Siarlymaen' gan Law A, ar ff. 149–54, yn dechrau ar yr ail ddalen o ganol y plyg ac yn rhedeg i'r bedwaredd ar ôl y canol. Cymerir bod y pedair dalen cyn f. 149, sydd wedi eu torri allan, yn rhai gwynion (uchod, t. 11). Yr unig ddalen yn y plyg o flaen f. 149 yw f. 148 sydd â diwedd 'Enweu Ynys Prydein' ar ei *recto* yn llaw Hywel. Fe ellir dadlau (nid oes rhaid) fod Llaw A wedi dechrau tua chanol y plyg gan adael dail gwynion yn nechrau'r plyg ar gyfer testun yr oedd ef ei hun yn rhag-weld ei ychwanegu. Ond haws efallai yw cymryd bod y ddau yn cydweithio'n agos a'r naill yn gwybod am waith y llall.

Petai'r ddau yn gweithio ochr yn ochr o'r dechrau, gellid disgwyl y byddai Hywel yn dechrau ysgrifennu rhai o'i destunau hirion ar yr un pryd. Ond nid ymddengys mai fel hyn y bu. Yr unig destunau rhyddiaith yn llaw Hywel sy'n dechrau gyda dechreuad plyg yw Walter de Henley (plyg 12), y diarhebion (plyg 24), 'Amlyn ac Amig' (plyg 25) a'r Gramadeg (plyg 26). Edrych y tri olaf fel testunau a ychwanegwyd at y llyfr yn hwyr. Am y cyntaf, testun cymharol ddi-nod ydyw. Awgryma hyn oll fod deunydd Llaw A ym meddiant Hywel cyn iddo ddechrau o ddifrif ar ei ran ef.

A bwrw bod y ddau ysgrifwr yn cydweithio mewn rhyw fodd, mae lle i ddyfalu ychydig ynghylch rôl y ddwy law. Naturiol fyddai i Hopcyn ap Tomas gydnabod cryfder Llaw A, ei gysonder diflino, ac ymddiried iddo'r gwaith o ysgrifennu'r testunau meithion: 'Dares' a'r 'Brutiau' a chwedlau Siarlymaen. Gellid dyfalu i Law A gael comisiwn penodol i gyflawni hyn o gopïo, a bod gweddill y gwaith, a chyfrifoldeb cyffredinol, yn cael eu hymddiried i Hywel, gan gynnwys hel a chopïo'r testunau rhyddiaith llai safonol (a mwy diddorol) a'r holl farddoniaeth. Hywel, os nad Hopcyn ei hun, oedd yr ysbryd creadigol a phensaer y llyfr.

Er mor fawr ei orchest yn hel testunau ac fel golygydd, nid oedd Hywel yn feistr ar gyfundrefnu, ar *ordinatio*, y grefft o wneud trefn a dosbarthiad cyfansoddiad llyfr yn weledol amlwg. Yr oedd â'i lygad ar y cynnwys yn fwy nag ar y cyflwyno. Mae'r Llyfr Coch, er mor uchelgeisiol ydyw, yn cymharu'n anffafriol yn hyn o beth â rhai llyfrau pwysig a'i rhagflaenai: Llawysgrif Hendregadredd, Llyfr yr Ancr, Llyfr Gwyn Rhydderch. Bras yw trefn y Llyfr Coch. Nid oedd rhestr gynnwys yn ymarferol gan nad oedd daleniad. O fwrw llygad dros y llyfr, nid oes hierarchaeth amlwg yn y rhaniadau. Wedi iddo ddechrau plyg 12 â thestun di-nod Walter de Henley a'i ddilyn gan gyfres o fân destunau, ymlaen yr â Hywel o blyg i blyg trwy ei holl destunau rhyddiaith, gan gynnwys deunydd y Mabinogion, nes cyrraedd yr hengerdd ym mhlygion 22 a 23. Ymddengys y tri phlyg sy'n dilyn, 24–6, pob un yn cynnwys ei destun rhyddiaith unigol, yn rhai a ddarparwyd ar gyfer deunydd a ddaeth i law yn rhy hwyr i'w gynnwys yng nghynllun gwreiddiol Hywel. Ar ôl eu copïo, ymlaen ag ef eto gyda barddoniaeth Beirdd y Tywysogion, gan ufuddhau i ysbryd Gramadeg Einion Offeiriad trwy roi barddoniaeth grefyddol yn gyntaf; yna, casgliad o farddoniaeth Gruffudd ap Maredudd (oherwydd, mae'n debyg, i gasgliad ysgrifenedig ohoni ddod i law) ac, yna, ymddadfeiliad unrhyw drefn amlwg.

Os oes ansicrwydd fod Llaw A a Hywel Fychan yn gweithio ochr yn ochr, mwy fyth yw'r ansicrwydd ynglŷn â Hywel Fychan a Llaw C. Llaw C yw'r brif law o f. 344^v ymlaen; nid yw llaw Hywel yn ymddangos wedi hyn. Cyn y pwynt yma, unig gyfraniadau Llaw C yw cerddi wedi'u hychwanegu mewn gofod a adawodd Hywel yn wyn (gweler y rhestr yn y daflen sy'n dilyn). Yn niffyg unrhyw dystiolaeth gadarn fod Llaw C wedi gweithio ochr yn ochr â Hywel, haws cymryd ei fod yn rhyw etifedd iddo ac mai i Law C yr ymddiriedwyd y gwaith o gyflawni cynllun Hywel gan Hopcyn ap Tomas wedi i Hywel, am ryw reswm neu'i gilydd, ei adael.

Bydd yn gyfleus cynnig yma daflen yn dangos y bylchau niferus a adawodd Hywel. Byddai medru esbonio rhesymau Hywel dros adael yr holl fylchau meithion, ac yntau mor amharod i wastraffu gofod wrth gopïo'r rhan fwyaf o'i ryddiaith, yn allwedd i lawer sy'n dywyll ynghylch ei gynllun ar gyfer y llyfr. Anodd gwybod a oedd Hywel yn rhag-weld ai peidio y testunau a ddarparwyd gan Law C i lenwi ambell fwlch. Dangosir yn y daflen isod sawl colofn gyfan a adawyd yn wyn; os na nodir dim, llai nag un golofn sydd. Dangosir wedyn pa destun a ychwanegwyd, a chan ba law.

f. 125	col.	
f. 138^v		
f. 148	3 col.	
f. 200		
f. 253^v		
f. 254^{r-v}	6 chol.	*O oes Gwrtheyrn* (col. 1020–2). **C**. Heb ruddelliad
f. 263	3 col.	
f. 270^v	col.	
f. 278^v	col.	
f. 285		
f. 298		
f. 305^v	col.	
f. 306^{r-v}	2 gol.	Gwilym Ddu (col. 1226–8). **C**
f. 307^{r-v}	2 gol.	Gr. ap Maredudd (col. 1230–1). **C**
f. 311^v		
f. 313^v		
f. 314	col.	
f. 315^v		
f. 316		
f. 319^v		
f. 324		
f. 326		
f. 327^v	col.	Y Proll (col. 1311). **D**
f. 328	col.	Gr. ap Maredudd (col. 1313–14). **C**. Heb ruddelliad
f. 332–3	5 col.	Gr. ap Maredudd, Dd y Coed (col. 1329–34). **C**
f. 333^v		
f. 335		
f. 336^v		
f. 337^{r-v}	3 col.	Gronw Gyriog, Mab Clochyddyn (col.1349–52). **C**
f. 339–40^v	6 chol.	Iocyn Ddu, Madog Dwygraig, Dd y Coed (col. 1358–61). **C**

f. 341
f. 343   5 col.
f. 344^v

Gadawodd Llaw C yntau fylchau cyffelyb:

f. 346   col.
f. 353–4^v 6 chol. (pedair wedi'u defnyddio gan Lewys Glyn Cothi)
f. 355–6   4 col.
f. 356^v
f. 361

Mae lle i feddwl y gall fod Llaw C wedi ysgrifennu ei flociau o ganu Beirdd y Tywysogion (col. 1381–407 a 1419–42), a hwythau yn ei law ffurfiol, cyn ei destunau eraill, ac mai deunydd llanw, yn ei lawysgrifen lai, yw'r cerddi eraill gwasgarog sydd yn ei law ym mhlygion 32–4 yn ogystal â'i gerddi llanw yng nghanol gwaith Hywel Fychan ym mhlygion 22, 28, 30 a 31.

Haenen ddiweddar yng ngwneuthuriad y llyfr yw'r awdlau i Hopcyn ei hun ac i'w fab Tomas. Digwydd dwy awdl, eiddo Llywelyn Goch a Madog Dwygraig, yn llaw Hywel Fychan yn niwedd plyg 30, a'u dilyn gan awdl Y Proll i Domas ap Hopcyn, yn ychwanegiad gan Law D. Digwydd awdl arall, gan Feurig ap Iorwerth, yn gyfraniad olaf Hywel Fychan i blyg 32 (ac, yn wir, ei gyfraniad olaf yn y llyfr), a'i dilyn gan awdl Dafydd y Coed gan Law C. A digwydd y chweched, gan Ieuan Llwyd ab y Gargam, hithau gan Law C, ym mhlyg 33. Mae'r modd yr ychwanegwyd y rhain, yn hwyr yn y dydd, gan dair llaw wahanol, yn rheswm atodol dros gysylltu gwneuthuriad y llyfr â Hopcyn. Mae'r cyfeiriad cyntaf yn y llyfr at Hopcyn, ar y llaw arall – un a gorfforwyd gan Hywel yn y triawd 'Tri chaspeth Gwilym hir, saer Hopkyn ap Thomas' ar f. 147 – yn ategu nad atodol mo'r cysylltiad â Hopcyn.

Ffynonellau

Sylw cyffredin yw bod yn y Llyfr Coch gyfran helaeth o lenyddiaeth ganoloesol Cymru ond bod y rhan fwyaf o'r testunau i'w cael mewn llawysgrifau sydd yn gynharach. Mae'r llyfr yn sefyll yng nghanol gwe o gysylltiadau testunol, ond bod eu natur yn dal yn bur ddamcaniaethol. Prin y derbynnir bellach yr hen gred fod testunau deunydd y Mabinogion yn y Llyfr Coch, ac eraill, yn tarddu o Lyfr Gwyn Rhydderch; eto, mae testunau'r ddau lyfr yn hynod agos. Edrychwn i gyfeiriad Ystrad-fflur am eu cynseiliau cyffredin. Ac i'r rhwydwaith Sistersaidd yr edrychwn am darddiad

23

y triawd testunau hanesyddol a gopïodd Llaw A. Y perthnasau agosaf yw
Pen 18 (yn llaw Ancr Llanddewibrefi, llaw B Llyfr Gwyn Rhydderch) ac
NLW 3035 (Most 116), heb gyfrif Pen 19 gan Law C y Llyfr Coch ei hun.

Mwy diddorol a mwy cymhleth yw tarddiad testunau'r farddoniaeth. Ar
ben cymariaethau testunol manwl, bydd damcaniaethu am hyn yn gofyn
chwilio am gyfatebiaethau rhwng sawl math o flociau testunol yn y Llyfr
Coch: y blociau a ddiffinnir gan natur y cerddi, gan newidiadau pin ac inc,
gan newid llaw, gan fylchau Hywel Fychan, gan yr addurno â glas, gan
nodweddion orgraff. Mae Dafydd Johnston, wrth ddangos bod modd
adnabod cynseiliau cyffredin i gerddi yn y Llyfr Coch a cherddi yn llaw α
yn Llawysgrif Hendregadredd, eisoes wedi dyfalu am y ffynhonnell honno
ac eraill a oedd ar gael i Hywel Fychan.[13] A blynyddoedd yn ôl fe
ddyfalodd Eurys Rowlands am sut y gallai fod corff gogleddol canu
Gruffudd ap Maredudd wedi cyrraedd y Llyfr Coch.[14] Tebyg y daw'r
darlun yn raddol eglur. Teg fyddai cymryd mai trwy gyfrwng llawysgrifau
y daeth y rhan fwyaf o'r farddoniaeth i'r Llyfr Coch, ond tebyg mai byr, os
bu o gwbl, fu trosglwyddiad llawysgrifol peth o'r canu – y canu dychan, er
enghraifft, a'r canu personol i Hopcyn ap Tomas – cyn ei ysgrifennu gan
Hywel Fychan a Llaw C.

Hanes y llyfr

Daw hanes llyfr o'r tu allan a hefyd o'r tu mewn – tystiolaeth ymylon ei
ddail. Mater y tu hwnt i derfynau'r ysgrif hon fyddai didoli a dadansoddi
yr holl arwyddion megis y *nota* ag arwydd blodeuyn a welir yn ymyl
tudalennau'r Llyfr Coch, a'r holl fân nodiadau a glosau ar ei destunau.
Byddai'n orchwyl llafurus, mor faith yw'r testunau, ond yn un diddorol.
Mae rhai o'r arwyddion a'r nodiadau yn perthyn i'r bymthegfed ganrif.
Braslunnir yma hynny o hanes y llyfr sydd yn gymharol amlwg.

Mae diolch i Prys Morgan am ddatgelu hynt debygol y Llyfr Coch (a
llyfrau eraill Hopcyn ap Tomas) yn niwedd yr Oesoedd Canol.[15] Tebyg ei
fod wedi mynd i'w fab Tomas ac yna, yn niffyg etifedd i Domas, i Hopcyn
ap Rhys, mab ail fab Hopcyn. Yn 1464, yr oedd Hopcyn ap Rhys,
Lancastriad brwd, ymhlith y cefnogwyr a gollodd eu heiddo yn sgil
gwrthryfel aflwyddiannus yng Nghymru yn erbyn Edward IV. Rhoes y
brenin eu heiddo i Syr Rhosier Fychan o Dretŵr. Dyfaliad Prys Morgan
yw bod y Llyfr Coch ymhlith yr eiddo hwn. Yr hyn sy'n weddol sicr yw bod
y Llyfr Coch erbyn 1483 ym meddiant Syr Tomas Fychan, mab hynaf Syr
Rhosier ac etifedd Tretŵr. Ysgrifennodd Lewys Glyn Cothi yn y llyfr ar
ff. 353ᵛ a 354 ddwy awdl, y naill i Syr Tomas a'r llall i'w feibion.[16]

Er bod rhyw hanner canrif wedi mynd heibio, nid oedd y llyfr wedi
crwydro'n bell pan ddown ar ei draws nesaf. Tua 1550 gwelodd Syr Siôn

Prys y llyfr a chodi cerddi ohono i'w lyfr casgl, Balliol 353, gan nodi ei ffynhonnell: 'o Lyvyr Hergest' (f. 85). Dyma enwi'r llyfr am y tro cyntaf. Cangen o deulu Fychaniaid Tretŵr oedd yn Hergest. Mae'r Llyfr Coch yn frith o law Syr Siôn Prys; efe a rifodd y dail. Trwyddo y daeth y Llyfr Coch i gyfrwng print am y tro cyntaf, mewn dyfyniadau yn ei *Historiae Brytannicae Defensio*, gwaith a ysgrifennwyd ganddo yn y 1540au i amddiffyn hanes traddodiadol y Cymry (yn rhannol seiliedig ar Sieffre o Fynwy) a'i gyhoeddi wedi ei farwolaeth yn 1573.[17] Ychwanegodd Syr Siôn Prys deitlau at destunau (ff. 121ᵛ, 127, 141ᵛ, 231, 258ᵛ, 259ᵛ, 260, 261, 279, 291ᵛ, 342), priodoliadau (ff. 261, 285ᵛ, 286, 288, 289ᵛ) a nodiadau byrion lawer (er enghraifft ff. 135ᵛ, 136, 240, 307, 321ᵛ) ac, ar ff. 240–2ᵛ, ychwanegodd ambell un at y casgliad diarhebion.

Ym mis Tachwedd 1572 cawn William Salesbury yn ei ail gyflwyniad i *Oll Synnwyr Pen* yn annerch Jenkyn Gwyn o Lanidloes fel hyn: 'ag am i mi glyvot dywedyt ddyvot ar dy law di venthig y Llyver Goch [*sic*] o Hergest (yr hwn a welais i dair blynedd i Wyl Vichael aeth heibio yn Llvdlow gid a Syr Harry Sydney Arglwydd President . . .,' gan fynd ymlaen i ofyn iddo ddethol o blith y diarhebion ynddo y sawl nad oedd eisoes yn ei gasgliad.[18] Ni wyddys a fu i Jenkyn Gwyn gyflawni hyn o siars, ac ni wn a oes enghraifft o'i law yn y llyfr. Y diarhebion, beth bynnag, oedd yn dal diddordeb y nesaf y gwyddom iddo ymddiddori yn y llyfr, sef Rhys Meurig o'r Cotrel (ym mhlwyf Sain Nicolas, Morgannwg: bu farw 1587). Ar frig f. 264, ar ddechrau casgliad diarhebion, ysgrifennodd 'Addyciouns of Adages noted by me Res Myryk in the margenes'. Ychwanegodd ryw ddau gant ohonynt ar ymylon ff. 264–70ᵛ. Bu hefyd yn ymgynghori â'r rhestr gantrefi yn y Llyfr Coch.[19]

Copïodd Siôn Dafydd Rhys ynghyd â chynorthwyydd yn Pen 118 (tt. 19–175 a 197–282) ran helaeth o farddoniaeth y Llyfr Coch; copïwyd hefyd o'r un ffynhonnell, ganddo ef neu ei gynorthwyydd, ran o 'Brut y Brenhinedd' a 'Bown'. Y cyfnod tebycaf ar gyfer hyn yw'r 1580au cynnar, pan oedd yng Nghaerdydd.[20] O gofio am y cysylltiad rhwng y ddau, dichon mai tra oedd y llyfr gan Siôn Dafydd Rhys yr ysgrifennodd Wiliam Mydleton englyn ar f. 278ᵛ a'i lofnodi.[21] Er gwybod rhyfaint am y sawl a'i gwelodd, nid oes dim yn sicr am berchenogaeth y llyfr trwy gydol yr unfed ganrif ar bymtheg. Nid oes dim i awgrymu ei fod wedi teithio'n bell o dde-ddwyrain Cymru. Yn ogystal â'r rheini oedd â diddordeb ysgolheigaidd yn y llyfr yn y cyfnod hwn, y mae rhai enwau wedi'u torri ynddo yn bobl na wyddom ddim amdanynt: o ail hanner yr unfed ganrif ar bymtheg, David ap Robert, f. 51; o droad yr unfed a'r ail ganrif ar bymtheg, George Selbye, mewn italig ar f. 26, Thomas Ingam, f. 234, Thomas Jhones, f. 255; ac o'r ail ganrif ar bymtheg, John Jones, f. 340. Ysgrifennodd llaw flêr o'r ail ganrif ar bymtheg nodiadau helaeth ymyl-y-ddalen yn Gymraeg a Saesneg yn nhestunau 'Dares', y 'Brutiau' a 'Meddygon Myddfai' (er enghraifft ff. 1–17).

O gwmpas troad yr unfed ganrif ar bymtheg a'r ganrif ddilynol ymddengys fod y llyfr wedi cael ei ailrwymo. Rhoddir lle i feddwl hyn gan y gyfres arwyddion plyg sydd yn ôl llythrennau'r wyddor. Ysgrifennwyd y rhain, mewn inc melynaidd, gan law sy'n edrych yn debyg i'r un a rifodd benodau yn 'Dares' a 'Brut y Brenhinedd' mewn inc o'r un lliw. Y tebyg yw mai hwn fuasai'r ailrwymiad cyntaf. Am y rhwymiad cyntaf, gellir cynnig yn hyderus, ar sail arfer yr oes, mai derw fyddai'r cloriau a chroen o ledr gwyn amdanynt, ond yn yr achos hwn, a ninnau'n gwybod enw'r llyfr, lledr gwyn wedi'i staenio'n goch.

Yn gynnar yn yr ail ganrif ar bymtheg cofnododd Robert Vaughan fod 'y Llyfr Coch o Hergest' gan Syr Thomas Mansel (a fu farw 1631).[22] Trwy ddiddordeb John Davies o Fallwyd cawn dystiolaeth fwy pendant. Ymhlith ei nodiadau ar ddiwedd NLW 872 (Wrexham 1), t. 461, cawn restr o gynnwys y Llyfr Coch ac yna 'In folio membran. Habet folia 382'. Mae'r cyd-destun yn awgrymu mai gwybodaeth a gafodd yn ail-law, cyn iddo weld y llyfr, yn tarddu oddi wrth Siôn Dafydd Rhys, sydd yma. Erbyn 1634 yr oedd John Davies wedi cael benthyg y llyfr ei hun a chopïo llawer o'i farddoniaeth i NLW 4973, a chofnodi darlleniadau amrywiol wrth destunau cerddi yr oedd ganddo eisoes gopïau ohonynt (heb sôn am adael ôl ei law yma ac acw yn y llyfr, gw. isod t. 28).[23] Dyma a ddywed yn NLW 4973, t. 404, am y Llyfr Coch: 'eiddo Syr Lewys Mawnsell y marchog urddol o Forgannwg, ai dy yw Margam. A'r llyfr hwnnw a ddaeth attafi ym menthyg i Falloyd . . . 1634.' Hon yw'r dystiolaeth gadarn gyntaf am berchenogaeth y llyfr. Mae Prys Morgan yn dyfalu'n gywrain am y modd y gallai'r llyfr fod wedi dod i feddiant Syr Thomas Mansel.[24] Yr oedd y Llyfr Coch yn enwog ond eto heb ei weld gan lawer; un canlyniad i hyn oedd nifer o gyfeiriadau cyfeiliornus ato, yn ei ddrysu â Llyfr Gwyn Hergest neu â llawysgrif arall.[25]

Ym Morgannwg yr oedd y Llyfr Coch yn 1697 pan fu Edward Lhuyd a'i gynorthwywyr yno, 'detained by Mr Wilkins of Lhan Vair in this neighbourhood these 2 months: for so long a time the copying of an old Welsh MS. took up; which had he been willing to restore to the owner, we might have bought for twenty shillings'.[26] Ni all y cyfeiriad fod ond at y Llyfr Coch (Llst 137, 147 a 148 yw cynnyrch y copïo). Gwelir ôl llaw Lhuyd yn y llyfr ei hun yn y rhifau colofnau, yn y mynegai sydd yn awr yn f. vi ac mewn ambell nodyn (ar ff. 134ᵛ, 144ᵛ, 258, 259, 260, 350). Bu farw Thomas Wilkins, hynafiaethydd pennaf Morgannwg yn yr ail ganrif ar bymtheg, yn 1699, gan adael ei lawysgrifau yn ei ewyllys i'w fab Thomas. Pwy bynnag oedd perchennog honedig y Llyfr Coch yn 1697, Thomas Wilkins y mab a dorrodd ei enw droeon yn y llyfr yn 1701 (ar ff. 1, 255, 263ᵛ, 344), unwaith 'of Llanblythean', ddwywaith yn ei law gyfraith (clerc y gyfraith ydoedd wrth ei alwedigaeth), ac ar stribyn o bapur wedi'i bastio bellach ar f. ii y mae nodyn ganddo yn cofnodi iddo roi'r llyfr i Goleg Iesu yn rhodd. Cofnodir helyntion y llyfr rhwng 1701 a'i adferiad i Goleg Iesu yn 1714 gan ddau nodyn arall a bastiwyd ar f. ii. Mewn un nodyn fe gofnoda Lhuyd yn Chwefror 1701[/2] dderbyn dau swllt am gludo'r llyfr a saith swllt am gael ei rwymo; yn y llall y mae Thomas Wilkins yn 1714 yn datgan bod y llyfr 'by order of the said College given out of their custody to be new bound . . . to which Mr Lloyd or his representatives can pretend no manner of title'. Pris bychan am fenthyciad hir oedd trefnu'r rhwymo. Bu farw Lhuyd yn 1709, gan adael dyledion, a bu helynt ynghylch y llawysgrifau, a Phrifysgol Rhydychen a Choleg Iesu yn eu tro yn cael cynnig eu prynu, a sawl casglwr yn eu chwennych, cyn i Syr Thomas Sebright lwyddo i'w cael.[27] Gwelwn yr hanes o safbwynt arall gan Humfrey Wanley, llyfrgellydd Robert Harley, iarll Rhydychen, a phalaeograffydd mwyaf yr oes. Bu Wanley yn llygadu llawysgrifau Lhuyd ar ran ei feistr ac yn 1714, a heb wybod i Sebright achub y blaen arno, fe sylwodd, wrth ysgrifennu yn eu cylch, 'the very best book of that whole Collection, being a Welsh MS is gotten into Jesus-College-Library' a gofyn pa hawl oedd gan y Coleg.[28]

Tra oedd Lhuyd yn fyw neu tra oedd y llawysgrifau yn dal yng ngofal gweinyddwr ei eiddo, fe gopïodd Moses Williams (ac eraill drosto) lawer o gynnwys y Llyfr Coch.[29] Gwelir ei law ar ff. 239 a 320 yn y llyfr. Ni thâl yma fanylu ar yr holl ysgolheigion a fu'n ymgynghori â'r Llyfr Coch yng Ngholeg Iesu ac yn copïo ei gynnwys. Digon enwi'r amlycaf ohonynt: Evan Evans, Richard Davies, William Skene, John Rhŷs a Gwenogvryn Evans (a ychwanegodd ddarlleniadau ar ymyl ambell ddalen lle'r oedd y gwreiddiol yn aneglur).

Gwnaethpwyd y rhwymiad presennol, y pedwerydd yn ôl pob tebyg, yn 1851. Mae'n rhwymiad cadarn, mewn lledr moroco coch, wedi'i addurno mewn aur, a'r llythreniad ar y meingefn 'Y Llyfr Coch o Hergest' a 'Rhydychain M. DCCC. li', enghraifft dda o rwymo *antique* cyfnod yr Arddangosfa Fawr.[30] Ni fydd yr arddull wrth fodd pawb ond rhaid edmygu crefftwaith rhwymiad sydd wedi parhau trwy ganrif a hanner o draul caled heb ddechrau datgymalu.

Priodoliadau cerddi

Down at farddoniaeth y Llyfr Coch gan amlaf trwy gyfrwng y gyfrol anhepgorol *The Poetry in the Red Book of Hergest* (RBP). Gwendid bychan yn y gyfrol hon yw arfer Gwenogvryn Evans o beidio â nodi awdurdod y teitlau a rydd i gerddi. Mae'r rhan fwyaf ohonynt yn deitlau a ysgrifennwyd gan law y testun, naill ai Hywel Fychan neu Law C, ond nid yw pob un. Perthyn rhyw nifer ohonynt i oes ddiweddarach: rhai yn llaw Syr Siôn Prys, eraill yn llaw John Davies o Fallwyd. I gloi, dyma restr o'r priodoliadau hyn.

Yn llaw Syr Siôn Prys

Taliessin (col. 1049)
Kanyeu y duw o waith Taliessin y om tyb i ywr katwen y sy rag lhaw drwy bymp dalen nessa (col. 1143–6)
Divregwawt Taliessin (col. 1154)
Gr' ap yr Egnad (col. 1159, gyferbyn â *Ponyt*)
Gwiawn dewin. Merdin. Kyndelw. Elydyr. Lhywarch. Davydd bennbras. Kneppyn Gwerthrynnion (ar draws gwaelod col. 1229–30)

Yn llaw John Davies

Nid dim o waith Taliessin ydynt (col. 1143 o dan sylw Syr Siôn Prys)
Elidir Sais ai cant (col. 1143)
Meilir ap Gwalchmai ai kant (col. 1146)
Y brawd Fadog ap Gwallter ai cant (col. 1151)
yr un ai k (col. 1153)
Einion ap Gwalchmai (col. 1177)
Ll'n fardd ai k. ac nid oes yma ei dechreu (col. 1182)

At hyn, mewn dau achos lle gadawodd yr ysgrifwr gwreiddiol gyfarwyddyd i'r rhuddellydd ar gyfer y teitl (gan ysgrifennu yn fân fân) a'r rhuddellydd (yr ysgrifwr ei hun yn y ddau achos) yn methu sylwi arnynt, nid yw RBP yn nodi'i briodoliad: y naill i Ddafydd y Coed a'r llall i fardd a fu hyd yma'n anhysbys, Cynwrig (*Kennwrig*).

Dd y koed (col. 1330, uwchben ll. 5, yn cyfeirio ymlaen)
Kennwrig (col. 1339, uwchben ll. 36, yn cyfeirio ymlaen)

Nodiadau

[1] RM, RBB, RBP.
[2] G. J. Williams, *Traddodiad Llenyddol Morgannwg* (Caerdydd, 1948), 11–14, 147–8.
[3] Casglwyd yr holl dystiolaeth yn Christine James, '"Llwyr Wybodau, Llên a Llyfrau": Hopcyn ap Tomas a'r Traddodiad Llenyddol Cymraeg', yn *Cwm Tawe*, gol. Hywel Teifi Edwards (Llandysul, 1994), 4–44. Gw. hefyd y golygiadau o gerddi i Hopcyn yn GDC.
[4] Brynley F. Roberts, 'Un o Lawysgrifau Hopcyn ap Tomas o Ynys Dawy', B, 22 (1966–8), 223–8; Gifford Charles-Edwards, 'The Scribes of the Red Book of Hergest', CLlGC, 21 (1979–80), 246–56.

[5] Prys Morgan, 'Glamorgan', *Morgannwg*, 22 (1978), 42–60.

[6] Tri dyddiad sicr sydd gennym mewn perthynas â Hopcyn: yr oedd ei dad yn ŵr yn 1337 (G. T. Clark, *Cartae et Alia Munimenta quae ad Dominium de Glamorgancia Pertinent*, 6 chyfrol (ail argraffiad, Caerdydd, 1910), 1211–12), ei fab yn ŵr yn 1408 (Clark, *Cartae*, 1458), ac ef ei hun yn fyw yn 1403 pan anfonwyd ato gan Owain Glyndŵr. Nid oes a wnelo dogfen 1408 ag etifeddu, fel y tybid gan rai, gw. GDC 63.

[7] Charles-Edwards, 'Scribes', 254.

[8] Charles-Edwards, 'Scribes', 251.

[9] Peter Wynn Thomas, 'Middle Welsh Dialects: Problems and Perspectives', B, 40 (1993), 17–50 (tt. 42–3).

[10] Atgynhyrchir enghreifftiau yn Charles-Edwards, 'Scribes', plât 8, a MWM, plât 10.

[11] Atgynhyrchir enghraifft yn Charles-Edwards, 'Scribes', plât 9, a James, ' "Llwyr Wybodau" ', 10.

[12] Mae'r pysgodyn nodweddiadol yn ymddangos yn y llinell uchaf yn Pen 32, f. 74^v; am addurno yng ngwaelod y tudalen, gw. enghreifftiau ar ff. 53, 70^v, 71, 100^v, 104^v, 110^v.

[13] Yn ei gyfres o adolygiadau yn LlC, 17–24 (1992–2001), ar y saith cyfrol olygedig o waith Beirdd y Tywysogion.

[14] Eurys I. Rowlands, 'Nodiadau ar y Traddodiad Moliant a'r Cywydd', LlC, 7 (1962–3), 217–43 (tt. 221–2).

[15] Morgan, 'Glamorgan'.

[16] Am ddyddiad yr awdl i Syr Tomas, gw. GLGC 587.

[17] Mae dau ddrafft o'r gwaith ar gael, un cynnar yn llsgr. BL, Cotton Titus F. iii, ac un diweddar, yn agos i'r fersiwn print, yn llsgr. Coleg Balliol 260.

[18] RhG 70–1.

[19] *Rice Merrick: Morganiae Archaiographia*, gol. Brian Ll. James (Barry Island, 1983), 8 a 173n.

[20] R. Geraint Gruffydd, 'The Life of Dr John Davies of Brecon', THSC, 1971, 175–90 (tt. 183–4).

[21] Argreffir yr englyn yn G. J. Williams, *Barddoniaeth neu Brydyddiaeth gan Wiliam Midleton* (Caerdydd, 1930), 86. Rhwymwyd yn Pen 118 lythyr a ysgrifennodd Mydleton at Siôn Dafydd Rhys yng Nghaerdydd yn 1583, llythyr sy'n ymboeni am grefydd, fel yr englyn. Cyfrannodd Mydleton ychydig at gopi Siôn Dafydd Rhys yn Pen 118 o destun y Llyfr Coch, gw., er enghraifft, t. 83.

[22] MWM 301. Daw'r dyfyniad o NLW 5262, llyfr nodiadau a ddefnyddiwyd gan Vaughan tua 1616–25.

[23] Gerald Morgan, 'Testun Barddoniaeth y Tywysogion yn Llsgr. NLW 4973', B, 20 (1962–4), 95–103; Jenny Rowland, 'The Manuscript Tradition of the Red Book Englynion', SC, 18/19 (1983–4), 79–95.

[24] Morgan, 'Glamorgan', 54–5.

[25] Yn NLW 7014, t. 134, nodir, tua 1700: 'Llyfr y Coch o Hergist yn y Glasgoed y mae ef' (yn y Glasgoed yr oedd y Llyfr Gwyn ar y pryd). Yn Pen 169, t. 254, mewn llaw o hanner cyntaf yr ail ganrif ar bymtheg, dywedir: 'y llyfr coch o Hergest ywr llyfr a ysgrifenodd Gruffudd Hirayth[og] o gronicl a therfynau trefi a mana[u] Kymrv ar diroedd ag a adawodd y[m] manachlog Llanegwest'. Tebyg fod Gruffudd wedi gweld y 'Llyfr Coch' gyda Syr Siôn Prys (fe ganodd iddo) a chopïo testunau ohono, gan nodi ei ffynhonnell, a bod darllenydd diweddarach wedi camddehongli'r hyn oedd o'i flaen. Yn llawysgrif BL, Lansdowne 418, f. 111, mewn perthynas â 'Brut y Tywysogion', mae nodyn camarweiniol arall o'r ail ganrif ar bymtheg, 'I think the Book did belong to the Abbey of Margan in Glamorganshire', wedi'i groesi allan yn ei dro gan ei awdur ac ysgrifennu yn ei le 'The Booke of Hergest, other wise called the Book of Margan', gw. Thomas Jones, 'Cyfieithiad Robert Vaughan o "Frut y Tywysogion" ', CLlGC, 5 (1947–8), 291–4 (t. 294). A chwestiwn yw sut y cafodd Lewis Maurice (tad William Maurice) tua 1635 ei destun yn NLW 8330, tt. 241–3, 'Ty Heilin Goch, gwedi dynu allan o freuddwyd Ronabwy yn y llyfr coch o Hergest' – a welodd y Llyfr Coch tra bu gan John Davies?

[26] R. T. Gunther, *Early Science in Oxford*: Vol.xiv, *Life and Letters of Edward Lhwyd* (Oxford, 1945), 343.

[27] Am helynt llawysgrifau Lhuyd wedi ei farw a'u prynu yn y diwedd gan Sebright, gw. Eiluned Rees a Gwyn Walters, 'The Dispersion of the Manuscripts of Edward Lhuyd', CHC, 7 (1974), 148–78 (tt. 149–54).

[28] *Letters of Humfrey Wanley*, gol. P. L. Heyworth (Oxford, 1989), 299–300. Gw. hefyd *The Diary of Humfrey Wanley 1715–1726*, gol. C. E. Wright, 2 gyfrol (London, 1966), I, 2.

[29] Gw. llawysgrifau Llst 63, 71, 91–4 a 126.

[30] Nid oes enw rhwymwr yn y gyfrol. Tebyg ei fod yn un adnabyddus. Mae'r llythrennau 'J. T' wedi'u stampio ar y clasbiau arian.

2

Y Beirdd Enwog: Anhysbys a'i Cant

JENNY ROWLAND

Mae'n gonfensiynol dechrau ymdriniaeth â llenyddiaeth Gymraeg drwy grybwyll enwau'r beirdd Taliesin ac Aneirin. Wrth reswm, os yw eu gwaith yn ddilys, maent yn sefyll ar ddechrau traddodiad hir ac urddasol. Maent ymysg enwau'r beirdd cynnar a restrir yn yr *Historia Brittonum* ac, er nad oes dim o waith y lleill ar glawr bellach, yn aml crybwyllir eu henwau hwythau. Ar ôl hyn, ni welir yr un cysondeb yn y sylw a roir i *genres* eraill yr hengerdd nad ydynt at ei gilydd yn gysylltiedig ag enwau beirdd hysbys. Ar wahân i nodi'r englynion chwedlonol, os nad yw'r drafodaeth yn canol-bwyntio ar yr Oesoedd Canol, ychydig iawn fydd y sôn am gerddi eraill ac efallai y bydd troi yn ôl at hen syniad nad oes rhyw lawer o waith o'r radd uchaf wedi goroesi o'r cyfnod hwn. Mewn geiriau eraill dyma gyfnod 'cerddi'r bwlch', bwlch yn yr ystyr nad oes llawer o ganu mawl y gellir yn hawdd ei ystyried yn waith y beirdd uchaf eu gradd, ond hefyd, dylid nodi, yn yr ystyr fod diffyg cerddi ac enwau beirdd wrthynt. Pan ddeuir at y cyfnod nesaf, sef cyfnod Beirdd y Tywysogion, mae'r sefyllfa yn newid yn hollol. Dim ond ychydig o gerddi sydd heb eu priodoli i feirdd hysbys. Mae'n wir fod rhyddiaith y chwedlau brodorol yn ddienw, ac eto mae tuedd i ystyried testun hir fel 'Pwyll' neu 'Owein' yn waith awdur y medrwn gael rhywfaint o syniad am ei gymeriad.[1] Er nad yw oes yr awdur anhysbys yn dod i ben ar ôl cyfnod Beirdd y Tywysogion, o hynny ymlaen disgwylir cael enw wrth waith llenyddol yn amlach na pheidio.[2] Yn y bennod hon hoffwn edrych ar feirdd 'enwog' yr hengerdd eto. Faint o enwau sydd wrth gerddi, a faint o enwau sy'n hysbys o ffynonellau o bob math? Pa fath o wybodaeth sydd yn debygol o fod mewn rhuddell a sut mae'n cymharu â rhuddellau eraill? A yw'r priodoliadau'n ddibynadwy? Beth yw'r *genres* a'r llawysgrifau sydd yn debygol o roi enwau'r awduron? A yw diffyg enw ar gerdd yn awgrymu nad yw'r gwaith o'r safon uchaf? A yw'r cerddi heb awduron hysbys yn waith mwy nag un bardd dros gyfnod o amser? Ac yn olaf, a fu'r pwyslais ar y beirdd 'enwog' yn anghymedrol?

Ychydig yw'r llawysgrifau sy'n cynnwys yr hengerdd, ac mae dwy ohonynt wedi eu cysegru mewn egwyddor i waith un bardd, sef Llyfr

Aneirin a Llyfr Taliesin. Nid yw'r gronfa ddata'n fawr. Eto, mae'n drawiadol cyn lleied o enghreifftiau sydd o'r 'X a'i cant' clasurol. Mae un enghraifft mewn rhuddell ar ddechrau Llyfr Aneirin, sy'n cynnwys teitl: 'Hwn yw e gododin. aneirin ae cant.' Yn ogystal, ceir y fformiwla drachefn o flaen yr unig eithriad i awduraeth dybiedig y cerddi yn y llawysgrif; dywed y rhuddell i 'Gwarchan Maelderw': 'Eman weithyon e dechreu gwarchan maelderw. Talyessin ae cant ac a rodes breint idaw . . .'[3] Mae'n debyg iawn fod y cwbl o'r cerddi a gynhwysir yn Llyfr Taliesin yno am eu bod wedi eu tadogi ar Daliesin gan y copïydd ei hun neu'n gynharach, er mai diweddar yw enw'r llawysgrif.[4] Mae amryw deitlau yn enwi Taliesin (gw. isod, t. 33), ac ar dudalen 67 ceir: 'Marwnat dylan eil ton. tal. ae cant.'[5] Mae tair enghraifft o'r fformiwla hon yn Llyfr Du Caerfyrddin, un wrth gerdd gan Gynddelw. Mae'r ddwy arall wrth gerddi cynharach: t. 70, 'Kygogion. Elaeth ae Cant'; ac wrth gerdd newydd yn ei dilyn: 'Elaeth a gant'.[6] Nid oes un enghraifft yn yr hengerdd a geir yn Llyfr Coch Hergest, er bod hynny yn gyffredin i gerddi Beirdd y Tywysogion yn y llawysgrif hon. Mae'r un peth yn wir am yr hengerdd yn Llyfr Gwyn Rhydderch a chopïau diweddarach o ddarnau coll o'r llawysgrif hon, am lawysgrif NLW 4973 ac am lawysgrifau diweddarach amrywiol.[7]

Wrth gwrs, mae rhuddellau yn anodd iawn eu dyddio, ac nid oeddent o anghenraid yn gysylltiedig â cherddi pan gyfansoddwyd hwynt na hyd yn oed yn y copïau cynharaf. Mae'n bosibl fod y defnydd o'r fformiwla yn dibynnu'n raddol ar arfer copïydd llawysgrif arbennig. Nid oedd rhaid ymhelaethu ar awduraeth yn Llyfr Taliesin nac yn Llyfr Aneirin yn amlach nag yn y ddwy enghraifft o'r fformiwla. Ond y mae'r ffaith nad yw'n digwydd yn aml yn awgrymu nad oedd i'w chael mewn copïau cynharach, ac nad oedd yn arfer yn oes y copïwr ychwanegu enwau, boed drwy ddyfalu neu drwy wybodaeth allanol. Ar wahân i Elaeth sydd o bosibl yn awdur ffug i roi awdurdod i wersi crefyddol,[8] dim ond enwau'r ddau fardd mawr y mae'r fformiwla 'ae kant' yn eu rhoi.

Mae rhai teitlau a disgrifiadau eraill ar ffurf rhuddell yn dynodi awduraeth. Gan amlaf mae penawdau, teitlau a gwybodaeth arall yn y llawysgrifau yn ymwneud â phethau ar wahân i awduraeth. Ceir sylw ar gynnwys y gerdd fel 'enwev. meibon. llywarch hen'. (Llyfr Du)[9] neu 'Kanu y gwynt' (Llyfr Taliesin)[10] neu 'englynnion gereint vab erbin' (Llyfr Gwyn).[11] Weithiau ceir gwybodaeth am wrthrych cerdd: 'Marwnat vthyr pen' a 'Trawsganu kynan garwyn. m. broch' (Llyfr Taliesin)[12] – ond yn y llawysgrif honno y mae'r bardd i'w gymryd yn ganiataol. Mewn llawer o gerddi y peth pwysicaf yw rhoi gwybodaeth am y siaradwr neu'r siaradwyr a'u sefyllfa. Mae pennawd hir yn y Llyfr Coch o flaen 'Penyd Llywelyn a Gwrnerth' yn egluro'r sefyllfa a'r siaradwyr, ac un arall ar ei ôl yn rhoi awdurdod ychwanegol i'r ddysgeidiaeth grefyddol yn y gân.[13] Er gwaethaf priodoli cerddi i Fyrddin a'i fri fel bardd, mae'n debyg nad yw y teitl 'kyuoessi myrdin agwendyd ychwaer' (Llyfr Coch)[14] yn golygu bod yma feddwl am Fyrddin fel awdur y gerdd mwy nag yn achos ymsonau neu ymgomion chwedlonol eraill. Mae awdurdod y broffwydoliaeth yn deillio o'r cymeriad, drwy waith bardd anhysbys sy'n gorfod osgoi'r goleuni er mwyn peri i'r ddyfais weithio. Nid oes teitl o flaen yr ymddiddan rhwng Taliesin a Myrddin yn y Llyfr Du, ond nodir pwy sy'n siarad drwyddo. Yr oedd y ddau yn enwog fel beirdd yn yr Oesoedd Canol, ac y mae'n bosibl y meddylid amdanynt fel awduron eu rhannau hwy o'r sgwrs, ond y mae awdduraeth fanwl yn llai pwysig na gwybod pwy sy'n siarad, gan fod y darnau yn amrywio o ran eu hyd. Er gwaethaf y sefyllfa y tu ôl i deitl 'Gwasgardgerd vyrdin yny bed' (Llyfr Coch),[15] y mae'n bosibl mai'r bwriad yw tadogi'r gerdd ar y bardd-broffwyd yn uniongyrchol ac yn oruwchnaturiol; nid oes elfen storïol amlwg. Mae 'Gossymdeith llefoet wynebclawr yw hynn' (Llyfr Coch)[16] yn rhoi teitl ac enw'r cyfansoddwr honedig. Ond y mae bron yn sicr fod y gwir awdur yn cuddio y tu ôl i awdur ffug o sant o'r eglwys gynnar er mwyn rhoi awdurdod i'w sylwadau crefyddol a gwirebol. Mae teitl a chynnwys 'Kyssul Adaon ynt yr englynyon hynn' (Llyfr Coch Talgarth) yn debyg, ac Addaon (mab Talicsin?) unwaith eto yn awdur ffug hysbys i draethu'r cyngor crefyddol a geir yn y gân.[17] Mae rhai teitlau yn Llyfr Taliesin yn cynnwys enw Taliesin, er bod y cerddi i gyd i'w tadogi arno. Wrth gymharu 'Kadeir Taliessin' â'r teitlau 'Kadeir Kerrituen' a 'Kadeir Teyrnon', y tri yn delio â stori y Taliesin chwedlonol, mae'n amlwg nad yw'r enw yn y teitl yn arwyddocaol o safbwynt awduraeth.[18] Help llaw ydyw i roi y gân yn ei chyd-destun chwedlonol, fel yn achos 'Mabgyfreu Taliessin' a 'Glaswawt Taliessin' ill dau.[19] Defnyddia 'Aduwyneu Taliessin' ffigwr y bardd enwog i roi diddordeb i sylwadau amrywiol, gnomig.[20] Erys un teitl ac enw Taliesin ynddo sy'n awgrymu tadogi ar y bardd hanesyddol. Gall 'yspeil taliessin. kanu vryen' fod yn hen.[21] Yn sicr mae'r teitl dosbarthol 'kanu vryen', sy'n digwydd hefyd ar ôl y teitl 'Gweith argoet Llwyfein', yn ategu'r awgrym y tynnwyd y grŵp yma o ffynhonnell o gerddi a all fod yn waith y Taliesin hanesyddol ac sy'n cynnwys cyfeiriadau mewnol at enw'r bardd a'i wrthrych yn ogystal.[22] Mae'n bosibl fod y copïydd wedi hepgor rhai cyfeiriadau at enw Taliesin a oedd yn ei gynsail.

Felly, nid yw rhuddellau a theitlau, ar wahân i fath 'ae kant', yn ychwanegu llawer mwy o wybodaeth am feirdd dilys yr hengerdd. Mae'r rhan fwyaf yno am resymau nad oes a wnelont ag enwi'r awdur. Nid oes un enghraifft o roi neu awgrymu awduraeth ymysg teitlau a rhuddellau'r englynion chwedlonol: rhoi hysbysrwydd y maent am y stori neu'r cymeriad sydd yn siarad. Defnyddir yr un dechneg o draethu drwy lais cymeriad yn hytrach na llais y bardd, neu drwy lunio ymddiddan, i roi awdurdod i gynghorion crefyddol, i ddarogan, neu i gyfarwyddyd. Yn aml ceir yr wybodaeth angenrheidiol yn y gân ei hun, ond gall teitl neu ruddell fod o fudd. Ymddengys fod teitlau go iawn, ac nid disgrifiadau yn unig, i rai caneuon, ond gan fod y rhan fwyaf ohonynt yn Llyfr Taliesin a Llyfr Aneirin mae'n anodd barnu i ba raddau yr oeddent yn gysylltiedig â gwybodaeth am yr awduron. Hefyd, y mae'r ddwy lawysgrif hyn yn neilltuo lle i sgoriau ar gyfer ymrysonau cerdd dafod. Awgryma'r rhuddell o flaen 'Gwarchan Maelderw' fod awduraeth yn ystyriaeth bwysig wrth bennu'r sgôr. Ond gall teitl sefydlog fod yn ddefnyddiol wrth gyfeirio at y clasuron hyn, a hyn sydd efallai yn egluro pam y mae'r ddwy lawysgrif (a Llyfr Taliesin yn arbennig) yn helaethach eu teitlau a'u rhuddellau na'r llawysgrifau eraill.

Ffordd sicrach o gadw gwybodaeth am awduraeth na rhuddell na rhagymadroddi ar dafod leferydd yw cyfeiriadau yn y gân ei hun at ei hawdur. Nid oes yr un enghraifft o ddefnyddio acrostig i roi enw'r bardd, ond dull addas i lyfr yw hynny, nid i ganu.[23] Fe all fod enghreifftiau o chwarae ar enw'r cyfansoddwr nad ydynt yn amlwg i ni heddiw. Mae dwy enghraifft o'r bardd yn cyfeirio ato ef ei hun wrth ei enw yn y cerddi i Urien o waith Taliesin a olygir yn *Canu Taliesin* (IV.23, VIII.37). Gyda'r teitl cyffredinol, 'Canu Urien', yn digwydd ddwywaith, a'r teitl i VIII yntau'n enwi Taliesin ('yspeil taliessin. kanu vryen' o'r geiriau yn ll.37), a'r pennill olaf byr sy'n ddiweddglo i saith o'r wyth cerdd (VIII yw'r eithriad), mae'r arwyddion o awduraeth yn arbennig o glir a chryf. Y mae'r cyfeiriad mewnol yn gyffredin ymysg y Gogynfeirdd hefyd. Ymddengys fod y cyfeiriadau yno nid i ddiogelu enw'r bardd yn gymaint â bod yn arwydd o'i statws arbennig a'i bwysigrwydd.[24] Yn achos Taliesin, tybed a ydyw'r bardd yn ymfalchïo mewn llysenw a enillodd sy'n ei gymharu â'r archfardd chwedlonol? (Hynny yw, fod y Taliesin hanesyddol wedi cael ei enw ar ôl y Taliesin chwedlonol, ac nid fel arall.) Ymddengys tri o enwau'r beirdd cynnar fel llysenwau sy'n cyfeirio at ei grefft: Blwchfardd, Tristfardd, Culfardd.[25]

Ond y mae cyfeiriad mewnol yn yr hengerdd i'w gysylltu yn bennaf â chymeriadau chwedlonol ac awdurdodol. Atebir 'taliesin gan tidi ae didan' yn 'Canu Urien' gan 'Mitwyf taliessin ryphrydaf iawnllin' yn 'Angar Kyfyndawt'.[26] Mewn cân chwedlonol am Aneirin a ychwanegwyd at 'Y Gododdin' mae'r bardd-gymeriad yn ei enwi ei hunan: 'mi na vi aneirin'.[27] Nid yw'n anghyffredin yn y cerddi chwedlonol ychwaith lle mae'n amlwg mai'r cymeriad ac nid y cyfansoddwr sy'n ei enwi ei hun, er enghraifft, 'hud im gelwir e guin mab nud' (Llyfr Du), 'Vgnach [vy henw] mab mydno'/ 'taliessin viw inhev' (ymddiddan, Llyfr Du), 'Mi iscolan yscolheic' (Llyfr Du), 'neut wyf lywarch' ('Cân yr Henwr', Llyfr Coch).[28] Ceir 'myrdin yw vy enw mab moruryn' tua dechrau 'Gwasgargerd vyrdin' (Llyfr Coch) i gyflwyno cymeriad awdurdodol.[29] Ymddengys nad tan ddiwedd yr Oesoedd Canol y dechreuwyd camgymryd y cymeriadau am y cyfansoddwyr.[30]

O'r sawl dull o ddynodi awduraeth cerddi ni chawn ond enwau Taliesin ac Aneirin, ac o bosibl, Myrddin ac Elaeth. Yn yr enghreifftiau eraill y mae'r beirdd yn siarad drwy gymeriadau addas, nid fel ymdrech i gambriodoli eu cerddi i feirdd y gorffennol, ond i ateb anghenion y *genre* arbennig y maent yn cyfansoddi ynddo. Rhaid troi at ffynonellau eraill i gael rhagor o enwau.

Dechreuwn yn draddodiadol â'r darn yn yr *Historia Brittonum*:

Tunc Outigirn in illo tempore fortiter dimicabat contra gentem Anglorum. Tunc Talhaern Tataguen in poemate claruit; et Neirin, et Taliessin, et Bluchbard, et Cian, qui vocatur Gueinth Guaut, simul uno tempore in poemate Brittannico claruerunt.[31]

Dyma dri enw newydd i'w hychwanegu at y rhai uchod, er nad oes barddoniaeth wedi goroesi o dan eu henwau. Mae'n briodol dyfalu o ble y daeth gwybodaeth yr awdur. Ceir y pennill yn yr adran o'r hanes sy'n sôn am yr Hen Ogledd yn y chweched a'r seithfed ganrif. Yr oedd Kenneth Jackson o'r farn fod y adran hon wedi ei thynnu o gofnodion hanesyddol ysgrifenedig o'r Hen Ogledd; bellach mae David Dumville wedi codi amheuaeth am fodolaeth y ddogfen ddamcaniaethol honno.[32] Beth bynnag, mae deunydd yn yr *Historia* a dynnwyd o gyfarwyddyd a chwedlau, ac yn achos y rhestr o frwydrau Arthur, o farddoniaeth.[33] Mae'n ddigon posibl fod awdur yr *Historia* wedi codi'r enwau o farddoniaeth a oedd yn hysbys iddo. Os felly, yr oedd rhagor o hengerdd yn y nawfed ganrif yng Nghymru a briodolwyd i feirdd wrth eu henwau, naill ai ar lafar neu mewn llawysgrifau, sydd bellach wedi mynd ar goll. Ond enwir Cian a Thalhaearn gyda'i gilydd yn 'Angar Kyfyndawt',[34] a chan ystyried y traddodiadau am Dalhaearn a geir yn y Trioedd, nid yw'n amhosibl fod awdur yr *Historia Brittonum* wedi cael ei wybodaeth o chwedlau amdanynt yn hytrach nag o'u gwaith. Ni ddigwydd enw Blwchfardd eto. Ni ddefnyddir yr epithedau mawreddog a braidd yn gystadleuol ar gyfer Aneirin a Thaliesin a welir yn y Trioedd. Mae i Dalhaearn a Chian yr epithedau 'Tad Awen' a 'gwenith gwawd' sy'n awgrymu cryn enwogrwydd a phwysigrwydd. Er gwaethaf eu henwogrwydd, a'u hepithedau awgrymiadol, nid ymddengys fod neb wedi camdadogi barddoniaeth arnynt yn ddiweddarach nac wedi creu corff o waith iddynt.

Prin yw'r testunau hanesyddol a lled hanesyddol o'r cyfnod cynnar, ac felly nid yw'n syndod nad oes llawer o gyfeiriadau at feirdd, a llai byth wrth eu henwau. Dengys nodyn yn yr *Historia Brittonum* fod cof am feirdd o'r gorffennol, a'u bod yn ddigon pwysig hefyd i haeddu eu lle mewn hanes. Ceir enw Berddig Gwent, *joculator* Gruffudd ap Llywelyn yn ôl y 'Domesday Book', yn rhestr tystion tri o siarteri Llyfr Llandaf, *c*.1060–75.[35] Ni wyddys dim am ei waith, nac am waith 'Gellan telynyaur penkerd' yntau, y cofnodir ei farwolaeth mewn brwydr yn 1094 yn *Historia Gruffud vab Kenan.*[36] Yn yr un testun y mae hefyd ddyfyniad o 'darogan Merdin, vard y Brytanyeit'. Nid yw'r beirdd yn amlwg ym mucheddau'r saint, ond enwir 'Dingad Fardd' mewn rhestr go ddiweddar o bobl a adferwyd i fywyd gan Feuno Sant.[37] Mewn nodyn yn y Llyfr Du o'r Waun am ymgyrch Rhun ap Maelgwn i'r Hen Ogledd[38] cloir yr hanes: 'Ac e kant delyessin kikleu odure[f] eu llauneu gan run en rudhur bedineu guir aruon rudyon eu redyeu.' Yma cawn ychwanegiad at y priodoliadau sy'n enwi'r bardd. Os oedd rhagor o benillion, nid ydynt bellach ar glawr.[39]

Yn cyd-fynd â blaenoriaeth Taliesin, ymddengys enw Taliesin deirgwaith yn y chwedlau brodorol. Yn y 'Pedair Cainc', mae Taliesin yn un o'r seithwyr a ddihangodd o Iwerddon, cyfeiriad sydd o bosibl yn adlewyrchu ei ran yn 'Preiddeu Annwn'.[40] Efe yw'r unig fardd sicr yn y rhestr hir a chynhwysfawr o enwau chwedlonol yn 'Culhwch ac Olwen'. Cymeriad yn 'Breuddwyd Rhonabwy' yw Addaon mab Taliesin; nid bardd mohono. Ond awgryma'r geiriau tua diwedd yr un chwedl fod un bardd yn y chwedl, sef Cadyrieith mab Saidi: 'Ac ar hynny nachaf ueird yn dyuot y datkanv kerd y Arthur. Ac nyt oed dyn a adnapei y gerd honno, namyn Kadyrieith ehun, eithyr y uot yn uolyant y Arthur'.[41] Ond un o'r 'gueisson a gadwei y wely' yw Cadyrieith yn 'Ystoria Gereint fab Erbin' ac nid ymddengys yn 'Culhwch'. Efallai fod awdur 'Breuddwyd Rhonabwy' yn deall ei enw fel 'cadr' ('gwych') ac 'iaith'. Pa fodd bynnag, y mae'r beirdd sy'n canu i Arthur yn ddienw yn 'Breuddwyd Rhonabwy'. Ymysg y cnewyllyn o gymeriadau cynnar o gwmpas Arthur, rhai ohonynt yn adlewyrchu aelodau cyffredin llys brenin, nid oes 'bardd Arthur' (am draddodiad diweddar yn y Trioedd, gw. isod, t. 38).

Wrth droi at y Trioedd y mae olion rhagor o draddodiadau chwedlonol am feirdd a ategir weithiau gan gyfeiriadau mewn barddoniaeth. Cawn enwau pedwar (neu saith) bardd yn ddamweiniol braidd yn TYP 7, 'Tri Tharw Vnben Enys Prydein', a TYP 10, 'Tri Vnben Deiuyr a Brennych'. Yn y ddau achos ychwanegir yr wybodaeth: 'Tri meib beird oedynt ell tri'. Y pedwar bardd yw Taliesin, Cadegyr, Argad a Disgyfdawd. Nid oes dim rhagor am y tri olaf. Ymddengys un o feibion Disgyfdawd yn un o'r cymeriadau chwedlonol yn 'Englynion y Clywaid' (gw. isod, t. 39), ond nid oes angen tybio ei fod yno o achos ei gysylltiad â barddoni, er bod fersiwn y Llyfr Gwyn yn ychwanegu bod y 'tri meib beird' o TYP 10 yn feirdd eu hunain.

Yn TYP 11 ceir nid yn unig enwau rhai beirdd, ond enwau eu prif noddwyr hefyd:

Tri Gwa(y)vrud Beird Enys Prydein:
Tristvard bard Vryen,
A Dygynnelw bard Ewein mab Vryen,
Ac Auan Verdic bard Catwallawn mab Catuan.

Yn lle Tristfardd, ceir 'Arouan uard Seleu ap Kynan' mewn rhai fersiynau.[42] Mae'r epithed 'gwaywrud' yn ddiddorol. Un esboniad yw bod y pedwar bardd wedi ennill y disgrifiad ychwanegol 'bardd x' nid am farddoni, ond am ymladd dros eu noddwr mewn ffordd gofiadwy mewn chwedl, megis Gellan dros Ruffudd ap Cynan. Buasai'n rheswm dros gael enw Tristfardd yn lle Taliesin. Fel yn achos Blwchfardd a Chulfardd, ymddengys yr enw Tristfardd yn llysenw sy'n seiliedig ar ei swydd, ond mae'n anodd ei weld yn enw arall ar Daliesin. Esboniad arall yw bod perthynas eithriadol rhwng y beirdd hyn a'u noddwyr, er bod enw Tristfardd yn broblem, gan fod traddodiad 'Canu Urien' Taliesin mor gryf. Mae'n ddigon tebygol fod perthynas hir a chlòs yn rhywbeth eithriadol yn y cyfnod cynnar. Nid oes bardd llys yn y chwedlau brodorol; y mae'r beirdd i gyd yn ymwelwyr. Os yw'r ail esboniad yn gywir, mae'n debyg i'r traddodiad gael ei lunio ar sail gwybodaeth am weithiau'r beirdd i'w noddwyr, ac nid yw'n afresymol priodoli yn betrus i Afan Ferddig gerddi mawl Cadwallon a gadwyd heb enw wrthynt,[43] a dyfalu bod gweithiau i Selyf ac i Owain i'w cael yn gynharach wrth enwau eu beirdd. Ond os oedd y traddodiad yn dibynnu ar chwedlau am frwydrau'r beirdd hyn, nid oes sicrwydd fod cerddi coll wedi eu priodoli iddynt yn gynharach.[44]

Ceir enwau ac olion hanes rhagor o feirdd yn TYP 33 a 34. Yn TYP 33, 'Teir Anvat Gyflauan Enys Prydein', y cyntaf o'r tri yw 'Heidyn mab Enygan a ladavd Aneiryn Gwavtryd Mechdeyrn Beird'. Mae fersiwn llwgr y Llyfr Gwyn yn cysylltu Talhaearn ag Aneirin. Fel rhai penillion a ychwanegwyd at 'Y Gododdin', tystia'r cysylltiad rhwng y ddau i chwedloniaeth am y bardd.[45] Yr ail o'r lladdedigion yw Afaon mab Taliesin. Enwa TYP 34, 'Teir Anvat Vwyallavt Enys Prydein' Aneirin eto ac, yn ail, Golyddan Fardd. Yn ôl TYP 53, 'Teir Gvith Baluavt Ynys Prydein', yr oedd Golyddan Fardd yn gyfrifol am y trydydd ohonynt. Efe o bosibl yw'r Golyddan yn TYP 69 a gafodd 'kyfarws' anferth gan Frenin Cernyw.[46]

Llai perthnasol i ymchwil am enwau beirdd y traddodiad cynnar yw TYP 12, 'Tri Overveird'. Er nad oes sicrwydd am ystyr y term 'oferfardd' (ac efallai nad oedd cytundeb yn ei gylch), dengys yr enwau mai rheolwyr a gyfansoddai yn achlysurol oeddent, ac nid beirdd wrth eu swydd.[47] Arthur yw'r cyntaf, gan ategu'r ymhoniad yn 'Ymddiddan Arthur â'r Eryr' ('wyf bard'), a'r englyn y mae'n ei ganu yn 'Culhwch'.[48] Ymysg y Trioedd lle y defnyddir y fformiwla 'Llys Arthur', sydd i'w cael mewn llawysgrifau diweddar, y mae TYP 87, 'Tri Bardd Kaw oedd yn Llys Arthur: Myrddin vab Morvryn, Myrddin Embrys, A Thaliesin'.[49] Dyma'r unig gyfeiriad at Fyrddin yn y Trioedd.

Mae'r Trioedd yn dangos bod cof am feirdd enwog o'r cyfnod cynnar, ond nid ydynt yn awgrymu bod y cof yn dibynnu ar destunau cysylltiedig â'u henwau o reidrwydd. Wrth droi at farddoniaeth, disgwylir rhagor o wybodaeth am weithiau'r beirdd wrth ystyried yr adleisiau amlwg o'r hengerdd a geir ym marddoniaeth Oes y Tywysogion. Ond unwaith eto ymddengys gwybodaeth o chwedloniaeth (a'r Trioedd yn arbennig) yn fwy amlwg na gwybodaeth o farddoniaeth goll. Gellir rhannu'r cyfeiriadau at feirdd cynnar wrth eu henwau yn y farddoniaeth yn fras rhwng y rhai sy'n digwydd yn y cerddi cynnar, a'r rhai sydd mewn gweithiau o oes Beirdd y Tywysogion ymlaen, er nad oes sicrwydd am ddyddiad y cyfeiriadau yn yr hengerdd gan amlaf. Heblaw am yr amryw gyfeiriadau at Daliesin yn y cerddi yn Llyfr Taliesin mae un yn 'Y Gododdin' sy'n cyfuno enwau Taliesin ac Aneirin. Ymddengys mai ychwanegiad at y testun yw'r pennill a'i fod yn tystio i ddatblygiad chwedlonol am y ddau brif fardd o'r hengerdd:[50]

> mi na vi aneirin.
> ys gwyr talyessin
> neu cheing e ododin
> kynn gwawr dyd dilin. CA XLVIII

Daw enwau'r ddau fardd gyda'i gilydd hefyd yn 'Anrheg Urien' yn y Llyfr Coch: 'A wnn eu henw. aneirin gwawtryd awenyd. minneu dalyessin.'[51] Defnyddir epithed TYP 33 am Aneirin a phriodoli darogan iddo.

Y pwysicaf o lawer yw'r cyfeiriad at Aneirin yn CA LV A a B, y 'reciter's prologue'. Mae'n ychwanegiad at y testun, ond un cynnar sy'n gyffredin i'r ddau fersiwn.[52] Fel rhagymadrodd mydryddol eithriadol i destun y mae ei hyd a'i gymlethdod yn eithriadol ynddo'i hun, rhydd syniad inni sut y rhagymadroddid ar gyfer cerdd cyn perfformio ar lafar. Y mae'n ddigon posibl hefyd mai'r gân ragymadroddol hon sydd wedi sicrhau cysylltiad enw Aneirin â'i waith ymhell cyn y rhuddell 'Aneirin a'i kant'. Ni ellir ond dyfalu pa fath o ragymadroddi a oedd ar gyfer cerddi eraill ar lafar, ond mae'n ddigon posibl y rhoddid mwy o wybodaeth am y gân (gan gynnwys enw'r bardd) nag a oedd yn arferol mewn rhuddell llawysgrif. Os felly, awgryma'r diffyg priodoli cyffredinol mai mewn llawysgrifau ac nid ar gof y cadwyd y cerddi a oroesodd.[53]

Fel y nodwyd uchod, enwir Cian a Thalhaearn yn 'Angar Kyfyndawt' yn Llyfr Taliesin, un o ganeuon chwedl Taliesin. Nid yw'n glir a yw Cian yn fardd, ond y mae cyfatebiaeth glir rhwng 'trwy ieith taliessin' (18.3) a 'trwy ieith talhayarn' (20.4) a dywedir yn nes ymlaen 'Talhayan yssyd mwyhaf ysywedyd' (21.16–17). Go brin mai'r *Historia Brittonum* yw ffynhonnell yr wybodaeth am y ddau fardd hyn; nid enwir beirdd eraill y cofnod. Gall y cyfeiriadau at Dalhaearn awgrymu bod gwybodaeth o'i waith gan awdur 'Angar Kyfyndawt', ond rhaid cofio mai cymeriad chwedlonol ydyw yn y Trioedd.

Yn 'Englynion y Beddau' ceir cyfeiriad at fedd Tydai Tad Awen 'yg godir Brin Aren'.[54] Mae ganddo'r un epithed â Thalhaearn. Enwir ef gyda beirdd eraill (Culfardd, Ofydd, Taliesin) gan Iolo Goch yn 'Marwnad Llywelyn Goch'.[55] Cyffelyba Wiliam Llŷn Ruffudd Hiraethog iddo yn ogystal. I'w ddefnyddio fel enghraifft nid oedd angen mwy o wybodaeth amdano na'i epithed awgrymiadol, ond efallai fod chwedl yn hysbys amdano hefyd. Nid yw 'Englynion y Clywaid' mor gynnar ag 'Englynion y Beddau' ond enwau o'r traddodiad chwedlonol a geir ynddi gan mwyaf er gwaethaf y fformiwla agoriadol 'A glyweist-di a gant . . .'[56] Ar awdurdod y Trioedd, gellir cynnwys Yscafnell mab Dysgyfdawd (pennill 36) ymysg y beirdd. Am Gadyrieith (72) gweler uchod (t. 36). Yn 35, 'A glyweist-di a gant Auaon/ Uab Talyessin, gerd gofyon' gellir cysylltu'r disgrifiad barddol â'r tad neu â'r mab, ond buasai'n ategu'r awgrym fod Afaon/ Addaon yntau'n fardd.[57] O bosibl mai'r un yw Meugant (5) â chymeriad y tadogwyd diarhebion a barddoniaeth arno yn ddiweddarach, fel yn achos yr Hen Gyrys yntau (63).[58] Gall Cywryd Caint (69) fod yn enw arall ar Gywryd fardd Dunawd (gw. isod, t. 41). Y mae olion chwedl am Drist-fardd bardd Urien y Trioedd mewn englynion ymddiddan a geir mewn llawysgrifau diweddar.[59]

Mae'n amlwg fod y syniad o Fyrddin fel un o'r Cynfeirdd yn go gynnar, ac wrth gwrs yr oedd darogan yn gysylltiedig â barddoni. Cyfeiria awdl yn 'Y Gododdin', sydd bron yn sicr yn ychwanegiad, at 'gwenwawt mirdyn'.[60] Mae dechrau un pennill o 'Armes Prydein', 'Dysgogan Myrdin', yn cyfateb i benillion sy'n priodoli'r broffwydoliaeth i'r 'derwydon' ac i'r 'awen'.[61] Anodd penderfynu a ystyrid Myrddin yn awdur y cerddi darogan fel 'Gwasgargerdd Fyrddin yn ei Fedd' a 'Cyfoesi Myrddin' (gw. uchod, t. 33). Yn 'Ymddiddan Myrddin a Thaliesin' cymeriad ydyw, ond un sy'n sgwrsio ar bynciau astrus gyda'r archfardd, Taliesin. Eto nid enwir ef yng ngherddi chwedlonol Llyfr Taliesin ac nid yw ymysg y cynfeirdd enwog yn y Trioedd cynnar. Un peth sydd yn sicr, Myrddin yw un o'r beirdd a enwir amlaf gan y beirdd o'r Gogynfeirdd ymlaen.[62]

At Daliesin a Myrddin y cyfeiria Beirdd y Tywysogion amlaf, ac mae'n ddiddorol fod y cyfeiriadau yn aml yn crybwyll gwaith prydyddol y Cynfeirdd hyn. Mae hyn yn wir am y cyfeiriadau i gyd at Daliesin:

Edrych cyrdd cerddau Taliessin[63]	Elidir Sais
Ny bu warthlef kert Kynuerching – werin O benn Talyessin, bartrin, beirtrig. [64]	Cynddelw
Yn dull Talyessin yn dillwng Elfin[65]	Prydydd y Moch
Hengerdd Telessin y teyrned – elwyd, Hi a wu newyd naw seyth mlyned[66]	Phylip Brydydd
Adrawdd ei ddaed aerdrin – ni allwn, Ni allai Daliessin.[67]	Dafydd Benfras

Ceir mwy o sôn am waith prydyddol Myrddin nag am ei broffwydoliaeth. Dengys 'Kert uolyant, ual y cant Mertin' nad â cherddi darogan yn unig y cysylltwyd Myrddin.

Llathreit vy mardeir wedy Myrdin[68]	Elidir Sais
Ryddywawd o'i farddwawd Ferddin[69]	Elidir Sais
Kert uolyant, ual y cant Mertin[70]	Hywel ab Owain Gwynedd
Uch myrtwyr, uch Myrdin oet kein[71]	Cynddelw
Mal Mertin ym marteir kyffes[72]	Prydydd y Moch
Cyflawn o awen awydd Fyrddin[73]	Dafydd Benfras
No fan gant Myrddin mawrddysc Gwenddyd[74]	Iorwerth Fychan
Myrddin darogan[75]	Gwynfardd Brycheiniog
Darogan Mertin[76]	Prydydd y Moch

Yn syth ar ôl y cyfeiriad at awen Myrddin gan Ddafydd Benfras uchod y daw'r unig gyfeiriad at Aneirin:

I ganu moliant mal Aneirin – gynt Dydd y cant 'Ododin'[77]	Dafydd Benfras

Er gwaethaf enwogrwydd 'Y Gododdin' ac adleisiau o'r gerdd, i Feirdd y Tywysogion y prif enghreifftiau o feirdd y gorffennol oedd Taliesin a Myrddin. Nid enwau oeddent yn unig – y mae'n amlwg fod gweithiau a briodolid i'r beirdd hyn yn hysbys i'r beirdd a'u cynulleidfa.

Mae hyn yn llai eglur gyda'r ychydig enwau eraill a grybwyllir. Daw dau o enwau TYP 11 gyda'i gilydd:

Gnawd canaf-y volyant ual Auan – Uertic
   Neu uartwawd Arouan[78]   Cynddelw

Gan fod Cynddelw wedi rhoi'r enw anghyffredin, Dygynnelw, un o'r tri bardd yn TYP 11, i'w fab,[79] mae'n debyg fod ei wybodaeth am Arofan yn deillio o'r Trioedd yn uniongyrchol. Ond gan ystyried y ddau gyfeiriad at Afan Ferddig gan y Gogynfeirdd diweddar, Hywel Ystorm (Llyfr Coch 1338) a Gwilym Ddu o Arfon (Llyfr Coch 1228), mae'n bosibl y priodolwyd gweddillion cerddi cynnar sydd ar glawr heddiw i'w noddwr, Cadwallon, yn yr Oesoedd Canol.[80]

Diddorol iawn yw'r cyfeiriad at Gulfardd yn 'Ymryson Cynddelw a Seisyll Bryffwrch'. Mae'r enw yn debyg i'r enwau llysenwaidd eraill ymysg y Cynfeirdd, a honna Seisyll yn y gerdd ei fod o linach beirdd a sefydlwyd gan Gulfardd. Yn ddiweddarach yr oedd yn gymeriad chwedlonol a'i enw'n gysylltiedig â chanu brud, er nad yw'n ymddangos yn y Trioedd.[81] Enwir ef ddwywaith gan Iolo Goch.[82] Dibynna cyfeiriad at Lefoed (Wynepclawr), bardd tybiedig 'Gossymdeith llefoet wynebclawr' yn y Llyfr Coch, ar ddiwygiad tebygol mewn cerdd gan Ddafydd Benfras.[83]

Mewn marwnad yn y Llyfr Coch (1228) gan Wilym Ddu o Arfon (*c*.1330) y ceir yr unig gyfeiriad sydd ar glawr at y bardd, Cywryd fardd Dunawd. Os yr arwr o'r Hen Ogledd, Dunawd fab Pabo, oedd ei noddwr, buasai Cywryd yn un o'r Cynfeirdd cynharaf. Pa fodd bynnag, mae'r epithed yn dwyn ar gof feirdd TYP 11. Mae'r geiriau 'Meu ynnof mawrgof . . . Mal cofein kywrein Kywryt vard Dunavt' yn awgrymu bod y bardd diweddarach yn gyfarwydd â thestun cerdd a dadogwyd ar Gywryd. Ond eithriadol yw hyn ymysg cyfeiriadau Beirdd y Tywysogion. Mae'n debyg eu bod yn gyfarwydd â hengerdd nad yw ar glawr heddiw, ond mae'n amheus a oedd llawer mwy o briodoliadau ar lafar neu ar lyfr yn hysbys iddynt.

Mae'n bosibl codi enwau newydd o gyfnodau diweddarach, neu gyfeiriadau eraill at rai beirdd a nodwyd eisoes, ond nid yw hynny yn newid yr argraff mai ychydig iawn o briodoliadau o waith a oedd yn hysbys, a bod enwau beirdd yn brin hefyd. Priodolir rhestr o ddiarhebion i Ystudfach, a dywed Dafydd ap Gwilym fod un ddihareb enwog wedi'i bathu gan Ystudfach 'gyda'i feirdd', darlun o bencerdd a'i ddisgyblion, o bosibl.[84] Ond os felly, nid oedd o reidrwydd gysylltiad ganddo â thestun barddol. Cysylltir Meugant â dywediadau doeth hefyd, a'r cyfeiriadau i gyd yn rhai diweddar, ond gall mai'r un cymeriad ydyw â Maugantius, gŵr doeth yn *Historia Regum Britanniae.* Mae tebygrwydd hefyd i enw

Meigant, y priodolir 'Marwnad Cynddylan' iddo yn y *Myvyrian Archaiology*.[85] Ceir llawer mwy o gyfeiriadau at Aneirin fel bardd canu diarhebol, sy'n ddatblygiad diweddar eto.[86] Rhoir enw i fardd Maelgwn, Heinyn, mewn cerddi diweddar sy'n perthyn i 'Hanes Taliesin',[87] a phriodolir 'Difregwawd Taliesin' i Jonas o Fynyw.[88] Yn weddol ddiweddar, hefyd, gwelir camgymryd cymeriadau'r cerddi chwedlonol am feirdd, ac ychwanegir enwau 'beirdd' newydd fel Llywarch Hen, Ysgolan, a Mabclaf ap Llywarch, proses sy'n rhoi priodoliadau i gerddi a oedd gynt hebddynt.

A chyn lleied o briodoliadau cynnar, mae'n anodd iawn asesu cywirdeb y tadogi. O blaid rhywfaint o ddilysrwydd y mae'r ffaith nad oeddid yn creu testunau ar gyfer beirdd hysbys o'r gorffennol na thadogi hengerdd heb awdur arnynt; erys cerddi lawer yn onest ddienw. Ond rhaid cyfaddef bod ffigwr Taliesin i raddau yn hel ato farddoniaeth a allai fod wedi ei thadogi ar feirdd eraill; eto nid ymddengys y broses yn afresymol o ystyried cymeriad amlochrog yr archfardd.[89] Ni fyddid yn disgwyl yn yr Oesoedd Canol y gwahaniaethu rhwng Taliesin y Cynfardd a'r Taliesin chwedlonol a wneir gan ysgolheictod modern. Hap a damwain yw bod canu mawl yr hengerdd y mae rhai beirniaid yn ei ystyried yn waith y Taliesin hanesyddol wedi dod i mewn i'r rhwyd. Mae'n debyg fod casglwr neu gasglwyr deunydd Llyfr Taliesin hefyd wedi tadogi cerddi dienw o'r math priodol ar Daliesin, ond mae'n anodd dychmygu anwybyddu priodoliadau i feirdd eraill wrth roi caneuon iddo. Yn y cerddi chwedlonol, mae'r prif gymeriad yn fardd ac, fel yn achos Myrddin ac Aneirin, mae amwysedd ynghylch awduraeth nad yw'n codi yn achos cymeriadau fel Llywarch Hen a Heledd. Pan oedd bardd yn siarad â llais y Taliesin chwedlonol neu yn un o'r *genres* a gysylltid â'r ffigwr, nid oedd o anghenraid yn ceisio twyllo ei gynulleidfa na'i wrandawyr yn y dyfodol am y gwir gyfansoddwr; yr oedd cymeriad yr archfardd yn adlewyrchu elfennau ym mhob bardd.

Y mae'r cwbl o'r deunydd yn Llyfr Aneirin wedi ei dadogi naill ai ar Aneirin neu, yn achos 'Gwarchan Maelderw', ar Daliesin. Wrth edrych ar y rhyngosodiadau amlwg yn Llyfr Aneirin, ymddengys fod rhai yno yn ddamweiniol ac eraill yn fwriadol yn nhwf y testun. Mae'n hawdd gweld cerddi fel 'Pais Dinogad' a 'Brwydr Strathcarron' fel enghreifftiau clasurol o ddeunydd amherthnasol a ysgrifennwyd ar ddalen rydd, a'u copïo yn fecanyddol yn ddiweddarch fel rhan o'r testun.[90] Gellir egluro'r deunydd chwedlonol am Aneirin fel ychwanegiadau perthnasol, a'r ffin rhwng llais chwedlonol y bardd a'i weithiau yn annelwig yn yr Oesoedd Canol. Mae'n bosibl fod ychwanegiadau nad ydynt mor amlwg – hen gerddi eraill o'r Gogledd nad oeddent yn rhan o 'Y Gododdin' yn wreiddiol, dyweder, fel yr awdlau sy'n sôn am ymosodiad ar Eidyn o'r môr. Gan fod 'Y

Gododdin' yn destun ymryson barddol yn yr Oesoedd Canol buasai'n demtasiwn i feirdd ychwanegu awdl newydd neu ddwy i achub y blaen ar gystadleuwyr eraill.[91] Ni fuasai neb heddiw yn derbyn 'Aneirin a'e cant' yn ddigwestiwn, ond nid oes rhaid ei ddiystyru'n gyfan gwbl ychwaith.

Gwahanol yw achos Myrddin. Er gwaethaf bri Myrddin fel bardd yn yr Oesoedd Canol, nid oes unrhyw briodoliad iddo a fyddai'n dderbyniol yn ôl safonau diweddar. Mae'n gymeriad fel y Taliesin chwedlonol sy'n adlewyrchu honiadau beirdd cyffredinol am rym yr awen.[92] Yn y cerddi chwedlonol eu naws, mae'r un amwysedd ynglŷn â phwy yw'r awdur. Ond yn bennaf, y mae cymeriad Myrddin yn rhoi mwy o awdurdod i ddarogan, fel y mae'r Taliesin chwedlonol yn rhoi awdurdod i'r wybodaeth y mae ef yn ei thraethu. Mae priodoliad i Fyrddin yn rhywbeth ymarferol, yn rhan o'r cynllun, nid yn gais ymwybodol i drosglwyddo enw'r cyfansoddwr.

Mae priodoliadau cerddi crefyddol i gyd yn amheus. Ni ellir bod yn sicr a ydyw Elaeth yn ffigwr awdurdodol, ond mae hynny yn debygol. Dwy gyfres o englynion a briodolir iddo yn y Llyfr Du, ond y mae'r ail yn defnyddio englynion o'r hen ganiad, a'r gyntaf englynion unodl union; go brin mai'r un bardd a'u cyfansoddodd. Mae Addaon, fel ei dad (?), Taliesin, yn y cerddi crefyddol yn Llyfr Taliesin, yn gymeriad hysbys. Ni wyddys dim am Lefoed Wynepclawr, bardd tybiedig 'Gossymdeith llefoet wynebclawr', ond awgryma ei epithed a chynnwys y gân, sy'n gymysgfa o gyngor crefyddol a chanu gnomig fel 'Cysul Addaon' ac 'Englynion Duad', mai awdur ffug, chwedlonol ydyw yntau.

Y mae hyn yn tanllinellu hefyd y ffaith fod cerddi llawer o *genres* cyffredin yr hengerdd wrth eu natur yn debyg o fod yn ddienw. Dengys y priodoliadau credadwy i Aneirin a Thaliesin fod modd diogelu enw cyfansoddwr canu mawl, ond am amryw resymau y mae canu mawl yn brin ymysg y cerddi a oroesodd o'r cyfnod. Gellir olrhain y gwrthgyferbyniad rhwng priodoliadau helaeth Beirdd y Tywysogion a rhai prin yr hengerdd yn rhannol i'r gwahaniaeth yn y *genres* sy'n gyffredin yn y ddau gyfnod. Mae'n rhyfedd fod cerddi crefyddol o bob math heb briodoliad dilys. Ond unwaith eto, ni fyddai cerddi crefyddol sy'n defnyddio *persona* yn debyg o gadw gwir enw'r bardd, a rhoddwyd rhai cerddi sy'n dangos gwybodaeth Feiblaidd i'r cymeriad hollwybodus hwnnw, Taliesin. Yn achos caneuon ac ynddynt elfen storïol y mae gwybodaeth am y sefyllfa neu'r cymeriadau yn bwysig ac yn debyg o gael amlygrwydd mewn rhuddell.

Y mae'r elfennau o chwedloniaeth a gwybodaeth draddodiadol mewn llawer o gerddi'r hengerdd yn rheswm arall dros beidio â nodi enwau'r awduron, o bosibl. Ymddengys dadansoddiad T. A. Shippey o gerddi Hen Saesneg yn berthnasol i gyfansoddiadau tebyg yn Gymraeg:

The anonymity of most Old English poetry does not seem to be merely historic accident. It is as if the poets had felt a certain delicacy about adding their names to poems so extensively public and traditional, their composition drawing also on forces for which no single individual could take full credit.[93]

Mae amryw resymau dros briodoli cerddi i 'Taliesin' neu 'Myrddin', ond efallai mai cydnabyddiaeth fod y cynnwys yn draddodiadol ac yn rhan o gynhysgaeth y beirdd i gyd oedd un ohonynt. Er bod y beirdd a gyfansoddodd gerddi canolog cylch Llywarch Hen neu Ganu Heledd yn creu gwaith gwreiddiol yn ein barn ni, yr oeddent yn defnyddio storïau a chymeriadau lled hanesyddol. Nid oes priodoliadau ar gyfer y chwedlau brodorol rhyddiaith ychwaith, er bod dyddiad eu *floruit* yn gorgyffwrdd ag oes Beirdd y Tywysogion a'i phriodoliadau helaeth. Mae'n debyg nad oeddid yn gweld gwahaniaeth rhwng ailadrodd chwedlau dros genedlaethau a chyfansoddi rhywbeth newydd ysgrifenedig o'r un deunydd. A beirdd mawr yn Oes y Tywysogion yn ennill bri iddynt eu hunain â'u canu mawl, buasai *genres* barddol a rhyddieithol nad oeddent yn caniatáu iddynt eu statws fel sêr yn llai atyniadol. Nid yw hyn yn arwydd fod *genres* eraill yr hengerdd yn israddol. Er nad oes priodoliadau dilys ar eu cyfer, mae bron pob un i'w gael ymysg y cerddi a briodolwyd i'r archfardd, Taliesin.[94]

A yw'r elfen draddodiadol mewn cerddi a briodolwyd i gynrychiolwyr yr awen neu sydd heb briodoliad o gwbl yn golygu nad oeddent yn waith un dyn, ac nad oedd y testun yn sefydlog? A oedd y syniad o *intellectual property* i'w gael ymysg y beirdd cynnar? Gellir ateb yn gadarnhaol eithr gydag amodau. Hyd yn oed ym marddoniaeth Hen Saesneg, gyda'i chefndir o gyfansoddi o'r newydd mewn perfformiad (*oral-formulaic*), ceir enw dau fardd yn gysylltiedig â'u gwaith, Caedmon a Cynewulf, a dau fardd chwedlonol fel Taliesin a Myrddin, sef Widsith a Deor. Er bod y rhan fwyaf o'r cerddi yn ddienw, ymddengys fod y testunau yn waith un dyn, ac yn sefydlog yn yr ystyr ganoloesol. Mae cymhariaeth â'r sefyllfa yn Iwerddon yn haeddu mwy o sylw nag y gellir ei roi iddi yma. Mae llawer mwy o enwau beirdd Gwyddeleg ar glawr, efallai oherwydd cysylltiad agosach rhwng y dosbarth dysgedig a'r Eglwys, a'r ffaith fod llawer mwy o weithiau wedi goroesi. Mae priodoliadau dibynadwy ar gyfer cerddi crefyddol a cherddi seciwlar, ac enwau gwŷr llên mewn ffynonellau eraill. Fel yn y Gymraeg, ceir priodoliadau i ffigyrau o'r gorffennol a ymddengys yn annibynadwy, a cherddi lle y mae'r beirdd yn defnyddio llais cymeriadau chwedlonol neu awdurdodol, a digonedd ohonynt lle mae'r awdur yn anhysbys.[95] Awgryma helaethrwydd (cymharol) priodoliadau Gwyddeleg fod i bob cân ei hawdur yn ddelfrydol. Y mae'r un peth yn wir am y Gymraeg yn y cyfnod dilynol, oes Beirdd y Tywysogion. Go brin fod pethau wedi newid.

Ond fel sydd yn glir wrth graffu ar y priodoliadau 'ffug', nid oedd y syniad o awduraeth yn union fel y mae heddiw. Nid yw hen ddamcaniaeth Saunders Lewis fod cerddi sy'n defnyddio cymeriad geiriol yn waith cyfansawdd dosbarth o ddisgyblion barddol yn dderbyniol, ac y mae adeiladwaith cywrain rhai o'r cerddi yn caniatáu i ni ddyfalu nad oedd ychwanegiadau diweddar yn gyffredin, er bod rhywfaint o'r rheini ar glawr.[96] Ond byddai'n haws ychwanegu at ganeuon mewn *genres* fel y canu gnomig sy'n llac eu ffurf. Y mae rhywfaint o benillion a deunydd sy'n gyffredin i fwy nag un gân ymysg y cerddi sy'n cynnig cyngor crefyddol a'r canu gwirebol.[97] Hefyd yr oedd achosion o ychwanegu cerddi *cyfan* newydd at gasgliadau fel yn achos 'Y Gododdin', cerddi chwedlonol Taliesin a'r cylchoedd englynol, a'r deunydd yn amlwg yn wahanol o ran dyddiad ac ansawdd. Gŵyr pawb fod newidiadau i destun yn digwydd drwy gamgopïo neu gamgofio, ond awgryma'r parodwydd i newid orgraff a rhoi gair newydd yn lle hen air nad oedd y newidiadau i gyd yn anfwriadol. Mae'n debyg nad oedd trosglwyddwyr yn erbyn gwneud 'gwelliannau' ac ychwanegiadau. Mae dadansoddiad Dafydd Johnston yn y gyfrol hon o'r newidiadau damweiniol a bwriadol wrth drosglwyddo marwnad gan Ruffudd ab yr Ynad Coch yn sicr yn berthnasol i drosglwyddiad pob cerdd nad yw yn llaw ei hawdur.[98] Er nad yw agweddau tuag at gysegredigrwydd testun yn dderbyniol yn ôl syniadau diweddar (fel yn achos cyfieithu yn yr Oesoedd Canol), nid yw cân unigol mewn gwirionedd yn waith cyfansawdd; dylid rhoi 'Anhysbys' ar ôl y teitl, nid 'Traddodiadol'.

Erbyn heddiw, disgwylir gallu dadansoddi darn o lenyddiaeth gan ddechrau gyda'r awdur: ei fywyd, ei amgylchiadau, ei weithiau eraill a'r dylanwadau a fu arno. Yn ddelfrydol mae ystyried yr awdur yn bwysig, ac ymddengys bron yn annaturiol edrych ar gân mewn gwagle. Yr ysgogiad gwreiddiol y tu ôl i'r bennod hon oedd sylweddoli, gyda'r holl bwyslais ar y beirdd enwog, fy mod yn teimlo yn gryf ers tro byd fod rhagor o gerddi'r hengerdd ac iddynt briodoliadau dilys ar wahân i Ganu Taliesin a Chanu Aneirin – ond fy mod yn methu eu cofio ar y foment! Efallai nad yw'n ddifudd tanllinellu'r ffaith sylfaenol: oes y bardd anhysbys yw oes yr hengerdd. Nid yn unig yr ydym ni'n disgwyl gwybod rhywbeth am yr awdur – ei enw o leiaf – ond y mae tuedd gref i ddiystyru ac i fychanu gwerth gweithiau anhysbys o bob math.[99] Gall gwerth llun ostwng dros nos os bydd sialens i fater pwy a'i gwnaeth; mae hen offeryn cerdd ac arwydd ei wneuthur arno yn aml yn fwy costus nag un arall anhysbys o well ansawdd. I ddeall a gwerthfawrogi'r hengerdd rhaid derbyn y sefyllfa fel y mae. Er enghraifft, haedda 'Edmyg Dinbych' fwy o sylw wrth gyflwyno'r traddodiad mawl.[100] Mae'n ddrylliog, mae'n wir, ond y mae'r testun yn llai problematig na gweithiau tybiedig yr Hen Ogledd, ac y mae'r bardd hunanhyderus anhysbys yn rhoi gwybodaeth werthfawr am y beirdd, eu honiadau a'u perthynas â'u noddwyr mewn cân swynol. Ni fydd *genres* ymylol yr hengerdd byth yn boblogaidd, ond mae'n bwysig eu hystyried wrth ddadansoddi cerddi eraill. Dengys gwaith Marged Haycock fod llawn cymaint i'w ddysgu am y beirdd yng ngherddi'r Taliesin chwedlonol ag yn y cerddi hanesyddol, os nad mwy, ac y maent yn goleuo agweddau nad ydynt i'w gweld mewn canu mawl yn unig. Hefyd, y mae beirdd anhysbys yr hengerdd yn ein hatgoffa nad yw'r traddodiad barddol yn ddi-dor, heb amrywiaeth sylfaenol dros amser, ac nad yw'n ddiogel bob tro wneud rhagdybiaeth ar sail yr hyn sy'n arferol mewn cyfnod arall. Gwnaeth yr Athro J. E. Caerwyn Williams fwy na neb i ddwyn ynghyd y dystiolaeth am y beirdd Celtaidd o bob oes a gwlad a'i dehongli, ac yr oedd yn ymwybodol iawn o *genres* y tu allan i'r traddodiad mawl. Yn bersonol, cofiaf ei gymorth a'i amynedd pan benderfynais edrych yn fanwl ar y canu englynol yn ei gyfanrwydd yn hytrach na dechrau ysgrifennu traethawd ar yr englynion chwedlonol. Mae'n fraint cael cyflwyno'r bennod hon i'w goffadwriaeth.[101]

Nodiadau

[1] Er bod yr ysfa i roi enw wedi arwain at ddamcaniaethu diffrwyth o bryd i'w gilydd.

[2] Gw. A. Cynfael Lake, 'Awduraeth Cerddi'r Oesoedd Canol: Rhai Sylwadau', *Dwned*, 3 (1997), 63–4, am bwysigrwydd rhoi enw wrth gerdd yn llawysgrifau'r Cywyddwyr.

[3] CA 1 a 55.

[4] Marged Haycock, '"Preiddeu Annwn" and the Figure of Taliesin', SC, 18–19 (1983–4), 53–4.

[5] BT 67.

[6] C 70.

[7] Un eithriad yw copi Thomas Wiliems o 'Englynion Duad' (BL Add 31055). Ymddengys mai ychwanegiad y copïydd yw 'Dûat ai cant'; gw. Jenny Rowland, 'Englynion Duad', *Journal of Celtic Studies*, 3 (1981), 661–2.

[8] LlDC liv-v; EWSP 287. Y mae trafodaeth ar yr awdur gan Haycock BBGCC 267 a 283.

[9] C 107.

[10] BT 36.

[11] EWSP 457.

[12] BT 71, 45.

[13] RBP 1060; golygiad a thrafodaeth, BBGCC 338–48.

[14] RBP 577.

[15] RBP 584.

[16] RBP 1055.

[17] BBGCC 292–3. Yr un *genre* yw 'englynion duad', ond ni wyddys ai disgrifiad ai enw yw 'duad', gw. Rowland, 'Englynion Duad', 62.

[18] BT 31, 35, 34; gw. 'Cadair Ceridwen' gan Marged Haycock yn y gyfrol hon.

[19] BT 27 a 30.

[20] BT 8.

[21] BT 62.

[22] BT 60, gw. CT xi.

[23] Ceir enghreifftiau cyfandirol o'r oes Garolingaidd. Mae'r bardd Eingl-Sacsonaidd, Cynewulf, yn sillafu ei enw â *runes*, ond y mae ystyr enw y *runes* yn rhan o'r testun ac yn apelio at y glust yn ogystal â'r llygaid.

[24] Gw. Ann Parry Owen, '"A mi, feirdd, i mewn a chwi allan": Cynddelw Brydydd Mawr a'i grefft', yn BTh 144: 'Y mae'r modd y cyfeiria ato ei hun gynifer â deuddeg o weithiau . . . yn ategu'r hunanhyder hwn . . .' Am gyfeiriadau atynt eu hunain wrth eu henwau gan Ogynfeirdd eraill, gw. Ann Parry Owen, 'Mynegai i Enwau Priod ym Marddoniaeth Beirdd y Tywysogion', LlC, 20 (1997), 25–37.

[25] Mae hyn yn wir yn ddiweddarach yn ogystal, cymh. Berddig Gwent (isod), a'r Prydydd Bychan a Phrydydd y Moch ymysg y Gogynfeirdd.

[26] BT 59 a BT 23.

[27] CA ll. 548. Gw. Morfydd E. Owen, 'Hwn yw e Gododin. Aneirin ae Cant', AH 132–50 (tt. 138–40).

[28] C 98, C 102, C 81, RBP 1036.

[29] RBP 584.

[30] Gw. TYP 21.

[31] *Nennius: British History and the Welsh Annals*, gol. John Morris (London, 1980), 78.

[32] Kenneth Jackson, 'On the Northern British Section in Nennius', yn *Celt and Saxon*, gol. N. K. Chadwick *et al.* (Cambridge, 1963), 20–62; David Dumville, 'On The North British Section of the *Historia Brittonum*', CHC, 8 (1977), 345–54.

[33] Ifor Williams, 'The Earliest Poetry', yn *The Beginnings of Welsh Poetry*, gol. Rachel Bromwich (Cardiff, 1972), 44–5, n. 11; Patrick Sims-Williams, 'The Death of Urien', CMCS, 32 (1996), 34–8.

[34] BT 19.4, 20.4, 21.16.

[35] Gw. R. Geraint Gruffydd, *'Edmyg Dinbych': Cerdd Lys Gynnar o Ddyfed*, (Aberystwyth, 2002), 10; Wendy Davies, *The Llandaff Charters* (Aberystwyth, 1979), 149.

[36] HGK 21.

[37] WCD 43–44.

[38] Gw. Morfydd E. Owen, 'Royal Propaganda: Stories from the Law-Texts', yn *The Welsh King and his Court*, gol. T. M. Charles-Edwards *et al.* (Cardiff, 2000), 238–54.

[39] Mae'n debyg i'r 'chwedl un englyn', gw. EWSP 250–1.

[40] Haycock, 'Preiddeu', 54.

[41] BRh 20; gw. hefyd TYP 291–2. Priodolir un o ddiarhebion 'Englynion y Clywaid' iddo yn ogystal.

[42] TYP 19–20. Ceir cyfeiriad at Gywryd *fardd Dunawt* mewn cerdd gan Wilym Ddu o Arfon; gw. isod, t. 41.

[43] R. Geraint Gruffydd, 'Canu Cadwallon ap Cadfan', yn AH 25–43 (tt. 25–9).

[44] Gw. trafodaeth Bromwich, TYP 19–20.

[45] M. E. Owen, 'Hwn yw e Gododin', 132–50.

[46] TYP 183–4.

[47] TYP 21–2.

[48] BBGCC 297.

[49] TYP 214.

[50] Owen, 'Hwn yw e Gododin', 139. Enwir y ddau gyda'i gilydd hefyd yn y rhuddell ar ddechrau 'Gorchan Maelderw'.

[51] RBP 1050.

[52] Owen, 'Hwn yw e Gododin', 132–5; Thomas Charles-Edwards, 'The Authenticity of the *Gododin*: An Historian's View', yn AH, 44–71 (tt. 51–4).

[53] Gw. Patrick Sims-Williams, 'The Uses of Writing in Early Medieval Wales', yn *Literacy in Medieval Celtic Societies*, gol. Huw Price (Cambridge, 1998), 15–38.

[54] Thomas Jones, 'The Black Book of Carmarthen "Stanzas of the Graves"', PBA, 53 (1967), 117.

[55] GIG 93, a gw. y nodyn t. 310.

[56] BBGCC 313–37.

[57] Gw. uchod t. 33, a'r sylwadau gan Haycock, 'Cadair Ceridwen', t. 161.

[58] WCD 476; BBGCC 336.

[59] Ifor Williams, 'Tristfardd, Bardd Urien', B, 8 (1935–7), 331–2; Thomas Jones, 'Tristfardd, Bardd Urien', B, 13 (1948–50), 12–13.

[60] CA ll.465 (t. 19).

[61] AP 2.

[62] Am gyfeiriadau ato gan y Cywyddwyr, gw. TYP 472–4.

[63] CBT I, 17.18

[64] CBT III, 24.153–4.

[65] CBT V, 25.3.

[66] CBT VI, 15.33–4

[67] CBT VI, 25.36–7.

[68] CBT I, 16.7

[69] CBT I, 17.21

[70] CBT II, 6.46.

[71] CBT IV, 4.99, a gw. y nodyn t. 75.

[72] CBT V, 5.63.

[73] CBT VI, 25.4.

[74] CBT VII, 30.60.

[75] CBT II, 25.43.

[76] CBT V, 25.41.

[77] CBT VI, 25.5–6.

[78] CBT IV, 6.268–9.

[79] Rhian M. Andrews, 'Galar Tad am ei Fab: "Marwnad Dygynnelw" gan Gynddelw Brydydd Mawr', LlC, 24 (2001), 52–60 (t. 53).

[80] Gruffydd, 'Canu Cadwallon', 29.

[81] CBT IV, cerdd 12, a gw. t. 237.

[82] GIG 67 a 93, a gw. y nodyn t. 264.

[83] CBT VI, 514.

[84] GDG 364, 540–1.

[85] WCD 463 a 476.

[86] Owen, 'Hwn yw e Gododin', 140–50.

[87] YT 30–2.

[88] Amdano gw. BBGCC 349–50 a xvii–xviii.

[89] Y mae rhagor o gerddi Taliesin neu Daliesinaidd mewn llawysgrifau eraill, er enghraifft 'Englynion y Beddau' (Llyfr Du) ac 'Anrheg Urien' (Llyfr Coch). Y mae'r priodoliad i Daliesin yn y Llyfr Coch mewn llaw ddiweddar, gw. Daniel Huws, 'Llyfr Coch Hergest', yn y gyfrol hon.

[90] Ond dadleua John Koch, *The Gododdin of Aneirin* (Cardiff, 1997), lix–lxv, ei fod yn ychwanegiad bwriadol.

[91] CT xliv.

[92] Gw. A. O. H. Jarman, 'A Oedd Myrddin yn Fardd Hanesyddol?', SC, 10/11 (1983–4), 182–97; YT 2–4.

[93] T. A. Shippey, *Old English Verse* (London, 1972), 153.

[94] Gw. Jenny Rowland, 'Genres', yn *Early Welsh Poetry*, gol. Brynley F. Roberts (Aberystwyth, 1988), 179–208 (tt.186–93).

[95] Gw. J. E. Caerwyn Williams, *Traddodiad Llenyddol Iwerddon* (Caerdydd, 1958), 68–86; Proinsias Mac Cana, 'Y Canu Mawl yn Iwerddon cyn y Normaniaid', yn BTh 122–42, Gerard Murphy, *Early Irish Lyrics,* ail argraffiad (Oxford, 1962).

[96] EWSP 365–7.

[97] Rowland, 'Englynion Duad', 63–4.

[98] Gw. pennod 8 yn y gyfrol hon.

[99] Mae hyn yn wir am gyfnodau diweddarach, ac y mae'n dda gweld sylw Helen Fulton ar gerddi anhysbys y Cywyddwyr yn ei phennod hithau yn y gyfrol hon.

[100] Braf gweld y gerdd hon yn bwnc y Ddarlith Goffa J. E. Caerwyn a Gwen Williams gyntaf gan R. Geraint Gruffydd (gw. n.35 uchod).

[101] Hoffwn ddiolch i Dr Dewi Evans ac i Dr Iestyn Daniel hefyd am eu sylwadau a'u cymorth gyda'r mynegiant.

3

Awdurdod ac Awduriaeth: Golygu'r Cywyddwyr

HELEN FULTON

Pan ddechreuais ar y gwaith o olygu 'apocryffa Dafydd ap Gwilym', holodd sawl un a ddarganfuwyd unrhyw gerddi 'dilys' yn llechu ymysg yr apocryffa. Nid oedd yr Athro J. E. Caerwyn Williams yn un o'r holwyr hynny. Yn entrychion yr Hen Goleg, mewn ystafell drawiadol debycach i lyfrgell o'r bedwaredd ganrif ar bymtheg nag i swyddfa academaidd, bu'n bwrw golwg garedig dros f'ymdrechion cyntaf gydag amrywiadau llaw-ysgrifol. Bu'n barod iawn i rannu ei wybodaeth eang am y llawysgrifau Cymraeg canoloesol, ond o ran trafod awduron, boed ddilys neu dybiedig, hwylus neu ffasiynol, cadwai'r Athro ryw bellter Barthes-aidd. Yr oeddwn yn ddiolchgar iawn iddo am hynny, ac am nifer o gymwynasau eraill.

Yn wahanol i draddodiad golygu rhyddiaith Cymraeg Canol, yn enwedig Pedair Cainc y Mabinogi a'r chwedlau eraill, seiliwyd traddodiad golygu cywyddau'r Oesoedd Canol diweddar o'r cychwyn cyntaf ar yr angen sylfaenol i gysylltu'r cerddi â bardd, bardd a chanddo enw. Y bardd, felly, a ragflaena'r testun: heb enw bardd, anaml y caiff cerddi Cymraeg canoloesol eu hargraffu, oni bai fod modd iddynt gysgodi dan adain grŵp o gerddi gan awdur penodol, a thrwy hynny, gael benthyg peth o awdurdod y grŵp hwnnw.[1] Y mae'r pwyslais hwn ar awduron ag enwau i'w holrhain i'r cyfnod hwnnw o ddiwedd y ddeunawfed ganrif ymlaen pan ymddangosodd fersiynau print o'r cywyddau am y tro cyntaf, a phan ymsefydlodd yr arfer o olygu testunau ysgolheigaidd yn gyffredinol. Ar hyd y cyfnod hwn, ac ymhell ymlaen i'r ugeinfed ganrif, barddoniaeth oedd y ffurf lenyddol uchaf ei bri. Bernid mai dim ond cynnyrch rhag-ddisgwyliedig y diwylliant poblogaidd oedd chwedlau a straeon llên-gwerin, ffrwyth y gymuned yn hytrach na chynnyrch awdur fel y cyfryw. Anodd os nad amhosibl oedd synied am gerdd heb synied am awdur dawnus yn sefyll y tu ôl iddi, rhyw athrylith o awenydd a fu'n gyfrifol o'i ben a'i bastwn ei hun am ddethol a threfnu pob gair.

Y mae'r ysfa hon i gysylltu testunau llenyddol â'r math hwn o awdur yn arwain at oblygiadau sydd lawn mor berthnasol wrth olygu cerddi

50

canoloesol Cymraeg ag ydynt wrth olygu testunau llenyddol eraill. Yn gyntaf, dyna fater creu'r canon llenyddol. Os lleolir awdur y tu allan i'r testun, yn rhagflaenu'r testun fel petai, dyna sy'n llywio gwaith y golygydd neu'r beirniad, sef y gorchwyl o ddiffinio'r awdur drwy gasglu ynghyd ei holl gynhyrchion dilys a'u cysylltu â'r enw unigol 'cywir'. Drwy hyn cyfosodir yr awdur a'r gweithiau mewn perthynas gilyddol lle y mae'r naill yn diffinio ac yn awdurdodi'r llall. Ynghlwm wrth hyn y mae anghenion marchnata. Rhoddir mwy o werth ariannol ac esthetaidd ar weithiau llenyddol a gysylltir ag awdur amlwg nag a roddir ar destunau gan awduron dienw, neu ar destunau nad ydynt yn amlwg yn gynnyrch un awdur hysbys. Tueddir i osod y testunau hynny yn is, ar lefel y diwylliant poblogaidd. Y mae 'apocryffa Dafydd ap Gwilym' yn darlunio hyn: dyma'r term y manteisiais arno wrth lunio fy ngolygiad innau o gywyddau cwbl ddienw, cywyddau a fu ar eu hennill o ran statws a chyd-destun drwy gael eu cysylltu felly ag enw mawr.[2]

Hunaniaeth genedlaethol yw'r drydedd ystyriaeth. Oddi ar yr Oesoedd Canol diweddar, bu oriel o anfarwolion llên yn sail i adeiladu hunaniaeth genedlaethol.[3] Ymddangosodd testunau print o gywyddau a thestunau canoloesol Cymraeg eraill yn hwyr yn y ddeunawfed ganrif, tua'r un pryd â gwawr yr 'adfywiad Celtaidd' yn Lloegr a oedd i gyfrannu'n uniongyrchol i dwf hunaniaeth Gymreig yn seiliedig ar iaith a diwylliant hynafol. Wrth i weithiau ar enwau awduron fel Dafydd ap Gwilym ac Iolo Goch gael eu hargraffu ochr yn ochr â beirdd cyfoes o'r bedwaredd ganrif ar bymtheg megis Cynddelw (Robert Ellis) a Thalhaiarn (John Jones), tystiolaethwyd i 'wirionedd' traddodiad barddol di-dor Cymru a ymestynnai yn ôl i'r Oesoedd Canol cynnar.[4]

Yn olaf, swyddogaeth bwysicaf awdur a chanddo enw oedd 'awdurdodi' y testun ei hun: nid yn unig awdurdodi'r ffurf a'r cynnwys a gwarantu mai dyna'n union a ysgrifenasid gan y bardd ei hun (a oedd yn ddieithriad yn fardd gwryw), ond gwarantu ystyron y testun. Ynghlwm wrth enw awdur ceir bywgraffiad, pa mor fylchog bynnag y bo, ac felly ceir rhyw fath o leoliad yng nghyd-destun hanes a lle a allai ddilysu'r testun a'i ystyr. Tybir bod yr awdur, sy'n cael ei leoli y tu allan i'r testun ac sy'n ei ragflaenu, wedi 'bwriadu' rhywbeth wrth ysgrifennu. Tasg y golygydd, felly, yn syml, yw dod o hyd i'r hyn a ysgrifennwyd gan yr awdur; tasg y beirniad yw canfod beth yn union a fwriadai. Y mae'r ffordd y bydd awdur yn 'awdurdodi' testun yn ei dro yn dibynnu ar statws ysgrifenedig y testun. Dim ond pan fydd testun wedi'i gyfansoddi a'i ddiogelu'n ysgrifenedig y gellid priodoli iddo awduriaeth sefydlog ac ystyr sefydlog. Fe ddilyn fod cyfrol o gywyddau golygedig yn diystyru natur lafar y cyfansoddi a'r trosglwyddo, a'r ymyrraeth gan olygyddion y gorffennol, ac yn gwneud hynny i'r graddau sy'n ofynnol er mwyn gwarantu sefydlogrwydd yr awdur, y testun a'r ystyr.

* * *

Ar un olwg y mae'r ysfa i gysylltu enw awdur â thestun llenyddol yn ysfa fodern iawn, un sy'n cydgordio â thwf y fasnach gyhoeddi a marchnata llyfrau. Bernir bod awduron yn 'boblogaidd' os bydd eu henwau'n ymddangos mewn llythrennau brasach na'r teitl ar glawr llyfr. Ar y llaw arall, gellid dadlau nad rhywbeth newydd mo'r pwyslais hwn ar yr awdur. Yn hwyr yn y bymthegfed ganrif, pan sefydlodd Caxton ei wasg argraffu yn Westminster, apeliai at y farchnad a oedd ganddo mewn golwg, sef swyddogion dinesig a mân ysgwieriaid, drwy gynnig iddynt lyfrau gan awduron adnabyddus megis Chaucer, Gower a Lydgate, yn ogystal â chyfieithiadau Saesneg o weithiau gan rai o awduron Ffrainc a'r Eidal.[5] Fel y dadleuodd David Carlson, mewn sylw ar arwyddocâd awduriaeth wrth farchnata llyfrau print cynnar, 'the printing industry had an interest in fostering authorship, because printers could use authors to help sell books'.[6]

Yr oedd y cysyniad canoloesol o'r awdur braidd yn wahanol, fodd bynnag, i'r cysyniad a ddatblygodd yn ystod y ddeunawfed ganrif pan welwyd twf cyhoeddi llyfrau masnachol ar raddfa fawr. I ddarllenwyr ac awduron yr Oesoedd Canol, yr oedd 'awdur' yn gyfystyr ag *auctor*. Defnyddid y term i olygu rhywun a ysgrifennai Ladin, un yr oedd ei eiriau'n gosod awdurdod ar destun; ni olygai o reidrwydd awdur neu olygydd testun a awdurdodwyd yn y modd hwn. Er enghraifft, nid oedd Chaucer yn ei alw ei hun yn 'awdur', ond fe gyfeiriai'n gyson at *auctoritas* hen awduron fel Ofydd a Macrobius. Wrth sôn amdano ef ei hun, defnyddiai dermau megis *compiler*, cyfieithydd neu *rhetor*; fel 'that noble and grete philosopher' ac 'a laureate poete' y cyfeiriai Caxton ato.[7]

Mewn geiriau eraill, nid ymhonnai Chaucer fod yn *auctor* gan fod y term hwnnw'n dynodi ysgrifenwyr Lladin yr oedd eu gwaith yn rhoi awdurdod i waith beirdd diweddarach a gyfansoddai yn yr ieithoedd brodorol ac a gyfeiriai yn ôl yn gyson at yr hen *auctores*. Gan mai Lladin oedd iaith gwirionedd ac awdurdod, yr oedd gofyn i feirdd yr ieithoedd brodorol foesymgrymu iddi a chyfeirio ati'n gyson er mwyn awdurdodi eu testunau. Fel y dywed Kevin Pask: 'The status of the vernacular poet, moreover, was negligible within the schools and universities of the Latin-speaking clerisy, and the vernacular writers of Chaucer's time characteristically made obeisance to their own marginalization.'[8] O ganlyniad i hyn, tueddai awduron yr ieithoedd brodorol i geisio ennill 'awdurdod' i'w gweithiau hwythau drwy ddefnyddio ffurfiau a thechnegau a gysylltid â llenyddiaeth Ladin uchel ei bri, megis rhagymadroddion, esboniadau neu losau.[9] Â Pask ymlaen i ddadlau bod safle dyrchafedig Chaucer yn y bymthegfed ganrif, hyd yn oed cyn i Caxton gyhoeddi ei waith, yn deillio o'i ymdrech lwyddiannus i greu disgŵrs ddyrchafedig Saesneg. Dyma'r 'newly ennobled vernacular' a weddai i'r arweinyddiaeth ddinesig a oedd ar ei phrifiant, dosbarth a chwenychai bellach ei fath neilltuol ei hun o *auctoritas*. Wrth i fri llenyddiaeth frodorol gynyddu, daeth i'r amlwg y math o awdur a allai awdurdodi ei destun ei hun, a hynny heb gyfeirio yn ôl at unrhyw *auctor* (Lladin) arall.

Nid â syniadau am *auctoritas* y mae a wnelo angen y byd cyhoeddi modern am awdur penodol yn gymaint ag â theori awduriaeth benodol. Rhagdybia'r theori mai'r awduron, y rhai sy'n creu wrth ysgrifennu, sy'n llwyr gyfrifol am y testunau unigol. Yn ôl y fframwaith damcaniaethol hwn, y mae gan yr awdur oddrychedd cyson sy'n rheoli pob un o ystyron posibl y testun; gan hynny, y mae'n dilyn bod gofyn i'r darllenydd roi blaenoriaeth i'r ystyr a fwriadwyd gan yr awdur ei hun, a hynny ar draul unrhyw ystyron potensial eraill. Yr awdur sy'n awdurdodi nid yn unig gyd-destun y cynhyrchu – lle ac amser penodol mewn hanes – ond hefyd ffurf a chynnwys y cynnyrch, ac, yn fwyaf arwyddocaol, ystyron y testun. Y theorïau hyn am awduriaeth a throsglwyddo sy'n esgor yn eu tro ar ffenomenau eraill megis y bywgraffiad llenyddol a'r *star*-awdur, a hefyd ar ddull o holi hermeniwtig sy'n ceisio adfeddiannu'r ystyr a fwriadwyd gan yr awdur ac a roddwyd ganddo yn y testun.

Wrth wraidd yr holl greadigaeth ddamcaniaethol hon a'r dull yma o drin awduriaeth y mae'r cysyniad rhyddfrydol-ddyneiddiol o fodolaeth yr unigolyn fel endid cyn bod sôn am y ffurfiant cymdeithasol.[10] Adlewyrchu golwg hanfodaethol ar unigolion a wna'r cysyniad hwn, ffordd o'u gweld yn meddu ar 'singular, integral, altogether harmonious and unproblematic identities'.[11] Ni ellid gwahanu'r cysyniad hwn oddi wrth ideoleg gyfalafol sy'n dewis darlunio unigolion fel defnyddwyr sofran sy'n rhydd i ddewis fel y mynnant. Os deellir bod unigolion, felly, yn endidau sydd eisoes wedi'u ffurfio – ac, ar y cyfan, dyna sut y gwelwn ein gilydd wedi'n darlunio mewn testunau, yn enwedig yn nhestunau'r cyfryngau – os felly, y mae'n dilyn bod gweithiau gan awduron penodol yn gynnyrch ymwybodol gan feddyliau unigryw, awduron sy'n gweithio o fewn cyd-destun cymdeithasol a hanesyddol, ond sydd ar yr un pryd yn gallu sylwi ar y cyd-destun hwnnw o safle rywle y tu hwnt iddo. Bydd gan yr awdur fel unigolyn hawl arbennig ar ystyr yr hyn a ddarlunnir o fewn ei waith. Heriwyd y golwg hwn ar yr awdur-unigolyn gan Roland Barthes yn ei ysgrif 'The Death of the Author' yn 1968, ac yn y flwyddyn ganlynol gan yr athronydd, Michel Foucault, yn ei ysgrif yntau, 'What is an Author?'[12] Ym marn Barthes cododd y cysyniad o'r awdur modern o 'empeiriaeth Seisnig, rhesymoliaeth Ffrengig, a ffydd unigolyddol y Diwygiad'. Datblygodd yn olwg bositifistig ar yr awdur a ystyrid ar yr un pryd yn unigolyn o fri:

Y mae'r awdur yn dal i deyrnasu yn hanes llên, ac mewn bywgraffiadau awduron, cyfweliadau, cylchgronau, fel y mae'n teyrnasu ym mêr ymwybyddiaeth y llenorion hynny sy'n awchu i ieuo eu person a'u gwaith drwy gyfrwng dyddiaduron a llythyron. Y mae'r darlun poblogaidd o lenyddiaeth wedi'i ganoli'n orfodol ar yr awdur, ei berson, ei fywyd, ei chwaeth, ei nwydau. Y mae beirniadaeth, at ei gilydd, yn gyfystyr â dweud bod gwaith Baudelaire yn fethiant ar ran Baudelaire y dyn, mai ei orffwylledd yw gwaith Van Gogh, mai ei drythyllwch yw gwaith Tchaikovsky. Ceisir bob tro esbonio'r gwaith yn nhermau'r gŵr neu'r wraig a'i cynhyrchodd, yn union fel petai llais yr awdur unigol, drwy gyfrwng alegori fwy neu lai dryloyw'r ffuglen, yn 'ymddiried' ynom ni.[13]

O ganlyniad i hyn, tasg y beirniad yw darganfod yr awdur: dyna'r allwedd i 'esbonio'r gwaith'. Ond beth sy'n digwydd pan na fydd y testun yn gynnyrch unigolyn darganfyddadwy, ond yn hytrach yn gynnyrch proses ryng-destunol, ddi-dor lle y bydd testunau'n benthyg oddi ar destunau eraill ac yn cyfeirio atynt? Er mwyn gwneud synnwyr o'r broses honno, ac er mwyn canfod undod y testun ymhlith yr holl gyfeiriadau rhyng-destunol, rhaid troi nid at yr awdur, ond yn hytrach at y darllenydd, 'y gofod y mae'r holl ddyfyniadau sy'n creu'r gwaith yn cael ei ysgrifennu arno heb fod yr un ohonynt yn mynd ar goll'.[14]

Bu Michel Foucault yntau ynglŷn ag ymddatod dulliau'r feirniadaeth destunol draddodiadol a geisiai adeiladu darlleniad unedig drwy gyfeirio at oddrychedd unedig yr awdur a fu'n creu. Esboniodd fod beirniaid modern yn manteisio ar berson yr awdur, gan gynnwys ei leoliad mewn hanes a digwyddiadau ei fywyd, er mwyn esbonio a dadansoddi'r testun:

> Y mae bodolaeth yr awdur yn esbonio presenoldeb rhai digwyddiadau o fewn y testun, ynghyd â'r modd y cânt eu trawsffurfio, eu llurgunio a'u haddasu (gellid tynnu ar fywgraffiad yr awdur wrth wneud hynny, neu gyfeirio at ei safbwynt arbennig, craffu ar ei dueddiadau cymdeithasol a'i leoliad o fewn dosbarth, neu amlinellu ei amcanion sylfaenol). Y mae'r awdur hefyd yn cynnig llinyn mesur o undod: priodolir unrhyw anghysondeb yn y cynnyrch i newidiadau a achoswyd gan esblygiad, aeddfedu neu ddylanwad allanol.[15]

Ailddiffiniwyd yr 'awdur' gan Foucault: dywed fod yr awdur yn ganlyniad disgŵrs, yn ddull o ddosbarthu testunau yn garfan neilltuol lle y gellid eu hadnabod fel eiddo materol (a'u rheoli gan ddeddfau eiddo, hawlfraint, enllib ac yn y blaen), fel testunau sy'n 'dweud y gwir' (gan eu bod wedi'u priodoli i un dyn), ac fel rhai sy'n dwyn nod amgen 'unigolyn' (sef un sy'n rhagflaenu'r testun ei hun).

Heriwyd y cysyniad rhyddfrydol-ddyneiddiol o'r 'awdur' o gyfeiriadau eraill hefyd, yn enwedig o du disgyblaethau fel cymdeithaseg a seicoleg a gwestiynai'r syniad rhyddfrydol o'r unigolyn. Tra bo'r syniad traddodiadol wedi'i seilio ar olwg hanfodaethol ar hunaniaeth yr unigolyn a hwnnw'n gyfystyr â 'natur' unigryw sydd eisoes yn bodoli, cynigiwyd syniadau mwy diweddar ynghylch lluniad cymdeithasol sy'n dadlau bod y grŵp a hunaniaeth yr unigolyn fel ei gilydd wedi'u llunio 'through social action and contingent upon social relations'.[16] Drwy eu hymwneud â disgyrsiau cymdeithasol ac arferion dynodol, cynhyrchir unigolion sy'n oddrychau yn eu perthynas ag amrywiaeth o naratifau. Fel y dywedodd Stuart Hall: 'The self is always, in a sense, a fiction.'[17] Pwy, felly, yw'r Dafydd ap Gwilym go iawn? Ai'r 'fi' sy'n dweud, 'Dewised fi, dos at fun' (GDG 118.16), ynteu nai Llywelyn ap Gwilym, ynteu awdur y canon a sefydlwyd gan Thomas Parry? Ffugiadau naratif yw pob 'hunan' yma, goddrychau a gynhyrchwyd gan wahanol ddisgyrsiau. Pe gadawsai Dafydd ap Gwilym hunangofiant yn ei law ei hun, buasai hynny yn ei dro yn fersiwn naratif arall eto o'i 'wir' hunan.

*   *   *

Gwelwyd mynegiant cynnar o'r ysfa i ganfod awdur ac i awdurdodi cywyddau canoloesol pan wnaed casgliadau o waith awduron penodol, a bywgraffiadau wedi'u saernïo'n ofalus a amlinellai hanes y beirdd hynny a ganfuwyd. Pan ddechreuodd barddoniaeth ganoloesol ymddangos mewn print, yn y ddeunawfed ganrif, ochr yn ochr â hynny yr oedd traddodiad llawysgrifol yn dal i fodoli, arwydd fod diffyg cyfleoedd cyhoeddi yng Nghymru. Cylchredai casgliadau llawysgrif poblogaidd o waith Cywyddwyr adnabyddus, gan gynnwys Dafydd ap Gwilym, Iolo Goch, Tudur Aled a Dafydd ab Edmwnd; gwnaed y copïau hyn gan hynafiaethwyr megis Lewis Morris ac fe barhawyd i lunio copïau tan y bedwaredd ganrif ar bymtheg, ymhell ar ôl i gasgliadau print ddod yn gyffredin.[18] Ymysg y casgliadau print cynnar o farddoniaeth, gwelwyd blodeugerddi a dynnai ar waith y Cynfeirdd, y Gogynfeirdd a'r Cywyddwyr. Trefnwyd y rhain ar ffurf casgliadau llawysgrif y ddeunawfed ganrif, gyda rhai o'r cerddi wedi eu trefnu'n grwpiau dan enwau beirdd neilltuol, ac eraill wedi'u cywain ynghyd dan y pennawd 'anhysbys'. Ceir dwy enghraifft gynnar yn *Some Specimens of the Poetry of the Antient Welsh Bards* (a olygwyd gan Evan Evans yn 1764) a *Gorchestion Beirdd Cymru* (a olygwyd gan Rhys Jones yn 1773).

    Dafydd ap Gwilym fuasai un o'r beirdd a enwid amlaf yn y casgliadau llawysgrif er yn gynnar yn yr unfed ganrif ar bymtheg. Nid yw'n syndod, felly, mai un o'r casgliadau cynharaf dan enw bardd oedd *Barddoniaeth Dafydd ap Gwilym*, cyfrol wedi'i rhoi ynghyd a'i hariannu gan Owen Jones a William Owen Pughe yn 1789. Seiliwyd hon i raddau helaeth ar lawysgrif a wnaethai Lewis Morris yn 1748, er nad efe a gopïodd y cyfan o'r cynnwys. Cynhwysai'r gyfrol 248 o gerddi gyda rhai awdlau yn eu plith (a heb gynnwys yr 'Ychwanegiad' bondigrybwyll). Meddai Owen Jones, 'Nid yw y cynulliad yma, er ei fod yn helaeth, yn cynwys fawr dros haner gwaith D. ab Gwilym,'[19] datganiad sy'n awgrymu hyd a lled y gwaddol o gerddi a briodolwyd i Ddafydd. Er ei bod yn rhan o fwriad y golygyddion ar y cychwyn i roi trefn ar rai o'r amrywiadau llawysgrifol, 'pan deimlasom eu pwys ac ystyried eu hanferth rifedi, fe orfu ini ymadael â'r ymgais, ac ymegnio i ddethol y darlleniad goreu o ran purdeb iaith, synwyr, a chynghanedd'.[20] Seiliwyd y dethol, felly, ar sensitifrwydd rhagdybiedig i gynildeb neu arlliwiau iaith ac i ystyr y farddoniaeth. Yn fwy diddorol fyth, cynhwysai'r golygiad cynnar hwn o waith Dafydd ap Gwilym adran ar hanes bywyd y bardd, a hynny yn Saesneg. Yn Gymraeg yr ysgrifennodd Owen Jones ei ragymadrodd byr yn esbonio'r polisïau golygyddol, ond Saesneg oedd dewis iaith ei gyd-olygydd, William Owen Pughe, wrth lunio'r ysgrif ragarweiniol, sef 'A Sketch of the Life and Writings of Dafydd ab Gwilym, A Welsh Bard of the 14th Century, and Author of this Collection of Poems'. Anelwyd yr ysgrif, mae'n amlwg, at Gymry Llundain a llengarwyr eraill y ddinas na fedrent y Gymraeg; yr oedd angen peth cefndir ar y rheini cyn iddynt fedru gwerthfawrogi'r cerddi. Yn ogystal â darparu gwybodaeth am hanes cynnar Cymru, am urdd y beirdd ac am egwyddorion sylfaenol y gynghanedd, ychwanegodd Pughe fywgraffiad byr, gan resynu bod,

> Biography, one of the most pleasing and instructive branches of literature, has been very little cultivated in Wales; the personal history of the most eminent poets has been known only to their contemporaries, or at most survived a few years after their decease, in the loose and uncertain report of oral tradition.[21]

Er prinned y deunydd bywgraffyddol, llwyddodd Pughe i greu naratif bywiog wedi'i seilio i raddau helaeth ar dystiolaeth y cerddi, ond gyda pheth cymorth gan Iolo Morganwg, 'from the source of whose intimate acquaintance with the poetry of his country, the editors have derived several of the above particulars respecting Dafydd ab Gwilym and his patron'.[22] Y ffynhonnell hon oedd tarddle'r honiadau mai Dafydd oedd tiwtor merch Ifor Hael, a'i fod wedi ymserchu ynddi a'i dilyn i leiandy ar ynys Enlli. Yna, yn ôl y bywgraffiad, bu gan Ddafydd res o gariadon, yn eu plith Dyddgu a Morfudd, a gyfarfu'r bardd yn Rhosyr pan anfonodd ati anrheg o win a arllwysodd dros ben ei was.[23] Yn ei henaint, hiraetha Dafydd am ddyddiau ieuenctid ac am ei noddwr, Ifor Hael, cyn cyfansoddi rhai marwnadau terfynol ar ei wely angau.

Yr oedd fersiynau o'r bywgraffiad hwn yn dal i gylchredeg mewn blodeugerddi a llyfrau hanes llên yn ystod y bedwaredd ganrif ar bymtheg a'r ugeinfed, cyn i hyd a lled dychymyg creadigol Iolo ddod i'r amlwg. Erbyn 1914 yr oedd gan Ifor Williams ei amheuon, ac felly hefyd T. Gwynn Jones yn 1915, yn anfoddog braidd, wrth iddo gwestiynu rhai o'r manylion. G. J. Williams a daniodd yr ergyd farwol wrth ddinoethi Iolo Morganwg yn 1926.[24] Ac eto, parhaodd yr ysfa hon i greu bywgraffiad, ar sail y cerddi eu hunain os nad oedd dim arall ar gael, mor gryf ag erioed: cynhwyswyd adran dan y pennawd 'Ei Fywyd' ym mhob golygiad newydd, ac ym mhob llyfr hanes llên. Llunio awdur a allai wedyn awdurdodi'r cerddi oedd nod adrannau fel y rhain. Fel yn achos y traddodiad cyfochrog o olygu testunau Saesneg y Dadeni a'r Oesoedd Canol, dilysu'r gweithiau oedd swyddogaeth bywgraffiad yr awdur. Dynodwyd mai gwaith unigolyn arbennig oedd y cerddi. Cyfateb i'r disgwyl a wna'r broses hon gan ddilyn yr hyn a eilw Foucault yn 'egwyddor undod ysgrifennu'.[25]

Cynnyrch cyd-destun diwylliannol yr oes, ar lawer cyfrif, oedd y bywgraffiad a luniodd Iolo. Yn wahanol i'r cyfnod modern cynnar pan nad oedd llawer o fynd ar fywgraffiadau awduron (nid oes bywgraffiad o Shakespeare o'r cyfnod hwnnw, er enghraifft), cynyddodd y diddordeb yn yr awdur fcl unigolyn crbyn y ddcunawfed ganrif, fel yr adlewyrcha *Lives of the Most Eminent English Poets* Samuel Johnson a gyhoeddwyd yn 1779–81.[26] Hinsawdd diwylliant yr oes a fu'n rhannol gyfrifol am hyn – pwysleisid bellach fod gan unigolyn hunaniaeth breifat yn ogystal â hunaniaeth gyhoeddus. Yr oedd rhesymau economaidd hefyd yn ffactor a'r cyhoeddwyr â'u llygad ar y geiniog wrth ychwanegu bywgraffiad difyr at gasgliad o destunau.[27] Gan fod Owen Jones a William Owen Pughe yn dwyn costau argraffu *Barddoniaeth Dafydd ap Gwilym*, fe dalai iddynt wneud y llyfr mor ddeniadol a masnachol â phosibl. Ffordd ddi-feth o wneud hynny oedd drwy gynnwys hanes bywyd y bardd (yn Saesneg); ar yr un pryd, dilyswyd y cerddi gan y bywgraffiad.

Er iddynt ymatal rhag dyfeisio deunydd fel y cyfryw, parhaodd golygyddion diweddarach i ganolbwyntio ar fywydau'r Cywyddwyr, a hynny er gwaethaf prinder deunydd. Yn y rhagymadrodd i *Cywyddau Iolo Goch ac Eraill*, a olygwyd gan Henry Lewis, Thomas Roberts ac Ifor Williams yn 1925 (cafwyd golygiad newydd yn 1937), gwelir arolwg o fywyd pob bardd yn ei dro, a'i farddoniaeth. Ysgrifennodd Ifor Williams ar y beirdd mawr, Rhys Goch Eryri, Llywelyn ab y Moel a Siôn Cent, pob un â'i isadran ogleisiol o annelwig dan y pennawd 'Ei Fywyd'. Awdurdodir Rhys Goch Eryri gan ei ach, enwau ei amryfal noddwyr a dyddiad tybiedig y seren wib neu'r diffyg ar yr haul a grybwyllir mewn dwy gerdd.[28] Dechreua 'bywyd' Siôn Cent fel hyn: 'Anodd darganfod dim amdano ef ei hun.' Yna eir ymlaen i ddamcaniaethu ar sail tystiolaeth y cerddi a dyddiadau ei gyfoeswyr: 'Ymddengys i mi fod yr helynt hwn rhwng Siôn a Rhys yn dilyn yn naturiol ffrae Rhys [Goch Eryri] a Llywelyn ap y Moel, ac felly yn ddiweddarach na marw Gruffudd Llwyd.'[29] Ni lesteiriwyd Dafydd Johnston, golygydd diweddaraf Lewys Glyn Cothi, gan ddiffyg unrhyw wybodaeth hanesyddol am y bardd. Mabwysiada ddisgŵrs draddodiadol y golygiadau ysgolheigaidd, gan gychwyn ei ragymadrodd ag adran am 'Y Bardd' sy'n llunio bywgraffiad digon credadwy, ond wedi'i ragflaenu gan y rhybudd: 'Ni wyddys odid ddim am Lewys Glyn Cothi ar wahân i'r hyn y gellir ei gasglu o'i gerddi.'[30]

Wrth i'r 'awdur' – ac yn bwysicach fyth 'y bardd' – gael ei ddarganfod yn y ddeunawfed ganrif, cynyddai'r cymhelliad i frodio ac i ychwanegu at fanylion bywgraffyddol y Cywyddwyr, yn union fel yr ysbrydolwyd Iolo i lunio Dafydd ap Gwilym. Dywed Ifor Williams: 'Tyfodd chwedlau difyr am fywyd Siôn Cent. Gwnaethpwyd ef yn fynach, yn ddoctor, yn Lollard, ac yn ddewin trwy gymysgu llên gwerin a chrap ar hanes dau neu dri o wŷr eraill.'[31] Yn yr un modd, dychmygwyd bod Lewys Glyn Cothi wedi gwasanaethu ym myddin Siasbar Tudur a bod ei waith yn ffynhonnell hanesyddol ddilys ar gyfer Rhyfel y Rhosynnau.[32] Gwelir yma ffrwyth traddodiad golygyddol ceidwadol, wedi'i ieuo â syniad safonol am yr unigolyn fel y sawl sy'n awdurdodi ac sy'n rhagflaenu'r cynnyrch diwylliannol. Dim ond cyfuniad ceidwadol fel hwn a allai barhau i roi'r fath bwyslais ar flaenoriaeth bywgraffiaeth ar draul y cerddi eu hunain, yn union fel pe bai'n rhaid i ryw adluniadau rhithiol o'r 'awdur' – pa mor amherffaith bynnag y'u gwnaed – fod yn allwedd i ddehongli ei gerddi yn 'gywir'.

*   *   *

Dilysu canon y gwaith, mewn gair, yw prif swyddogaeth yr awdur rhithiol hwn a luniwyd, fel Blodeuwedd, o flodau ei gerddi. Fel y dywedodd Gilbert Ruddock am Siôn Cent: 'There is . . . more than a little doubt who exactly the poet was, or even whether such a man ever existed. This problem is obviously of central importance with regard to the authenticity of those *cywyddau* ascribed to him in manuscript sources.'[33] Nid confensiwn yn unig yw'r defnydd o'r gair *gwaith* yng ngolygiadau'r Cywyddwyr (*Gwaith Dafydd ap Gwilym, Gwaith Guto'r Glyn, Gwaith Lewys Glyn Cothi* ac yn y blaen): dengys yr arfer mai cwbl amhosibl fyddai ysgaru'r bardd a'i waith. Y mae enwi'r naill yn gyfystyr â diffinio'r llall. Ni fennir dim ar y dilyniant naturiol o *Gwaith* i 'fywyd' i ganon diwnïad o destunau, hyd yn oed gan y rhestrau o ffynonellau llawysgrif a'r sylwadau golygyddol am 'gywyddau annilys'.[34]

Ac eto, anaml yw'r canon sydd heb ei broblemau. Rhestra *Mynegai i Farddoniaeth y Llawysgrifau* dros 160 o gerddi a dadogwyd ar Guto'r

Glyn; 123 sydd yn y golygiad safonol.[35] Rhestra'r *Mynegai* 54 o gerddi a dadogwyd ar Iorwerth Fynglwyd; 44 yn unig a ymddangosodd yng ngolygiad safonol Howell Ll. Jones ac E. I. Rowlands yn 1975. Cyffredin yng ngolygiadau'r Cywyddwyr yn yr ugeinfed ganrif oedd hepgor cerddi, gan farnu mai'r cerddi detholedig sy'n ffurfio'r canon. Diau fod yna resymau da dros y dethol, ond y mae distawrwydd y golygyddion ar y pen hwn yn rhoi'r argraff mai 'awdurdodi' eu canon hwy uwchlaw pob un arall yw'r nod.[36]

Er bod y llawysgrifau o dro i dro yn darparu tystiolaeth go gadarn o blaid dilysrwydd – megis casgliadau holograff Lewys Glyn Cothi o'i waith ei hun – golygyddion y Cywyddwyr piau'r dewis, neu'r mympwy, o sefydlu'r canon.[37] Fel y nodwyd uchod, ar sail 'y darlleniad goreu o ran purdeb iaith, synwyr, a chynghanedd' y gweithredodd Owen Jones wrth lunio ei gasgliad o farddoniaeth Dafydd ap Gwilym, ac yn ymhlyg yn y geiriau hynny cafwyd yr awgrym ei fod yn coleddu'r farn eisoes fod Dafydd yn fardd a ragorai ym mhob un o'r tri maes hynny.[38] Defnyddiwyd y rhagdybiaeth hon yn ei thro fel ffon fesur wrth fynd at y cerddi a dethol y rheini a weddai orau i'r bardd, fel yr adluniwyd ef gan y golygydd. Er i Thomas Parry ddiffinio set fwy atebol o feini prawf gogyfer â dyddio ei ganon yntau o waith Dafydd ap Gwilym, ceir yr un diffyg sylfaenol yn ei fethodoleg yntau. Dechreuwyd â'r rhagdybiaeth mai bardd anghyffredin o ddawnus oedd Dafydd yn ôl safonau Parry; ffurfiwyd ei farn am y cywydd 'perffaith' gan ei gynefindra helaeth â barddoniaeth ganoloesol, ond hefyd gan ei ymwneud â'r traddodiad eisteddfodol modern. Nid yw'n syndod, felly, fod canon Parry yn dethol y cerddi 'gorau' o blith corff llawer ehangach o gerddi a dadogwyd ar Ddafydd.[39] Nid yw'n syndod, ychwaith, iddo hepgor cerddi maswedd a'r cerddi hynny sy'n cynnwys beiau mydryddol. Ceir nifer o'r rhain yn y corff ehangach – cerddi 'gwallus' fel a oedd yn gyffredin drwy Ewrop yn yr Oesoedd Canol, ond nad oeddent i'w gweld yn y traddodiad eisteddfodol yn negawdau cyntaf yr ugeinfed ganrif.

Mwy fyth o broblem yw achos canon Siôn Cent, er bod llai o gerddi. Mynega ysgrif Gilbert Ruddock gryn anesmwythyd ynglŷn â'r deunaw cerdd a dderbyniwyd gan Ifor Williams; dywed amdanynt, o'u cymharu â chanon Parry o waith Dafydd ap Gwilym, ei bod yn 'less easy to feel confident as to what constitutes the essential core of Siôn Cent's compositions, and the problem remains a difficult one'.[40] Fel hyn y disgrifiodd Ifor Williams ei ddull o sefydlu'r cerddi dilys:

Gwelais dros 60 o'r cyfryw [h.y. cywyddau dan enw Siôn Cent], ond ar ôl manylu ar eu hiaith a'u cynnwys, a phwyso tystiolaeth y llsgrau. yn ôl eu hoed, ni fedrais brintio ond 18, ac o'r rheini y mae lle cryf i amau dau neu dri.[41]

Gwelir felly fod Williams yn defnyddio meini prawf iaith ac arddull digon tebyg i'r rhai a ddefnyddiai Owen Jones, ac a fyddai'n cael eu defnyddio maes o law gan Thomas Parry, wrth sefydlu canon gwaith Dafydd ap Gwilym.

Digyfnewid fu'r gwerthoedd a brisid gan olygyddion y cywyddwyr – doniau ieithyddol, manylder mydryddol, mynegiant sensitif – nid oherwydd eu bod yn werthoedd oesol, ond am mai'r rheini a fu'n nodau amgen llwyddiant barddol byth oddi ar ddechrau'r mudiad Rhamantaidd yn y ddeunawfed ganrif. A siarad yn benodol am y cywydd, mesur a gyfrifir yn un o fesurau pwysig yr eisteddfod fodern, gellid dweud bod y golygyddion, yn union fel beirniaid eisteddfod, yn chwilio am deithi y rhoddir gwerth uchel arnynt gan y sefydliad – rhagoriaeth iaith, mydr a mynegiant. Defnyddir y rhain wrth asesu cywyddau eraill, er mwyn medru adnabod cerddi 'dilys' gan feirdd mawr, a thaflu allan y rhai llai 'llwyddiannus' i anoddun yr apocryffa.[42] Wedi adnabod rhai nodweddion arddull, ar sail barn olygyddol, eir ymlaen i ychwanegu cerddi eraill at gnewyllyn y canon. Wrth ddisgrifio arddull nodweddiadol Siôn Cent tynnodd Thomas Parry ar y 'canon' a sefydlwyd eisoes gan Ifor Williams:

> Tyr ei gywyddau yn benillion rai gweithiau, ac ail-adrodd yr un llinell fel byrdwn ar ddiwedd pob adran ... Mae ei iaith yn llawer symlach, heb ddim o'r geiriau cyfansawdd a garai'r beirdd eraill gymaint, nac ychwaith y torymadroddion, eithr yn hytrach gystrawen uniongyrchol rhyddiaith.[43]

Ac ystyried yr holl amrywiaeth a geir yn ffurf y cywydd, gan gynnwys yr hoffter arbennig o chwarae ar eiriau, ymddengys mai meini prawf tila braidd gogyfer â sefydlu canon yw'r rhai uchod, ac yn wir, ni wna Parry ond disgrifio'r deunaw cerdd a ganoneiddiwyd gan Williams. Ond yn ogystal â hynny, y mae'n cefnogi sefydlu canon drwy broses sy'n priodoli'r cywyddau 'gorau' i grŵp breiniol o feirdd, a'r rheini yn eu tro wedi'u diffinio gan ansawdd y gwaith a briodolir iddynt. Y mae'n anodd gweld lle y mae'r cylch yn cychwyn.

Cynigia bywgraffiadau adluniedig y beirdd elfen bwysig arall sy'n dilysu canon a grëir ar sail y dystiolaeth lawysgrifol ac ar sail arddull farddonol. Unwaith fod cerddi wedi'u defnyddio i ddarparu dyddiadau ar gyfer bywgraffiad y bardd, fel yn achos *Gwaith Iorwerth Fynglwyd*, lle olrheinia'r golygyddion hynt y bardd mewn perthynas â'i noddwyr, cymerir yn ganiataol mai cynnyrch diymwad y bardd neilltuol hwnnw yw'r cerddi hynny.[44] Sylwa llawer o olygyddion ar yr anawsterau a gafwyd wrth geisio pennu dyddiadau cymharol gogyfer â bywyd y bardd – 'Ychydig iawn a wyddys am fywyd Dafydd Llwyd oherwydd prinder tystiolaeth amdano y tu allan i'w gywyddau ef ei hun,' meddai W. Leslie Richards mewn sylw go nodweddiadol[45] – ond ychydig ohonynt sy'n cyfaddef bod yna broblemau wrth sefydlu'r canon, neu sy'n cyfeirio at yr anawsterau cymhleth a ddaw yn sgil ystyried testunau llenyddol fel llestri tryloyw sy'n dal gwybodaeth am fywyd y bardd. Gwneir defnydd helaeth o gerddi a 'awdurdodwyd' gan y golygydd ei hun i ail-greu bywyd y bardd, ond nid yw'r rhan fwyaf o olygyddion fel petaent yn ymwybodol o'r posibilrwydd y gallai'r canon ei hun fod dan amheuaeth oherwydd diffyg unrhyw dystiolaeth hanesyddol arall am fywyd y bardd.[46] Saif Thomas Parry ar ei ben ei hun yn hyn o beth gan iddo drafod problemau canon Dafydd ap Gwilym yn agored; y mae bron pob golygydd arall yn cyflwyno canon ei gywyddwr fel pe bai'n undod diwnïad heb unrhyw broblemau ar ei gyfyl, tra ar yr un pryd yn nodi'r anhawster a gafwyd i sefydlu bywgraffiad y bardd.[47] Nid oes modd esbonio'r bardd a'i waith ond mewn perthynas â'i gilydd.

*   *   *

Y mae gwreiddiau'r broses o ffurfio canon i'w canfod yn y traddodiad llawysgrifol ei hun, lle y ceir testunau yn ymgasglu o gwmpas enwau cywyddwyr a weithreda i bob pwrpas fel *auctores* llên Ladin, ffynonellau awdurdodol a hynafol gwirionedd a docthineb. Gan fod yr iaith frodorol yng Nghymru erioed yn ddisgŵrs lenyddol o fri, nid oedd rhaid creu un, fel yn achos Lloegr lle y daethpwyd i gysylltu Chaucer yn anad neb â'r iaith frodorol lenyddol newydd. Y mae Cywyddwyr y bedwaredd ganrif ar ddeg a'r bymthegfed i'w cysylltu, yn hytrach, ag ail-lunio barddoniaeth lys draddodiadol er mwyn cwrdd â gofynion yr *élites* newydd a ddaethai i'r amlwg wedi 1284. Math o gyfalaf diwylliannol oedd y cywyddau a genid i'r noddwyr, ac fe gynyddid eu gwerth pe cysylltid hwy â beirdd 'enwog'. Cyfeiria'r beirdd yn eu tro, yn llythrennol neu'n symbolaidd, at noddwyr o fri. Y mae J. Gwynfor Jones yn cysylltu Tudur Aled, er enghraifft, â dyheadau'r gweinyddwyr Cymreig dan y Tuduriaid:

> Ni ellir gwadu'r lle arbennig a roddwyd ymhlith uchelwyr Cymru'r Dywysogaeth a'r Mers i swydd a swyddogaeth yn y blynyddoedd o ganol y bymthegfed ganrif ymlaen. Ar drothwy canrif y Tuduriaid aeth Tudur Aled ati i ddangos mai dal swydd oedd un o bennaf priodoleddau'r uchelwr.[48]

O ran y priodoli yn y llawysgrifau, lle y gwelir cysylltu cerddi arbennig ag enw bardd unigol, a hynny yn aml ryw ganrif a mwy wedi oes dybiedig eu cyfansoddi, mae'n bosibl ei ddehongli yn hytrach fel dyfais a ddwg i gof yn hiraethus ac mewn ffordd ymwybodol y cyd-destun cymdeithasol uchel ei fri a fodolai gynt, llwyfan y beirdd a'r noddwyr, y ddwy garfan yn rhannu'r un ddisgŵrs uchelwrol.

Wrth drafod cysyniad yr *auctor* yn y rhagymadroddion a'r esboniadau Lladin, dywed A. J. Minnis:

> The writings of an *auctor* contained, or possessed, *auctoritas* in the abstract sense of the term, with its strong connotations of veracity and sagacity . . . The term *auctor* may profitably be regarded as an accolade bestowed upon a popular writer by those later scholars and writers who used extracts from his works as sententious statements or *auctoritates*, gave lectures on his works in the form of textual commentaries, or employed them as literary models.[49]

A dal ar yr ystyr hon, swyddogaeth yr *auctores* sydd gan y Cywyddwyr a enwir yn y llawysgrifau ac a wysir i fodolaeth gan ysgrifwyr yr unfed ganrif ar bymtheg a'r ail ar bymtheg. Lleolir hwy'n ddigon pell yn y gorffennol i ganiatáu eu hystyried yn ddilys, yn union fel yr awdurdodai'r Cywyddwyr eu hunain yn eu gweithiau drwy alw ar *auctores* Lladin megis Fferyll ac Ofydd a'r hen awduron brodorol, Taliesin ac Aneirin. Wrth grybwyll y cyfeiriadau at yr awdurdodau hyn, dywed J. E. Caerwyn Williams: 'Canu mawl yw Canu Taliesin a Chanu Aneirin . . . Canu Taliesinaidd fu canu Cymraeg drwy gydol y rhan fwyaf o'i hanes.'[50]

O ddiwedd y cyfnod canoloesol, enillai'r Cywyddwyr statws tebyg i eiddo'r *auctores*, ac yr oedd presenoldeb eu henwau yn y llawysgrifau yn ddigon ynddo'i hun i 'awdurdodi' y testunau a gysylltid â hwy. Perthnasol yma i raddau yw sylwadau Seth Lerer ar greu canon Chaucer yn y bymthegfed ganrif:

> First, it proceeds by authorizing certain works, naming them as Chaucer's, and transmitting them in manuscript assemblies whose thematic coherence or controlling patronage commission augments their authenticity. Second, it proceeds by selecting from the body of Chaucerian production certain narratives and genres that exemplify the poet's social role.[51]

Gwelir prosesau tebyg ar waith yn y copïo a fu ar gerddi'r Cywyddwyr yn ystod yr unfed ganrif ar bymtheg a'r ail ganrif ar bymtheg. Mewn blodeugerddi a gomisiynwyd gan noddwyr, cynhwyswyd dro ar ôl tro waith awduron uchel eu bri, megis Dafydd ap Gwilym, Iolo Goch neu Guto'r Glyn. Dewiswyd y cerddi am eu bod fel petaent yn darlunio swyddogaeth gymdeithasol y bardd, boed fel diddanwr, bardd mawl, crefyddwr neu gynrychiolydd bro neu dalaith. Hyn sy'n esbonio sut y gallai'r un cywydd gael ei dadogi ar fwy nag un bardd mewn gwahanol lawysgrifau: am fod copïwyr yn darparu'r math o gynnyrch yr oedd y noddwr yn galw amdano, neu am fod math arbennig o gerdd wedi'i gyfansoddi gan sawl un o blith amryw o feirdd a gysylltid â'r *genre*. Felly, y mae'r gerdd 'Powys lwyd pwy sy wladwr' wedi'i chynnwys yng nghanon Tudur Aled (yn gywir, fe ddichon) ar sail y record lawysgrifol,[52] ond fe'i priodolir hefyd mewn o leiaf un llawysgrif (Rhydychen, Coleg Iesu Llsgr. 15) i'w gyfoeswr Lewys Môn, ar y sail, mae'n debyg, eu bod ill dau wedi cyfansoddi cerddi mawl tebyg wrth wasanaethu'r un cylch o noddwyr uchelwrol.

Defnyddid enwau'r beirdd, felly, fel arwyddion generig gan gopïwyr y llawysgrifau: barddoniaeth grefyddol a ddynodid gan 'Siôn Cent', canu serch gan 'Dafydd ap Gwilym', canu mawl swyddogol gan 'Tudur Aled', yn union fel y mae enwau megis Wilbur Smith, Stephen King neu Jackie Collins yn y byd cyhoeddi masnachol cyfoes yn dynodi *genre* ffuglen neilltuol yn hytrach na phobl fel y cyfryw. I gopïwyr y Dadeni, yr oedd 'Dafydd ap Gwilym' yn ffordd o ddisgrifio math arbennig o gerdd serch. Fel y dywed Foucault, 'nid rhan ymadrodd yn unig yw enw awdur . . . mae ganddo swyddogaeth o ran dosbarthu. Gall enw beri grwpio nifer o destunau ynghyd ac felly beri iddynt gael eu gwahaniaethu oddi wrth destunau eraill.'[53] Dyna fwy neu lai swyddogaeth enw'r awdur yn y llawysgrifau Cymraeg, sef gosod math 'Dafydd ap Gwilym' o gywydd ar wahân i fath 'Siôn Cent'. Mewn llawysgrifau o'r unfed ganrif ar bymtheg a'r ail ganrif ar bymtheg, felly, gweithreda enwau'r Cywyddwyr nid yn gymaint fel awduron ond yn hytrach fel *auctores*, cynrychiolwyr dilys hen draddodiad barddol parchus y manteisiwyd arnynt er mwyn dynodi statws y noddwyr hynny a gomisiynai'r llawysgrifau. Yn rhinwedd safle'r bardd fel *auctor*, dychmygid ef nid yn 'awdur' gwreiddiol, unigryw, fel heddiw, ond yn hytrach fel 'un o blith nifer a chwaraeai ran mewn cywaith a rennid gan y *scriptor*, y *compilator*, a'r *commentator*'.[54] Y testunau oedd piau'r awdurdod, nid yr awduron. Daeth amlygrwydd enwau'r copïwyr a'r casglwyr, megis John Davies, Mallwyd, ac yna'r Morrisiaid, i danseilio statws y beirdd fel awduron gwreiddiol, ac i roi awdurdod a dilysrwydd ar y testunau eu hunain yn hytrach nag ar y beirdd unigol. Trosglwyddo'r cywyddau o lawysgrif i brint a sbardunodd yr angen am ganon dilys, a chyda hynny, symud awdurdod o'r testun i'r awdur.

Ymddangosodd y golygiadau cynharaf o'r cywyddau mewn print yn y ddeunawfed ganrif, ar drobwynt nifer o ddatblygiadau yn yr hinsawdd deallusol, gan gynnwys y cysyniad rhyddfrydol-ddyneiddiol am yr unigolyn, cynnydd yn y fasnach gyhoeddi, twf yr awdur proffesiynol, cyfundrefnu hawlfraint a blodeuad y bywgraffiad llenyddol fel ffurf lenyddol safonol. Mewn cyd-destun felly, ac ym maes astudiaethau llenyddol yn enwedig, yr oedd yn anochel fod newid ffocws o'r testun i'r awdur. Yn y traddodiad llawysgrifol, y testun a ragflaenai'r awdur – yn llythrennol ac yn drosiadol –

ond bellach, yng nghyd-destun y llyfr print, yr awdur a ragflaenai'r testun. Ar yr un pryd, bu goruchafiaeth print yn gyfrifol am ddileu ansefydlog-rwydd testunau megis yn achos y cywyddau canoloesol a ddatgenid ar lafar. Nid trysori'r record lawysgrifol fel arteffact diwylliannol oedd nod gwaith golygu bellach eithr gweithred fwy radical, sef ailddarganfod testun 'gwreiddiol' yng ngeiriau'r awdur ei hun.[55]

Mewn diwylliant print yn unig y gwelir y math hwn o ymchwil am fersiwn gwreiddiol 'awdurdodedig' yn ennill ei blwyf, oherwydd y rhagdybiaeth mai'r awdur ei hun sy'n gyfrifol am ddogfen ysgrifenedig wreiddiol, mai ei waith ef ydyw, neu o leiaf, fod sêl ei fendith arno. Datblygodd y pwyslais ar yr awdur yn gynharach yn Lloegr, lle'r ymddangosasai fersiynau print o lenorion canonaidd megis Chaucer a Lydgate er y bymthegfed ganrif. Eithr mewn llawysgrifau y cylchredai gweithiau'r Cywyddwyr yng Nghymru tan y ddeunawfed ganrif neu'n ddiweddarach. Pan ymddangosodd y cerddi mewn print gyntaf, tynnwyd sylw ar unwaith at statws y testun ac i ba raddau y dylid ei ystyried yn waith dilys y bardd honedig. Pennaf nod holl olygyddion y cywyddau print, o Owen Jones hyd Thomas Parry ac ymlaen hyd heddiw, oedd ailddarganfod yn union yr hyn a gyfansoddwyd gan y bardd ei hun.

Y mae'r hyder y gellid cyflawni hyn yn deillio'n uniongyrchol o ideoleg lywodraethol y diwydiannau argraffu a chyhoeddi. Rhagdybir theori trosglwyddo, lle y bydd testun, o'i brosesu mewn diwydiant technolegol datblygedig, yn cael ei drosglwyddo bron heb ei newid yn syth o feddwl ei grëwr at y darllenydd. Y mae'r camau golygyddol – darllen proflenni a gosod teip (neu eirbrosesu), ynghyd â chrefftau rhwymo a chynhyrchu, a strategaeth marchnata a gwerthu – oll yn cyfuno i greu ideoleg y testun sefydlog, testun wedi'i gadw a'i atgynhyrchu ar ffurf weddol ddigyfnewid o'i darddiad ym meddwl athrylithgar yr awdur hyd at silffoedd y siop lyfrau. Y mae codau semiotig y byd cyhoeddi poblogaidd, a rydd flaenoriaeth i wybodaeth fywgraffyddol ar draul y camau creadigol a golygyddol, yn ein cyflyru i dderbyn bod yr hyn a ddarllenwn ar y tudalen nid yn unig yn adlewyrchu bwriad yr awdur ond yn atgynhyrchu yn union yr hyn a ysgrifennwyd ganddo. Y mae'n syndod fod yr ideoleg hon yn parhau hyd yn oed yn niwylliannau print mwyaf soffistigedig yr oes fodern. Y cyfan a gedwir mewn testun print, mewn gwirionedd, yw'r hyn y mae grŵp o bobl, a allai gynnwys 'awdur' neu beidio, wedi penderfynu arno fel y fersiwn gorau posibl o'r hyn y gellid ei argraffu ar y pryd. Anodd credu bod unrhyw awdur o unrhyw gyfnod, o ailwampiadau Gerallt Gymro hyd obsesiynau golygyddion James Joyce, yn ystyried dadlau dros bob glos a newid, neu yn dychmygu bod ei waith cyhoeddedig yn ddim mwy na chyfaddawd dros dro, dethol gorfodol o blith amryfal ddewis-iadau, saib am ennyd cyn i'r meddwl symud ymlaen.

Cymaint yn anos, os nad amhosibl, yw credu mewn testun sefydlog, digyfnewid ym myd celfyddyd lenyddol wrth ystyried testunau a gyfansoddwyd ar lafar. Ac yn groes i'r farn a goleddir gan y diwydiannau argraffu fod testunau llafar rywsut yn llai soffistigedig ac yn perthyn i ddiwylliannau anllythrennog y mae'r ffaith fod testunau a gynhyrchwyd ar lafar yn aml iawn â chysylltiad clòs â llythrennedd a grym fel ei gilydd. Y mae sawl dull o gynhyrchu testunau felly: gallent fod wedi'u cyfansoddi a'u datgan ar lafar ac yna eu cofnodi gan rywun a'u clywsai; neu eu cofnodi drwy gael eu harddweud; neu eu cyfansoddi ar lafar a'u cofnodi ar yr un pryd gan yr awdur ei hun, neu gan ysgrifydd. Honnodd Joyce Coleman yn ddiweddar mai 'clywedd' (*aurality*) – hynny yw, darllen llenyddiaeth ysgrifenedig yn uchel i un gwrandawr, neu gerbron grŵp o wrandawyr – 'was in fact the modality of choice . . . among the nobility of England, Scotland, France, and Burgundy from (at least) the fourteenth through the late fifteenth century', a bod y math hwn o ddarlleniad cyhoeddus, nid yn ansoffistigedig, fel y tybiwyd, ond yn un a ddaeth i amlgrwydd 'as a key means of achieving very sophisticated sociopolitical goals'.[56]

Y mae'n lled sicr mai cael eu datgan ar lafar gerbron cynulleidfa o wrandawyr y byddai'r cywyddau canoloesol, fel nifer o destunau eraill y cyfnod, gan gynnwys *Chwedlau Caer-gaint* Chaucer. Cyfyd problemau wrth asesu statws unrhyw fersiynau ysgrifenedig sy'n dod yn ail i'r perfformiadau llafar. Pa un oedd y testun 'gwreiddiol'? Y mae'n bosibl ddarfod i'r awdur awdurdodi o leiaf y perfformiad gwreiddiol; ond pwy sy'n awdurdodi'r fersiynau ysgrifenedig? Tystia ffurf fydryddol y cywyddau canoloesol a'u harddull yn groyw i'w llafaredd – a'u clywedd – ac i natur lafar, nid ysgrifenedig, eu cyfansoddi a'u cyhoeddi. Cyfetyb y defnydd o eiriau llanw, llinellau neu hanner llinellau o sangiadau, i'r glosau a'r sylwadau wrth-fynd-heibio a geir yn aml yn nhestunau pregethau Lladin ac yn yr areithiau a ffurfiai ran o *repertoire* rhethregol yr areithwyr. Yn sŵn y geiriau y mae seiliau'r gynghanedd, nid yn y gair ysgrifenedig; dibynnir ar ffonemau, nid ar orgraff. Gwelir bod nifer o linellau a ddiwygiwyd gan olygyddion modern ar sail cynghanedd wallus yn 'gywir', wedi'r cwbl, ar lafar: yn achos llinell megis 'Er Mair, paid â'r paderau main/ A chrefydd mynaich eryfain', sy'n rhy hir mewn print, gellid yn hawdd hepgor sillaf ddiacen ar lafar, fel nad oes angen rhagdybio newid ysgrifol, nac angen diwygio golygyddol i 'pader' neu 'Rhufain', newidiadau nad ydynt ond yn tanlinellu pedantiaeth print.[57] A'r cywyddau wedi eu cynhyrchu mewn amgylchedd llafar, y mae'r fersiynau ysgrifenedig ohonynt yn bodoli fel rhith o'r digwyddiad go iawn, sef perfformiad llafar y cerddi, yn union fel y bydd cynulleidfaoedd modern yn profi realiti drwy rith y cyfryngau electronig.

Gellid gosod y broblem o gael hyd i fersiynau 'awdurdodol' cywyddau llafar ochr yn ochr â'r modd yr aethpwyd ati i afael yn yr union areithiau a lefarwyd gan Elisabeth I yn yr unfed ganrif ar bymtheg. Hyd yn oed y pryd hynny, fel y sylwa golygyddion yr areithiau, 'Sixteenth-century culture – even learned culture – had not quite adjusted to the idea that writing could constitute a primary mode of communication.'[58] Cofnodwyd areithiau a ddatganwyd yn y llys neu yn y senedd naill ai drwy i Elisabeth eu harddweud wedyn, neu drwy daro'r geiriau i lawr yn ystod yr areithio ei hun; y naill ffordd neu'r llall, perthynas symbolaidd, nid llythrennol, sydd rhwng y testunau, sy'n bodoli mewn amryw fersiynau, a'r areithiau fel y'u datganwyd ar y pryd.

Ceir sawl cymhariaeth yma â pherfformio a chofnodi'r cywyddau, ac am yr ymadwaith rhwng y testunau llafar ac ysgrifenedig. Yn gyntaf, y mae'n anodd gwerthuso statws awdurdod yr amryfal fersiynau ysgrifenedig. Bodola'r *cywyddau*, fel areithiau'r Frenhines Elisabeth, 'in many different versions, both manuscript and print. The variety of forms taken by a single speech is perplexing: not only the words can change from one version to another but whole paragraphs can mysteriously come and go.'[59] Bydd golygyddion y cywyddau'n ymwybodol o ffenomen debyg y 'cwpledi crwydr' a ymddengys mewn rhai fersiynau llawysgrif ond nid mewn eraill, ac sydd weithiau yn dod i'r fei mewn cerdd gwbl wahanol. Cynnwys y cywydd dienw, 'Dydd da i'r fun er f'anhunedd', nifer o linellau a chwpledi sydd i'w gweld bron air am air mewn cywydd gwahanol gan Dudur Aled, 'Mae cur ym mhob cwrr i'm hais'. Ceir llawer o enghreifftiau eraill, gormod i'w rhestru yma, drwy gyfangorff cywyddau'r Oesoedd Canol.[60]

Yn ail, dyna fater trosglwyddo o'r cyfrwng llafar i'r testun ysgrifenedig, gan ailwampio unwaith neu ragor. Yn ôl pob sôn, areithydd bywiog a huawdl oedd Elisabeth I, ac un a siaradai'n aml o'r frest a chynnwys troeon rhethregol nad oeddent bob tro wrth fodd ei chynghorwyr. O ganlyniad, 'the Queen's own manuscripts are not a faithful guide to the speech as delivered; rather, they represent a subsequent stage in which the vivid vehemence of the speech was tamed and elaborated into acceptable Tudor bureaucratese'.[61] Fe all mai'r Frenhines ei hun a fu'n gyfrifol am yr ail-lunio, neu'n amlach, un o'i chynghorwyr, megis yr Arglwydd Burghley neu Robert Cecil. Y peth pwysig yw bod hyd yn oed destun a chanddo awdur yn dangos bod yna fwlch o ran amser a chynnwys rhwng y testun llafar a ddatganwyd a'r fersiynau ysgrifenedig ohono a ddeuai wedyn. Gellid rhagdybio bwlch cyffelyb yn achos y cywyddau. Y mae'n amlwg fel y bu i wahanol fersiynau llawysgrif – heb sôn am olygiadau print modern – ail-lunio testun cynharach, o ganlyniad i ystyriaethau arddull a chwaeth, neu er mwyn creu cysondeb mydryddol.

Yn olaf, dyna'r diffyg cyswllt rhwng 'awdur' y testun llafar a'r testun fel y'i ceir yn ei fersiynau ysgrifenedig. Yn achos areithiau Elisabeth 'no single exemplar represents the work as the author intended it because the author's purpose changed over time and over the course of multiple revisions'.[62] Gallwn dybio i'r Cywyddwyr hwythau ymhél â phroses gyffelyb o ail-lunio (a barnu wrth dystiolaeth awduron canoloesol eraill, o Gerallt Gymro i Chaucer, a fu wrthi'n ailwampio eu gwaith eu hunain); at hynny, cafwyd y newidiadau diweddarach a wnaed gan wahanol ysgrifenwyr, copïwyr a golygyddion. Mewn gwirionedd, ni cheir dim y gellid ei ystyried yn 'act of publication' gan yr awduron eu hunain, fel y sylwa Derek Pearsall am lawysgrifau *Chwedlau Caer-gaint*, gwaith anorffenedig Chaucer: 'There is no one of those manuscripts, no moment in the continuum of evidence that they provide, that can be said to mark or constitute an "act of publication" on the author's part, where he commits himself to the equivalent of an *imprimatur*.'[63]

Yr oedd y dull hwn o gyfansoddi a gyfunai berfformiad llafar a thestunau ysgrifenedig diweddarach eisoes yn gwbl arferol yn yr Oesoedd Canol cynnar. Wrth olrhain y newid o ddiwylliant llafar y mynachlogydd yn y ddeuddegfed ganrif i ddiwylliant gweledol ysgrifenedig yr ysgolion a sefydlwyd yn y drydedd ganrif ar ddeg a'r bedwaredd ar ddeg, dangosodd Paul Saenger symudiad cyfochrog o arddweud hyd gyfnod y llawysgrif ac enw awdur arni:

Twelfth-century composition was . . . a group activity, less private even than composition had been in antiquity. Secretaries took dictation, expanded their notes often to their own tastes, and then read their recensions back to the author for correction. Authors such as Saint Bernard were not fully in control of their own works, and a very prolific writer might well publish works which he had never seen or heard in final written and edited form. In some instances, a single composition was simultaneously recorded in varying versions by two secretaries and then separately circulated.[64]

Dyma broses debyg i'r hyn sy'n hysbys yn achos trosglwyddo areithiau Elisabeth: datblygu ac ail-lunio ar y cyd i'r graddau na ellid bellach arddel yn rhwydd y termau 'awdur' a 'thestun gwreiddiol'. Os oedd proses gyfansoddi gyffelyb, a olygai gydweithio rhwng perfformwyr llafar ac ysgrifenwyr, yn arferol rhwng y ddeuddegfed ganrif a'r unfed ganrif ar bymtheg, gallwn dybio y byddai'n gyfarwydd iawn i'r Cywyddwyr, yn enwedig yn wyneb diffyg unrhyw ddiwylliant argraffu brodorol yng Nghymru. Yn ogystal, datblygedig iawn yn aml fyddai doniau'r ysgrifenwyr a'r copïwyr a gyfrannai i gynhyrchu testunau, fel y cydnebydd

Pearsall: 'These acts of recomposition [by copyists] . . . were performed at a level of intellectual and imaginative engagement not inferior to and little different from the putative original act of composition.'[65]

Nid oes hanfod sefydlog na sad, felly, yn perthyn i fersiynau ysgrifenedig – hyd yn oed fersiynau print y testunau a gynhyrchwyd mewn cyd-destun llafar, ac y mae hynny'n wir am nifer o destunau cyfoes megis sgriptiau drama neu Hansard y mae eu hawl i gael eu hystyried yn ddilys ac yn ddigyfnewid yn ffrwyth ideolegau economaidd a gwleidyddol. Yng ngolwg y darllenwyr canoloesol, ni fyddai'r testun ysgrifenedig ynddo ef ei hun yn ddogfen awdurdodol, eithr yn gofnod o'r hyn a lefarwyd. Erys un gymhariaeth olaf ag areithiau Elisabeth I i'w gwneud: 'What the manuscript versions represent is not the "original text" of speeches composed ahead of time for oral delivery. The manuscripts were edited transcripts, often considerably moderated in tone, intended for public circulation.'[66] Dyma yn union, dybiwn i, yw gwir statws llawysgrifau'r cywyddau: traws-ysgrifiadau golygedig ydynt, yn aml sawl cam i ffwrdd oddi wrth unrhyw berfformiad 'gwreiddiol' tybiedig. Er i lawysgrifau gael eu trin gan olygyddion fel pe baent yn ffynonellau cysefin, y maent ar ryw olwg eisoes wedi'u golygu bob tro, gan gopïwyr, ysgrifwyr neu, o bosibl, gan y beirdd eu hunain.

*　*　*

Wrth drafod trosglwyddo'r cywyddau mewn llawysgrifau bûm yn dadlau mai'r testun a ragflaenai'r awdur, mai prif nod y traddodiad llawysgrifol oedd cofnodi math penodol o gynnyrch diwylliannol ac iddo gynodiadau cymdeithasol a chenedlaethol aruchel o'r gorffennol, cynnyrch y gellid ei ddefnyddio i gadarnhau *élites* y presennol. I raddau helaeth, dyna'r nod o hyd yn achos golygiadau cyfoes o'r cywyddau, wedi'i gadarnhau ymhellach gan y traddodiad eisteddfodol modern a'i bwyslais ar gyflawniad y bardd unigol. Pan ymddangosodd fersiynau print o'r cywyddau yn ail hanner y ddeunawfed ganrif, damcaniaethwyd mai'r awdur a ragflaenai'r testun, syniad a gydredai â thwf yr 'awdur' fel gwrthrych creadigol, cyfreithiol, economaidd a phroffesiynol y byd cyhoeddi cyfoes yn Llundain. Fel y nododd Seth Lerer, y mae golygyddion modern yn dra pharod i dderbyn priodoli cerddi penodol yn y llawysgrifau i awduron, ond yn llai parod i dderbyn gwir ddarlleniadau'r testunau a geir yn yr un llawysgrifau hynny.[67]

Y mae statws y cywyddau fel testunau dilys, hynny yw fel cynnyrch dilys awduron penodol, yn dibynnu ar hyn o bryd ar y rhagdybio bod cwlwm annatod rhwng testun ac awdur. Ac eto nid yw testun nac awdur yn endidau hollol sefydlog, ac nid ydynt yn rhagfodoli ei gilydd neu gyd-destun y diwylliant a'u cynhyrchodd. Llunnir y Cywyddwyr fel awduron gan y testunau a briodolir iddynt, a chan brosesau'r cyfeirio rhyngdestunol sy'n sail arferion golygyddol a beirniadol. Esgorir ar y testunau, boed mewn llawysgrif neu brint, gan gyfres gymhleth o ymadweithio a dulliau technegol lle y mae gwaith y golygydd o leiaf mor arwyddocaol ag eiddo'r awdur.

Y golygydd, felly, sy'n adeiladu ac sy'n cadarnhau'r cwlwm tybiedig rhwng y testun a'r awdur gan roi'r argraff mai ffrwyth synnwyr cyffredin amlwg yw'r cysylltiad rhyngddynt. Ond y mae'r cwlwm ymhell o fod yn sicr. Ar y gorau, gall fod yn seiliedig ar un fersiwn awtograff a gynrychiola nifer o berfformiadau llafar pryd y datgenid testunau amrywiol. Ar y gwaethaf, cynrychiola dadogi rhyw destun a gopïwyd yn aml ar fardd penodol ac yntau wedi'i greu gan gyfeiriadau rhyngdestunol. Y naill ffordd neu'r llall, ni ellir unrhyw sicrwydd ynghylch yr hyn y bwriadai'r bardd ei ddweud, nac ynghylch y fersiwn a awdurdodwyd ganddo – ac, yn wir, nid oes unrhyw sicrwydd y byddai'r Cywyddwyr canoloesol a'u hysgrifwyr yn coleddu'r syniad fod un testun 'cywir' yn bodoli. Yn ei ymryson â Rhys Goch Eryri, y mae Siôn Cent yn lladd ar gerddi ffôl y beirdd a gynhyrchid ar gyfer y noddwyr yn eu gwleddoedd; pethau undydd oeddent, meddai, ac felly heb fod yn wir, ac mewn llyfrau awdurdodedig, yn hytrach, yr oedd cael hyd i'r gwirionedd:

> Tyst ar hyn yw'r dengyn da
> Synnwyr llyfr Alysanna:
> Neu lyfr Durgrys, gadrfrys fro,
> Mwyn ei ditl ond mynd ato.[68]

Nid oes yma ddisgwyliad y gallai unrhyw gywydd ymddangos mewn ffurf awdurdodedig, boed lafar, boed ysgrifenedig.

Wrth i'r cywyddau canoloesol gael eu trosglwyddo, awdurdodwyd eu ffurf, eu hystyron a'u dilysrwydd yn gyson gan y golygyddion yn bennaf, y rhai a gynhyrchai'r trawsysgrifiad llawysgrif, a'r rheini a gynhyrchai fersiynau print ohonynt. Yn y traddodiad llawysgrifol cynnar, pan oedd awduriaeth yn llai pwysig na record y testun, diogelai'r copïwyr fath o dreftadaeth ddiwylliannol a ymgorfforid yn y geiriau a gopïent ar y naill law, ac ar y llaw arall yn enwau'r beirdd a goffeid. Yn y traddodiad print, aeth golygyddion gam ymhellach gan hawlio'r awdurdod i lefaru ar ran y bardd, drwy drosglwyddo testun y mae'r honiad yn ymhlyg neu yn amlwg ynddo ei fod yn adfer mor ffyddlon â phosibl yr union eiriau a gyfansoddwyd neu a ddatganwyd gan fardd penodol.

Y mae'r cysyniad hwn o'r 'testun gorau' a adeiledir fesul ymadrodd o blith nifer o fersiynau llawysgrif, yn esgor ar ail-lunio cerdd gan y golygydd er mwyn creu'r hyn sydd debycaf i'r hyn y byddai'r bardd wedi'i gyfansoddi. Daeth y golygydd yn awdur, felly, ond heb iddo dynnu sylw at y ffordd y cynhyrchwyd y testun golygedig. Wrth ysgrifennu am fersiynau llawysgrif *Piers Plowman*, y gerdd o'r bedwaredd ganrif ar ddeg, crynhôdd Pearsall ideoleg y golygiad beirniadol yn dwt:

> The evidence [of the manuscripts] being inconclusive, the editor has to assert a belief in a single act of composition, brought to completion in the issue of an authorized text, and a belief in the poet as the practitioner of a divine mystery, attentive to the significance of every minute differentiation of wording. Only on the basis of such a belief can he practise his own mystery.[69]

O fewn cyd-destun diwylliannol a hanesyddol y golygydd ei hun y mae lleoli swyddogaeth y golygydd fel awdur. Y mae sawl golygiad o'r cyw-yddau canoloesol a gynhyrchwyd yn ystod yr ugeinfed ganrif yn cynnig nid yn unig ddarlleniadau'r llawysgrif amrywiol yn ôl mympwy unigolyddol y golygydd, ond hefyd wahaniaethau atalnodi a rhaniadau adrannol, sy'n gorfodi'r testunau i gydymffurfio â safonau'r dydd ar gyfer arferion barddol a disgyrsiau breintiedig. Y mae'r dewisiadau golygyddol hyn yn arwyddocaol: creu ystyr yn llythrennol a wnânt, ac ailweithio'r cerddi er mwyn diogelu hynafrwydd iaith o fewn disgŵrs sy'n taro'n gyfoes wrth ganiatáu i'r darllenydd gael ei gynnwys fel goddrych y farddoniaeth.[70]

O gymryd un enghraifft, gallwn gymharu fersiynau moliant Gruffudd Llwyd i Hywel ap Meurig Fychan, 'O Dduw ai pechawd i ddyn', fel y'i golygwyd gan Thomas Roberts yn 1925 a chan Eurys Rowlands hanner canrif yn ddiweddarach yn 1976.[71] Atalnodir fersiwn Roberts i greu cyfres ddi-dor o linellau, pob un yn dechrau â phriflythyren, a'r geiriau llanw wedi'u dynodi gan gomas. Y mae naws soniarus, rethregol yn perthyn iddi, a hynny wedi'i thanlinellu gan ddefnydd y coma sy'n tynnu sylw at y cwpledi odledig, gydag un ebychnod yn llinell 36 yn cynnig uchafbwynt emosiynol:

> Meibion, cawn eu rhoddion rhydd,
> Meurig cain, Mair a'u cynnydd!
> Cael ganthun', wiw eiddun wŷr,
> Aur a wnawn, wyrion Ynyr;
>
> (ll. 35–8)

Y dewis i drefnu'r llinellau ac i atalnodi fel hyn a bair i'r gerdd gydymffurfio â disgwyliadau cyfoes o ran datgan neu lefaru barddoniaeth: rhai llafar yn bennaf, a ddilyn draddodiadau'r pulpud a'r eisteddfod, ond traddodiad ysgrifenedig hefyd wedi'i wreiddio yng nghyfnod y Rhamantwyr yn hwyr yn y bedwaredd ganrif ar bymtheg. Y mae fersiwn Eurys Rowlands, ar y llaw arall, wedi'i rannu yn adrannau tua'r un hyd â'i gilydd, a defnyddir priflythrennau ar ôl atalnod llawn yn unig. Tueddir i ddynodi'r sangiadau â llinellig, sy'n creu effaith *staccato* yn erbyn llif y gystrawen. Gwneir defnydd helaeth o'r colon, a hynny'n estyn yr uned ystyr, gan anwybyddu'r arddull gypledol sydd mor amlwg yn fersiwn Roberts. Dyma'r pedair llinell drachefn, er mwyn dangos y gwahaniaethau o ran y darlleniad a'r atalnodi:

> Meibion – cawn eu rhoddion rhydd –
> Meurig gain, Mair a'u cynnydd:
> cael ganthun, wiw eiddun wŷr,
> aur a wnawn, wyrion Ynyr:

Mwy modern a llenyddol yw effaith hyn, a llai rhethregol hefyd. Agorir y ffordd i ystyron cynnil a dueddai i gael eu bwrw i'r cysgod gan fersiwn rhethregol Roberts. Dyna a wnaeth Rowlands, sef golygu'r cywydd i gydymffurfio â disgwyliadau modernaidd a gymer fod ffurf barddoniaeth lawn mor bwysig â'i chynnwys, a bod gofyn i'r naws fod yn gyson a than reolaeth y meddwl. Mewn gwirionedd, cafodd y cywydd ei ddehongli yn gyntaf fel darn o gelfyddyd Ramantaidd, ac yna fel darn modernaidd.

* * *

Beth yw'r goblygiadau, felly, i olygyddion modern y cywyddau canoloesol? Hoffwn ddadlau dros ddychwelyd at y testun fel y man cysefin, nid yn yr ystyr fod y testun yn cynrychioli'r cyfansoddiad gwreiddiol, eithr y mae ar gof a chadw yn y llawysgrif. Golyga hyn fod yn rhaid torri'r llinyn cyswllt rhwng y testun a'r awdur, cysylltiad yr arferid ei weld fel gwarant o ddilysrwydd. Golygu'r cywyddau, nid y Cywyddwyr, yw'r dasg, ac ni fedrwn lithro o'r naill i'r llall, o'r *signifiant* i'r *signifié*. Cymerwn fel enghraifft y cywyddau dienw hynny o apocryffa Dafydd ap Gwilym y mae'n demtasiwn inni ddyfalu ynghlych eu dilysrwydd ar sail cerddi eraill a gysylltir yn fwy hyderus â Dafydd ap Gwilym. Po debycaf y cywyddau, mwyaf tebygol yr ymddengys iddynt oll gael eu cyfansoddi gan yr un bardd. Ond y mae *genre* 'Dafydd ap Gwilym' ei hun yn ffrwyth cofnodwyr a golygyddion ac felly ni all fod yn faen prawf diogel na chyson wrth bennu awduriaeth. Dyma broblem y ddadl gylch sy'n cyhwfan uwchben detholiad Parry o ganon Dafydd ap Gwilym.

Os testun yw'r cyfan sydd gennym, y mae'n dilyn o hynny mai'r record lawysgrifol yw'r unig ffordd o ddod o hyd i unrhyw destun unigol. Ond set o drawsysgrifiadau a olygwyd eisoes sy'n ffurfio'r record honno, ac o blith y rheini y ceisia dulliau golygyddol traddodiadol ddethol y darlleniadau 'gorau'. Yn hytrach na darllen cerddi llawysgrifau Peniarth, er enghraifft, fel fersiynau mwy neu lai carbwl o destunau 'gwreiddiol' cynharach sydd i'w holrhain mewn llinell syth at eu 'hawduron', gallwn ddewis golygu'r cerddi fel y maent yn ymddangos mewn llawysgrifau unigol, gan gadw golwg ar bob blodeugerdd lawysgrif yn ei chyfanrwydd fel y'i cynlluniwyd gan y casglwr, yn hytrach na diberfeddu eu cynnwys fesul awdur, gan ddethol y beirdd enwog a gadael o'r neilltu y rhai anhysbys neu ansicr.

Gan fod golygu yn arfer diwylliannol, y mae a wnelo â ffasiwn, â rhagdybiaethau normadol, â disgwyliadau ynglŷn â'r hyn y dylai testun fod, ac â sut y mae diffinio ac adnabod barddoniaeth. Gellid dweud bod arferion golygyddol llywodraethol yr ugeinfed ganrif yn awdur-ganolog, a'u bod yn breinio safonau absoliwt cywirdeb ieithyddol a mydryddol y dylanwadwyd arnynt yn gyntaf gan estheteg Ramantaidd ac yna gan estheteg fodernaidd, a'u bod wedi'u seilio ar theori strwythurol am natur annatod y testun a'r awdur, y *signifiant* a'r *signifié*.

Anochel yw'r symud mewn arferion golygyddol ym maes astudiaethau Cymraeg canoloesol, fel mewn meysydd eraill, tuag at resymeg yr unfed ganrif ar hugain. Yn ôl y rhesymeg hon, y testun yw gwrthrych yr astudiaeth, nid yr awdur. Drwy ymarfer theori, deellir mai creadigaethau yw'r testun a'r awdur fel ei gilydd; ôl-fodern yw'r estheteg bellach, un sy'n caniatáu lluosogrwydd o fersiynau yn hytrach nag un testun 'cywir'. Ôl-strwythurol yw theori ystyr bellach, wedi'i gyrru gan y sylweddoliad nad oes unrhyw gysylltiad hanfodol rhwng y testun a'r awdur, na rhwng y *signifiant* a'r *signifié*, ond mai dros-dro, amodol a chyd-destunol yw unrhyw ymwneud rhyngddynt.

O arfer dull fel hwn, y golygydd a neb arall sydd berchen ar awdurdod ac ystyr y testun. Yn hytrach na chuddio y tu ôl i ryw ffug-ostyngeiddrwydd, bydd y golygydd yn rhoi mynegiant i resymeg testun nad yw'n hawlio unrhyw statws neilltuol iddo ef ei hun y tu hwnt i'r lle a gymer mewn cadwyn o *signifiés*. Nid ar yr awduron – y gwysir eu henwau mor fynych er mwyn awdurdodi'r golygiadau o'r cywyddau canoloesol – y mae'r cyfrifoldeb, eithr ar y golygyddion eu hunain.

Gwelir eironi, felly, yn nheitl yr ymdriniaeth hon. Bûm yn dadlau yn y bennod ar ei hyd nad yw golygu'r Cywyddwyr yn bosibl, dim ond golygu'r cywyddau; ac nad oes modd ailrithio'r beirdd mewn unrhyw ffordd sy'n hanesyddol arwyddocaol, dim ond eu hadeiladu ar sail tystiolaeth y cerddi a briodolir iddynt dro ar ôl tro. At hynny, pan awn ati i olygu'r cywyddau, nid oes modd dod o hyd i ryw destun 'gwreiddiol' a awdurdodwyd gan ei awdur. Yn hytrach, talu teyrnged a wnawn i gopïwyr a chasglwyr llawysgrifau'r Dadeni. Fersiynau'r oes honno a geir yn y llawysgrifau, ffrwyth trosglwyddo'r cywyddau drwy estheteg a theorïau ystyr y Dadeni. 'Products of their transmission rather than of their creation'[72] yw'r cerddi.

Y mae'r ymadrodd 'golygu'r Cywyddwyr', felly, fel petai'n mynd yn groes i'm holl ddadl. Ond mi fyddai defnyddio'r ymadrodd 'golygu'r cywyddau' yn ei le yn creu amwysedd am fod ffurf y cywydd yn arferedig yn y cyfnod modern cynnar a'r cyfnod modern yn ogystal ag yn y cyfnod canol. Dynoda'r term, 'y Cywyddwyr', garfan o feirdd yn ogystal â chyfnod cyfansoddi penodol yn yr Oesoedd Canol diweddar, ond dynodi *genre* farddonol heb unrhyw leoliad hanesyddol a wna'r term 'cywyddau'. Y mae cynodiadau'r termau hyn yn cryfhau'r argraff fod testun cywydd yn ansefydlog a heb arwyddocâd hyd nes bod ganddo awdur, cywyddwr a all ei leoli'n gadarn o fewn amser a gofod. Y mae'r ffaith fod yr awdur yn cyflawni'r fath swyddogaeth yn ategu fy nadl: o ran golygu'r cywyddau, ac y mae hyn yn gyffredinol wir am lenyddiaeth yr Oesoedd Canol, y mae'r traddodiad golygyddol modern yn breinio awduron ar draul testunau. Er gwaethaf fy nheitl, bûm yn ceisio herio awdurdod awduriaeth, gan roi'r testunau, fel y'u ceir yn y llawysgrifau, yn ôl yn eu lle priodol fel gwir dystion i ideolegau'r gorffennol.

Nodiadau

[1] Er enghraiff't, o blith y 30 cerdd yng nghyfrol Dafydd Johnston, *Canu Maswedd yr Oesoedd Canol* (Caerdydd, 1991), mae 7 cerdd 'ddienw' neu 'anhysbys', y mae'r rhan fwyaf ohonynt o apocryffa Dafydd ap Gwilym.

[2] Gw. DGA.

[3] Honnai nifer o awduron o'r Oesoedd Canol diweddar mai Chaucer oedd y bardd mawr cyntaf i ysgrifennu yn Saesneg, gan nodi hefyd Caxton a Hoccleve: gw. N. F. Blake, *William Caxton and English Literary Culture* (London, 1991), 157.

[4] Yr oedd nifer o feirdd Cymraeg y bedwaredd ganrif ar bymtheg hefyd yn casglu ac yn golygu barddoniaeth ganoloesol: er enghraifft cyfraniad Robert Ellis i ail olygiad *Barddoniaeth Dafydd ap Gwilym* (1873).

[5] Ar Caxton a'i waith fel cyhoeddwr, gw. Blake, *William Caxton and English Literary Culture.*

[6] David R. Carlson, 'Chaucer, Humanism and Printing: Conditions of Authorship in Fifteenth-Century England', *University of Toronto Quarterly,* 64 (1995), 274–88 (t. 279).

[7] O'r 'Proem' i ail olygiad Caxton o *The Canterbury Tales* (1484), a ddyfynnir gan Derek Brewer, *Chaucer: The Critical Heritage*, 2 gyfrol (London, 1978), I.76. Cymharer y modd y mae Eustace Deschamps yn cyfeirio at ei gyfoeswr, Chaucer, fel 'grand translateur', cyfeiriad a ddyfynnir gan Brewer, *Chaucer: The Critical Heritage*, I.40.

[8] Kevin Pask, *The Emergence of the English Author* (Cambridge, 1996), 10.

[9] A. J. Minnis, *Medieval Theory of Authorship. Scholastic Literary Attitudes in the Later Middle Ages* (Scolar Press, 1988), xiv–xvii.

[10] Ar dwf y syniad hwn ynghylch unigolyddiaeth, gw. Stephen Lukes, *Individualism* (Oxford, 1973).

[11] C. Calhoun, 'Social Theory and the Politics of Identity', yn *Social Theory and the Politics of Identity*, gol. C. Calhoun (Oxford, 1994), 9–36 (t. 13).

[12] Roland Barthes, 'The Death of the Author', cyfieithiad Saesneg yn *Image, Music,*

Text, gan Stephen Heath (London, 1977), 142–8; Michel Foucault, 'What is an Author?', cyfieithiad Saesneg yn *Language, Counter-Memory, Practice*, cyfieithiad gan Donald F. Bourchard a Sherry Simon (Oxford, 1977), 113–8.

[13] Barthes, 'The Death of the Author', 143, cyfieithiad Cymraeg gan yr awdur.

[14] Barthes, 'The Death of the Author', 148.

[15] Foucault, 'What is an Author?', 128, cyfieithiad Cymraeg gan yr awdur.

[16] William O. Frazer, 'Introduction: Identities in Early Medieval Britain', yn *Social Identity in Early Medieval Britain*, gol. William O. Frazer ac Andrew Tyrrell (London, 2000), 1–22 (t. 3).

[17] Stuart Hall, "Minimal Selves", yn *Studying Culture, An Introductory Reader*, gol. Ann Gray a John McGuigan (London, 1993), 134–38 (t. 136).

[18] Ymhlith y rhai arwyddocaol eraill o'r ddeunawfed ganrif a fu'n rhoi ynghyd lawysgrifau y mae David Ellis, Griffith Roberts o Ddolgellau a Margaret Davies. Parhaodd hynafiaethwyr fel Owen Jones i gynhyrchu llawysgrifau ymlaen i'r bedwaredd ganrif ar bymtheg. Yr oedd Jones yn dal i weithio ar ei gasgliad mewn 49 cyfrol o gerddi Cymraeg, a gedwir bellach yn y Llyfrgell Brydeinig (BL Add 31062–110), a hynny ymhell ar ôl iddo gyhoeddi cerddi Dafydd ap Gwilym ar y cyd â William Owen Pughe yn 1789. Talwyd am y rhan fwyaf o'r cyhoeddiadau cynnar hyn gan yr un hynafiaethwyr a fu wrthi'n copïo ac yn casglu'r fersiynau llawysgrif.

[19] *Barddoniaeth Dafydd ap Gwilym*, gol. Owen Jones, William Owen ac Edward Williams (London, 1789), xxi. Awgrymodd J. Gwenogvryn Evans mai llawysgrif Lewis Morris a wnaed yn 1748 (BL Add 14870) a fu'r sail i olygiad 1789: RMWL, 2 (rhan 4), 144. Dywed Owen Jones yn ei ragymadrodd: 'Corph y gwaith a ysgrifenwyd allan o lyfrau y brodyr Lewis, Rhisiart, a Gwilym Morrus, o Fon' (xxx).

[20] *Barddoniaeth Dafydd ap Gwilym*, xxx.

[21] *Barddoniaeth Dafydd ap Gwilym*, iii.

[22] *Barddoniaeth Dafydd ap Gwilym*, x (troednodyn).

[23] Tebyg iawn yw'r digwyddiad hwn i'r hyn a ddisgrifir yn GDG 128, cywydd a enwyd 'Athrodi Ei Was' gan Parry, er nad enwir menyw'r cywydd yn Forfudd.

[24] DGG xii–xiii; T. Gwynn Jones, *Llenyddiaeth y Cymry*, cyf. I (Dinbych, 1915), 50–1; G. J. Williams, *Iolo Morganwg a Chywyddau'r Ychwanegiad* (Caerdydd, 1926).

[25] Foucault, 'What is an Author?', 128.

[26] Pask, *The Emergence of the English Author*, 2.

[27] Cysyllta Habermas dwf hunaniaeth gyhoeddus unigolion â bywyd Ewrop yn y ddeunawfed ganrif: gw. *The Structural Transformation of the Public Sphere: An Inquiry into a Category of Bourgeois Society* (Cambridge, Mass., 1989), 2–30.

[28] IGE² xl–xli.

[29] IGE² lxiv.

[30] GLGC xxiii.

[31] IGE² lxiv.

[32] *The New Companion to the Literature of Wales*, gol. Meic Stephens (Cardiff, 1998), 436.

[33] G. E. Ruddock, 'Siôn Cent' yn *A Guide to Welsh Literature*, cyfrol 2, gol. A. O. H. Jarman a Gwilym Rees Hughes (Llandybïe, 1984), 169–88 (t. 169).

[34] Digwyddodd yr un peth mewn llenyddiaeth Saesneg wrth i'r termau 'Works' neu 'Life and Works' ymsefydlu yn deitlau golygyddol. Yn ôl Pask, elfen anhepgor wrth adeiladu awduriaeth yw'r cysylltiad rhwng yr awdur a'r gwaith: *The Emergence of the English Author*, 17.

[35] Elisabeth J. Louis Jones a Henry Lewis, *Mynegai i Farddoniaeth y Llawysgrifau* (Caerdydd, 1928), 127–47; GGGL.

[36] Y mae sawl un o'r golygyddion sydd ynglŷn â'r gyfres gyfredol, *Beirdd yr Uchelwyr*, a gyhoeddir gan Ganolfan Uwchefrydiau Cymreig a Cheltaidd Prifysgol Cymru, yn cynnwys peth trafod ar eu canon golygyddol. Gw., er enghraifft, Paul Bryant-Quinn (gol.), *Gwaith Ieuan Brydydd Hir* (Aberystwyth, 2000), a'i ymdriniaeth â phob un o'r cerddi a hepgorodd o'r canon (20–4).

[37] Ynglŷn â chanon Lewys Glyn Cothi, dywed Dafydd Johnston: 'Un o'r pethau mwyaf nodedig am waith Lewys Glyn Cothi yw'r ffaith fod y mwyafrif o'i gerddi wedi goroesi naill ai yn llaw'r bardd ei hun neu mewn copïau o'i lawysgrifau ef' (GLGC xxvii). Gw. hefyd E. D. Jones, *Gwaith Lewis Glyn Cothi* (Caerdydd, 1953), xiii.

[38] *Barddoniaeth Dafydd ap Gwilym*, xxx.

[39] Manylais ar y ddadl hon yn 'The Editor as Author: Reproducing the Text. A Case Study of Thomas Parry's *Gwaith Dafydd ap Gwilym*', *Bulletin of the Bibliographical Society of Australia and New Zealand*, 19 (1995), 67–78.

[40] Ruddock, 'Siôn Cent', 170.

[41] IGE² lxiii–iv.

[42] Y mae pwysigrwydd yr eisteddfod fodern (h.y. wedi Iolo Morganwg) fel meincnod safonau barddol i'w gymharu â'r arfer yn yr unfed ganrif ar bymtheg na chaniatâi i fardd fynd yn bencerdd ond trwy gystadlu mewn eisteddfod. Bu hyn yn bwnc dadl yn ymryson Edmwnd Prys a Wiliam Cynwal: dygwyd yn erbyn Cynwal (a'i athro barddol, Gruffudd Hiraethog) y cyhuddiad nad oedd yn bencerdd go iawn am nad enillasai ei deitl mewn eisteddfod: gw. *Gwaith Gruffudd Hiraethog*, gol. D. J. Bowen (Caerdydd, 1990), xix–xxiv.

[43] Thomas Parry, *Hanes Llenyddiaeth Gymraeg hyd 1900* (Caerdydd, 1944), 124.

[44] *Gwaith Iorwerth Fynglwyd*, gol. Howell Ll. Jones ac E. I. Rowlands (Caerdydd, 1975), 3–4.

[45] *Gwaith Dafydd Llwyd o Fathafarn*, gol. W. Leslie Richards (Caerdydd, 1964), 11.

[46] Gall canonau awduron gweddol adnabyddus brofi'n broblem mewn diwylliant llawysgrifol. Y mae gan Chaucer, er enghraifft, ei 'apocryffa' yntau, a ddiffiniwyd gan olygyddion wrth iddynt geisio sefydlu'r canon dilys.

[47] Diddorol nodi bod achosion o ganonau problematig yn digwydd pan fo identiti'r bardd ei hun yn ansefydlog. Gw., er enghraifft, *Gwaith Huw ap Dafydd ap Llywelyn ap Madog*, gol. A. Cynfael Lake (Aberystwyth, 1995), 1–3.

[48] J. Gwynfor Jones, *Beirdd yr Uchelwyr a'r Gymdeithas yng Nghymru c.1536–1640* (Dinbych, 1997), 94.

[49] Minnis, *Medieval Theory of Authorship*, 10.

[50] J. E. Caerwyn Williams, 'Beirdd y Tywysogion: Arolwg', LlC, 11 (1970), 3–94 (t. 53).

[51] Seth Lerer, *Chaucer and His Readers. Imagining the Author in Late-Medieval England* (Princeton, 1993), 7.

[52] GTA 2, cerdd CI.

[53] Foucault, 'What is an Author?', 123.

[54] Lerer, *Chaucer and His Readers*, 11.

[55] Dengys Pask y tyndra diddorol rhwng yr ymchwil lenyddol am fersiwn 'awdurdodedig' y testun a'r ysfa fasnachol i barhau i gyhoeddi fersiynau amrywiol – tyndra a amlygwyd o ddyddiau cynharaf argraffu, er enghraifft yn nau fersiwn Caxton o *Canterbury Tales* Chaucer, a seiliwyd ar lawysgrifau gwahanol: Pask, *The Emergence of the English Author*, 15–16.

[56] Joyce Coleman, *Public Reading and the Reading Public in Late Medieval England and France* (Cambridge, 1996), 2, 97.

[57] Ymddengys y cwpled hwn yn y cywydd sy'n dechrau, 'Caru dyn lygeitu lwyd', DGA 19.17–18. Dyry rhai llawysgrifau y ffurfiau 'pader main' a 'menych Rhufain'; diwygiwyd y cwpled i 'Paid, er Mair, â'r pader main/ A chrefydd menych Rhufain' gan Ifor Williams a D. J. Bowen ill dau. Gw. DGG III.13–14; D. J. Bowen, *Barddoniaeth yr Uchelwyr* (Caerdydd, 1959), 30.13–14.

[58] Leah S. Marcus, 'From Oral Delivery to Print in the Speeches of Elizabeth I' yn *Print, Manuscript, Performance. The Changing Relations of the Media in Early Modern England*, gol. Arthur F. Marotti a Michael D. Bristol (Columbus, Ohio, 2000), 33–48 (t. 34).

[59] Marcus, 'From Oral Delivery', 33.

[60] Golygwyd y gerdd ddienw yn DGA, cerdd 12. Ar gerdd Tudur Aled, gw. GTA, 2, cerdd CXXVIII.

[61] Marcus, 'From Oral Delivery', 38.

[62] Marcus, 'From Oral Delivery', 45.

[63] Derek Pearsall, 'Editing Medieval Texts. Some Developments and Some Problems', yn *Textual Criticism and Literary Interpretation*, gol. Jerome K. McGann (Chicago, 1985), 92–106 (t. 96).

[64] Paul Saenger, 'Silent Reading: Its Impact on Late Medieval Script and Society', *Viator*, 13 (1982), 316–414 (t. 382).

[65] Pearsall, 'Editing Medieval Texts', 101.

[66] Marotti and Bristol, 'Introduction', yn *Print, Manuscript, Performance*, 9.

[67] Lerer, *Chaucer and his Readers*, 6.

[68] IGE² LX.57–60. Anadnabyddus yw'r llyfrau a grybwyllir yma, ond gw. Andrew Breeze, 'Llyfr Durgrys', B, 33 (1986), 145.

[69] Pearsall, 'Editing Medieval Texts', 99.

[70] Trafodais arwyddocâd atalnodi yn 'Punctuation as a Semiotic Code: The Case of the Medieval Welsh *cywydd*', *Parergon*, 13 (1995), 2–17.

[71] IGE² XL; Rowlands, *Poems of the Cywyddwyr* (Dublin, 1976), cerdd 3.

[72] Lerer, *Chaucer and his Readers*, 9.

4

Agweddau ar Berfformio ym Marddoniaeth yr Oesoedd Canol

PATRICK K. FORD

Mae'r Athro Caerwyn Williams wedi tynnu ein sylw, sawl tro, at ganoledd a phwysigrwydd y gair *canu* a geiriau cysylltiedig a chytras ag ef mewn barddoniaeth Geltaidd yn gyffredinol a barddoniaeth Gymraeg yn neilltuol.[1] Ys dywed ef,

> Yr oedd [y bardd] a'i wrandawyr yn credu yng ngrym a gallu swyn a chyfaredd geiriau o'u llefaru mewn ffordd arbennig ac ar adegau arbennig. Yr oedd y ffordd arbennig hon yn golygu canu neu lafarganu, hynny yw, yn golygu ynganu geiriau mewn dull gwahanol i'r arferol yn ogystal â'u cyfundrefnu mewn modd anghyffredin, sef gan ddefnyddio technegau barddoniaeth.[2]

Ceir y dystiolaeth gynharaf am ganu neu lafarganu yn nhraddodiad barddoniaeth Geltaidd gan yr ethnograffwyr clasurol. Dyma eiriau'r Groegwr Diodorus Siculus, a oedd yn ysgrifennu am y Celtiaid o Âl yn y ganrif cyn Crist:

> εἰσὶ δὲ παρ' αὐτοῖσ καὶ ποιεταὶ μελῶν οὕς Βάρδους ὀνομάζουσιν. οὗτοι δὲ μετ' ὀργάνων ταῖς λύραις ὁμοίων ᾄδοντες οὕς μὲν ὑμνοῦσιν οὕς δὲ βλασφημοῦσι (v.31.2).

> Yn eu plith y mae prydyddion telynegol a alwant yn feirdd. Y mae'r dynion hyn yn canu i gyfeiliant offerynnau cerdd sydd yn debyg i lyrâu, ac mae eu cerddi yn ganu mawl neu'n ganu dychan.

Ni allwn fod yn sicr o union ystyr geiriau Diodorus: gall fod y prydyddion yn cyfeilio iddynt eu hunain (gan ganu'r offerynnau eu hunain) neu fod rhywun arall yn cyfeilio iddynt hwy, rhywun a oedd yn canu offeryn tant.[3]

Beth bynnag am hynny, mae'r Athro Caerwyn Williams yn dyfynnu hefyd Sextus Pompeius Festus, gramadegydd Lladin o'r ail neu'r drydedd ganrif OC, sef, 'Bardus Gallice cantor appellatur qui virorum fortium laudes canit'.[4] Y mae *cantor* yn gytras, wrth gwrs, â'n gair ni *canu, cân* ac yn y blaen, geiriau sy'n cyfeirio at gynhyrchu seiniau â'r llais neu ag offeryn cerdd, neu at gyfansoddi barddoniaeth. Fel y dywed yr Athro Caerwyn Williams, yn yr ieithoedd Celtaidd, dim ond yn y Gymraeg y mae'r enw *cân*, o'r gwraidd **kan-*, yn cadw hyd heddiw y ddwy ystyr barddoniaeth a cherddoriaeth. Felly *canu* – 'cyfansoddi barddoniaeth; cynhyrchu seiniau llais neu offeryn'. Ond anodd iawn yw penderfynu pryd yn union y bwriedir y naill ystyr neu'r llall. Ar ei phen ei hun, nid yw'r eirfa hon yn help mawr inni ddeall a dehongli agweddau ar berfformiad nac ym mha amgylchiadau yr oedd y gelfyddyd gyhoeddus iawn hon yn cael ei chyflwyno. Yng ngeiriau yr Athro Caerwyn Williams:

> Dengys y geiriau a drafodwyd uchod, yn eiriau syml ac yn eiriau cyfansawdd, mai 'canu', 'llafarganu' neu 'ganu adrodd' eu cyfansodd-iadau a wnâi'r hen feirdd. Nid ydynt yn dweud, ac nid oes disgwyl iddynt ddweud, a oedd y beirdd ar adegau'n llafarganu gweithiau beirdd eraill nac ychwaith a oeddynt ar adegau, neu, oherwydd anabledd, yn wastad, yn cael eraill i lafarganu eu gweithiau drostynt . . . Defnyddiai rhai o feirdd Cymru yn yr Oesoedd Canol adroddwyr i adrodd eu cerddi drostynt ar rai adegau a than rai amgylchiadau. Hyd yn oed pan oedd y beirdd yn bencampwyr ar y grefft o draddodi, hawdd yw dychmygu fod yna amgylchiadau pryd y byddent yn falch o gael rhywun i fynd yn eu lle a thraddodi eu cerddi. Yr enw a roddid ar y cyfryw draddodwyr proffesiynol oedd 'datgeiniaid', ac y mae *Gramadegau'r Penceirddiaid*, fel y gwelwyd, yn dweud mor bwysig oedd i'r datgeiniaid ddatgan cerdd 'yn gwbl megys y kano y prydyd'.[5]

Nid ydym yn gwybod ychwaith a oedd y datganu, gan fardd neu ddatgeiniad, yn cael ei gyfeilio iddo gan offeryn tant, nac ychwaith a oedd y cyfeiliant yn waith y bardd ei hun, y datgeiniad neu rywun arall. Amcan yr ysgrif hon, felly, yw ceisio darganfod, ar sail tystiolaeth fewnol bardd-oniaeth Gymraeg o'r chweched ganrif hyd yr unfed ganrif ar bymtheg, gramadegau'r penceirddiaid a'r cyfreithiau, agweddau ar berfformio yn nhraddodiad barddoniaeth Gymraeg. Yr hyn sy'n sicr oddi wrth y drafodaeth uchod ac astudiaeth yr Athro Williams o'r pwnc yw bod y beirdd neu'r prydyddion yn cyfansoddi barddoniaeth (*canu, prydyddu*) a bod barddoniaeth yn cael ei pherfformio (*canu, datganu, llafarganu*) naill ai gan y cyfansoddwr ei hun neu gan adroddwr proffesiynol (*datgeiniad*). Y broblem, y mae'n eglur, yw na allwn wybod beth oedd dull y perfformio heb wahaniaethu rhwng y gweithgareddau amrywiol hyn.

Yr wyf yn credu y gall y gwahaniaeth rhwng *cân* 'song' a *chân* 'poetry' yng ngwlad Groeg gynt daflu goleuni ar ein pwnc. Dyma fater sydd yn cael ei drafod ym mhennod gyntaf *Pindar's Homer* gan yr Athro Gregory Nagy.[6] Mae Nagy yn gweld y mater fel 'an evolution of various kinds of song into something differentiated from song – let us call it *poetry* – so that song and poetry can then coexist as alternative forms of expression'.[7] Felly, deil fod y gair *aeidõ* 'sing' yn yr Iliad yn 'functional synonym' o *e(n)nepõ* 'narrate, recite' yn yr Odyssey. I Nagy, nid yw hyn yn golygu bod barddoniaeth Homeraidd, gyda chyfeiliant y lyra, wedi cael ei chanu, dim ond, yn hytrach, mai ar un adeg neu gyfnod yn ei datblygiad y cafodd barddoniaeth Homeraidd ei chyflwyno yn y modd hwnnw. Ei farn am y *rhapsodes* a oedd yn perffformio yn y gwyliau pan-Roegaidd yw, '[they] did not sing the compositions that they performed but rather recited them without the accompaniment of the lyre'.[8] Ac eto, yn ei farn ef, nid oes yma ddim gwrthdaro oherwydd bod y datblygiad o *gân* ('song') i rywbeth gwahanol iddi ('poetry') yn gywir o safbwynt diacronig: 'it is not without reason that even the performance of a rhapsode is from a traditional point of view an act of "singing".'[9] Y mae pwysigrwydd ac arwyddocâd y datblygiad hwn yng ngwlad Groeg gynt i'r ymholiad hwn yn eglur:

We can be satisfied with the diachronic correctness of ancient Greek poetry's references to itself as song by noting that such self-references are traditional, not innovative. The traditional phrases in Homeric poetry and elsewhere about the subject of singing and song have an Indo-European ancestry . . . The institutional reality of formal competition among rhapsodes, immortalized for us in Plato's dialogue *Ion* (530a), seems to be a direct heritage of formal competition among singers, as reflected directly in passages like *Homeric Hymn* 6.19–20 and indirectly in the numerous myths about such competitions. There is enough evidence, then, to conclude that what the rhapsodes recited was directly descended from what earlier singers had sung.[10]

Efallai fod yr Athro Caerwyn Williams o'r un farn pan ysgrifennodd:

Draw yn y cyfnod pell-yn-ôl hwnnw priodolid gallu dewinol i eiriau offeiriad a phrydydd wrth eu crefft neu eu galwedigaeth, a rhaid oedd gwahaniaethu rhwng defnyddio geiriau at ddiben dewinol a'u defnyddio mewn cyfathrach feunyddiol, ac un ffordd o wneud hynny fyddai ynganu geiriau a ddefnyddid at ddiben dewinol, mewn llais, mewn cywair neu amseriad gwahanol i'r arferol, a ffordd arall fyddai rhoi trefn wahanol arnynt a'u cysylltu â chyseinedd neu gyflythrennedd, hynny yw, rhoi patrwm elfennol fydryddol arnynt.[11]

O safbwynt Indo-Ewropeaidd, felly, mae *can-* wedi cadw ystyr sy'n dynodi hen ffordd o ymdrin â chyfansoddi barddoniaeth a'i pherffformio, hynny yw, *cân* yn ei ffurfiau amrywiol.

Mae'r gramadegau yn ymdrin â safle cymharol *bardd, cerdd, datganu, cyfeiliant.* Dywedir yn fersiwn llawysgrif Peniarth 20, 'Tri prifgerd tauawt ysyd: prydu, a dachanu [=datganu], a chanu gan delyn'.[12] Mae hyn yn ddiamwys: yn gyntaf oll y mae'r *prydu,* cyfansoddi'r gerdd. Yna, gellir *datganu* y cyfansoddiad neu ei ganu i gyfeiliant telyn. Cyflwynir *datganu* a *chanu,* felly, fel ffurfiau arwahanol, didoledig: gwneir y *datganu* heb gyfeiliant a'r *canu* gyda chyfeiliant. Pwysig iawn i lwyddiant y bardd a'i gyfansoddiad yw eglurder datganiad: 'Tri pheth a beir kanmawl kerdawr, nyt amgen: dychymycvawr ystyr, ac odidawc kerdwryaeth, ac eglur datkanyat.'[13]

Cyn inni drafod safle'r datgeiniad, rhaid inni roi sylw i'r geiriau *cerdd, cerddwr* a *cherddwriaeth.* Ystyr wreiddiol *cerdd* oedd 'crefft' o unrhyw fath, ond fe oroesodd y gair, fel y dywed John Morris-Jones ar dudalen cyntaf rhagymadrodd *Cerdd Dafod,* yn yr ymadroddion *cerdd dafod* a *cherdd dant.*[14] Hynny yw, daethpwyd i'w arfer yn bennaf oll mewn ymadroddion yn ymwneud â chân, barddoni, datganu, a cherddoriaeth offerynnol (tannau).[15] Yn wir, y mae'r 'Trioedd Cerdd' yn honni: 'Tri ryw brifgerd ysyd, nyt amgen: kerd dant, kerd vegin a cherd dauawt. Tri prifgerd tant ysyd, nyt amgen: kerd grwth, kerd delyn, a cherd timpan.'[16] Er bod y prifgerddi hyn yn gwahaniaethu oddi wrth ei gilydd o ran yr ail elfen, amwys yw geiriau fel *cerddawr* (*cerddwr, cerddor*) a *cherddoriaeth* (*cerddwriaeth*), sydd yn golygu, yn eu trefn, 'cantwr, ceiniad, datgeiniad; prydydd; chwaraewr ar offeryn cerdd' a 'miwsig, caniadaeth, clerwriaeth, cerdd dafod a thant; prydyddiaeth'. Ac felly, pan drawn ar y geiriau hyn ym marddoniaeth Gymraeg yr Oesoedd Canol, ni allwn fod yn sicr ai barddoniaeth ai miwsig a ddynodant.[17] Mae'r cyfreithiau yn sôn am dri math o berfformwyr mewn llys: *pencerdd, bardd teulu* a *cherddawr,* ond am yr olaf ni wyddys nemor ddim. Eto, mae'n eglur fod Statud Gruffudd ap Cynan yn gwahaniaethu'n gryf rhwng y dosbarthau amrywiol.

Cyhoeddwyd Statud Gruffudd ap Cynan yn eisteddfod Caerwys 1523. Ni wyddys faint yw oed y ddogfen na natur ei chysylltiad allanol â Gruffudd ap Cynan. Ond gwyddys bod y beirdd, o amser eisteddfod Caerwys 1523 ymlaen, yn cario copïau o'r Statud yn ôl fel y gorchmynnwyd iddynt yn y ddogfen. Yn ddiamau, mae erthyglau'r Statud yn rhoi golwg o oes gynharach ar fyd y beirdd a'u dyletswyddau. Yn ddiddorol iawn, gwaherddir i neb 'arwain' mwy nag un 'gelvyddyd':

Hevyd na bo ineb arwain dwy gelvyddyd: megis Telynior nev grythor a ffrydyddiaeth nev achrefft arall nev brydydd yn of ac yn brydydd ac nabo i neb o athraw gymryd yn ddisgybl neb avv brentis i grefft ac na kyvrifol a ddysgol.[18]

Celfyddyd yw'r gair a ddefnyddir yma, nid *cerdd*, ond gwrthrych y gwaharddiad yw'r rhai a arferai *gerdd dant* ('telynior neu grythor') a *cherdd dafod* ('barddoniaeth'). Efallai mai dyma pam nad yw Tudur Aled, un o'r 'cynghorion' yn eisteddfod Caerwys, yn cael ei enwi fel 'pencerdd telyn' yno:

> Ni sonnir am Dudur Aled fel pencerdd telyn yn y rhestr uchod serch bod ei farwnadwyr yn cyfeirio ato fel 'Pencerdd y ddwygerdd agos' a 'bardd dwbl.' Dywed Lewys Môn ei fod yn dwyn y ddwy gadair 'fel dau grair' ar ei ŵn.[19]

Ymddengys nad oes a wnelo'r gwaharddiad hwn ddim â'r *atkeiniad* (datgeiniad), sy'n adrodd y gerdd:

> Ac wedi hynny y dichon atkeiniad vwyhav i rodd godi i radd drwy: awdurdod kelvyddyd kerdd dant nidamgen dysgv i blethidav oll a ffroviad kyffredin ai ostegion athair ar ddec o brif geinkiav ai gwybod yn iawn yn i partiav ac atkan i gywydd gida hwy a gwedi hynny y dichon Ef sialens grod drachefn o rann Tannav ac velly y gall atkaniad sialens dwy rod Rwng Tavod athant ac nifferthyn i atgeiniad glera ar gylchwwyl ond Trwy ddilid pennkerdd o gerdd davod nev o gerdd dant.[20]

Nid yw'r datgeiniad yn arfer *cerdd*, fel petai, oherwydd nid telynor na phrydydd mohono'n union ond un sy'n cyflwyno gwaith y celfyddwyr hynny. Mewn cywydd llatai i Werful Mechain, cyfeiria Dafydd Llwyd at ei 'latai' Llywelyn ap Gutun, fel 'Lywelyn lew iawn/ Delynor heb awdl uniawn'.[21] Dengys y golygydd mewn nodyn fod Llywelyn yn cael ei grybwyll fel telynor yn llawysgrif Bangor 13829, 35. Mae'n sicr fod Llywelyn yn fardd hefyd, ond gallai fod yn delynor yng ngherdd Dafydd Llwyd, oherwydd nid bardd ydyw yno ond 'llatai', ac fel y cyfryw ei bwrpas yw *datganu* cerdd Dafydd Llwyd. Pwysleisir yn y Statud fod yn rhaid i'r datgeiniad wybod tair cainc prydyddiaeth, sef *englyn, cywydd ac awdl*, er mwyn iddo fedru adnabod beiau cyfansoddiad a'u dangos i'r bardd.[22]

Diddorol iawn yw'r ffaith mai'r *cywydd* yn unig a grybwyllir o safbwynt cyfeiliant yn yr adran o'r Statud a ddyfynnwyd uchod. A oes yma awgrym mai'r cywydd yn unig a oedd yn cael ei gyfeilio iddo â thelyn neu grwth a bod yr englyn a'r awdl, ffurfiau mwy urddasol, yn cael eu perfformio mewn ffordd arall? Y mae tystiolaeth i'r gwrthwyneb yn y gerdd 'Cwyn Hen Ŵr' gan Huw Elis, lle mae'r henwr yn cwyno ar ei stad bresennol wrth gofio dyddiau ei ieuenctid:

> mi a fvm drythill / mi a nawn benill
> ar bob mesvr / pen fawn segvr

kanv karol / mwyn mesvrol
kanv englyn / gida thelyn[23]

Yma, yn ôl y bardd, y mae'r delyn yn cyfeilio i englyn, ond diweddar yw'r gerdd hon (?tua chanol yr ail ganrif ar bymtheg), ac efallai mai ystyriaethau mydryddol yn unig sydd yma (hynny yw, odl fewnol).

Yn ogystal â datganu'n eglur, fel y dywed y triawd, mae'n rhaid i'r datgeiniad ddeall y gerdd: 'Tri pheth a gytbreinant ymadrawd (ac a'e) teilygant: ehudrwyd parabyl, a (chywreindeb) synwyr, ac annyan(a)wl dyall y datk(einyat),' tra bo 'pwl datkeinyat' yn un o dri pheth a 'agybreinyant ymadrawd'.[24]

Y ddau angen hyn, sef 'dyall y datkeinyat' a gwybod tair cainc prydyddiaeth, sydd wrth wraidd y triawd dilynol sy'n bwrw'r bai am 'gam gerd' ar y datgeiniad:

> Tri pheth ny dyly kerdawr eu kredu . . . eil yw ny dyly y gredu, kanu kam gerd o brydyd kanmoledic ac awdurdawt idaw, kanys damwein yw kaffael datkeinyat a datkano kerd yn gwbyl megys y kano y prydyd . . .[25]

Mewn geiriau eraill, os clywir camgymeriad mewn cerdd sydd yn cael ei datganu, bai y datgeiniad ydyw, nid eiddo'r bardd anrhydeddus, oherwydd nid yw datgeiniaid yn cyflwyno barddoniaeth yn gywir bob tro. Pwysig hefyd yw bod y datganu yn amserol: 'Tri pheth anurthant gerd: y datykanu yn anamser heb y gouyn . . .'[26] Ffactor arall yn llwyddiant y datganu yw dawn y datgeiniad: 'Tri phetha vrddassant gerd: ehudrwyd ac ehofynder parabyl ac ethrylith y datkeinad.'[27] Ymddengys fod y Statud yn deddfu yn erbyn danfon tclynor neu gi ythor gyda chân ofyn: 'Hevyd na bo prydydd a wnel kerdd i erchi march nev vilgi nev gyvryw anwyldlws nodedic heb gennad y perchennoc ac nas anvono gwr wrth gerdd dant dann boen ffin.'[28] Byddai'r math hwn o ddyn yn ddatgeiniad, mae'n debyg, ac nid yn annhebyg i latai y cywyddau serch.

Felly, fe ymddengys oddi wrth hyn oll fod y crefftau 'cerdd dant', 'cerdd dafod', a 'datganu' yn cael eu cadw ar wahân, gyda'u rheolau, eu safonau, eu defodau, ac ati, eu hunain. Dyna oedd y sefyllfa yn eisteddfod Caerfyrddin tua 1450 hefyd:

> Yn eisteddfod Caerfyrddin tua 1450, fodd bynnag, aeth yr holl anrhydeddau i dalaith Tegeingl yn ôl yr hanes a ddyry John Jones o Gelli Lyfdy. Enillodd Dafydd ab Edmwnt y gadair arian yno, Cynrig Bencerdd o Dreffynnon y delyn arian a Rhys Bwtting o Brestatun y tafod arian am ddatganu.[29]

Bu trafod mynych ynghylch dylanwad Gruffudd ap Cynan, y tadogwyd y Statud arno, ar gyfundrefn y beirdd yng Nghymru, estheteg eu bardd-oniaeth ac yn y blaen. Nid oedd yr Athro Caerwyn Williams yn credu bod y beirdd Gwyddelig a ddaeth i Gymru gyda Gruffudd ap Cynan yn yr unfed ganrif ar ddeg, na Gruffudd ei hun, wedi cael dim effaith ar ddatblygiad barddoniaeth Gymraeg:

> Ond, ar ôl profi, a phrofi i'r carn, gobeithio, na ellir esbonio'r Gogynfeirdd fel canlyniad unrhyw ddylanwad Gwyddelig y gallodd Gruffudd ap Cynan fod yn gyfrifol amdano, teg yw pwysleisio fod y bardd llys Cymreig yn dangos nodweddion digon tebyg i rai o nodweddion ei gymar Gwyddelig. [30]

Yn gynharach, yr oedd T. Gwynn Jones yn bur sicr fod y Gwyddyl wedi dylanwadu ar draddodiad barddonol a cherddorol y Cymry: 'Pa wedd bynnag, ni ddichon bod llawer o amheuaeth na ddylanwadodd peroriaeth Wyddelig ar beroriaeth Gymreig yn y ddeuddegfed ganrif.'[31] Ni ellir gwybod i sicrwydd beth oedd y berthynas neu'r cysylltiad rhwng y ddwy garfan o feirdd, y Gwyddyl a'r Cymry, ond fe wyddys bod un puror neu gerddor o leiaf yng nghwmni Gruffudd ap Cynan, sef rhyw Gellan, a syrthiodd ym mrwydr Aberlleiniog yn 1094.[32] Mewn nodyn ar y llinellau hyn yn *Historia Gruffud vab Kenan*, mae'r golygydd, D. Simon Evans, yn tybio mai bardd oedd Gellan: 'Fe ddichon mai bardd teulu a feddylir yma, sef bardd y teulu neu lu'r brenin.'[33] Yn ei ragymadrodd, wrth drafod yr adran hon o'r *Historia*, mae Evans yn cyflwyno'r Gwyddel fel hyn: 'Gellan telynyaur, penkerd', gan osod coma i ddynodi'r ddwy grefft.[34]

Ystyr sylfaenol *pencerdd* yw 'pennaeth crefft', neu'n well, efallai, 'prif grefftwr', ac fe'i defnyddir am 'gerdd dafod' a 'cherdd dant' fel ei gilydd yn y Statud.[35] Mae Dafydd Jenkins wedi trafod 'pencerdd', 'bardd teulu' a thermau cysylltiedig yn ddiweddar.[36] O'r tair gradd o gerddwyr a enwyd yn y gramadegau – 'clerwr', 'teuluwr' (bardd teulu) a 'phrydydd', dim ond 'bardd teulu' a geir yn y cyfreithiau. Cymerwyd gan rai bod 'prydydd' y gramadegau yn gyfystyr â 'phencerdd' y cyfreithiau, ac ymhellach fod 'pencerdd' a 'bardd teulu' yn raddau gwahanol o feirdd. Deil Jenkins fod tystiolaeth y cyfreithiau yn dangos bod y prif wahaniaeth rhwng 'pencerdd' a 'bardd teulu' yn aros yn eu perthynas â'r llys.

Un o bedwar swyddog ar hugain y llys brenhinol oedd y 'bardd teulu.' Yr oedd ei le nesaf at y 'penteulu' ar y tair gŵyl arbennig, 'so as to have the harp put into his hand'.[37] Wrth ymgymryd â'i swydd, 'He gets a harp from the king . . . and the harp he will never part with'.[38] Esbonia Jenkins:

> The harp would be a symbol of the bard's vassalage: just as a horse and arms were given to a knight, and at his death were returned to the lord as

a heriot, the *bardd teulu* was given the tools of his trade, which would be returned on his death. But surely the bard would already have his own harp, so that a harp (of unspecified quality) with which he could never part would be more trouble than it was worth . . .[39]

Ond ni ellir bod mor sicr fod gan y bardd ei delyn ei hun. Cofier y gwaharddiad yn y Statud ynghylch dilyn dwy grefft: ni fyddai'r bardd yn cyfeilio iddo'i hun wrth ddatganu barddoniaeth nac wrth berfformio fel telynor heb dorri'r gwaharddiad. Ond eto, mae'n bosibl esbonio'r delyn fel rhodd gan y brenin nad yw ond yn symbol o swydd bardd teulu, gan fod tafod a thant mor agos i'w gilydd wrth berfformio barddoniaeth.

Yn 'Llyfr Iorwerth', un o'r 11 swyddog yw'r 'pencerdd', swyddogion 'by use and custom who are in a court'.[40] Yn ôl Llyfrau 'Cyfnerth' a 'Blegywryd' a 'Lladin D', y mae bardd yn cyrraedd y safle hwn pan ennill gadair mewn cystadleuaeth neu ymryson barddol.[41] Ond mae Jenkins yn ein rhybuddio rhag deall y diffiniad hwn yn rhy lythrennol. Yn ei farn ef, datblygodd safle a swydd y pencerdd dros amser maith, o gyfnod cynnar pan oedd yn 'full member of the independent order of the bards not confined to a specific post or territory'[42] i gyfnod diweddarach pan ddaeth barddas dan reolaeth y wlad:[43] 'As a result of the state authorities' interference, the degree of *pencerdd* seems to have received a kind of recognition that made it more of an office.' Yn y pen draw, medd Jenkins: 'The essential point is that *pencerdd* and *bardd teulu* are terms belonging to two differend fields: *pencerdd* names a status in the independent bardic organization, *bardd teulu* names an office in the state organization.'[44] Y mae'r pencerdd, yn yr un modd â'r bardd teulu, yn derbyn telyn gan y brenin wrth fynd yn bencerdd. Ond pa fath o 'bencerdd' tybed? Dyma air go anodd i'w ddeall gan na ddynoda ai pencerdd tafod ai pencerdd tant a olygir. Esbonia Jenkins:

This passage shows that a *pencerdd* was not necessarily a poet, but could be an instrumental performer (as well as a story-teller like Gwydion). The precedence given to the harp is consistent with the view that the bard would recite his poems to his own accompaniment on the harp.[45]

Rhaid inni fod yn ofalus yma hefyd, oherwydd nid yw'n eglur o gwbl oddi wrth y cyfreithiau a oedd y beirdd yn cyfeilio iddynt eu hunain wrth ddatganu eu cerddi, ac fel y gwelwyd, y mae'r Statud yn gwahardd yr arfer yn bendant. Mae'r cyfreithiau yn dweud bod tri math o delyn: 'the King's harp and a pencerdd's harp and a good man's harp.'[46] Yma, y mae'n sicr, cyfeiriad at delynor pencerdd (hynny yw, telynor a oedd yn bencerdd) yw 'telyn y pencerdd'. Mwy diamwys o lawer yw'r frawddeg hon yn y

'Damweiniau': 'Every harp pencerdd is entitled to twenty-four pence from the young cerddorion who want to give up the horsehair harp and be competent cerddorion and to solicit'; cerddorion miwsig yw'r rhain.[47]

Fel y gallwn weld oddi wrth y drafodaeth flaenorol, nid yw'r cyfreithiau na'r gramadegau yn rhoi gwybodaeth ddiamwys, ddigamsyniol inni am berfformio barddoniaeth yng Nghymru yn yr Oesoedd Canol. Mae'r eirfa yn gyfoethog ond yn amwys: *cerdd* 'crefft, crefftwr; barddoniaeth; cân; offeryn cerdd', *cerddor/cerddoriaeth* 'cantor; datgeiniad; prydydd/ miwsig; cerdd dafod; cerdd dant', *pencerdd* 'prif fardd; prif gerddor'. Trown yn awr at y farddoniaeth i weld a geir unrhyw dystiolaeth yn y cerddi eu hunain a allai ein goleuo ynghylch perfformio; a oes yn y corpws o farddoniaeth o Aneirin i Dudur Aled unrhyw beth a fydd yn dangos sut y cyflwynwyd barddoniaeth yn llysoedd pendefigion, tywysogion ac uchelwyr?

Aneirin

Fel yr ydym wedi gweld, mae geirfa barddoniaeth, gan mwyaf, yn ymestyn yn ôl i'n llenyddiaeth gynharaf. Felly, yn y 'Gododdin' fe geir tri chyfeiriad at y *cerddor*:

> hyueid hir etmygir tra vo kerdawr . . .
> blwydyn bu llewyn llawer kerdawr . . .
> nyt edewis e lys les kerdoryon prydein[48]

Ni wyddys pwy oedd y 'cerddorion' yma, ai beirdd ai chwaraewyr offerynnau cerdd. Mae Aneirin yn defnyddio'r gair 'canu' ryw hanner dwsin o weithiau, ond ai yn yr ystyr bendant o gyfansoddi ai datganu ni wyddys: 'neu cheint e ododin kynn gwawr dyd dilin'.[49] Mae'n cyfeirio at ei 'wawd' ddwywaith:

> Gwell gwneif a thi / ar wawt dy uoli . . .
> a minheu om gwaetfreu gwerth vy gwennwawt[50]

a'i 'nâd' deirgwaith:

> nat ry gigleu . . .
> anysgarat vu y nat ac aneirin . . .
> nu neut ysgaras nat a gododin[51]

Prin, felly, yw'r geiriau sydd yn gallu dweud rhywbeth wrthym am berfformio'r 'Gododdin'. Nid oes ynddo ddim sôn am dant, tafod na

datganu, ond diddorol iawn i'n pwrpas ni yw mynychder y gair 'adrodd'.
Mae goddrych y ferf yn amrywio: weithiau y gerdd ei hunan, hynny yw y
'Gododdin', ydyw, weithiau gwŷr gwlad y Gododdin, a throeon eraill
goddrych amhersonol sy'n gallu cyfeirio at ryw ddatgeiniad o'r gerdd:

> O vreithyell gatraeth pan adrodir . . .
> neus adrawd gododin gwedy fossawt . . .
> nis athravt gododin ar glavr fossaut . . .
> mor dru eu hadrawd wy . . .
> neus adrawd a uo mwy en awr blygeint . . .
> nys adraud gododin in dit pleigheit . . .
> neus adrawd gododin gwedy lludet . . .
> neus adrawd gwrthyt rac gododyn . . .[52]

Hefyd, fe'i defnyddir fel ansoddair yn yr ystyr 'enwog, clodfawr; hysbys':

> present adrawd oed vreichyawr drut . . .
> present kyuadraud . . .[53]

Felly, yn y 'Gododdin' mae'r pwyslais ar 'adrodd', nid ar 'ganu' neu
'ddatganu'. Mae'r ffaith hon yn dwyn ar gof y drafodaeth uchod ar
'lafarganu' yn erbyn 'canu' ('recited poetry' rhagor 'song'), ac yn hyn o
beth, yng ngoleuni prinder y gair hwn yng nghyswllt perfformio mewn
barddoniaeth ddiweddar, mae'r 'Gododdin' yn sefyll ar wahân.[54]

Taliesin

Ymysg cwestiynau Taliesin y mae 'tant telyn py gwyn?' yn y gerdd 'Angar
Kyfyndawt'.[55] Mae Marged Haycock yn cyfieithu, 'Why does the string of
a harp lament?'[56] Tybed ai'r bardd ei hun yw'r tant? Yn 'Kat Godeu',
cofier, y mae Taliesin yn hawlio ei fod ef yn 'tant yn telyn'![57] Mewn man
arall ('Marwnat Vthyr Pen'), mae Taliesin yn dweud ei fod ef yn gelfydd yn
y ddwy gerdd, tafod a thant, ac mewn math arall o gerddoriaeth: 'wyf bard
ac wyf telynor. wyf pibyd ac wyf crythawr'.[58] Esbonia Haycock, gan
ddyfynnu'r llinellau hyn: '[Taliesin] is a repository of bardic skill: "llogell
kerd" (chest of song). He possesses musical as well as poetic gifts . . .'[59] A
dweud ei fod yn dant mewn telyn y mae Taliesin wrth ailddatgan ei honiad
bod llawer o bethau mewn llawer o leoedd ers cyn cof, ac wrth faentumio
ei fod yn fardd, telynor, crythwr a phibydd dywed fod ynddo ef ei hun bob
celfyddyd sy'n perthyn i farddoniaeth. Yn wir, mae'n rhyfedd nad oes mwy
o gyfeiriadau at y delyn, ac yn y blaen, yn y casgliad hwn o ryw drigain a
rhagor o gerddi. Ceir yn Llyfr Taliesin gerddi y gellid disgwyl dod o hyd i

dystiolaeth am berfformio ynddynt, er enghraifft 'Kadeir Taliessin', 'Meibon Llyr', ond ni cheir dim felly ynddynt. Mae yna ganu i fedd, cwrw, meirch, llath Moesen, ond dim o gwbl i delyn neu offeryn arall. Y mae'n werth nodi ymhellach nad oes cyfeiriad at y delyn yn y canu hanesyddol i Urien a'i fab Owain.

Cylchoedd Llywarch Hen/Heledd

Ni cheir unrhyw gipolwg ar berfformio barddoniaeth mewn llysoedd brenhinol yng nghylchoedd Llywarch Hen a Heledd. Y mae digon o fannau yn y cylchoedd hyn lle y gellid disgwyl sôn am berfformio, er enghraifft yn yr englynion sydd yn cwynfan dros aelwyd ddiffaith Rheged. Yn ôl yr englynion, 'mwy gordyfnassei' yr aelwyd â medd, meddwon, pabir gloyw, elwch gwŷr am gyrn cyfeddwch, ac yn y blaen, ond nid oes dim byd am ganu, cerddorion ac ati.[60] Noda Jenny Rowland fod

> Musical accompaniment [in the performance of the englynion] is highly probable, but again there is no direct evidence for it let alone for the usage and type. The various types of *englyn* would mean the musical accompaniment would have been of some complexity and variety if other than a simple chant.[61]

Beirdd y Tywysogion

Fel y mae'r Athro Geraint Gruffydd wedi nodi, ni oroesodd ond rhyw ddau gan llinell o farddoniaeth o'r cyfnod 600 hyd 1100.[62] Goroesiad damweiniol, efallai, ond ar ôl 1100, gyda goruchafiaeth Gruffudd ap Cynan, daeth tro nodedig ar fyd i farddoniaeth, a chyda Meilyr dechreua cyfnod maith a chynhyrchiol y beirdd hynny a oedd yn gysylltiedig â thywysogion Cymru. Pa beth bynnag oedd dylanwad y Gwyddyl ar ddatblygiad barddoniaeth Cymru yn y cyfnod hwn,[63] dylid cofio i Ruffudd ddod â'i 'delynior pencerdd' gydag ef pan ddaeth i Wynedd, ac felly gellid disgwyl dod o hyd i gyfeiriadau at gerdd dant, boed mewn cysylltiad â pherfformio'r farddoniaeth neu beidio. Distaw yw Meilyr ar bwnc telynau a pherfformio, ond mae bardd diweddarach, Llywarch ap Llywelyn (Prydydd y Moch), yn ei ganu mawl i Lywelyn ap Iorwerth, yn dweud y bydd y tywysog yn derbyn moliant â'r tafod yn ogystal ag â thant:

> Nid gormodd fy ngair, wyt gormant – dëyrn,
> Wyf tebyg Eliffant.
> Can orfod pob rhod yn rhamant
> Can folawd â thafod a thant[64]

Gellir deall y llinell olaf fel cân foliant a genir i gyfeiliant telyn, ond mae'n bosibl hefyd fod yma ddau weithgarwch gwahanol. Yn ei foliant i Dduw, mae Madog ap Gwallter (y drydedd ganrif ar ddeg) yn mynnu y molir Duw â thelynau, ymhlith pethau eraill:

> I'th foliant soniant sôn clych – a llyfrau,
> Cerddau, telynau, crastannau crych.[65]

Eto i gyd, mae'n bosibl mai perfformiadau gwahanol sydd yma, ond mae'r un mor bosibl hefyd fod y telynau a'u crastannau yn cydseinio â'r farddoniaeth. Hyd y gwn i, dyna'r unig gyfeiriadau at dannau a thelynau ym marddoniaeth Beirdd y Tywysogion.

Y Gogynfeirdd diweddar, Beirdd yr Uchelwyr a'r Cywyddwyr

O symud i'r cyfnod nesaf, gellir gweld byd newydd mewn barddoniaeth. Yn gyntaf oll, yn sgil digwyddiadau diwedd y drydedd ganrif ar ddeg, yr oedd sefyllfa'r beirdd swyddogol wedi newid am byth, ac yr oedd y beirdd proffesiynol yn cystadlu â'r *glêr* am nawdd yr uchelwyr. Er bod y gramadegau'n enwi'r *clerwr* fel y math isaf o gerddor neu ddiddanwr, nid yw'r cyfreithiau'n sôn dim amdano. At hynny, nid yw'r geiriau *clêr, clerwr, cleheryn* neu'r ferf *clera* yn digwydd byth ym marddoniaeth Beirdd y Tywysogion. Mae'r ffurf luosog neu dorfol *clwyr*, fodd bynnag, yn digwydd ddwywaith; unwaith ym 'Mawl Cuhelyn Fardd':

> Celfydd yd gân   clwyr ŵyr Aeddan   cyflafan lew

(Fe gân yn gelfydd gwmni beirdd disgynnydd Aeddan, [y] llew mewn ymladdfa)[66]

a thrachefn ym 'Mawl Llywelyn ab Iorwerth' gan Einion ap Gwgon:

> A chlwyr ar ddyhedd, mawredd mirain;

(A beirdd mewn cyffro, ysblander hardd)[67]

Yn y bedwaredd ganrif ar ddeg, fodd bynnag, fe glywir llawer am y *glêr* a'r arfer o *glera*, ac felly y gwnâi beirdd fel Iolo Goch pan aent drwy'r wlad o lys i lys, yn union fel y *glêr*.[68] Oherwydd na sonnir am y *glêr* yn y cyfreithiau, ac nad oeddent, felly, dan eu rheolaeth na rheolaeth y beirdd proffesiynol, mae'n bosibl eu bod yn cyfeilio iddynt eu hunain â'r delyn neu'r crwth wrth iddynt adrodd eu cerddi.

Mae Iolo yn cyfeirio at yr arfer o *glera* nifer o weithiau yn ei gerddi. Yn yr ymddiddan rhwng yr enaid a'r corff, mae *clera* yn fywyd anaddas i henwr: 'Nid teg, nac addwyn, nid da/ Bellach i gleiriach glera.'[69] Dechreua ei gywydd moliant i'r delyn rawn gan alw i gof yr hen ddyddiau diddan, cyn dyfodiad y delyn ledr ddirmygadwy:

> Rho Duw hael, rhadau helynt,
> Gwawr rhif, Gymru ddigrif gynt,
> Gorau man, gwinllan y gost,
> Ar fyd o fywyd fuost
> Tra fu amser i glera
> A dysg yr hen Gymry da . . .[70]

Dyma'r unig gyfeiriadau at *glera* ym marddoniaeth Iolo, hyd y gallaf farnu, ond mae yna ryw bymtheg cyfeiriad at *glêr*, a dau ohonynt yn unig yn negyddol. Yn ei gerdd i lys Owain Glyndŵr, disgrifia Sycharth fel 'lle cwsg clêr' a 'pebyll y beirdd', ymadroddion sydd yn awgrymu bod *clêr* a *beirdd* bron yn gyfystyr gan Iolo.[71] Weithiau, mae'n well gan olygydd ei waith, Dafydd Johnston, gyfieithu *clêr* yn 'clergy', er nad yw GPC yn cynnig cymorth ar wahân i ofyn ai benthyg o'r Wyddeleg *clíar/cléir* sydd yma.[72] Mae GPC yn rhestru un o'r rhain (rhif 29.92) fel enghraifft o'r ystyr 'choir, chorus'. Yn 'Dychan i'r Gwyddelyn', defnyddir *clêr* ddwywaith, mewn ystyr negyddol bob tro. Gelwir y Gwyddelyn yn 'Cipiwr crainc, iangwr copr crin/ Cyffeithdy clêr cyffeithdin'.[73] Diddorol iawn yw'r enghraifft, oherwydd yno mae Iolo yn ei gyferbynnu ei hun a'i gyd-feirdd â'r *glêr*:

> Nid synnwyr ffôl wrth ddolef,
> Nid clêr lliw'r tryser llawr tref,
> Nid beirdd y blawd, brawd heb rym,
> Profedig feirdd prif ydym.[74]

Ond eto gall nad yw'n cyfeirio ond at ryw fath ar *glêr*: 'clêr lliw'r tryser llawr tref' a rhyw fath arbennig ar feirdd: 'beirdd y blawd'. Heb os, ffafriol yw'r rhan fwyaf o'r cyfeiriadau at y *glêr* yng ngwaith Iolo.

Heblaw 'clêr' a 'bardd', mae Iolo'n sôn am 'teuluwr' unwaith (36.6) a 'teuluwas' ddwywaith (22.9, 23.70). Mae'r olaf yn digwydd yn 'Marwnad Llywelyn Goch ap Meurig Hen': 'Nis gŵyr Duw am deuluwas,/ Yn athro grym aeth i'r gras.'[75] Esbonia Johnston mewn nodyn:

this seems to correspond to the terms *bardd teulu* of the laws . . . and *teuluwr* of Einion's Grammar . . . a type of poet who entertained audiences with the kind of love poetry for which Llywelyn was famous. Iolo here claims that despite the popularity of Llywelyn's love poetry, he was of a higher grade, being an authority on the art of poetry, and has gone to heaven in that capacity.[76]

Boed fel y bo am hynny, mae'r math hwn o fardd yn ddigon da i gael ei groesawu gan Dduw: 'Da gan Dduw gael teuluwas/ Diddrwg ei ddiwladeiddrwydd'.[77]

Dwywaith y sonnir am 'gerddorion' ym marddoniaeth Iolo. Yn ei farwnad i feibion Tudur Fychan, fe folir Tudur am ei haelioni wrth gerddorion a chlerwyr,[78] enghraifft, yn ôl pob tebyg, o wahaniaethu rhwng chwaraewyr offeryn cerdd a beirdd. Yn 'Marwnad Ithel ap Robert', ymhlith y dyrfa sydd yn hebrwng yr esgob i'r eglwys cyfeirir at 'sôn gan gerddorion gwrdd'.[79]

Wrth ysgrifennu am addysg gerddorol dybiedig Iolo Goch yn Llanelwy, mae Dafydd Johnston yn dweud: 'Since next to nothing is known of the musical accompaniment to the performance of medieval Welsh poetry, it is difficult to gauge the influence of Iolo's musical education on the practice of his art as a poet, but it may well have been considerable.'[80] Beth bynnag am hynny, nid oes nemor ddim cyfeiriadau at gyfeiliant cerddorol i farddoniaeth wedi goroesi yng ngwaith Iolo. Tipyn o syndod yw hyn o gofio ei foliant angerddol i'r delyn rawn a'r dychan i'r delyn ledr.[81] Ond hyd yn oed yn y gerdd honno nid oes sôn yn y byd am y delyn fel cyfeiliant i ddatganu neu lafarganu barddoniaeth. Yn ei gywydd gofyn march gan Ithel ap Robert crybwylla Iolo delyn ond mewn cysylltiad â dawns, nid barddoniaeth: 'Ynni dalm a wnâi delyn/ O flaen dawns, ni flina dyn'.[82] 'Telyn llys' yw Dafydd ap Gwilym ym marwnad Iolo iddo, mewn ystyr drosiadol, wrth gwrs.[83] Ceir cyfeiriad eglur at fardd fel telynor yn y farwnad i Lywelyn Goch: 'Puror telyn, pôr teulu . . .'[84] Diddorol iawn yw'r llinell hon oherwydd ei bod yn cysylltu Llywelyn â'r teulu, efallai yn yr ystyr 'teuluwr'. Ond er ei fod yn delynor medrus, nid oes tystiolaeth ei fod yn cyfeilio iddo'i hun wrth ddatganu. Fel datgeiniad, fodd bynnag, efallai ei fod yn gallu cyfeilio iddo'i hun yn y nefoedd wrth ddatganu gerbron y proffwyd Dafydd, puror telyn ei hun ac un a ddisgwyliai'r fath gyfeiliant yn ôl pob tebyg: 'Hoff fydd gan Ddafydd Broffwyd/ Ddatganu cerdd Lleucu Llwyd'.[85] Mae'n anodd penderfynu sut i ddehongli'n union y llinellau canlynol yn yr un farwnad:

> Nid oes erddigan gan gainc,
> Gwir yw, lle bo gwŷr ieuainc,
> Ni bydd digrif ar ddifys
> Nac un acen ar ben bys

> Ond cywydd cethlydd coethlef,
> Ni myn neb gywydd namn ef.[86]

Y mae'r llinellau hyn yn awgrymu y cyfeilir i farddoniaeth fel arfer ac nad oes mwynhad hebddo ('difys') ac eithrio yng nghywyddau Llywelyn, y rhai gorau sy'n bod. Ai honni a wneir yma fod cywyddau Llywelyn yn ddigyfeiliant bob tro? Ni wn.

Cerdd dafod a cherdd dant sydd ymysg pleserau llys Ieuan, esgob Llanelwy:

> Cerdd dafod ffraeth hiraethlawn,
> Cerdd dant, gogoniant a gawn;
> Cytgerdd ddiddan lân lonydd,
> Pibau, dawns, a gawn pob dydd.[87]

Yn ôl atalnodiad y golygydd, ymddengys fod cerdd dant a cherdd dafod yn weithgareddau ar wahân yma, ond fe allai'r gair 'cytgerdd' gyfeirio at gyfuniad o'r ddwy grefft. Cymharer y ffordd y defnyddir y gair ym marwnad Tudur Fychan: 'Chwerw iawn yw gennyf, chwaer orn,/ Gytgerdd rhwng cloch ac utgorn'.[88] Ystyr ddigamsyniol 'cytgerdd' yma yw 'cyfuniad o seiniau cerddorol' (GPC); a gweler hefyd nodiad Sally Harper ar 'cwlwm gytgerdd': '*Cytgerdd* may suggest some form of joint music making: possibly the pieces served as accompaniment to the craft of *cerdd dafod*, or possibly harp and crwth played together'.[89]

Fel Dafydd ap Gwilym, mae Iolo yn defnyddio'r gair 'cyweirdant', tant pwysicaf y delyn, yn drosiadol am ei noddwr: 'Cywirdeb mal cyweirdant'.[90]

Ceir cyfeiriad at yr offeryn llinynnol arall, y crwth, mewn dwy gerdd gan Iolo, ac ym mhob achos y mae'n well gan y golygydd, Dafydd Johnston, ddeall y gair yn drosiadol. Ceir y cyntaf o'r rhain mewn cywydd diolch am farch, lle mae'r bardd yn disgrifio anawsterau mynd ar gefn march: 'Rhaid esgynfaen, chwaen chwimwth,/ Trwm fydd dyn crwm fel dwyn crwth'.[91] Mae Johnston yn cyfieithu 'crwth' fel 'hump', ond 'dwyn' yw'r gair a ddefnyddir am gario offeryn llinynnol:

> Nid oes a fynno . . .
> Ond telyn ledr . . .
> A rhyw was diras i'w dwyn.[92]

a thrachefn,

> Telyn eirian . . .
> Na cheisied, ddiged ddeugwyn,
> Y dydd brentisiaid i'w dwyn.[93]

Mewn cywydd i ferch y ceir yr ail enghraifft o 'crwth':

> O chemir bys yn chwimwth
> O'i blaen, lygad crynfaen crwth,
> Brwynen ewinwen wanwyrth,
> Braidd fel tywys haidd na syrth.[94]

Mae Johnston yn cyfieithu'r cyfosodiad 'crynfaen crwth' yn 'pebble' yma ond, yn fy marn i, byddai ystyr fwy llythrennol yn addas yma. Mae ei llygaid yn debyg i emau, ac mae hi'n llygatgam, hynny yw yn wylaidd, yn gwyro ei threm, ac o'r herwydd, pan fo rhywun yn camu bys arni, mae hi bron â llewygu a'i llygaid yn mynd yn fawr oherwydd y sioc, mor fawr ac mor ddifesur â chrwth. Beth bynnag am hynny, nid yw'r un o'r enghreifftiau hyn o'r gair 'crwth' yn rhoi tystiolaeth inni ynghylch perfformio barddoniaeth neu ynghylch cyfeilio, ond dangosant, efallai, agwedd Iolo at y crwth.

Ceir ychydig o gyfeiriadau at gerddoriaeth a barddoniaeth yng ngwaith y Gogynfeirdd diweddar. Mewn cerdd fawl i Ddafydd ap Cadwaladr o Fachelltref (hanner cyntaf y bedwaredd ganrif ar ddeg) mae Sypyn Cyfeiliog yn disgrifio pleserau llys Dafydd, gan ddweud ei fod yn gyforiog o weithgareddau amrywiol, gan gynnwys canu mawl a cherdd arwest:

> Yn llwyr degwch nef yn llawr Bachelltref,
>> Y lle y bydd dolef bob Nadolig,
> A llu o geriant a llyn tra meddwaint,
>> A llewychu braint bro hil Feurig,
> A darllain llyfrau llin breninllwythau,
>> A chanmol achau ucheledig,
> A gwybod teiriaith a chlaws y gyfraith,
>> A growndwal pob iaith weithrededig,
> A llef gan dannau a llif gwirodau,
>> A llafar gerddau gorddyfnedig,
> Ac aml fwydau, melys gyweirdabau . . .[95]

Gallai'r ymadrodd 'llef gan dannau' olygu 'seiniau o dannau' neu, efallai, 'llais ac iddo gyfeiliant tannau', ac mae cyplysiad yr ymadroddion 'llef gan dannau' a 'llafar gerddau' yn awgrymu barddoniaeth y cyfeilir iddi ag offeryn llinynnol. Un arall a ganodd i Ddafydd ap Cadwaladr oedd Llywelyn Goch ap Meurig Hen, sydd yn dweud bod llys Dafydd yn un lle perchir barddoniaeth a cherddoriaeth:

> Lle gwir y telir talm dros gerddau,
> Lle teilwng llef telyn a phibau

> Lle hynod hoywglod, hyglau – wasanaeth,
>> Lle rhydd ffraeth digaeth, dogn hybarchau.[96]

Ceir tystiolaeth ddiamwys i gyfeiliant tannau wrth ddatganu cerdd mewn cân enwog gan Ruffudd Fychan ap Gruffudd ab Ednyfed (ail hanner y bedwaredd ganrif ar ddeg), lle dywedir bod y delyn yn anhepgor i farddoniaeth:

> Prelad cyfarf braenarfaes
> Tew, byr, llwyd mewn tabar llaes,
> Beth, lle bai, a dalai dalm
> Yn absen llyfr wynebsalm?
> Saer heb ddur fwyall ni saif,
> O dda orchwyl ni ddyrchaif.
> Eurych heb ddodrefn eraill,
> Ni ŵyr, ymwared ni aill.
> Gof o bwyth dof, beth a dâl
> Heb ei einion, hoyw benial?
> Cael cyfflybrwydd a wyddwn,
> Cof rhwydd am y cyfryw hwn.
> Beth, ddifyr felenbleth ddyn,
> A dalai wawd heb delyn?
> Ba ddelw gellir, wir warant,
> Ganu'n deg onid gan dant?
> Cenais, pan ryglyddais glod,
> Cywydd sengl, cuddiais anglod.[97]

Nid yw geiriau Gruffudd Llwyd (y bedwaredd ganrif ar ddeg) mor eglur â'r rhain, ond mewn marwnad i Rydderch ab Ieuan Llwyd o Lyn Aeron dywed Gruffudd:

> I ddail, oedd neges i ddyn
> Roi dwylo mwy ar delyn?
> Girad oedd golli gwarant,
> Gorddwyodd Duw y gerdd dant.[98]

Fe geir cadarnhad pellach i ddefnyddio'r delyn i gyfeilio wrth adrodd cerdd ym marddoniaeth Dafydd ap Gwilym. Er enghraifft, yn y gerdd 'Talu Dyled' cyfeiria at ei gyd-feirdd fel 'Pawb o'r a gant llorfdant llaw',[99] ac yn ei farwnad i Ruffudd Gryg, dywed:

> O charai ddyn wych eirian
> Gan dant glywed moliant glân,

Gweddw y barnaf gerdd dafawd,
Ac weithian gwan ydyw gwawd.[100]

Fel y cawn weld, y mae cryn dystiolaeth am delynau yn llysoedd yr uchelwyr ac am ddefnyddio'r delyn i gyfeilio wrth adrodd neu lafarganu neu ddatganu barddoniaeth o'r bedwaredd ganrif ymlaen ond nid cyn hynny. Yn y cyfnod hwn hefyd y mae'r hen wahaniaeth rhwng 'pencerdd', 'teuluwr' a 'chlerwr' yn dechrau diflannu, a geiriau fel 'clêr', 'clerwr' yn mynd bron yn gyfystyr â 'bardd' a 'phencerdd'.[101] Felly mae rhyw 'ddemocrateiddio' wedi bod ar y proffesiynau. Pam? Pam nad oedd dim sôn bron am gerdd dant yn y cyfnod cynnar? Er bod y Bendigeidfran chwedlonol a'r Gruffudd ap Cynan hanesyddol yn ffigurau sydd yn dangos nawdd llys i gerdd dant a cherddorion, mae tystiolaeth ar gael fod anghytundeb rhwng y ddwy garfan. Yn ei gŵyn yn erbyn esgob Bangor, mae'r bardd Iorwerth Beli (blynyddoedd cynnar y bedwaredd ganrif ar ddeg) yn adrodd sut y gorchmynnodd Maelgwn Gwynedd i'w feirdd a'i gerddorion nofio dros Afon Menai. Pan gyraeddasant yr ochr arall, nid oedd y telynorion yn werth dim ond canodd y beirdd gystal ag erioed:

Pan aeth Maelgwn hir o dir mab Dôn – duedd
    I wledd gwalch gorsedd hyd Gaer Seion,
A dwyn gydag ef, gofion – dan orchest,
    Oedd o gerdd arwest ar gerddorion,
A pheri uddunt, ffyrfeiddion – llawer,
    I bawb o'r nifer nofio'r afon;
Pan ddoethant i'r tir, terfyn Môn, – ar drai,
    Dimai nis talai i'r telynorion!
Tyst yw Duw ar hyn, tystion – a'i gwybydd:
    Herwydd hardd gynnydd, gynneddf doethion,
Cystal y prydai'r prydyddion – â chynt
    Er a nofiesynt, helynt haelion.[102]

Mae'r hanesyn yn hŷn na cherdd Iorwerth Beli. Priodolir fersiwn arall o'r chwedl i Daliesin, gyda Chaswallon yn chwarae rhan Maelgwn, ac mae Brynley Roberts yn dal bod y chwedl yn rhan o gorff mawr o lên gwerin yn ymwneud â Maelgwn a'r beirdd llys.[103] O ystyried cyflwr y telynorion, ai dyma'r rheswm pam y cludodd Bendigeidfran ei 'gerddorion arwest' ar ei gefn pan aeth drwy'r môr i Iwerddon?

Felly, mae'n bosibl mai un rheswm pam na sonnir am gerddorion a'u hofferynnau yng ngwaith Beirdd y Tywysogion (ac eithrio'r ddau gyfeiriad a ddyfynnwyd uchod) yw bod y cerddorion yn cystadlu â'r beirdd am ffafr eu noddwyr. Ar ôl digwyddiadau brawychus diwedd y drydedd ganrif ar ddeg, cyfnod a welodd chwalfa gymdeithasol yng Nghymru, newidiodd y berthynas rhwng y ddwy garfan, ac fel yr awgryma'r testunau a ddyfynnwyd, mae'r gwŷr cerdd dafod yn mynd yn wŷr cerdd dant ac yn cyfeilio iddynt eu hunain wrth ddatganu eu barddoniaeth. Mae Dafydd ap Gwilym yn rhoi inni ddarlun byw o hyn yn ei gerdd 'Y Gainc'. Yn hon siarada am gyfansoddi neu berfformio cerdd a chyfeilio iddo'i hun ar y delyn ar yr un pryd. Nid yw'r term 'cainc' yn perthyn i gerdd dant ddim llai nag i gerdd dafod; yn y naill, adran o alaw delyn ydyw, ac y mae 24 adran o'r fath yn ffurfio 'cwlwm'; yn y llall, llinell o farddoniaeth ydyw.[104] Felly, mae Dafydd yn defnyddio'r term yn siriol-amwys:

> Dysgais ryw baradwysgainc
> Â'r dwylo mau ar dâl mainc;
> A'r dysgiad, diwygiad dyn,
> Eurai dalm ar y delyn.
> Llyma'r gainc ar y fainc fau
> O blith oed yn blethiadau,
> O deilyngfawl edlingferch,
> A brydais i â brwyd serch.[105]

Y mae terminoleg y delyn yn cynnwys *plethiad*, techneg canu'r delyn, a *brwyd*, benthyciad o derminoleg gweu a ddefnyddir yn drosiadol am dannau unionsyth y delyn.[106] Yn nes ymlaen yn y gerdd mae Dafydd yn hawlio ei fod yn ddisgybl i Hildr, rhyw athro cerdd dant chwedlonol (medd Thomas Parry), ac y mae'n cloi trwy ddweud, hyd yn oed os metha'r gwefusau a'r bysedd (wrth lafarganu a chanu'r delyn), yr erys y gainc:

> Poed anolo fo ei fin
> A'i gywydd a'i ddeg ewin
> A gano cerdd ogoniant,
> Ni cherydd Duw, na cherdd dant,
> Gwiw loywglaer ddyn golyglon,
> Ac yn cael canu'r gainc hon.[107]

Ganwyd Lewys Glyn Cothi tua 1425 a chanodd ei gerdd olaf yn 1489, yn ôl pob tebyg.[108] Mae'r 338 o gerddi (dros 15,000 ll.) o'i waith a ddiogelwyd yn ffynhonnell bwysig inni o wybodaeth am berfformio barddoniaeth yn y bymthegfed ganrif. Ym moliant Dafydd ap Tomas, mae Lewys yn disgrifio llys ei noddwr:

> Lle yno a fydd fal llynnu – i ddwyradd
> a cherddorion Cymru;
> lle un fraint oll â nef fry,
> lle y hwitwin yw'n llety.[109]

Cyfeiria ato'i hun fel 'cerddor' a 'caniadwr' i noddwr arall, Siancyn Winstwn:

> Canwn i'r Brytwn tra brytwyf – i gerdd,
>   a phoed gwir a ganwyf;
>   cerddor i Siancyn Wyn wyf,
>   caniadwr Siancyn ydwyf.[110]

Fel y gwelwyd uchod, mae 'cerddor' yn air amwys, felly hefyd 'caniadwr'. Y mae GPC yn diffinio'r olaf fel 'cerddor, cyfansoddwr neu ddatgeiniad barddoniaeth'. Ond mae Lewys yn dweud ei fod yn prydu cerdd yma; ai prydydd *a* chwaraewr offeryn cerdd ydyw? Neu a yw 'prydydd', 'cerddor' a 'caniadwr' yn gyfystyr yma? Y mae rhagor i'w ddweud am 'gerddor' fel y dengys y llinellau hyn i Wiliam ap Morgan:

> Tri ffrwythlon gerddor a ragorant:
>   un yw bardd ei hun ag a henwant,
>   ail yw storïawr ag a alwant,
>   trydydd teuluwr, cywydd os cant
> a'r tri hyn â'r ffyn o ffyniant – dewin,
>   aur a gwin gan lin Godwin a gânt.[111]

Ymhle, gellid gofyn, y mae'r chwaraewr offeryn cerdd? Dywed Lewys ei fod yn gwasanaethu Wiliam Siôn yn yr un modd ag y gwasanaethodd Iolo Goch Rydderch ab Ieuan Llwyd:

> Iolo'n wir, yng Nglyn Acron,
>   a wnaeth wers yn y iaith hon;
>   eithr y mab oedd athro mawr,
>   ac i Rydderch yn gerddawr.
>   Wiliam, f'aur es talm yw fo,
>   Mi i Wiliam yw Iolo.[112]

Ar sail cysylltiad agos tybiedig Iolo Goch â miwsig (gw. uchod, t. 90), a ellir rhagdybio awydd cyffelyb ar ran Lewys? Os felly, ni sonnir amdano yn y rhestr hon o ddyletswyddau cerddor yn 'Moliant Wiliam Siôn':

> A'm swydd, gyda'm arglwydd mên,
>   oedd ddeall iddo awen;
>   darllein art arall yn well,
>   darllein ystoriâu wellwell
>   Siensis, drwy'r sïens a drig,

achau'r ynys a'i chronig,
a'r hen gerdd, er hyn o gof,
a rhieingerdd o'r hengof.[113]

A thrachefn, yn 'Moliant Morgan ab Owain', Prior Caerfyrddin:

Fy swydd i'm arglwydd o'm min – bwrw awen
    i brior Caer Ferddin;
    ni welad perchen Lladin
    mor ddoeth, ac mor dda o'i win.[114]

Ni ddywedir yn unman fod ei ddyletswyddau'n cynnwys chwarae offeryn. Ac eto honna ei fod yn mynd yn fawr ei awydd at Wiliam ap Morgan i ganu'r delyn neu'r crwth:

ei glod a draethir gan gildant – Brido
tra draetho genau, tra dweto dant.

Cynt wyf at Wiliam i gael rhamant
no'r hydd rhag cynydd dros war ceunant;
cynt wyf at Wiliam er canu tant
nog ebol neu iwrch dros flaen gobant[115]

A chan y dywed 'ei glod a draethir gan gildant', ymddengys yn rhesymol tybio ei fod yn cyfeilio iddo'i hun yma. Y mae yn ei farddoniaeth gyfeiriadau at offerynnau amrywiol, fel yn 'Moliant Caeo':

Odlau, cywyddau didolc iddyn,
    a heb un gongl mewn bannog englyn,
crythau, telynau a gyflenwyn' – nef
    a gân eu dolef hwy gan delyn.[116]

Nid yw'n eglur ai cyfeilio i'r cerddi y mae'r offerynau ai peidio. Yn 'Moliant Rhys ap Dafydd' ceir cyfeiriad eglur iawn at y bardd yn canu cerdd i gyfeiliant telyn, ond ni wyddys ai'r bardd ei hun sydd yn canu'r telyn ai peidio:

Mae yt Rys i'th ddwylys gyda thelyn,
am dda a genais a medd gwenyn,
mae clod ym Mlaen Tren fal Rhydodyn,
oes, awen a cherdd heb us na chwyn . . .

Gwrando fal llunio wrth y llinyn[117]
ar rwymo'r awdl orau ym Mhrydyn . . .
Aur i gennyd yw'r eginoedd
i'th ddewinoedd gyda thannau.[118]

Gellid dadlau bod yr ymadrodd 'dewinoedd gyda thannau' yn golygu 'beirdd a chanddynt delynau (neu grythau)' ond efallai mai 'beirdd yn cael eu cyfeilio iddynt gan dannau' yw'r ystyr. Y mae 'cytgerdd' yn yr englyn moliant canlynol yn cyfeirio at farddoniaeth ac iddi gyfeiliant telyn fel peth arbennig o bwysig ar ddyddiau ac achlysuron penodol:

Nadolig a Phasg, gan delyn – gywair,
Calan gaeaf, Sulgwyn,
goleuhau mae'r gwyliau hyn
yt gytgerdd eto Gwatcyn.[119]

Ac mae'n eglur fod noddwyr Lewys yn mwynhau cerdd gyda thelyn:

Wiliam gan delyn
efô cerdd a fyn;
am hyn ei ddilyn a feddyliais.[120]

Dyna Wiliam ap Morgan unwaith eto; dyma Fedo ap Rhys: 'Y Bedo, efô a fyn/ ganu dolef gan delyn.'[121] Sonnir am farddoniaeth ac offeryn cerdd gyda'i gilydd yn aml yn y cerddi hyn, ond prin y gellir penderfynu a ydynt yn weithgareddau 'cytgerdd' neu beidio. Dyma lys Dafydd ap Tomas:

Ef a wrendy cerdd pob oferddyn,
ef a dâl am gerdd aur mâl melyn;
o'i wenllys ceir enllyn – catyrfa
a gwin a difa eigiawn dyfyn,

a pheri i'r dwylo gyffroi'r delyn[122]

A'r un peth a welir yn neuadd Hopcyn ap Siôn:

Arfer Hopcyn gofyn gwin
a'i brynu fal y brenin;
canu telyn, Hopcyn hael,
a'i chyweirio'n gloch urael,
canu pennill, myn Cynin,
can gainc, peri cywain gwin;

> gofyn ynn ar gefn annerch
> achoedd Mai a chywydd merch.[123]

Plant maeth yw beirdd a chwaraewyr offeryn cerdd yn llys Owain Fychan:

> Y cerddwyr a'r benceirddiaeth
> i'r haelion fydd meibion maeth.
> Ba un a'n mag heb anair?
> Ifor a'n mag o Fryn-Mair.
> Llawer dwsmel a thelyn,
> a llawer brwysc gerllaw'r Bryn.[124]

Weithiau mae'r delyn fel petai'n gymwys i gyfeilio i farwnad, fel yn 'Marwnad Lleucu ferch Ieuan' gan Lewys:

> Mae Lleucu'n llaw Iesu wyn – a'i chyfoeth,
>   ferch Iefan ap Siancyn;
>   mae 'Nghastellhywel delyn
>   i gwyno gwawr y gwin gwyn.[125]

neu yn ei farwnad i Hywel ap Dafydd:

> Gwelais amser gan f'eryr
> y cawn win er canu i wŷr;
> yr awron cael drwy warant
> liw gŵn du, wylo gan dant.[126]

I sŵn clych ac utgyrn y mae'r delyn yn cwyno yn 'Marwnad Phelpod ap Rhys':

> Ydd oedd wrth ei ddiwedd ef
> gan delyn gŵyn a dolef,
> clych yn ymffust i'm clustiau,
> cyrn a oedd utgyrn bob ddau[127]

Ceir delwedd drawiadol o ddefnyddio telyn (neu grwth) mewn marwnad pan gyffelybir marwolaeth Hywel Goch ap Rhys i dorri tant mewn perfformiad:

> Torres derwen Melienydd,
> a phellach gwannach yw'r gwŷdd.
> Torres tant, ar feddiant fu
> yn y canol yn canu.[128]

ac o ganlyniad,

> Ni chân un dyn iach na dau,
> ni chwardd dyn â cherdd dannau.[129]

Cynrychiolir barddoniaeth diwedd y bymthegfed ganrif a blynyddoedd cynnar yr unfed ganrif ar bymtheg yn dda gan agos i 11,700 o linellau gan Dudur Aled (*c.*1465–*c.*1525). Fe'i gelwir yn 'fardd cadeiriog' yn Statud Gruffudd ap Cynan a thrachefn mewn marwnadau iddo. Y mae'n bosibl ei fod yn bencerdd tafod yn ogystal ag yn bencerdd tant, er bod peth dadlau ynghylch hyn, fel y gwelsom. Mewn marwnad iddo gan Lewys Daron, cyfeirir ato fel

> Pencerdd y ddwygcrdd agos,
> Penceirddiaeth in aeth yn nos
> Gwin neu fêl y gwnâi foliant,
> Ag yna, teg ganu tant.[130]

Efallai fod Lewys Môn yn golygu yr un peth pan ddywed:

> Bardd dwbl, i bwy 'roedd debig?
> Ba wlad draw, ba le y trig?
> Dug ar i ŵn, fal dau grair,
> Diwedd gwawd, y ddwy gadair.[131]

Deallwyd yr ymadrodd 'bardd dwbl' fel 'bardd y ddwy grefft', ond mae esboniadau craill yn bosibl.[132] Er enghraifft, mewn cân ddiolch i Wiliam Fychan am farch glas, myn y bardd fod i'w gerdd werth dwbl:

> Cnyw a roist, nis caen ar werth,
> Cei, ar ddiolch, cerdd ddeuwerth[133]

Eto i gyd, yn y gerdd yn disgrifio wyneb merch, dechreua llinellau 9–21 (ac eithrio ll. 13) â'r gair *dau* (neu *ddwy*), ac efallai mai dyna pam y'i galwyd yn 'fardd dwbl'. Ni wyddys sut yn union yr enillodd beirdd epithetau a llysenwau fel Penfras, Tew, Gwan, Llygad Gŵr, Prydydd y Moch, Moel, Bychan, Nam, ac ati, ond mae'r cymal 'Dug ar i ŵn . . . y ddwy gadair' yn dweud yn ddigon eglur fod Tudur Aled wedi ennill y ddwy gadair, mewn cerdd dafod a cherdd dant, ac felly mae'r llysenw 'bardd dwbl' yn gweddu iddo.

Y mae nifer o gyfeiriadau at feirdd, telyn, cerdd dant a cherdd dafod ym marddoniaeth Tudur Aled. Mae lluoedd o feirdd a cherddorion yng ngosgordd Syr Rhys ap Tomas:

> Milfyrdd o Gwlen, mil o feirdd gwyliau,
> Mal garddaid wenyn, mil o gerdd dannau;
> Mal gwlith ar wair ffrith, ar ffrwythau – daear,
> Mal grawn, fal adar, mal gro, neu flodau.[134]

Rhestru mwyniannau llys Rhisiart Cyffin, deon Bangor, a wna'r bardd yma:

> Llu'r ynys at Rys, lle'r wtreser,
> Lle'r awn ag ymborth, holl ran Gamber,
> Llawenach, bellach, pan grybwyller,
> Llonaid pob genau yn lle'i henwer;
> Llorfdant, cyweirdant, lle cordier – moliant,
> Canoldant, cildant, pynciau haelder.[135]

'Cytgerdd' sydd yma, 'lle cordier' cerdd dant (telyn, yn ddiau) a cherdd dafod (canu mawl). Yn yr un modd, daw'r ddwy grefft ynghyd yn llys Tomas Salbri:

> Tir Llyweni, troell Ionawr,
> Tad medd y cynteidiau mawr;
> Teg yw lled dy gyllidion
> O led a hyd y wlad hon;
> Wyth ager tân i'th gwrt oedd,
> O wres powdr y Siêp ydoedd;
> Cŵn, gweilch, gwŷr yn cywain gwin,
> Cyrchu cig ceirw i'ch cegin;
> Clybod cerdd dafod yn dau,
> Cerdd dant penceirddiaid, wyntau . . .
> Llew nod Llyweni ydwyd,
> Llawn ddyrnod cerdd dafod wyd.[136]

Mae'n bosibl y gellid moli â cherdd dant yn unig:

> Gwledydd a ŵyr glod i ddau
> Gan dant, a'r gweiniaid, wyntau.[137]

Ond mwy tebygol yw arfer tant a thafod mewn canu mawl:

> I air Ithel yr aethoch,
> A ddylai gerdd Iolo Goch;
> Dy glod i'th dafod a'th dant,
> Dy gywyddau, da gweddant.[138]

Yn dibynnu ar ystyr fanwl y ferf 'rhannu', dichon y dengys y llinellau canlynol fod y bardd yn canu rhinweddau Rhisiart Hanmer a'i wraig Margred i gyfeiliant telyn neu grwth:

> Cyson yw tôn y tannau,
> Cyson ar ddynion yw'r ddau;
> Y ddwy rinwedd a rannwn –
> Yn ddiwair hi, yn ddewr hwn;[139]

Mae'n bryfoclyd fod y noddwr weithiau'n cyfeilio i gerdd foliant iddo ef ei hun, oherwydd mae'n amlwg fod rhai o'r uchelwyr yn ddoniog iawn wrth gerddora. Mewn rhestr o orchestion Wiliam ap Siôn Edwart y Waun crybwyllir canu'r delyn:

> Mae'r cronig mawr, cywreinwaith,
> Mewn un llaw, mwy no'n holl iaith;
> Berw yn y bysedd bron basant,
> Be bai'n y dwrn bib neu dant;
> Gosod luwt, yn gystal ynn,
> Gwnaut, eilwaith, ganu telyn.[140]

Molir Syr Siôn Ingram, prior Môn, am ei ddoniau, gan gynnwys 'mydr a musig':

> Diareb wyd, nid er bost,
> Damwain oedd dim na wyddost;
> Medru moes, mydr a musig,
> Mae'r ganon i'th fron a'th frig;
> Moes rodd am bob mesur iaith,
> Moeswn alw Moesen eilwaith.[141]

Yn y cyfnod yma, ceir yr argraff fod pawb yn ymgynefino â cherddoriaeth a bod honno i'w chael ym mhobman. Er enghraifft, yr oedd Croesoswallt yn ferw gan fiwsig:

> Byrddau, rhoddion beirdd, rhuddaur,
> Beilïaid hon yn blât aur;
> Dinas, maer dawnus a'i medd,
> Dau sersiant dewis orsedd;
> Pell yw sôn dynion gan dant,
> Pawb, am wrsib, pob marsiant;
> Crefftwyr, llafurwyr, llaw Fair,
> Cedwyn, Non, i'w cadw'n unair![142]

Ond nid offeryn diddanwch yn unig mo'r delyn; fel gyda Lewys Glyn Cothi, y mae'r delyn yn dwyn baich o dristwch am farwolaeth noddwr neu gâr. Y mae tant a thafod, y naill a'r llall, yn tewi ar farwolaeth Morys ab Ieuan:

> Tawer, am hwn, i'n trymhau,
> Tawent, gân tant a genau;
> Beth debig byth a dybiwn,
> Ai tybio y caid tebig hwn?
> Marw rhyw ŵr am aur a rhodd,
> Marw'r amod mawr a rwymodd;
> Myned oedd well, mewn dydd Iau,
> Ben a thant, ban aeth yntau![143]

Mynegir yr un teimlad ar farwolaeth Hywel ap Siencyn ab Ierwerth:

> Awn o'r sir hon ar soriant,
> Awn, pa na thawn, pen a thant?[144]

Erys tafod a thant yn fud ar ôl marwolaeth Hywel ap Rhys ap Dafydd:

> Nid â oerni o Edeirnion,
> Ni thywyn haul, fyth, yn hon;
> Ni chân dyn, na chan dannau,
> Nag â phen, heb i goffhau.[145]

Fe arhosant yn fud, ac eithrio fel ffordd o'i goffáu. Ym marwnad Dafydd Llwyd, mae Tudur Aled yn dweud ffarwél i ganu mawl ac i gerdd dant. Ystyr 'teimlo tant' yw 'cyffroi' neu 'symud' tannau'r delyn neu'r crwth, felly canu'n iach er diddanu'r llys a wneir yma, gan gynnwys cerdd foliant i gyfeiliant offeryn tant.

> Yn iach gael mael na moliant,
> Yn iach eto teimlo tant;
> Yn iach, oerodd yn chware,
> Yn iach gael un awch ag e.[146]

Fe weithiodd yr Athro Caerwyn Williams yn ddiflino yn ei ymchwil i farddoniaeth gynnar Cymru. Nid adwaenai neb y farddoniaeth honno, ei chefndir, ei swyddogaeth gymdeithasol, ei themâu a'i chelfyddyd yn well nag ef. Y mae ei drafodaeth ar *can-* a'i wahanol ffurfiau a ddyfynnwyd ar ddechrau'r papur hwn yn mynegi'n dda ei feistrolaeth ar fynegiant cerddoriaeth a barddoniaeth. Symud ymlaen a wnâi o hyd, gan ymestyn ffiniau ein gwybodaeth, mewn ffyrdd trawiadol weithiau. Yn ei ragymadrodd i *Gwaith Meilyr Brydydd a'i Ddisgynyddion*, wrth siarad am Gellan, *telynyaur penkerd* i Ruffudd ap Cynan, gwna'r awgrym:

> Gallai 'telynor pencerdd' olygu 'telynor pencrefftwr'. Mae lle i gredu hefyd fod bardd weithiau'n defnyddio datgeiniaid i lafarganu ei gerdd i gyfeiliant telyn. A allai 'telynor pencerdd' olygu telynor i bencerdd?[147]

Dyma sylw craff ac un sydd yn nodweddiadol o ymdrech ddi-ball yr Athro Williams i daflu goleuni ar y berthynas rhwng cerddoriaeth a barddoniaeth ac agweddau ar eu perfformio. Er na cheir byth, efallai, ddarlun gloyw-glir o ddull perfformio'r ddwy grefft yn neuaddau a llysoedd tywysogion ac uchelwyr Cymru yn yr Ocsocdd Canol, gobeithio y bydd y cyfeiriadau a gasglwyd ynghyd yma yn taflu goleuni pellach ar y pwnc ac yn symbylu cynigion eraill i'r un perwyl a fydd, hwythau, yn deyrnged i goffadwriaeth ysgolhaig mor fawr a chyfaill caredig.

Nodiadau

[1] Gw. yn arbennig J. E. Caerwyn Williams, '*Bardus Gallice Cantor Appellatur . . .*', yn BTh 1–13.

[2] Williams, '*Bardus*', 2.

[3] Mae fy nghyd-athrawon Gregory Nagy a John Duffy, Adran y Clasuron, Prifysgol Harvard, yn dweud wrthyf y gall y gair Groeg μετα arwyddocáu'r naill neu'r llall.

[4] Williams, '*Bardus*', 1 ac ôl-nodyn 2.

[5] Williams, '*Bardus*', 9.

[6] Gregory Nagy, *Pindar's Homer* (Baltimore, 1990), 17–51.

[7] Nagy, *Pindar*, 18.

[8] Nagy, *Pindar*, 24.

[9] Nagy, *Pindar*, 26.

[10] Nagy, *Pindar*, 28.

[11] J. E. Caerwyn Williams, 'Y Bardd Celtaidd', LlC, 18 (1994–5), 3–94 (t. 7).

[12] GP 57.24 (Peniarth 20); cf. 'Y Pum Llyfr Kerddwriaeth' 136.31–2: 'prydv, dadkanv, a chanv gan dant.' Ar *dachanu*, gw. hefyd Williams, '*Bardus*', 5.

[13] GP 58.19–20 (Pen 20); 17.21–2 (Llyfr Coch Hergest).

[14] CD, v.

[15] Ond gw. J. E. Caerwyn Williams, 'Cerdd a Phencerdd', LlC, 16 (1990–1), 205–11, lle mae'n dadlau bod yn y Gymraeg yn wreiddiol, fel yn yr Wyddeleg, ddau air gwahanol: *cerdd* 'craft' a *cherdd* 'craftsman'.

[16] GP 57.18–21 (Pen 20).

[17] Gw. y drafodaeth fer yn D. J. Bowen, 'Y Cywyddwyr a'r Noddwyr Cynnar', YB 11 (1979), 63–108 (t. 82).

[18] David Klausner, 'Statud Gruffudd ap Cynan', *Hanes Cerddoriaeth Cymru*, 3 (Astudiaethau Robert ap Huw) (1999), 290, llau. 224–7.

[19] D. J. Bowen, 'Graddedigion Eisteddfodau Caerwys, 1523 a 1567/8', LlC, 2, (1952), 130. Yn *The New Companion to the Literature of Wales*, gol. Meic Stephens (Cardiff, 1998), 741, s.n. 'Tudur Aled', honnir am y cyfenwau hyn, 'It is not clear what precisely these epithets signify. T. Gwynn Jones thought that "a master craftsman of the two

crafts" meant that Tudur Aled was an instructor in both the poet's and the musician's craft, but recent research has shown that this explanation is hardly feasible'; fodd bynnag, ni ddywedir yn unman beth yw'r 'recent research' y sonnir amdano.

[20] Klausner, 'Statud', llau. 208–14.

[21] *Gwaith Gwerful Mechain ac Eraill*, gol. Nerys Ann Howells (Aberystwyth, 2001), cerdd 5.39–40.

[22] Klausner, 'Statud', llau. 202–4.

[23] *Canu Rhydd Cynnar*, gol. T. H. Parry-Williams (Caerdydd, 1932), rhif 92.15–18 (tt. 356–7).

[24] GP 36.31–4 (Llanstephan 3); 135.36–7 ('Pum Llyfr Kerddwriaeth').

[25] GP 17.42–6.

[26] GP 37.5 (Llanstephan 3); 17.25–6 (Llyfr Coch Hergest).

[27] GP 37.8–9 (Llanstephan 3); cf. 18.10 (Llyfr Coch Hergest).

[28] Klausner, 'Statud', llau. 114–16.

[29] Bowen, 'Graddedigion', 130.

[30] J. E. Caerwyn Williams, 'Beirdd y Tywysogion: Arolwg', LlC, 11 (1970), 3–93 (t. 30).

[31] T. Gwynn Jones, 'Cerdd Dant', B, 1 (1922), 142; a gw. y drafodaeth yn HGK c–civ, cxii.

[32] HGK 21. Dichon fod y ffaith hon, *mutatis mutandis*, yng nghof awdur neu olygydd ail gainc y Mabinogi, 'Branwen', ac yntau efallai'n gweithio tua'r un adeg, pan ysgrifennodd am Fendigeidfran, wrth iddo groesi i Iwerddon i achub ei chwaer, 'kerdwys ef ac a oed o gerd arwest ar y geuyn e hun' (PKM 39). Gallai *cerdd arwest* gyfeirio at delyn, crwth neu dympan, neu bob un ohonynt, efallai.

[33] HGK 87.

[34] HGK cxii.

[35] Gw. Williams, 'Cerdd a Phencerdd', 211: 'Ni ellir penderfynu'n derfynol bellach a oedd "cerdd" yn golygu "prydydd" neu "gerddor" yn ogystal â "cerdd" ar un amser yn y Gymraeg, ond nid yw'r ffurf *pencerdd* yn erbyn cymryd ei fod yn golygu'r ddeubeth, a byddai pencerdd yn golygu "pen prydydd" yn cymryd ei le'n well na *pencerdd* yn golygu "pen cân" ochr yn ochr â *pencynydd*, *pengwastrawd* ymhlith swyddogion y brenin neu'r llys.'

[36] Dafydd Jenkins, '*Bardd Teulu* and *Pencerdd*', yn *The Welsh King and his Court*, gol. T. M. Charles-Edwards *et al.* (Cardiff, 2000), 142–66, a hefyd Williams, 'Beirdd y Tywysogion', 30–42.

[37] Jenkins, '*Bardd Teulu*', 147; ar y penteulu, gw. A. D. Carr, '*Teulu* and *Penteulu*', yn Charles-Edwards *et al.*, *The Welsh King*, 63–81.

[38] Jenkins, '*Bardd Teulu*', 148.

[39] Jenkins, '*Bardd Teulu*', 148.

[40] Jenkins, '*Bardd Teulu*', 151.

[41] Jenkins, '*Bardd Teulu*', 155.

[42] Jenkins, '*Bardd Teulu*', 163.

[43] Jenkins, '*Bardd Teulu*', 164.

[44] Jenkins, '*Bardd Teulu*', 165.

[45] Jenkins, '*Bardd Teulu*', 161.

[46] Dafydd Jenkins, *The Law of Hywel Dda* (Llandysul,1990), 40.

[47] Jenkins, *The Law of Hywel*, 38.

[48] CA llau. 56, 93, 294.

[49] Yn y llawysgrif: *cheing*; gw. nodyn Syr Ifor ar l. 551; fe'i dilynir yn hyn o beth mewn golygiadau diweddarach.

[50] CA llau. 11/12, 242.

[51] CA llau. 272, 648, 655.

[52] CA llau. 131, 248, 256, 365, 506, 526, 840, 994.

[53] CA llau. 226, 234.

[54] Defnyddir 'adrodd' unwaith gan wyth o'r Gogynfeirdd; y mae Cynddelw yn ei

ddefnyddio mewn wyth o'i gerddi, a Phrydydd y Moch mewn tair. Mae D. J. Bowen yn
gweld 'adrodd' yn lle 'canu gan delyn', ac yn y blaen, fel datblygiad diweddarach yn y
traddodiad barddol: 'Ar ryw olwg dichon y buasai gwrando ar gerdd yn cael ei darllen
neu'n cael ei hadrodd yn hytrach na'i bod yn cael ei datganu yn adlewyrchu cynnydd
mewn ymroddiad i ddiwylliant yng nghartrefi'r uchelwyr Cymreig': Bowen, 'Y
Cywyddwyr', 82.

[55] BT 21.12.

[56] Marged Haycock, 'Taliesin's Questions', CMCS, 33 (Summer, 1997), 19–28 (t. 28).

[57] BT 23.17. Ceir cyfeithiad o'r gerdd yn Patrick K. Ford, *The Mabinogi and Other
Medieval Welsh Tales* (Berkeley, 1977), 183–7.

[58] BT 72.1–2.

[59] Haycock, 'Questions', 19.

[60] CLlH III. 47–59.

[61] EWSP 274.

[62] R. Geraint Gruffydd, 'Beirdd y Tywysogion', LlC, 18 (1994), 26.

[63] Gw. uchod, t. 83.

[64] CBT V, 23.201–4.

[65] CBT VII, 33.75–6.

[66] 'Awdl Fawl Ddienw i Guhelyn Fardd', CBT I, 2.40.

[67] CBT VI, 18.62.

[68] GIG, x.

[69] GIG XIV.122.

[70] GIG XXXII.1–6.

[71] GIG X.44; X.77.

[72] GIG XV.80, 15.107, 29.92, a 36.92.

[73] GIG XXXVII.11–12.

[74] GIG XXXVII.51–4.

[75] GIG XXII.9–10.

[76] GIG 176.

[77] GIG XXIII.70.

[78] GIG VI.19, 20.

[79] GIG XV.77.

[80] GIG x.

[81] GIG XXXII.

[82] GIG XII.11–12.

[83] GIG XXI.30.

[84] GIG XXII.91.

[85] GIG XXII.83–4, a'r nodyn ar y llinellau hyn; mae R. Geraint Gruffydd yn trafod y
farwnad yn 'Marwnad Lleucu Llwyd gan Llywelyn Goch Amheurig Hen', YB 1 (1965),
126–37.

[86] GIG XXII.27–32.

[87] GIG XVI.53–6.

[88] GIG IV.13–14.

[89] Sally Harper, 'Glossary', *Hanes Cerddoriaeth Cymru*, 3 (Astudiaethau Robert ap
Huw) (1999), 302.

[90] GIG XIII.84.

[91] GIG XIII.49–50.

[92] GIG XXXII.27–32.

[93] GIG XXXII.65, 69–70.

[94] GIG XXIV.47–50.

[95] GSCyf 1.17–27.

[96] GLlG 1.49–52.

[97] GSRh 11.1–18

[98] GGLl 13.59–62; yn ei nodyn ar l. 60, mae'r golygydd yn dweud, 'Mynegwyd
droeon na wyddys sut y byddai Beirdd yr Uchelwyr yn cyflwyno eu gwaith yn y

llysoedd, a ph'un ai a wneid gwahaniaeth ganddynt wrth gyflwyno gwahanol fathau o gerddi, megis cerdd fawl a cherdd farwnad, dyweder. Os traddodiad llafar o ddatganu neu lafarganu ydoedd, a ddatgenid i gyfeiliant telyn neu grwth, ac ai dyna'r awgrym yma?' Rhaid mai 'debyg iawn!' yw'r ateb.

[99] GDG 34.22.

[100] GDG 20.53–6.

[101] Ceir digon o esiamplau yn *Cyfres Beirdd yr Uchelwyr*; dim ond Casnodyn, yn ei ddychan i Drahaearn, sydd yn defnyddio *clêr* mewn ystyr negyddol, fel y disgwylid, mae'n debyg, mewn canu o'r fath: GC 11.137, lle dychenir Trahaearn fel *câr clergrwth*. Gw. Bowen, 'Y Cywyddwyr', 77: 'Y mae'r modd y defnyddid y gair *clêr* yn y bedwaredd ganrif ar ddeg am y beirdd a oedd tu allan i'r gyfundrefn yn ogystal ag am y penceirddiaid eto'n awgrymu agosrwydd rhwng y ddau ddosbarth.' A gw. y drafodaeth drwyadl gan Huw M. Edwards, *Dafydd ap Gwilym: Influences and Analogues* (Oxford, 1996), pennod 1.

[102] GGDT 15.29–40.

[103] Brynley F. Roberts, 'Rhai o Gerddi Ymddiddan Llyfr Du Caerfyrddin', yn AH 281–325 (t. 320 ac yml.).

[104] Osian Ellis, *The Story of the Harp in Wales* (Cardiff, 1991), 16 ac yml.; Harper, 'Glossary', 301–2

[105] GDG 142.1–8.

[106] Gw. y nodyn ar *frwyd* yn GDG; yn GPC anwybyddir awgrym Dr Parry y gall fod *brwyd* yn cael ei ddefnyddio yn drosiadol yma: 'neu fe ddichon mai'r hyn y mae'n ei gyfleu yw tannau'r delyn.'

[107] GDG 142.31–6. Od yw'r cyfeiriad at 'deg ewin'; heddiw y mae telynwyr yn canu'r offeryn â'r bawd a'r tri bys cyntaf yn unig.

[108] GLGC xxiii.

[109] GLGC 94.21–4.

[110] GLGC 121.53–6.

[111] GLGC 116.27–32.

[112] GLGC 58.21–6.

[113] GLGC 58.27–34.

[114] GLGC 66.57–60.

[115] GLGC 116.43–8; '*Brido*: rhyw hen feistr ar y delyn' (43 n.).

[116] GLGC 40.25–8.

[117] Efallai mai priod-ddull yn golygu 'yn ôl rheolaeth, yn fanwl', neu'r cyffelyb, sydd yma, ond mae'n bosibl ei fod yn cyfeirio at linyn telyn neu grwth.

[118] GLGC 41.29–32; 39–40; 73–4.

[119] GLGC 126.57–60.

[120] GLGC 89.13–15.

[121] GLGC 193.41–2.

[122] GLGC 94.37–41.

[123] GLGC 102.11–18.

[124] GLGC 199.13–18.

[125] GLGC 75.1–4.

[126] GLGC 85.15–18.

[127] GLGC 144.49–52.

[128] GLGC 179.23–6.

[129] GLGC 179.49–50.

[130] GTA xxxvii.

[131] GTA xxxvii.

[132] GTA xxxvii–viii.

[133] GTA CVIII.47–8.

[134] GTA VII.83–6.

[135] GTA VIII.55–60.

[136] GTA XXIV.35–44; 59–60.

[137] GTA XXXVIII.37–8, i Hywel ap Gruffudd ap Rhys; wrth y 'ddau', golygir ef a'i wraig, Catrin.

[138] GTA XLIII.69–72; Ithel ap Rhobert oedd noddwr Iolo Goch.

[139] GTA XLIV.29–32.

[140] GTA LXIII.45–50.

[141] GTA CII.39–44.

[142] GTA LXV.31–8.

[143] GTA LXXX.49–56.

[144] GTA LXXXII.57-–8.

[145] GTA LXXXIV.53–6.

[146] GTA XCVII.33–6.

[147] CBT I, 56.

5

Cynghanedd Cywyddau Dafydd ap Gwilym: Tystiolaeth y Llawysgrifau Cynnar

PEREDUR I. LYNCH

Cyd-destun beirniadol yr ymdriniaeth

Oddyddiau'r ysgolhaig beiblaidd Karl Lachmann (1793–1851) hyd at ail hanner yr ugeinfed ganrif prif nod ysgolheictod testunol fu darparu a chyhoeddi testunau mewn modd a adlewyrchai fwriadau terfynol eu hawduron.[1] Nid yn annisgwyl, yn sgil y chwyldroad mawr ym myd theori llenyddol dros y deugain mlynedd diwethaf a'r ymosod diarbed ar gysyniad mor greiddiol ag 'awduriaeth' ei hunan, daeth y delfryd hwn o dan warchae, a bu trafodaethau brwd ynghylch dulliau ac egwyddorion golygyddol a swyddogaeth yr ysgolhaig testunol. Golygiadau o destunau printiedig o gyfnod y Dadeni ymlaen fu canolbwynt y trafod, fel y dengys gwaith dylanwadol Jerome J. McGann.[2] Ond fe gaed dadlau brwd mewn perthynas â thestunau o'r Oesoedd Canol yn ogystal, yn enwedig ym maes Saesneg Canol.[3] Hwyrfrydig, ar y cyfan, fu ysgolheigion testunol ym maes y Gymraeg i ymateb i'r dadleuon hyn. Ni lwyddodd erthygl bryfoclyd gan Jerry Hunter yn 1995 i ennyn trafodaeth bellach.[4] Er hynny, flwyddyn yn ddiweddarach, gyda'i rhagymadrodd herfeiddiol i'w detholiad o gerddi o blith apocryffa Dafydd ap Gwilym, sicrhaodd Helen Fulton na allai ysgolheigion Cymru fod yn gwbl glustfyddar i'r drafodaeth a fu mewn gwledydd eraill ynghylch theori ac ysgolheictod testunol.[5]

Yn ei rhagymadrodd fe gaed gan Dr Fulton ymosodiad di-flewyn-ar-dafod ar y dulliau hynny a fabwysiadwyd gan ysgolheigion testunol yr ugeinfed ganrif ar gyfer golygu gwaith y Cywyddwyr. Fel sy'n ddigon hysbys, cyn yr Ail Ryfel Byd, mewn golygiadau gan Henry Lewis, Ifor Williams a Thomas Roberts, fe roed cyfeiriad newydd i ysgolheictod testunol ym maes y Cywyddwyr.[6] Ond prin fod angen nodi mai'r gyfrol a roes awdurdod di-syfl i rai o'r arferion a fabwysiadwyd yn y gweithiau hynny ac a fu'n batrwm i leng o olygyddion fyth er pan ymddangosodd yn

1952 oedd *Gwaith Dafydd ap Gwilym*.[7] Wrth olygu cerddi Dafydd, yr anhawster pennaf a wynebai Thomas Parry oedd y bwlch o ganrif a mwy rhwng oes y bardd ei hun a'r copïau cynharaf o'i gywyddau sydd ar glawr, ynghyd â'r gwahaniaethau sylweddol rhwng y gwahanol fersiynau o'i gerddi a oroesodd. Er mwyn goresgyn yr anhawster hwn aeth Thomas Parry ati i adlunio cerddi gwreiddiol Dafydd drwy gymharu'r holl lawysgrifau â'i gilydd, ac yna dethol y darlleniadau 'gorau' er mwyn creu testunau cyfansawdd a adlewyrchai, hyd yr oedd hynny'n rhesymol bosibl, waith Dafydd yn ei burdeb cynhenid.[8] Ym marn Dr Fulton, serch hynny, canlyniad anochel proses o'r fath yw cyflwyno gerbron y darllenydd fersiynau o gerddi Dafydd nad ydynt, mewn gwirionedd, erioed wedi bodoli mewn unrhyw lawysgrif – fersiynau sydd, ymhellach, yn ffrwyth rhagdybiaethau'r golygydd modern ynghylch priod nodweddion barddoniaeth y bedwaredd ganrif ar ddeg.[9] Mewn gwrthgyferbyniad llwyr, testunau wedi eu sylfaenu ar un llawysgrif yn unig a geir ganddi hi yn ei chyfrol, a'r rheini wedi eu diwygio cyn lleied â phosibl. Nid yn annisgwyl, aeth Dr Fulton rhagddi hefyd i ymosod ar gynseiliau theoretaidd y dull golygu cyfansawdd ac ar yr ymdrech i greu ffin haearnaidd rhwng cerddi dilys Dafydd a'r cerddi hynny a gambriodolwyd iddo dros y canrifoedd, sef yr apocryffa. Obsesiwn y traddodiad hiwmanistaidd gydag awduraeth a wêl Dr Fulton ar waith yma a dylanwad y gred ddeublyg – cred yr ymosododd Roland Barthes mor chwyrn arni – fod i bob testun awdur a'i cynysgaeddodd ag ystyr ddigyfnewid ac, ymhellach, mai'r cyd-destun priodol ar gyfer cynnig esboniad ar unrhyw destun yw rhawd, gyrfa a phersonoliaeth yr awdur a'i lluniodd. Ym marn Dr Fulton, twf y diwydiant argraffu a roes fod, yn rhannol, i'r fath gysyniad, ac ni fyddai cwestiynau ynghylch awduraeth na'r syniad o destun gwreiddiol di-lwgr mor allweddol bwysig mewn cyd-destun diwylliannol sylfaenol lafar fel yng Nghymru'r Oesoedd Canol.[10]

Y mae'r trywydd a ddilynir yn yr ymdriniaeth hon yn adlewyrchu, i ryw raddau, sgeptigiaeth Dr Fulton ynghylch yr ymdrech i ail-greu testun gwreiddiol di-lwgr yn achos Dafydd ap Gwilym. Prif nod yr ymdriniaeth fydd cynnig dadansoddiad o gynghanedd y cywyddau hynny a briodolwyd i Ddafydd ap Gwilym mewn pedair llawysgrif o ail hanner y bymthegfed ganrif, sef y casgliadau cynharaf o'i gywyddau a oroesodd. Gan mai'r bwriad yw gadael i dystiolaeth y llawysgrifau lefaru'n huawdl, dylid pwysleisio na ddefnyddiwyd cywyddau golygedig Thomas Parry mewn unrhyw fodd fel sylfaen ar gyfer y dadansoddiad hwn, ac yn hynny o beth y mae gwahaniaeth rhyngddo a'r astudiaethau a gafwyd gan T. D. Crawford yn yr un maes.[11] Dadansoddi testunau moel y llawysgrifau oedd y nod gan obeithio y byddai hynny yn ein galluogi i gynnig atebion i'r cwestiynau a ganlyn:

- Yng nghyd-destun yr hyn sy'n wybyddus am gynghanedd y bedwaredd ganrif ar ddeg a'r bymthegfed, pa arwyddocâd sydd i nodweddion cynganeddol y pedair llawysgrif?

- O safbwynt y gynghanedd, a oes unrhyw wahaniaethau arwyddocaol rhwng y pedair llawysgrif?

- A geir olion safoni cynghanedd ynddynt, ac ym mha fodd y deliodd Thomas Parry â'r safoni hwn yn ei destunau cyfansawdd?[12]

Dylwn bwysleisio, serch hynny, mai'r anawsterau testunol sy'n gysylltiedig â gwaith Dafydd ap Gwilym, yn hytrach na sgeptigiaeth gyffredinol Dr Fulton ynghylch y cysyniad o awdur yng Nghymru'r Oesoedd Canol, a'm cymhellodd i ddilyn y llwybr hwn. Fel y dangosodd A. Cynfael Lake, gellir cywain tystiolaeth arwyddocaol o'r traddodiad llawysgrifol sy'n profi bod yr awdur yn gysyniad byw yng nghyfnod y Cywyddwyr ac, fel y dangosodd ymhellach, y mae marwnadau'r beirdd i'w gilydd yn dwyn personoliaethau barddol yn fyw ger ein bron.[13] Yr hyn sydd, yn hytrach, yn peri anawsterau difrifol ynglŷn â'r bersonoliaeth farddol y daethom i'w hadnabod fel Dafydd ap Gwilym, ac yn llesteirio'r ymdrech i draethu am nodweddion ei grefft a'i gynghanedd, yw natur trosglwyddiad y cerddi a briodolir iddo.

Fel yr awgrymodd Dafydd Johnston, rai blynyddoedd yn ôl bellach, i ysgolheigion testunol sy'n ymdrin â barddoniaeth y Cywyddwyr, y mae holi a oes olion trosglwyddiad llafar mewn testun – hynny yw, olion trosglwyddiad ymhlith y datgeiniaid – yn gwestiwn o'r pwys mwyaf wrth olygu cerdd, a nodwedd amlycaf trosglwyddiad llafar iddo ef yw amrywiadau yn nhrefn cwpledi.[14] Er mai mewn cyd-destun llafar a pherfformiadol y cafodd y cyfan ymron o ganu'r Oesoedd Canol fynegiant am y tro cyntaf, y mae'n gwbl amlwg fod i gerddi rhai beirdd ac i rai *genres* amlycach le oddi mewn i ffrwd fyw traddodiad llafar y datgeiniaid rhagor nag eraill. Er enghraifft, ymddengys mai ychydig iawn o'r awdlau mawl hynny o'r bedwaredd ganrif ar ddeg a gofnodwyd yn Llyfr Coch Hergest a ddaeth yn rhan o *repertoire* datgeiniaid y bymthegfed ganrif.[15] Awgrymwyd cyn hyn fod yr awdlau mawl wedi eu cynnwys yn y Llyfr Coch ar draul cywyddau'r cyfnod oherwydd chwaeth geidwadol Hopcyn ap Tomas, y gŵr a gomisiynodd y llawysgrif yn ôl pob tebyg.[16] Ond y mae hefyd yn ddichonadwy mai'r cymhelliad dros gynnwys yr awdlau oedd awydd i ddiogelu cerddi a fyddai'n debygol o fynd i'w colli am nad oedd iddynt gylchrediad eang ymhlith y datgeiniaid. Yn wir, y tu hwnt i lysoedd y noddwyr a gyferchir neu a goffeir ynddynt, pa faint o gylchrediad llafar ymhlith y datgeiniaid a fu i gerddi o'r fath, hyd yn oed yn ystod y bedwaredd ganrif ar ddeg ei hun? Ar ôl eu datgan am y tro cyntaf yn ystod un o'r tair gŵyl, neu fis union wedi'r gladdedigaeth yn achos y marwnadau, a fyddai galw am gael eu clywed wedyn? Da cofio mai nacaol oedd ateb D. J. Bowen i'r un cwestiwn wrth iddo sôn am draddodiad y farwnad yn oes Siôn Cain (*c.*1575–*c.*1650) a'i gyfoeswyr.[17] Dyma gerddi neu destunau statig y mae modd eu hangori wrth le ac amser, bardd a gwrthrych; yn syml, dyma gyd-destun nad yw'n milwrio yn erbyn y cysyniad o destun gwreiddiol lled sefydlog.

Ond, gyda Dafydd ap Gwilym, y mae'r sefyllfa yn un sylfaenol wahanol. Y mae'r cyfeiriad hwnnw gan Ruffudd Gryg at boblogrwydd ei ganu yn ystod y bedwaredd ganrif ar ddeg yn ddigon hysbys; yn yr un modd ceir cyfeiriadau gan feirdd megis Guto'r Glyn, Hywel Dafi ac Ieuan Tew sy'n tystio bod gwrando brwd ar ei ganu ganrif yn ddiweddarach yn ogystal.[18] Yn y fath gyd-destun, ai priodol yw sôn o gwbl am destun gwreiddiol sefydlog? Wrth i Ddafydd berfformio a diddanu 'gyda'i ddeg ewin' o Fôn i Forgannwg, y mae'n anodd credu mai fersiynau cwbl ddigyfnewid o'i gywyddau a ddatganwyd ganddo gydol ei yrfa.[19] A throi ein golygon i'r bymthegfed ganrif, ceir tystiolaeth destunol ddiddorol yn y cerddi hynny o eiddo Lewys Glyn Cothi y digwydd mwy nag un copi ohonynt yn llaw'r bardd ei hunan. Digon gwir, nid oes gwahaniaethau dramatig rhyngddynt o ran trefn llinellau, ond fe geir amrywiadau yng ngeiriad sawl llinell ac yn hyd un neu ddau o'r cywyddau.[20] Fe ddylem hefyd fod yn effro i'r posibilrwydd fod addasu ac ad-drefnu yn rhan annatod o grefft y datgeiniad wrth iddo ddatgan cywydd i gyfeiliant telyn neu grwth. Yn hynny o beth da cofio am yr ail o'r 'Tri pheth ny dyly kerdawr eu kredu' a geir yn fersiwn Llyfr Coch Hergest o'r Trioedd Cerdd:

> eil yw ny dyly y gredu, kanu kam gerd o brydyd kanmoledic ac awdurdawt idaw, kanys damwein yw kaffael datkeinyat a datkano kerd yn gwbyl megys y kano y prydyd.[21]

Sôn am y datgeiniaid yn llurgunio a newid cerddi'r beirdd a wneir yma. Ond ai yn sgil cof diffygiol yn unig y digwyddai hyn?[22] Ac edrych ar y mater o gyfeiriad gwahanol, y mae'n gwbl ddichonadwy fod a wnelo'r llurgunio hwn â thueddfryd cyffredinol ymhlith y datgeiniaid i addasu o fwriad wrth berfformio cerdd, ac mai cyfeirio at hynny a wna ail gymal y dyfyniad. Er ei bod yn rhesymol tybio bod rhyw gyswllt rhwng cerddi'r Cywyddwyr a'r gerddoriaeth i'r delyn a ddiogelwyd yn llawysgrif enwog Robert ap Huw (*c.*1580–1665), ni wyddom erbyn heddiw odid ddim am natur y perfformio, a chyda golwg ar fesur y cywydd deuair hirion, y mae un cwestiwn o'r pwys mwyaf y carai rhywun gael ateb iddo: a ganiatâi'r gerddoriaeth i'r datgeiniad, neu'r bardd o ran hynny, ddatgan ei gywydd yn uned ddidor neu a oedd gorfodaeth arno i'w drefnu'n adrannau?[23] A bwrw bod yn rhaid ei dorri'n adrannau, a eid ati i wneud hynny mewn dull creadigol gan hepgor cwpledi a'u haildrefnu yn ôl y galw?[24] A geid addasu

112

pellach wrth ddatgan cywydd i gyfeiliant gwahanol ddarnau o gerddoriaeth, a bwrw, unwaith eto, fod hynny'n digwydd? Dyfalu carlamus sydd yma, mi wn, ond nid yw'n llwyr amhosibl fod dulliau'r datgeiniaid o berfformio wedi cyfrannu at amrywiadau yn nhrefn cwpledi ac yn hyd y cywyddau, a bod hynny yr un mor wir, efallai, am berfform-iadau Dafydd ei hunan.[25] Ond er mor dywyll yw ein gwybodaeth ynghylch union ddulliau'r datgeiniaid, wrth droi at y llawysgrifau cynharaf sy'n cynnwys cywyddau Dafydd, y mae un peth, serch hynny, y medrwn fod yn weddol sicr yn ei gylch – ein bod wyneb yn wyneb nid â barddoniaeth a ddiogelwyd gan y traddodiad llafar ond, yn hytrach, â barddoniaeth a fu'n ei hail-greu ei hunan am ganrif dda oddi mewn i'r traddodiad hwnnw mewn modd nid annhebyg, dyweder, i'r cerddi hynny o ddiwedd yr Oesoedd Canol a briodolir i Daliesin.[26] Yn hytrach na holi'n obsesiynol beth oedd yno, yn bur a glân, cyn i'r traddodiad llafar ddechrau ar ei waith (a chofier bod Dafydd ap Gwilym ei hunan yn gymaint rhan o'r traddodiad llafar â'r datgeiniaid), yr hyn a wneir yn y bennod hon yw craffu, o safbwynt y gynghanedd, ar yr hyn a grëwyd gan y traddodiad llafar a chydnabod bod astudio natur trosglwyddiad cerddi Dafydd ap Gwilym lawn cyn bwysiced â'r ymdrech i sefydlu testun sefydlog a gwreiddiol lle na bu erioed, efallai, ond lluosogedd ac ansefydlogrwydd.

Gan mai rhagymadrodd Helen Fulton i'w chyfrol *Selections from the Dafydd ap Gwilym Apocrypha* fu man cychwyn y bennod hon, priodol, cyn imi fwrw ymlaen, fyddai ymateb i'w sylwadau dadleuol ynglŷn â'r gynghanedd. Awgrymodd Dr Fulton nad oes unrhyw dystiolaeth i awgrymu bod trefn a dosbarth ar gynghanedd gaeth y cyfnod diweddar erbyn y bedwaredd ganrif ar ddeg, a bod Thomas Parry, o ganlyniad, wrth geisio sefydlu canon Dafydd ap Gwilym, wedi traethu'n llawer rhy ysgubol ynghylch nodweddion y gynghanedd yn ystod y bedwaredd ganrif ar ddeg a'r bymthegfed. Yn ei barn hi, y *Pum Llyfr Cerddwriaeth* (*c.*1570) yw'r ddogfen gynharaf sy'n tystio i fodolaeth y gynghanedd gaeth, a bu golygyddion yn llawer rhy chwannog i dderbyn darlleniadau y safonwyd eu cynghanedd mewn llawysgrifau diweddar ac, yn wir, i gywiro cynganeddion beirdd cynharach na'r *Pum Llyfr Cerddwriaeth* yng ngoleuni'r rheolau a restrir yno a'r dosbarthiad a geir arnynt gan John Morris-Jones yn *Cerdd Dafod*.[27] Dylwn nodi'n glir fy mod yn anghytuno'n sylfaenol â Dr Fulton ynglŷn â'r mater hwn. Nid af i gynnig dadleuon manwl i'r gwrthwyneb gan fod y dystiolaeth sy'n tystio bod y gynghanedd gaeth yn bodoli erbyn y bedwaredd ganrif ar ddeg mor llethol, yn fy ngolwg i, fel mai prin yw'r angen dros wneud hynny, ac fel y nododd sawl adolygydd, o holl ddadleuon Dr Fulton yn ei rhagymadrodd, yr un mewn perthynas â mydryddiaeth Gymraeg sydd leiaf argyhoeddiadol.[28] Digon gwir, ni cheir disgrifiad lled gyflawn o'r gynghanedd sy'n gynharach na'r

Pum Llyfr Cerddwriaeth,[29] ac er bod enghreifftiau dirifedi o gopïwyr diweddar yn tacluso cynghanedd, fel y dengys llawysgrif Wynnstay 2 (dechrau'r ail ganrif ar bymtheg) yn achos Dafydd ap Gwilym,[30] y mae gennym, yn ffodus, lawysgrifau o'r bedwaredd ganrif ar ddeg a'r bymthegfed, y gellir ffurfio barn led bendant ar eu sail ynghylch cynghanedd ac arferion mydryddol y canrifoedd hynny. Er enghraifft, y mae'r cerddi hynny sy'n tarddu o drydedd haen Llawysgrif Hendregadredd, yr haen honno a ymffurfiodd tra oedd y llawysgrif, yn ôl damcaniaeth Daniel Huws, yn 'llyfr llys' Ieuan Llwyd (*fl.* 1332–43) o Barcrhydderch, yn sylfaen ddiogel ar gyfer dadansoddi cynghanedd ail chwarter y bedwaredd ganrif ar ddeg.[31] Yn yr un modd, y mae peth o'r farddoniaeth a gynhwysir yn Llyfr Coch Hergest (*c.*1400) yn gyfoes i bob pwrpas ag adeg llunio'r llawysgrif honno,[32] ac, wrth gwrs, unwaith y down i ail hanner y bymthegfed ganrif a dechrau'r unfed ar bymtheg, gallwn dynnu ar dystiolaeth beirdd megis Lewys Glyn Cothi, Hywel Dafi a Dafydd Epynt a adawodd inni gopïau awtograff o'u cerddi.[33] Ar sail tystiolaeth ddiwrthdro'r ffynonellau hyn, prin fod lle i amau dadansoddiad sylfaenol John Morris-Jones o'r gynghanedd, er bod lle i amodi sawl sylw a rheol o'i eiddo ac i fod yn llawer mwy effro i oddefiadau yng ngwaith y beirdd.[34] Gwaith John Morris-Jones fu conglfaen ein dealltwriaeth o'r gynghanedd am ymron i bedwar ugain o flynyddoedd, ac wrth gywain tystiolaeth o'r newydd ar gyfer y cyfraniad hwn ni pharodd dim imi amau ansawdd cyffredinol y seiliau.

Y llawysgrifau

Dim ond tair cerdd yn dwyn enw Dafydd ap Gwilym sydd i'w cael mewn llawysgrifau sy'n gynharach na'r bymthegfed ganrif, sef yr englynion 'I'r Grog o Gaer' (a allai fod yn llaw'r bardd ei hunan) a'r awdl farwnad i Angharad, gwraig Ieuan Llwyd ab Ieuan, yn Llawysgrif Hendregadredd, ac 'Englynion y Cusan' yn Llyfr Gwyn Rhydderch.[35] Y mae'n rhaid aros hyd ail hanner y bymthegfed ganrif cyn y cawn enghreifftiau o'i gywyddau ar glawr am y tro cyntaf, a'r farn ochelgar a fynegwyd gan Daniel Huws yw ei bod yn annhebygol fod casgliadau cynharach na hynny o'i gywyddau yn bodoli gan mai ar lafar ymhlith y beirdd a'r datgeiniaid y diogelwyd cywyddau Dafydd megis y rhan fwyaf o ddigon o waith y Cywyddwyr cynnar.[36] Ar gyfer y dadansoddiad hwn o gynghanedd y bardd defnyddiwyd y pedwar casgliad cynharaf o'i gywyddau sy'n hysbys i ni, sef Peniarth 57 rhan i, Peniarth 48, Peniarth 54 a chasgliad Llyfr Gwyn Hergest.[37] Yn ystod ail hanner y bymthegfed ganrif, yn ne Cymru, fe ymddengys, y copïwyd y pedwar casgliad, ac y maent, ymhellach, yn gasgliadau sy'n annibynnol ar ei gilydd.[38] Dichon mai Peniarth 57 rhan i (*c.*1450) yw'r casgliad cynharaf a cheir ynddo hefyd gywyddau gan feirdd eraill. Dryll wyth dalen, heb ddim arall ynddo ar wahân i gerddi Dafydd, yw Peniarth 48 ond y mae Peniarth 54 (*c.*1480) yn gasgliad llawer helaethach ac yn llawysgrif eithriadol o bwysig am fod ynddi, yn ogystal, gopïau awtograff o gerddi gan sawl un o Gywyddwyr ail hanner y bymthegfed ganrif. Fel y gwyddys, dinistriwyd Llyfr Gwyn Hergest yn 1810 (ynghyd â llawysgrifau eraill o lyfrgell Wynnstay) pan ymledodd tân drwy siop rwymo llyfrau yn Llundain, ond yr oedd y cerddi o waith Dafydd ap Gwilym a gopïwyd ynddo, a hynny efallai ar gais Watcyn Fychan o Hergest, eisoes wedi eu diogelu yn llawysgrif Peniarth 49, casgliad mawr John Davies o Fallwyd o waith y bardd. Oddi ar lafar, fel yr awgrymwyd, y codwyd y rhan fwyaf o gerddi Dafydd ap Gwilym i'r llawysgrifau hyn. Nid yw'n amhosibl, fel yr awgrymodd Daniel Huws, mai beirdd a gyflawnodd y gwaith copïo yn achos Peniarth 48 a Pheniarth 54, ac y mae'n wybyddus fod rhan, o leiaf, o Lyfr Gwyn Hergest yn llaw Lewys Glyn Cothi, er na ellir profi bellach mai yn ei law ef yr oedd y cerddi o eiddo Dafydd a geid yn y llawysgrif honno. Yn gyffredinol, felly, gellir dweud bod y cywyddau yr astudir eu cynghanedd yn yr arolwg hwn yn tarddu'n uniongyrchol o ffrwd fyw traddodiad llafar y beirdd a'r datgeiniaid, a'u bod yn enghreifftiau o'r fersiynau hynny o gerddi Dafydd ap Gwilym a gylchredai yn ne Cymru, a'r de-ddwyrain yn fwyaf arbennig, yn ystod ail hanner y bymthegfed ganrif.

Fe ddylem gofio, wrth reswm, fod llond dwrn o gywyddau Dafydd i'w cael ar wasgar mewn pedair llawysgrif arall o ail hanner y bymthegfed ganrif (Peniarth 51, 52, 67 a Llanstephan 27), ond gan nad oedd gofod yn caniatáu nid yw'r cywyddau hynny yn gynwysedig yn y dadansoddiad hwn. Y mae'n ymddangos hefyd fod o leiaf un casgliad ysgrifenedig tra sylweddol o gywyddau Dafydd ap Gwilym yn bodoli erbyn dechrau'r unfed ganrif ar bymtheg fan bellaf. Dyma'r ffynhonnell a eilw Thomas Parry yn 'Gynsail y Gogledd'.[39] Aeth y casgliad hwn yn ysglyfaeth i'r hen elyn amser, ond ohono, fe ymddengys, y tarddai'r llawysgrif goll honno a eilw John Davies o Fallwyd yn *vetustus codex* (hen lyfr); llawysgrif a luniwyd tua 1526 oedd hon yn ôl John Davies, a chododd doreth o gywyddau ac amrywiadau ohoni i'w gasgliad mawr yn Peniarth 49. O ryw ffynhonnell a oedd yn gytras â'r *vetustus codex* y tarddai'r rhan fwyaf o'r cerddi yng nghasgliadau mawr Thomas Wiliems (Hafod 26) a Jaspar Gryffyth (Gwyneddon 3 a Llanstephan 120). Fel yr awgrymodd Daniel Huws, byddai'n ymarferol adlunio'r cynsail y tarddai'r *vetustus codex* ohono gan mai amrywiadau sy'n deillio o drosglwyddiad ysgrifenedig a welir yn bennaf yn y llawysgrifau a berthyn i'r cyff hwn. Yn amlwg ddigon, rhoddai'r adluniad hwnnw sylfaen gadarn ar gyfer arolwg llawer trylwyrach na'r hyn a gynigir yma o'r wedd fydryddol a oedd i gywyddau

115

Dafydd ap Gwilym erbyn ail hanner y bymthegfed ganrif. Yn niffyg hynny, y cwbl y llwyddwyd i'w wneud yn y cyfraniad hwn fu pwyso rhyw gymaint ar dystiolaeth Peniarth 49 (*vetustus*) a Hafod 26 wrth geisio pennu i ba raddau y gwelir olion safoni cynghanedd yn ein pedair llawysgrif ni.

Y dadansoddiad

Yn yr arolwg hwn dadansoddir 60 o destunau, ond gan mai dybliadau o'r un cywydd a gynrychiolir gan 10 o'r testunau hyn (rhifau 1/27, 2/16, 3/43, 17/45 a 28/37 yn nhablau 1A–1Ch), 55 o gerddi unigol sydd yma mewn gwirionedd. Derbyniwyd 51 o'r rhain i'r canon gan Thomas Parry gan adael 4 cerdd, felly, ymhlith gwrthodedigion yr apocryffa (rhifau 13, 25, 39, 47 isod).[40] Gan mai diben yr ymdriniaeth hon oedd caniatáu i dystiolaeth y llawysgrifau cynnar lefaru'n groyw, derbyniwyd y cerddi hyn i'r gorlan.[41] Fe ddylwn nodi, serch hynny, fy mod wedi ymwadu â'r egwyddor hon mewn un achos. Yn llawysgrif Peniarth 54, rhwng diwedd rhif 14 (a ddigwydd mewn rhannau ar wahân yn y llawysgrif) a rhif 15 ceir copi o'r cywydd 'I'r Haul ac i Forgannwg', ond gan fod tystiolaeth bur gadarn dros briodoli'r cywydd hwnnw i Ruffudd Llwyd nis dadansoddir yma.[42] Dylid nodi hefyd mai canolbwyntio o fwriad ar gywyddau a wneuthum ac na roed, o ganlyniad, sylw i'r awdlau a'r englynion o eiddo Dafydd a geir yn Peniarth 49 (y Llyfr Gwyn) rhwng rhifau 57 a 58 isod.[43]

Wrth ddadansoddi'r cywyddau yn Peniarth 48 a 54 dilynais drawsysgrifiadau o'r rhannau perthnasol o'r llawysgrifau a baratowyd gan Dawn Wooldridge, a byddai llunio'r arolwg hwn wedi bod yn amhosibl oni bai am ei chymorth hi.[44] Yn achos Peniarth 57 a Peniarth 49 dibynnais ar drawsysgrifiadau E. Stanton Roberts a Thomas Parry a gyhoeddwyd yng nghyfres yr 'Adysgrifau o'r Llawysgrifau Cymraeg'.[45] Cyn mynd ati, yn rhan olaf y cyfraniad hwn, i gynnig rhai sylwadau cyffredinol a chasgliadau mewn perthynas â'r tri nod a osodwyd uchod (t. 111), cynigir, yn gyntaf oll, ddadansoddiad ystadegol o bob un cywydd. Yn naturiol ddigon nid yw llunio dadansoddiad ystadegol o'r natur hon heb ei broblemau. Fe geir weithiau, yn y pedair llawysgrif, wallau copïo cwbl amlwg, ond barnwyd mai ffolineb o'r mwyaf fyddai gadael i'r rheini sefyll ac ystumio'r ystadegau. Er enghraifft, yn achos llinell gyntaf rhif 17 isod – 'keissiaw yn le heb dewi' – prin fod angen nodi mai 'yn lew' yw'r darlleniad cywir, ac fel cynghanedd lusg y dadansoddir y llinell. Y mae dadansoddiad o'r fath hefyd yn gorfodi dyn i fod yn bedant. Nid oes, i bob pwrpas ymarferol, unrhyw wahaniaeth rhwng llinell o gynghanedd draws a llinell o gynghanedd groes yn cynnwys *n* ganolgoll, ond parchwyd yr hen ddosbarthiad,[46] ac ystyriwyd *r* ac *m* yn gytseiniaid canolgoll yn ogystal yng ngoleuni darganfyddiadau Thomas Parry a sylwadau D. J. Bowen.[47] Lle digwydd mwy nag un o'r cytseiniaid canolgoll hyn yn olynol, dichon y gellid dadlau mai cynghanedd groes a geir, fel yn yr enghraifft hon: 'Mau gariad | *mewn* magwriaeth' (34.1 isod). Yn y dadansoddiad sy'n dilyn, fodd bynnag, corlannwyd llinellau o'r fath gyda'r gynghanedd draws.[48] Cwyd anawsterau dosbarthu cyffelyb gyda'r cynganeddion cymysgedig.[49] Yn y llawysgrifau hyn trawyd ar bedair enghraifft o'r seingroes (yn nhestunau 11, 32, 43 a 60 yn y tablau isod) a phedair enghraifft o'r seindraws (yn nhestunau 29, 52, 59 (2 enghraifft) ac, yn y tablau, cawsant eu cyfrif gyda'r gynghanedd sain.

I'r sawl sydd â dealltwriaeth o'r gynghanedd ni ddylai'r wybodaeth a gynhwysir yn y pedwar tabl beri unrhyw anhawster. Rhoed rhif ar gyfer pob cerdd yng ngholofn 1, ac yna, yng ngholofn 2, ei theitl a'i rhif naill ai yn *Gwaith Dafydd ap Gwilym* (rhifau arabaidd), neu, yn achos cerddi'r apocryffa, yn *Barddoniaeth Dafydd ab Gwilym* (rhifau rhufeinig).[50] Nodir hyd y gerdd yng ngholofn 3, ac yna, yn y colofnau sy'n dilyn, pa sawl llinell ynddi sy'n cynnwys y gwahanol gynganeddion ynghyd â'r canrannau cyfatebol. Yn achos y gynghanedd sain, dylid nodi mai cyfanswm yr holl gynganeddion sain a nodir yn gyntaf, ac mai cyfeirio at niferoedd y cynganeddion sain cadwynog, pengoll a throsgl sydd yn rhan o'r cyfan-swm hwnnw a wneir yn y tair colofn ddilynol; canran yr holl gynganeddion sain a gynrychiolir, yn ogystal, gan y ffigwr yng ngholofn 18. Sylwer hefyd mai cynrychioli nifer y gwahanol gynganeddion oddi mewn i gyfanswm y llinellau ym mhob un llawysgrif a wna'r canrannau yn adran y 'cyfansymiau', a bod cyfartaledd cyffredinol unrhyw gynghanedd yng nghywyddau'r gwahanol lawysgrifau (hynny yw, y cymedr) yn ffigwr gwahanol. Er enghraifft, yn achos Peniarth 57 (rhan i), canran y gynghanedd sain yn yr holl linellau a archwiliwyd yw 29.2 y cant, ond ffigwr fymryn yn is, sef 28.3 y cant yw'r cymedr, neu'r cyfartaledd, o gywydd i gywydd.

Y dadansoddiad a chynghanedd Cywyddwyr y bedwaredd ganrif ar ddeg a'r bymthegfed ganrif

Ymhlith y saith maen prawf enwog y pwysodd Thomas Parry arnynt wrth geisio pennu canon Dafydd ap Gwilym yr oedd un yn ymwneud â chrefft y cywydd ac yn cwmpasu agweddau ar fydryddiaeth y bedwaredd ganrif ar ddeg a'r bymthegfed.[51] Gellir rhestru'r gwahaniaethau hynny rhwng cynghanedd y bedwaredd ganrif ar ddeg a'r bymthegfed y tynnodd Syr Thomas sylw atynt fel a ganlyn (ar dudalen 122):

Tabl 1: Dadansoddiad o'r cyrganeddion yng ngwaith Dafydd ap Gwilym mewn pedair llawysgrif

Byrfoddau

br. gyff. = braidd gyffwrdd   gwr. = gwreiddgoll
cad. = cadwynog   pen. = pengoll
digyngh. = digynghanedd   tr. = trosgl

(A) Peniarth 57 (rhan i)

Teitl	Hyd	Croes	%	Traws	%	Br. gyff.	%	Gwr.	%	Pengoll	%	Sain	cad.	pen.	tr.	%	Llusg	%	Digyngh.	%
1 'Y Gaine' (142)	26	5	19.2	12	46.2	0	0	0	0	0	0	8	0	0	0	30.8	1	3.8	0	0
2 'Caer Rhag Cenfigen' (140)	58	21	36.2	7	12.1	0	0	0	0	0	0	18	0	0	0	31	12	20.9	0	0
3 'Taeru' (55)	16	9	56.3	3	18.8	0	0	0	0	0	0	3	0	0	0	18.8	1	6.3	0	0
4 'Merch o Is Aeron' (88)	30	19	63.3	3	10	0	0	0	0	0	0	7	0	0	2	23.3	1	3.3	0	0
5 'Yr Uchenaid' (109)	24	5	20.8	3	12.5	0	0	0	0	0	0	9	1	1	0	37.5	5	20.8	0	0
Cyfanswm a chanran	154	59	38.3	28	18.2	0	0	0	0	0	0	45	1	1	2	29.2	20	13	0	0

(B) Peniarth 48

Teitl	Hyd	Croes	%	Traws	%	Br. gyff.	%	Gwr.	%	Pengoll	%	Sain	cad.	pen.	tr.	%	Llusg	%	Digyngh.	%
6 'Cusan' (133)	54	21	38.9	6	11.1	0	0	0	0	0	0	22	1	1	0	40.7	5	9.3	0	0
7 'Marwnad Gruffudd Gryg' (20)	58	18	31	12	20.7	0	0	0	0	0	0	20	1	0	0	34.5	8	13.8	0	0
8 'Merch Fileinaidd' (101)	54	20	37	12	22.2	0	0	0	0	1	1.9	19	0	4	0	35.2	2	3.7	0	0
9 'Y Llwynog' (22)	46	25	54.3	12	26.1	0	0	0	0	0	0	8	0	0	0	17.4	1	2.2	0	0
10 'Cyngor gan Frawd Llwyd' (136)	20	5	25	7	35	0	0	0	0	0	0	3	0	0	0	15	4	20	1	5

Teitl	Hyd	Croes	%	Traws	%	Br. gyff.	%	Gwr.	%	Pengoll	%	Sain (cad., pen., tr.)				%	Llusg	%	Digyngh.	%
11 'Lluniau Crist a'i Apostolion' (4)	56	16	28.6	10	17.9	0	0	0	0	0	0	21	3	0	0	37.5	9	16.1	0	0
12 'Amau ar Gam' (77)	26	11	42.3	3	11.5	1	3.9	0	0	0	0	9	1	0	0	34.6	1	3.9	1	3.9
13 'Rhinweddau ein Iachawdwr' (CCXLII)	34	9	26.5	5	14.7	1	2.9	0	0	0	0	10	0	0	1	29.4	9	26.5	0	0
Cyfanswm a chanran	348	125	35.9	67	19.3	2	0.6	0	0	1	0.3	112	5	6	5	32.2	39	11.2	2	0.6

(C) Peniarth 54

Teitl	Hyd	Croes	%	Traws	%	Br. gyff.	%	Gwr.	%	Pengoll	%	Sain (cad., pen., tr.)				%	Llusg	%	Digyngh.	%
14 'Noson Olau' (70)	60	13	21.7	19	31.7	1	1.7	0	0	0	0	19	1	0	1	31.7	8	13.3	0	0
15 'Merch Gyndyn' (41)	40	10	25	5	12.5	4	10	0	0	0	0	9	1	0	2	22.5	2	5	10	25
16 'Caer Rhag Cenfigen' (140)	56	20	35.7	7	12.5	0	0	0	0	0	0	17	0	0	0	30.7	12	21.4	0	0
17 'Trech a Gais nog a Geidw' (72)	38	14	36.8	4	10.5	1	2.6	0	0	0	0	12	1	0	2	31.6	7	18.4	0	0
18 'Rhagoriaeth y Bardd ar Arall' (54)	50	18	36	11	22	0	0	0	0	0	0	17	3	2	0	34	4	8	0	0
19 'Doe' (131)	34	7	20.6	8	23.5	0	0	0	0	0	0	18	4	1	1	52.9	1	2.9	0	0
20 'Campau Bun' (56)	46	14	30.4	10	21.7	0	0	0	0	1	2.2	14	0	1	0	30.4	7	15.2	0	0
21 'Yr Euryches' (38)	40	12	30	9	22.5	0	0	0	0	0	0	13	0	0	1	32.5	5	12.5	1	2.5
22 'Dan y Bargod' (89)	38	12	31.6	7	18.4	0	0	0	0	3	7.9	7	0	0	1	18.4	2	5.3	7	18.4
23 'Y Don ar Afon Dyfi' (71)	34	4	11.8	4	11.8	0	0	0	0	2	5.9	17	1	0	1	50	2	5.9	5	14.7
24 'Merched Llanbadarn' (48)	36	3	8.3	6	16.7	3	8.3	1	2.8	2	5.6	10	0	0	2	27.8	3	8.3	8	22.2
25 'Mawl i'r Eos' (LXXXIV)	50	11	22	9	18	1	2	0	0	0	0	18	1	0	2	36	2	4	9	18
26 'Y Serch Lledrad' (74)	38	12	31.6	8	21.1	0	0	0	0	0	0	16	1	0	2	42.1	2	5.3	0	0
27 'Y Gainc' (142)	28	8	28.6	10	35.7	0	0	0	0	0	0	8	0	0	1	28.6	2	7.14	0	0
28 'Basaleg' (8)	46	9	19.6	14	30.4	0	0	0	0	0	0	16	0	2	4	34.8	7	15.2	0	0
29 'Y Pwll Mawn' (127)	42	9	21.4	11	26.2	0	0	1	2.4	0	0	18	0	2	0	42.9	3	7.1	0	0

(C) Peniarth 54 (parhad)

Teitl	Hyd	Croes	%	Traws	%	Br. gyff.	%	Gwr.	%	Pengoll	%	Sain (cad., pen., tr.)				%	Llusg	%	Digyngh.	%
30 'Galw ar Ddwynwen' (94)	56	18	32.1	7	12.5	1	1.8	0	0	0	0	25	4	4	1	44.6	5	8.9	0	0
31 'Canu'n Iach' (103)	32	8	25	7	21.9	2	6.3	0	0	0	0	12	0	0	2	35.5	3	9.4	0	0
32 'Penwisg Merch' (44)	30	9	30	7	23.3	2	6.7	0	0	1	3.3	7	1	0	0	23.3	4	13.3	0	0
33 'Y Ffenestr' (64)	36	9	25	8	22.2	0	0	0	0	0	0	15	0	0	2	41.7	4	11.1	0	0
34 'Y Mab Maeth' (104)	30	7	23.3	4	13.3	0	0	0	0	0	0	18	1	0	0	60	1	3.3	0	0
35 'I Ddymuno Boddi'r Gŵr Eiddig' (75)	60	18	30	16	26.7	0	0	0	0	1	1.7	20	2	1	4	33.3	4	6.7	1	1.7
36 'Y Cariad a Wrthodwyd' (93)	42	14	33.3	9	21.4	1	2.4	0	0	0	0	13	0	1	3	31	5	11.9	0	0
37 'Basaleg' (8)	46	8	17.4	13	28.3	0	0	0	0	0	0	18	1	1	4	39.1	7	15.2	0	0
Cyfanswm a chanran	1008	267	26.5	213	21.1	16	1.6	2	0.2	10	1	357	18	18	36	35.4	102	10.1	41	4.1

(Ch) Peniarth 49 (Llyfr Gwyn Hergest)

Teitl	Hyd	Croes	%	Traws	%	Br. gyff.	%	Gwr.	%	Pengoll	%	Sain (cad., pen., tr.)				%	Llusg	%	Digyngh.	%
38 'Rhag Hyderu ar y Byd' (76)	44	19	43.2	4	9.1	1	2.3	0	0	0	0	18	1	2	2	40.9	2	4.5	0	0
39 'Y Brithyll yn Llatai' (CCVI)	34	9	26.5	8	23.5	1	2.9	0	0	0	0	13	0	0	2	38.2	3	8.8	0	0
40 'Yr Haf' (24)	52	10	19.2	9	17.3	0	0	0	0	0	0	26	2	1	0	50	6	11.5	1	1.9
41 'Dagrau Serch' (95)	50	20	40	17	34	0	0	0	0	2	4	8	0	0	0	16	3	6	0	0
42 'Difrawder' (110)	48	17	35.4	12	25	0	0	0	0	0	0	11	0	0	2	22.9	8	16.7	0	0
43 'Taeru' (55)	18	10	55.6	4	22.2	0	0	0	0	0	0	3	0	0	0	16.7	1	5.6	0	0

Cywydd																				
44 'Yr Amerch' (112)	16	3	18.8	4	25	0	0	1	6.3	0	0	7	0	1	0	43.8	1	6.3	0	0
45 'Trech a Gais nog a Geidw' (72)	38	14	36.8	4	10.5	1	2.6	0	0	0	0	12	1	0	2	31.6	5	13.2	0	0
46 'Cystudd y Bardd' (102)	28	10	35.7	8	28.6	0	0	0	0	0	0	9	1	0	0	32.1	1	3.6	0	0
47 'Ymddiddan â Merch dan ei Phared' (CXXXI)	54	16	29.6	15	27.8	0	0	2	3.7	1	1.9	17	0	0	0	31.5	3	5.6	0	0
48 'Digalondid' (36)	28	5	17.9	5	17.9	0	0	0	0	0	0	11	0	0	1	39.3	7	25	0	0
49 'Talu Dyled' (34)	58	14	24.1	18	31	0	0	0	0	1	1.7	21	1	1	1	36.2	4	6.9	0	0
50 'Cyfeddach' (132)	28	9	32.1	6	21.4	1	3.6	0	0	1	3.6	8	0	2	0	28.6	3	10.7	0	0
51 'Angof' (97)	28	9	32.1	3	10.7	0	0	1	3.6	1	3.6	8	1	0	0	28.6	6	21.4	0	0
52 'I Wahodd Dyddgu' (119)	44	13	29.6	7	15.9	0	0	2	4.6	1	2.3	17	1	1	0	38.6	4	9.1	0	0
53 'Y Drych' (105)	34	10	29.4	8	23.5	0	0	0	0	1	2.9	11	3	0	0	32.4	4	11.8	0	0
54 'Y Rhew' (91)	58	18	31	17	29.3	0	0	0	0	0	0	22	3	2	0	37.9	1	1.7	0	0
55 'Morfudd a Dyddgu' (79)	56	22	39.3	8	14.3	1	1.8	1	1.8	0	0	17	1	1	0	30.4	5	8.9	2	3.6
56 'Cystudd Cariad' (90)	24	7	29.2	6	25	0	0	0	0	0	0	6	0	1	0	25	5	20.8	0	0
57 'Gwadu' (107)	22	11	50	7	31.8	0	0	0	0	0	0	3	0	0	0	13.6	1	4.5	0	0
58 'Y Rhugl Groen' (125)	42	8	19	14	33.3	0	0	0	0	0	0	15	0	1	0	35.7	5	11.9	0	0
59 'Gofyn Cymod' (52)	60	19	31.7	21	35	0	0	0	0	0	0	15	1	0	2	25	5	8.3	0	0
60 'Y Cleddyf' (143)	52	17	32.7	8	15.4	2	3.8	0	0	1	1.9	18	1	0	0	34.6	6	11.5	0	0
Cyfanswm a chanran	916	290	31.7	213	23.3	7	0.8	7	0.8	9	1	296	17	13	12	32.3	89	9.7	3	0.3

121

1. Yng nghanu'r bedwaredd ganrif ar ddeg ceir llawer o linellau lle nad yw gorffwysfa'r gynghanedd yn cyd-daro â synnwyr y llinell a lle mae'n rhaid rhoi'r pwyslais ar air gwan neu arddodiad er mwyn ei chynnal.
2. Ceir tueddiad yng nghynganeddion croes a thraws y bedwaredd ganrif ar ddeg i gynganeddu geiriau yn neupen y llinell yn flociau taclus â'i gilydd, er enghraifft *Trist ei ffriw / trosti a'i phryd.*
3. Digwydd cynganeddion pengoll yng nghanu'r bedwaredd ganrif ar ddeg a cheir enghreifftiau hefyd o'r gynghanedd fraidd gyffwrdd. Diflannodd y rhain yn ail hanner y bymthegfed ganrif.
4. Y mae cynganeddion cywyddau'r bedwaredd ganrif ar ddeg yn llai cywrain na rhai'r bymthegfed ganrif. Prin eithriadol, er enghraifft, yw'r gynghanedd groes o gyswllt yng nghywyddau'r bedwaredd ganrif ar ddeg.
5. Y mae'r gynghanedd sain yn llawer amlycach yng nghywyddau'r bedwaredd ganrif ar ddeg na rhai'r bymthegfed ganrif.

Y mae'n ymddangos mai argraffiadau cyffredinol Thomas Parry o ganu'r ddwy ganrif a gyfleir ym mhwyntiau (1) a (2), ac ni chynigir unrhyw dystiolaeth ystadegol fanwl ganddo i gefnogi'r ddau honiad.[52] Fel y gwelir oddi wrth dablau 1A–1Ch nid ymchwiliwyd ymhellach i'r agwedd hon ar gynghanedd y Cywyddwyr yn y bennod hon. Er hynny, byddai llunio dadansoddiad ystadegol o'r llinellau anwastad hynny y cyfeirir atynt yn (1) yn waith tra buddiol ac ymarferol yn fy marn i ac, o wneud hynny, efallai y deuid o hyd i ganllaw defnyddiol arall wrth geisio gwahaniaethu rhwng cywyddau'r bedwaredd ganrif ar ddeg a'r bymthegfed. Rhoddir sylw manylach i'r pwyntiau a nodir yn (3) a (5) isod. Mewn perthynas â (4), dylid nodi bod yr ymchwil a gyflawnwyd wrth lunio tablau 1A–1Ch wedi dangos na pherthyn unrhyw gywreinrwydd gorchestol i'r cynganeddion a geir yn y pedair llawysgrif a archwiliwyd. Dim ond dwy linell a ddarganfuwyd y gellid dweud eu bod yn ymylu ar fod yn gynganeddion croes o gyswllt, sef

Yw'*r* bastynwy*r* | byst annwyd (rhif 38)

O'*r* trwyn hi*r* | truan yw hwn (rhif 53)

Daw'r ddwy, fel y mae'n digwydd, o blith y cywyddau sy'n tarddu o Lyfr Gwyn Hergest, ond fel y gwêl y cyfarwydd, y mae'n dra phosibl mai trawiad cwbl ddamweiniol sydd yma gan fod modd dehongli'r llinellau hefyd fel cynganeddion croes gydag *r* wreiddgoll.[53] (Yn hynny o beth, y mae'n werth cofio bod yn y pedair llawysgrif rhyngddynt o leiaf chwech o linellau yn cynnwys *r* wreiddgoll.) Y mae absenoldeb y gynghanedd groes o gyswllt yng nghywyddau'r pedair llawysgrif fel ei gilydd – hynny yw mewn 60 o destunau yn cynnwys cyfanswm o 2,426 llinell – yn ffaith eithriadol o arwyddocaol unwaith y dechreuwn ystyried nodweddion cynghanedd rhai o feirdd y bymthegfed ganrif. Daeth y groes o gyswllt yn fwyfwy cyffredin yn ystod ail hanner y ganrif honno.[54] Er enghraifft, ystyrier Dafydd Epynt (*fl. c.*1456/60–1510/15). Y mae'n fardd diddorol o'n safbwynt ni am fod modd ei gysylltu â'r union gyfnod pan gopïwyd ein pedair llawysgrif ac â'r union ranbarth lle y digwyddodd hynny. Yn wir, digwydd rhai cerddi o'i eiddo, yn ei law ei hunan, yn llawysgrif Peniarth 54. Fel y dangosodd Owen Thomas, y mae ei gywyddau yn gyforiog o gynganeddion croes (85–95 y cant o'r llinellau); a'r hyn sy'n wirioneddol syfrdanol yw bod dros eu hanner yn gynganeddion croes o gyswllt.[55] Nid bod holl feirdd y bymthegfed ganrif a dechrau'r unfed ar bymtheg mor eithafol eu sêl dros y groes o gyswllt. Tua 7.6 y cant (sy'n cynrychioli 457 llinell) yw'r ffigwr cyfatebol yng nghywyddau Lewys Môn (*fl.* 1485–1527);[56] a 3 llinell, er enghraifft, o gyfanswm o 184, a geir yn y tri chywydd a oroesodd o eiddo Ieuan Du'r Bilwg (*fl. c.*1471).[57] Ond, er bod y cyfartaledd yn amrywio, y mae presenoldeb y groes o gyswllt yng nghywyddau ail hanner y bymthegfed ganrif, a'i habsenoldeb llwyr, i bob pwrpas, yn y cywyddau cynharaf ar glawr a briodolir i Ddafydd ap Gwilym yn golygu bod yma nodwedd sydd lawn mor arwyddocaol â chyfartaledd y gynghanedd sain wrth inni geisio pennu oed cywydd ar sail ei grefft.

Eto, er gwaethaf symylrwydd cymharol y cynganeddu yn ein pedair llawysgrif ac absenoldeb y gynghanedd groes o gyswllt, ymhlith y cynganeddion sain ceir pum llinell sy'n cynnwys sain o gyswllt (a digwydd enghreifftiau ohonynt ymhob un o'r llawysgrifau):

Oy charyat | *d*iwygia*t* | eigr (rhif 4)

llidiais | nid ar*s*wydai*s* | hyn (rhif 9)

ffyrf gariad | *d*ygia*d* | agerw (rhif 33)

fflam | fo'r drych *m*inga*m* | iawngas (rhif 53)

Y syrthies | y*ss*ige*s* | oll (rhif 54)

a llinell hefyd lle defnyddir cytsain olaf yr odl gyntaf er mwyn cwblhau'r gyfatebiaeth gytseiniol rhwng yr ail a'r trydydd bar:

ledratta hâ*f* | arnaf | *f*i (rhif 48)[58]

Diddorol, yn ogystal, yw'r sain drosgl sy'n cyfuno'r ddwy nodwedd uchod:

Dolurvs |ovalus | wyf (rhif 30)

A dylid sylwi ymhellach fod dwy gynghanedd ac iddynt gyswllt ewinog ymhlith y cynganeddion sain.[59]

Rhag ei ddarfod dyfod hâf (rhif 40)

Gildiad nid chwittafad hallt (rhif 50)

Cyn troi at y materion a grybwyllir o dan (3) a (5), dylid dal gafael ar un mater arall. Wrth gloi ei sylwadau ar y gynghanedd yn adran y meini prawf, caed un sylw ymddangosiadol ysgubol gan Thomas Parry, sef na welir, yn achos gwir gerddi Dafydd ap Gwilym, 'odid fyth wall mewn llinell y bwriadwyd i gynghanedd fod ynddi', a lle bo gwall yn digwydd mewn cerddi a briodolir i Ddafydd, 'gellir bod yn weddol sicr fod y darlleniad yn anghywir neu fod y gerdd yn waith rhywun anghelfydd'.[60] Dyma sylw sydd, ar yr wyneb, yn dod yn beryglus o agos at lwyr gyfiawnhau un feirniadaeth o eiddo Helen Fulton ynghylch Thomas Parry y golygydd, sef ei fod wedi teilwra'r canon fel ei fod yn adlewyrchu ei farn oddrychol ei hun mai bardd rhyfeddol ei grefft oedd Dafydd ap Gwilym yn anad dim arall.[61] Ac eto, yn y pedair llawysgrif a fu'n sail i'r dadansoddiad hwn y mae'n rhyfeddol cyn lleied o wyro a geir oddi wrth reolau clasurol cerdd dafod fel y'u disgrifiwyd gan John Morris-Jones. Er enghraifft, ni cheir mewn gwirionedd odid yr un llinell sy'n cynnwys tor mesur, ac yn achos y llond dwrn o linellau yn y llawysgrifau sy'n ymddangos yn rhy fyr neu'n rhy hir, y mae rhyw oddefiad ar waith, er enghraifft anwybyddu'r rhagenw perthynol yng nghyfrif y sillafau, neu wallau copïo cwbl amlwg. Ceir dwy linell sy'n cynnwys y gwall crych a llyfn:

a rrai grym rrywiog armes (rhif 16)

Ond na ddylit ddilëu (rhif 51)

Sylwer, serch hynny, mai yn 'Caer Rhag Cenfigen' y digwydd yr enghraifft gyntaf ac yn fersiwn Peniarth 57 o'r un gerdd y mae'r darlleniad o'r un llinell fel a ganlyn: 'Rai grym rrywyawc arymes' (rhif 2). Yn achos yr ail enghraifft, y mae'n dra phosibl ein bod yn delio â gwall copïo ac mai *na ddlÿut* yw'r darlleniad cywir (gw. isod, t. 139). O gymharu â rhai o feirdd y bymthegfed ganrif – Lewys Glyn Cothi a Dafydd Epynt yn fwyaf arbennig – y mae'n destun rhyfeddod mewn gwirionedd fod yn y testunau hyn gyn lleied o enghreifftiau o'r beiau gwaharddedig.[62]

O blith holl sylwadau Thomas Parry ynglŷn â'r gynghanedd yn ei ragymadrodd, y rhai ynglŷn â'r gynghanedd sain (5) sydd wedi ennyn y sylw mwyaf fyth er pan gyhoeddwyd ei olygiad yn 1952. Fel y cofir, aeth ati i ddadansoddi trawstoriad o gywyddau'r bedwaredd ganrif ar ddeg a'r bymthegfed (58 testun i gyd). Cyfartaledd y gynghanedd sain yn y testunau hynny o'r bedwaredd ganrif ar ddeg a ddadansoddwyd ganddo oedd 36 y cant (hynny yw, y cymedr); yn achos y ganrif ddilynol yr oedd y ffigwr yn llawer is, sef 10 y cant. Ar sail y dadansoddiad hwn daeth i'r casgliad fod modd defnyddio canran y gynghanedd sain er mwyn ceisio penderfynu i ba ganrif y perthyn cywydd y bo ansicrwydd ynglŷn â'i awduraeth:

> Gellir defnyddio'r ffaith hon yn bur hyderus fel praw ar oedran cywydd. A siarad yn gyffredinol gellir dweud, os yw cyfartaledd y cynganeddion Sain mewn cywydd yn is na 25 y cant, yna nid i'r 14g. y mae'n perthyn.[63]

I raddau helaeth, rhoir yr argraff yn y frawddeg hon fod hwn yn brawf cwbl wyddonol ei sylfeini, a hynny ar draul pwysleisio bod yn rhaid ystyried gwasgariad y gynghanedd sain mewn cywyddau ochr yn ochr â'r ganran derfynol yng nghyfangorff gwaith unrhyw fardd. Y diffyg pwyslais hwn a ganiataodd i Saunders Lewis a T. D. Crawford amau gwerth maen prawf y gynghanedd sain drwy dynnu sylw at y ffaith fod Thomas Parry ei hunan wedi cynnwys rhai cywyddau yn ei olygiad gyda nifer y cynganeddion sain ynddynt yn is na 25 y cant.[64] Ac wrth ymateb i sylwadau T. D. Crawford, y mae'n werth cofio bod Thomas Parry ei hunan wedi tymheru rhywfaint ar ei farn; un prawf ochr yn ochr â phrofion eraill oedd prawf y gynghanedd sain meddai, ac nid 'deddf y Mediaid a'r Persiaid' mo'r 25 y cant.[65] Ond er yr anghytuno hwn, prin fod lle i ymwrthod â'r farn fod helaethder cynganeddion sain yn nodwedd ar ganu'r bedwaredd ganrif ar ddeg, a bod niferoedd y cynganeddion sain yng nghanu'r bymthegfed ganrif yn sylweddol is. Cadarnhawyd y dybiaeth hon gan ymchwil Eurys I. Rowlands.[66] Ac yn fwy diweddar, yr oedd canran y gynghanedd sain ymhlith meini prawf Gruffydd Aled Williams wrth iddo ddadlau dros adfer y cywydd 'Llyma fyd rhag syrthfyd Sais' yn rhan o ganon Iolo Goch.[67]

A throi at y testunau sydd o dan sylw yn y bennod hon, gellir cael gwell amcan o wasgariad y gynghanedd sain ynddynt o gyfuno tablau 1A–1Ch fel y gwneir yn nhabl 2. Sylwer mai dynodi nifer y cynganeddion sain oddi mewn i gyfanswm llinellau'r pedair llawysgrif a wna'r 33.4 y cant ar waelod tabl 2; 32.8 y cant yw'r cymedr, a hwnnw yw'r ffigwr y dylid ei gymharu â'r 36 y cant a grybwyllwyd gan Thomas Parry ar sail ei ddadansoddiad o ddetholiad o gywyddau'r bedwaredd ganrif ar ddeg. Ar gyfartaledd, felly, y mae ychydig yn llai o gynganeddion sain yn ein

Tabl 2: *Gwasgariad y gynghanedd sain yng ngwaith Dafydd ap Gwilym yn y pedair llawysgrif*

Teitl	Hyd	Croes		Traws		Br. gyff.		Gwr.		Pengoll		Sain (cad., pen., tr.)				Llusg		Digyngh.	
			%		%		%		%		%				%		%		%
57 'Gwadu' (107)	22	11	50	7	31.8	0	0	0	0	0	0	3	0	0	**13.6**	1	4.5	0	0
10 'Cyngor gan Frawd Llwyd' (136)	20	5	25	7	35	0	0	0	0	0	0	3	0	0	**15**	4	20	1	5
41 'Dagrau Serch' (95)	50	20	40	17	34	0	0	0	0	2	4	8	0	0	**16**	3	6	0	0
43 'Taeru' (55)	18	10	55.6	4	22.2	0	0	0	0	0	0	3	0	0	**16.7**	1	5.6	0	0
9 'Y Llwynog' (22)	46	25	54.3	12	26.1	0	0	0	0	0	0	8	0	0	**17.4**	1	2.2	0	0
22 'Dan y Bargod' (89)	38	12	31.6	7	18.4	0	0	0	0	3	7.9	7	0	1	**18.4**	2	5.3	7	18.4
3 'Taeru' (55)	16	9	56.3	3	18.8	0	0	0	0	0	0	3	0	0	**18.8**	1	6.3	0	0
15 'Merch Gyndyn' (41)	40	10	25	5	12.5	4	10	0	0	0	0	9	1	0	**22.5**	2	5	10	25
42 'Difrawder' (110)	48	17	35.4	12	25	0	0	0	0	0	0	11	0	0	**22.9**	8	16.7	0	0
4 'Merch o Is Aeron' (88)	30	19	63.3	3	10	0	0	0	0	0	0	7	0	0	**23.3**	1	3.3	0	0
32 'Penwisg Merch' (44)	30	9	30	7	23.3	2	6.7	0	0	1	3.3	7	1	0	**23.3**	4	13.3	0	0
56 'Cystudd Cariad' (90)	24	7	29.2	6	25	0	0	0	0	0	0	6	0	1	**25**	5	20.8	0	0
59 'Gofyn Cymod' (52)	60	19	31.7	21	35	0	0	0	0	0	0	15	1	0	**25**	5	8.3	0	0
24 'Merched Llanbadarn' (48)	36	3	8.3	6	16.7	3	8.3	1	2.8	2	5.6	10	0	2	**27.8**	3	8.3	8	22.2
27 'Y Gaine' (142)	28	8	28.6	10	35.7	0	0	0	0	0	0	8	0	1	**28.6**	2	7.14	0	0
50 'Cyfeddach' (132)	28	9	32.1	6	21.4	1	3.6	0	0	1	3.6	8	0	0	**28.6**	3	10.7	0	0
51 'Angof' (97)	28	9	32.1	3	10.7	0	0	1	3.6	1	3.6	8	1	0	**28.6**	6	21.4	0	0
13 'Rhinweddau ein Iachawdwr' (CCXLII)	34	9	26.5	5	14.7	1	2.9	0	0	0	0	10	0	1	**29.4**	9	26.5	0	0
20 'Campau Bun' (56)	46	14	30.4	10	21.7	0	0	0	0	1	2.2	14	0	1	**30.4**	7	15.2	0	0
55 'Morfudd a Dyddgu' (79)	56	22	39.3	8	14.3	1	1.8	1	1.8	0	0	17	1	1	**30.4**	5	8.9	2	3.6
16 'Caer Rhag Cenfigen' (140)	56	20	35.7	7	12.5	0	0	0	0	0	0	17	0	0	**30.7**	12	21.4	0	0
1 'Y Gaine' (142)	26	5	19.2	12	46.2	0	0	0	0	0	0	8	0	0	**30.8**	1	3.8	0	0
2 'Caer Rhag Cenfigen' (140)	58	21	36.2	7	12.1	0	0	0	0	0	0	18	0	0	**31**	12	20.9	0	0
36 'Y Cariad a Wrthodwyd' (93)	42	14	33.3	9	21.4	1	2.4	0	0	0	0	13	0	3	**31**	5	11.9	0	0
47 'Ymddiddan â Merch dan ei Phared' (CXXXI)	54	16	29.6	15	27.8	0	0	2	3.7	1	1.9	17	0	0	**31.5**	3	5.6	0	0

Title																				
17 'Trech a Gais nog a Geidw' (72)	38	14	36.8	4	10.5	1	2.6	0	0	0	0	12	1	0	2	**31.6**	7	18.4	0	0
45 'Trech a Gais nog a Geidw' (72)	38	14	36.8	4	10.5	1	2.6	0	0	0	0	12	1	0	2	**31.6**	5	13.2	0	0
14 'Noson Olau' (70)	60	13	21.7	19	31.7	1	1.7	0	0	0	0	19	1	0	1	**31.7**	8	13.3	0	0
46 'Cystudd y Bardd' (102)	28	10	35.7	8	28.6	0	0	0	1	2.9	0	9	1	0	0	**32.1**	1	3.6	0	0
53 'Y Drych' (105)	34	10	29.4	8	23.5	0	0	0	0	0	0	11	3	0	0	**32.4**	4	11.8	0	0
21 'Yr Euryches' (38)	40	12	30	9	22.5	0	0	0	0	2.9	0	13	0	0	1	**32.5**	5	12.5	1	2.5
35 'I Ddymuno Boddi'r Gŵr Eiddig' (75)	60	18	30	16	26.7	0	0	0	1	1.7	1	20	2	1	4	**33.3**	4	6.7	1	1.7
18 'Rhagoriaeth y Bardd ar Arall' (54)	50	18	36	11	22	0	0	0	0	0	2	17	3	2	0	**34**	4	8	0	0
7 'Marwnad Gruffudd Gryg' (20)	58	18	31	12	20.7	0	0	0	0	0	1	20	1	1	1	**34.5**	8	13.8	0	0
12 'Amau ar Gam' (77)	26	11	42.3	3	11.5	1	3.9	0	0	0	0	9	0	0	0	**34.6**	1	3.9	1	3.9
60 'Y Cleddyf' (143)	52	17	32.7	8	15.4	2	3.8	0	1	1.9	1	18	1	0	0	**34.6**	6	11.5	0	0
28 'Basaleg' (8)	46	9	19.6	14	30.4	0	0	0	1	1.9	2	16	0	2	4	**34.8**	7	15.2	0	0
8 'Merch Fileinaidd' (101)	54	20	37	12	22.2	0	0	0	0	0	4	19	0	4	2	**35.2**	2	3.7	0	0
31 'Canu'n Iach' (103)	32	8	25	7	21.9	2	6.3	0	0	0	0	12	0	0	2	**35.5**	3	9.4	0	0
58 'Y Rhugl Groen' (125)	42	8	19	14	33.3	0	0	0	0	0	1	15	0	1	0	**35.7**	5	11.9	0	0
25 'Mawl i'r Eos' (LXXXIV)	50	11	22	9	18	1	2	0	0	0	0	18	1	0	2	**36**	2	4	9	18
49 'Talu Dyled' (34)	58	14	24.1	18	31	0	0	0	1	1.7	1	21	1	1	1	**36.2**	4	6.9	0	0
5 'Yr Uchenaid' (109)	24	5	20.8	3	12.5	0	0	0	0	0	0	9	1	1	0	**37.5**	5	20.8	0	0
11 'Lluniau Crist a'i Apostolion' (4)	56	16	28.6	10	17.9	0	0	0	0	0	0	21	3	0	3	**37.5**	9	16.1	0	0
54 'Y Rhew' (91)	58	18	31	17	29.3	0	0	0	0	0	0	22	3	2	0	**37.9**	1	1.7	0	0
39 'Y Brithyll yn Llatai' (CCVI)	34	9	26.5	8	23.5	1	2.9	0	0	0	0	13	0	0	2	**38.2**	3	8.8	0	0
52 'I Wahodd Dyddgu' (119)	44	13	29.6	7	15.9	0	0	2	4.6	1	2.3	1	17	1	1	**38.6**	4	9.1	0	0
37 'Basaleg' (8)	46	8	17.4	13	28.3	0	0	0	0	0	1	18	1	1	4	**39.1**	7	15.2	0	0
48 'Digalondid' (36)	28	5	17.9	5	17.9	0	0	0	0	0	0	11	0	0	1	**39.3**	7	25	0	0
6 'Cusan' (133)	54	21	38.9	6	11.1	0	0	0	0	0	1	22	1	1	0	**40.7**	5	9.3	0	0
38 'Rhag Hyderu ar y Byd' (76)	44	19	43.2	4	9.1	1	2.3	0	0	0	0	18	1	2	2	**40.9**	2	4.5	0	0

Teitl	Hyd	Croes	%	Traws	%	Br. gyff.	%	Gwr.	%	Pengoll	%	Sain	cad.	pen.	tr.	%	Llusg	%	Digyngh.	%
33 'Y Ffenestr' (64)	36	9	25	8	22.2	0	0	0	0	0	0	15	0	0	2	**41.7**	4	11.1	0	0
26 'Y Serch Lledrad' (74)	38	12	31.6	8	21.1	0	0	0	0	0	0	16	1	0	2	**42.1**	2	5.3	0	0
29 'Y Pwll Mawn' (127)	42	9	21.4	11	26.2	0	0	1	2.4	0	0	18	0	0	1	**42.9**	3	7.1	0	0
44 'Yr Annerch' (112)	16	3	18.8	4	25	0	0	1	6.3	0	0	7	0	1	0	**43.8**	1	6.3	0	0
30 'Galw ar Ddwynwen' (94)	56	18	32.1	7	12.5	1	1.8	0	0	0	0	25	4	4	1	**44.6**	5	8.9	0	0
23 'Y Don ar Afon Dyfi' (71)	34	4	11.8	4	11.8	0	0	0	0	2	5.9	17	1	2	1	**50**	2	5.9	5	14.7
40 'Yr Haf' (24)	52	10	19.2	9	17.3	0	0	0	0	0	0	26	2	1	0	**50**	6	11.5	1	1.9
19 'Doe' (131)	34	7	20.6	8	23.5	0	0	0	0	0	0	18	0	4	1	**52.9**	1	2.9	0	0
34 'Y Mab Maeth' (104)	30	7	23.3	4	13.3	0	0	0	0	0	0	18	1	0	0	**60**	1	3.3	0	0
Cyfanswm	2426											810				**33.4**				

(Grŵp 'Sain' = Sain (cad., pen., tr.))

llawysgrifau ni, ac y mae'r ffigwr hefyd yn is na chanran y gynghanedd sain yn nadansoddiad Eurys Rowlands o ddeugain o gywyddau Dafydd ap Gwilym yng ngolygiad Thomas Parry, sef 36 y cant.[68] O edrych wedyn ar y canolrif, gwelir mai 32.5 y cant ydyw yma o gymharu â 36.93 y cant yn nadansoddiad T. D. Crawford o holl gywyddau'r golygiad,[69] ac fe welir bod yr amrediad yn ymestyn o 13.6 y cant i 60 y cant, gyda deg o destunau a chyfartaledd y gynghanedd sain ynddynt yn is na 25 y cant.[70]

Pa arwyddocâd sydd i'r ystadegau hyn? A throi'n ôl at fater a drafodwyd yn rhan gyntaf y bennod hon, anodd iawn, ar yr olwg gyntaf, yw cysoni'r fath amrywio â'r gred fod yr holl gerddi hyn yn waith yr un bardd a bod iddynt nodweddion crefft un bersonoliaeth farddol. Yn hynny o beth, sylwer ar rychwant eang gwasgariad y prif gynganeddion eraill yn y pedair llawysgrif: 8.3–63.3 y cant (croes); 9.1–46.2 y cant (traws); 1.7–26.5 y cant (llusg). Petai'r holl gerddi hyn yn waith yr un bardd a fyddid yn disgwyl y fath amrywio? O droi i'r unfed ganrif ar bymtheg, ac at feirdd megis Siôn Ceri, Huw ap Dafydd a Mathau Brwmffild, gwelir bod cyfartaledd y gynghanedd groes, ar y cyfan, yn gyson uchel yn eu cywyddau hwy a bod i gyfran helaeth ohonynt nodweddion rhyfeddol o debyg o ran eu cynganeddiad.[71] Tebyg hefyd yw'r achos gyda dau o benceirddiaid mawr oes y cywydd, Lewys Môn a Wiliam Llŷn.[72] Ond pwysig eithriadol yw nodi nad yw'r cysondeb hwn i'w weld yng ngwaith pob bardd. Yng nghywyddau Siôn ap Hywel, er enghraifft, bardd arall o ddechrau'r unfed ganrif ar bymtheg, y mae cyfartaledd y gynghanedd groes yn amrywio rhwng 24 y cant a 67 y cant.[73] Ac o graffu wedyn ar waith Iolo Goch a Lewys Glyn Cothi nid yw sôn am gyfartaledd y

Tabl 3: Gwasgariad y gynghanedd sain yng ngwaith tri bardd

	Canran cynghanedd sain					
	0–10%	10–20%	20–30%	30–40%	40–50%	50% +
Iolo Goch		1 (3%)	6 (18%)	11 (33%)	14 (42.4%)	1 (3%)
Dafydd ap Gwilym (tabl 2)		7 (11.7%)	11 (18.3%)	31 (51.7%)	7 (11.7%)	4 (6.7%)
Lewys Glyn Cothi	16 (12%)	76 (57.1%)	38 (28.6%)	2 (1.5%)	1 (0.8%)	

gynghanedd sain yng nghyfangorff eu cywyddau – 38.23 y cant (33 cywydd) yw'r ffigwr yn achos Iolo a 17.45 y cant (133 cywydd) yn achos Lewys – yn adlewyrchu'r ffaith fod cryn amrywio yng nghanran yr un gynghanedd o gywydd i gywydd, er bod tueddiad i'r ganran fod yn eithaf tebyg mewn clwstwr go dda ohonynt. Yn nhabl 3 dangosir gwasgariad y gynghanedd sain yng ngwaith y ddau fardd, a rhoddir yr un wybodaeth mewn perthynas â cherddi 'Dafydd ap Gwilym' a ddadansoddwyd yn y bennod hon.[74] Dylid nodi mai nifer y cywyddau a ddynodir gan y ffigyrau yn y colofnau gyferbyn ag enwau'r beirdd, a nodir rhwng y cromfachau pa ganrannau o holl gywyddau'r beirdd a gynrychiolir gan y niferoedd hynny.

Ar un ystyr, fe ddengys tabl 3 mai arf cyfyng ei ddefnydd yw prawf y gynghanedd sain.[75] Digon gwir, y mae'r tabl yn profi'n bendifaddau fod helaethder o gynganeddion sain i'w cael yng nghywyddau'r bedwaredd ganrif ar ddeg. Ond ar gyfer pennu dyddiadau cywyddau unigol, y cwbl a ddengys y tabl hwn yw ei bod yn dra annhebygol fod cywydd ac ynddo lai na 10 y cant o gynganeddion sain yn perthyn i'r bedwaredd ganrif ar ddeg ac, yn yr un modd, ei bod yn annhebygol fod cywydd ac ynddo fwy na 40 y cant o gynganeddion sain yn perthyn i oes aur y cywydd, sef ail hanner y bymthegfed ganrif a dechrau'r unfed ar bymtheg. Da cofio un peth arall yn ogystal. Hyd y gwn i, ni wnaed unrhyw ymchwil i geisio canfod cyswllt rhwng *genres* y cywydd a phatrymau cynganeddol. Ond, o edrych ar gynnyrch oes aur y cywydd, caiff rhywun yr argraff fod y beirdd yn fwy parod i ddefnyddio'r gynghanedd sain mewn cerddi serch a cherddi achlysurol nag yn eu canu defodol. Er enghraifft, ceir gan Lewys Môn ddau gywydd serch gyda chanran y gynghanedd sain ynddynt cyn uched â 25 y cant a 34 y cant er mai'r cynganeddion cytsain, a'r groes yn fwyaf arbennig, sy'n tra llywodraethu yn ei ganu defodol.[76] Ac o droi at y cywyddau serch a gysylltir â'r tri Bedo (a ganai yn ail hanner y bymthegfed ganrif) ceir un cywydd gyda chanran y gynghanedd sain ynddo yn 44 y cant a thri arall yn cynnwys 30–40 y cant.[77] Ar y llaw arall, y mae'n werth cofio y priodolir i un o gywyddwyr y bedwaredd ganrif ar ddeg, Sypyn Cyfeiliog (*c.*1320–*c.*1390), gywydd serch a chanran y gynghanedd sain ynddo cyn ised â 18.31 y cant. Dyma gymar felly i'r 11 cywydd yn ein dadansoddiad ni o gerddi 'Dafydd ap Gwilym' lle mae canran y gynghanedd sain yn is na 25 y cant, er ei bod yn deg cofio na ddiogelwyd y cywydd hwn mewn unrhyw lawysgrif sy'n gynharach na hanner cyntaf yr ail ganrif ar bymtheg.[78] Rhaid cydnabod, felly, mai amwys, ar y gorau, yw tystiolaeth y gynghanedd sain wrth geisio dyddio cerddi unigol. Efallai mai'r hyn sydd fwyaf diddorol, ac arwyddocaol o bosibl, yn y dystiolaeth a gasglwyd yma yw'r ffaith fod yr amrywio o gywydd i gywydd yng nghanran y gynghanedd sain yn amlycach yn achos cywyddau 'Dafydd ap Gwilym' na rhai Iolo Goch.[79] Sylwer bod yng nghywyddau'r pedair llawysgrif, ar gyfartaledd, ymron i bedair gwaith yn fwy o gywyddau ac ynddynt ganran isel (10–20 y cant) o gynganeddion sain na'r hyn a geir yng ngwaith Iolo. Nid yn unig y mae cyfartaledd cyffredinol y gynghanedd sain yn uwch yn achos Iolo, 38.23 y cant o gymharu â 32.8 y cant, ond y mae ganddo hefyd, ar gyfartaledd unwaith eto, lawer iawn mwy o gywyddau a chanran y gynghanedd sain ynddynt yn 30–40 y cant, er bod yn rhaid cydnabod, ar yr un pryd, nad yw'r ffigwr yn uwch yn achos cywyddau lle mae'r gynghanedd sain i'w chael mewn mwy na 50 y cant o linellau. A derbyn bod amlder y gynghanedd sain yn un o nodweddion crefft y bedwaredd ganrif ar ddeg, y mae'n rhaid cydnabod bod cywyddau Iolo Goch felly, a'u cymryd fel cyfangorff, yn fwy nodweddiadol o'r ganrif honno na'r cywyddau hynny a briodolir i'w gyfoeswr hŷn, Dafydd ap Gwilym, yn y llawysgrifau cynharaf. Eto, onid mân lwch y cloriannau yw'r gwahaniaethau hyn? Efallai'n wir! Ond y mae hefyd yn gwbl ddichonadwy fod y gwahaniaeth hwn yn nosbarthiad a dwysedd y gynghanedd sain yn adlewyrchu'r ffaith fod gwaith 'Dafydd ap Gwilym', erbyn i ni gael ein cip cyntaf arno yn llawysgrifau ail hanner y bymthegfed ganrif, eisoes wedi tyfu megis caseg eira – caseg eira a dynnodd i'w chrombil, a hynny at wir gywyddau Dafydd, rai o gywyddau serch ei efelychwyr a'i olynwyr.

Fel y gwelir, yn y tablau uchod cofnodwyd yn achos pob un cywydd pa sawl enghraifft a ddigwydd o ddau fath o amrywiad ar y gynghanedd sain (lefn), sef y sain gadwynog a'r sain drosgl, a chofnodwyd yr ystadegau perthnasol, yn ogystal, mewn perthynas â'r sain bengoll. Gŵyr y cyfarwydd mai priod nodwedd y sain gadwynog yw bod y llinell yn ymrannu'n bedair rhan, gyda'r gyntaf yn odli â'r drydedd, a chytseinedd rhwng yr ail a'r drydedd:

ymhenn | gwledig | vnbenn | gwlad (rhif 17)

Llinell anghytbwys ddyrchafedig yw'r sain drosgl yn ddieithriad, ond gyda'r gair diacen yn yr ail ran yn cynnwys mwy na dwy sillaf a chyfatebiaeth gytseiniol rhwng dechrau'r gair (yn hytrach na'r gytsain o flaen yr acen) a rhan olaf y llinell, fel yn yr enghreifftiau a ganlyn:

hoed gwyliwr | *p*ylgeiniwr | *p*wl (rhif 17)

a welaf | *dd*iweiraf | *dd*yn (rhif 17)

Wrth ymdrin â'r ddwy gynghanedd, nododd John Morris-Jones eu bod yn prinhau ar ôl 1451 (dyddiad Eisteddfod Caerfyrddin), er ei fod yn cydnabod, ar yr un gwynt, na fu i unrhyw eisteddfod ddeddfu yn eu herbyn. Yn wir, yn achos y sain gadwynog, cofnododd ei bod 'yn ddigon cyffredin yn Nafydd ap Gwilym, ond nid mor gyffredin yn ddiweddarach'.[80] Adleisiwyd y farn honno gan Eurys Rowlands, a faentumiodd fod y mathau hyn o gynghanedd wedi diflannu erbyn diwedd y bymthegfed ganrif.[81] A chymryd y pedair llawysgrif gyda'i gilydd cawn fod ynddynt 41 enghraifft o'r sain gadwynog (5.1 y cant o'r holl gynganeddion sain) a 55 enghraifft o'r sain drosgl (6.8 y cant o'r holl gynganeddion sain). Er hynny,

131

dichon na ddylid rhuthro i'r casgliad fod presenoldeb y cynganeddion hyn mewn cywydd yn arwydd, ohono'i hunan, o hynafiaeth. Er pan gyhoeddwyd sylwadau Eurys Rowlands, caed rhagor o ddadansoddiadau o'r patrymau cynganeddol sydd i'w cael yng ngwaith sawl bardd, a dangosodd y rheini na lwyr ddiflannodd y naill na'r llall o'r cynganeddion hyn wedi'r bymthegfed ganrif. Digwydd cynifer â 64 enghraifft o'r sain gadwynog yng nghywyddau Wiliam Llŷn ynghyd â 19 sain drosgl, er mai cyfran fechan iawn o gynganeddion sain Wiliam y mae'r niferoedd hyn yn eu cynrychioli (3.7 y cant ac 1.1 y cant).[82] Gan Siôn Ceri ceir 7 enghraifft o'r gadwynog (4 y cant o'i gynganeddion sain) a 2 enghraifft o'r drosgl (1.1 y cant o'i gynganeddion sain), ac yng nghanu defodol Siôn ap Hywel digwydd 6 sain gadwynog (4 y cant o'i gynganeddion sain).[83] Mewn gwirionedd nid yw canran y sain gadwynog yng ngwaith rhai o'r beirdd hyn yn fawr is na'r hyn a gaed yng nghywyddau'r pedair llawysgrif.

Yn achos y sain bengoll fodd bynnag, a'r cynganeddion pengoll eraill, y mae'n ymddangos ein bod ar dir sicrach wrth honni eu bod yn gynganeddion hynafol na bu fawr o ddefnydd arnynt o ganol y bymthegfed ganrif ymlaen. Fel y gwyddys, yn ôl y *Pum Llyfr Cerddwriaeth* cafodd y cynganeddion pengoll, ynghyd â'r gynghanedd fraidd gyffwrdd a'r gynghanedd wreiddgoll, eu deol yn Eisteddfod Caerfyrddin gan Ddafydd ab Edmwnd, ac ymddengys fod y beirdd, i bob pwrpas, wedi parchu'r deddfu a fu yno mewn perthynas â'r cynganeddion hyn.[84] Darganfuwyd 38 o gynganeddion sain bengoll yn y pedair llawysgrif a archwiliwyd, sef 4.7 y cant o'r holl gynganeddion sain, a gwelir eu bod, yn unol â disgrifiad John Morris-Jones, yn perthyn i un o ddau ddosbarth.[85] Ceir tua deg o enghreifftiau gyda sillafau neu eiriau cyfain ar ddiwedd y llinell heb fod yn rhan o'r gyfatebiaeth:

> Na oddef | ef | wyf *ddigllawn* (rhif 18)

> pe prytwn | gwn | gan *henglyn* (rhif 8)

Yn yr enghreifftiau sy'n weddill, rhai anghytbwys ddisgynedig oll, cytseiniaid a hepgorir, a hynny naill ai ar ddiwedd y goben yn nhrydedd ran y llinell neu ar ddiwedd yr ail ran:

> rac kayl arnad | gwad | gwyd*ngr*oyw (rhif 18)

> a blyg yn hawdd | gaw*dd* | gywrdd (rhif 19)

Nid yn annisgwyl, ceir llinellau cyffelyb yng ngwaith Iolo Goch. Yn ei gerddi ef ceir 60 o enghreifftiau.[86] Gan fod y cywydd deuair hirion yn rhannu cymaint o nodweddion esgyll yr englyn unodl union, diddorol, yn ogystal, yw cymharu'r ystadegau hyn â'r patrwm a ganfyddir yn esgyll englynion y Gogynfeirdd diweddar. Er enghraifft, a chymryd englynion Llywelyn Brydydd Hoddnant, Hillyn a Llywelyn Ddu ab y Pastard fel cyfangorff, a chan ychwanegu atynt englynion dienw eraill o drydedd haen Llawysgrif Hendregadredd, gwelir bod 57 o enghreifftiau o gynganeddion sain yn yr esgyll a bod 5 ohonynt (sef 8.8 y cant) yn gynganeddion sain bengoll.[87] Yn achos englynion Gruffudd ap Dafydd ap Tudur, 1 enghraifft (2.6 y cant) allan o 39 cynghanedd sain a geir; ond gan Wilym Ddu o Arfon ceir 9 enghraifft (15.8 y cant) allan o 57, a 15 enghraifft (10 y cant) allan o 148 gan Gasnodyn.[88] O ran canran, y mae'r nifer a geir yn englynion Dafydd ap Gwilym 'I'r Grog o Gaer', sef 2 linell (4.3 y cant) allan o 47, yn rhyfeddol o debyg i'r hyn a geir yng nghywyddau ein pedair llawysgrif, a dichon na ddylid rhoi gormod o bwys ar y ffaith na cheir yr un enghraifft yn 'Englynion y Cusan' gan fod y sampl yno (6 llinell) mor fychan.[89] Gwelir, yn ogystal, fod y patrwm yn dra thebyg yn esgyll yr englynion a geir yn *Gwaith Dafydd ap Gwilym*, sef 4 llinell (5.1 y cant) allan o 79.[90]

Fel y sylwodd Eurys Rowlands, y mae'n bur amlwg fod y cywydd cynnar, o ran ei gynganeddiad, yn drwm o dan ddylanwad yr awdl a'r englyn,[91] ac i gryn raddau y mae'r ystadegau a gynigiwyd uchod mewn perthynas â'r sain bengoll yn ategu hynny. Ond ni cheir unffurfiaeth lwyr rhwng y patrymau cynganeddol yn esgyll englynion y bedwaredd ganrif ar ddeg a phatrymau'r cywydd cynnar. Er enghraifft, yn yr englynion 'I'r Grog o Gaer' y mae canran yr holl gynganeddion sain yn yr esgyll yn 66 y cant, ac yn sylweddol uwch, sylwer, na'r hyn a geir yn yr englynion a olygwyd gan Thomas Parry yn *Gwaith Dafydd ap Gwilym*, sef 43 y cant.[92] Y mae'r ddau ffigwr hefyd yn uwch na chanran y gynghanedd sain yng nghywyddau'r pedair llawysgrif. Gallai rhywun ruthro i'r casgliad fod yma faen tramgwydd pur ddifrifol i'r rhai hynny sy'n ymboeni ynghylch canon Dafydd ap Gwilym ac am amddiffyn dilysrwydd awdurol y cyfan-soddiadau o dan sylw. Oni ddisgwylid mwy o debygrwydd petaent oll yn waith yr un bardd? Teg yw cofio, serch hynny, er nad oes unrhyw wahaniaeth sylfaenol rhwng esgyll yr englyn unodl union a chwpled o gywydd deuair hirion, fod yr esgyll yn rhan o fesur trwyadl wahanol. Ac er i esgyll yr englyn fod yn batrwm diamheuol ar gyfer y beirdd wrth iddynt fynd ati i gywreinio'r traethodl a'i drawsffurfio'n gywydd,[93] dichon na fu canran y gynghanedd sain yn y cywydd deuair hirion erioed cyn uched â'r hyn a geid yn esgyll yr englyn, a hynny am y rheswm syml a ganlyn: yn y cywydd byddai clwstwr di-fwlch o linellau yn cynnwys y gynghanedd sain, yn enwedig y sain lefn gyda'i thair prif acen, yn debygol o arwain at undonedd a diffyg amrywiaeth.[94] Ond bid a fo am hynny, erbyn ail hanner y bedwaredd ganrif ar ddeg, priodol yw sylwi mai sôn am ddylanwad y cywydd ar gynghanedd yr englyn unodl union a ddylem wrth i ganran y gynghanedd sain leihau yn yr esgyll ac wrth i'r cynganeddion cytsain ddod yn amlycach ynddo.[95] Yn achos Dafydd ap Gwilym, gellir awgrymu bod yr englynion 'I'r Grog o Gaer' wedi eu canu yn eithriadol o gynnar yn ei yrfa cyn iddo, efallai, droi ei olygon at y cywydd deuair hirion, a bod y corff o englynion yn *Gwaith Dafydd ap Gwilym*, o ran eu cynganeddiad, yn adlewyrchu ei feistrolaeth ddiweddarach ar y cywydd a dibyniaeth helaethach y mesur hwnnw ar y cynganeddion cytsain.[96]

Yng nghyd-destun mydryddiaeth y bedwaredd ganrif ar ddeg, y mae dau fater diddorol arall a gwyd o'n dadansoddiad o gynghanedd testunau'r pedair llawysgrif. Fel y nodwyd eisoes, ac fel y dengys y tablau uchod, ar wahân i'r sain bengoll ceir enghreifftiau yn ein testunau hefyd o'r cynganeddion deoledig eraill, sef croes a thraws wreiddgoll (9 enghraifft), croes a thraws bengoll (20 enghraifft) a'r gynghanedd fraidd gyffwrdd (25 enghraifft), ac y maent i'w cael ar wasgar yn hanner y testunau.[97] Fel y gwelir, rhyw un neu ddwy o enghreifftiau a ddigwydd yn y rhan fwyaf o achosion, a chynrychiola'r holl enghreifftiau hyn gyda'i gilydd ryw 2.2 y cant o'r holl linellau a archwiliwyd. Gan Iolo Goch ceir 15 o enghreifftiau[98] ac o droi unwaith yn rhagor at dystiolaeth yr englyn unodl union, gwelir mai 1.5 y cant (9/52) yw'r ganran o archwilio cynganeddion yr esgyll yng ngwaith rhai o'r Gogynfeirdd diweddar y cyfeiriwyd atynt eisoes.[99] Gan fod ymhell dros bedair gwaith yn fwy o linellau yn nhestunau ein pedair llawysgrif, dichon na ddylid rhoi gormod o bwys ar y ffaith fod y cyfartaledd fymryn yn uwch yn y cywyddau, ond o leiaf, a derbyn am y tro fod y cywyddau fel cyfangorff yn tarddu o'r bedwaredd ganrif ar ddeg, gellir cynnig bod un o nodweddion hynafol cynganeddion y ganrif honno wedi parhau'n ddigilio ynddynt. Y mae a wnelo'r ail fater ag arferiad lle y ceir cysondeb llwyr rhwng y cywyddau yn y dadansoddiad ac englynion y bedwaredd ganrif ar ddeg mewn perthynas â'r cynganeddion deoledig hyn. Wrth ymdrin â'r gynghanedd fraidd gyffwrdd, a'r groes a'r draws bengoll, nododd John Morris-Jones mai yn y llinell gyntaf o'r cwpled y digwyddant yn y cywyddau cynnar.[100] Ategir hynny gan dystiolaeth ein llawysgrifau.[101] Ond yng nghywyddau'r pedair llawysgrif y mae'r un patrwm i'w weld hefyd yn achos y sain bengoll; yn llinell gyntaf y cwpled y digwydd pob un enghraifft ac y mae hynny'n wir yn achos yr enghreifftiau o'r sain bengoll a geir yng nghywyddau Iolo Goch yn ogystal.[102] Wrth ymgadw rhag rhoi'r cynganeddion hyn yn ail linell y cwpled y mae'n amlwg ddarfod i'r Cywyddwyr cynnar fabwysiadu un o reolau'r englyn unodl union. Yn englynion Gruffudd ap Dafydd ap Tudur, Trahaearn Brydydd Mawr a Chasnodyn, ac yng ngwaith Gogynfeirdd diweddarach na hwy, yn llinell gyntaf yr esgyll, hyd y sylwais i, y digwydd y sain bengoll a'r cynganeddion deoledig eraill yn ddieithriad ac nid yn yr ail linell.[103] Gellir cymharu hyn â'r gynghanedd lusg a gyfyngwyd yn yr un modd er y bedwaredd ganrif ar ddeg i'r fraich gyntaf pan ddigwydd mewn cwpled o gywydd ac yn esgyll yr englyn unodl union.[104] Y mae'n bur amlwg fod a wnelo hyn oll â rhyw ddeddfu a fu ymhlith y beirdd naill ai yn niwedd y drydedd ganrif ar ddeg neu'n dra chynnar yn ystod y bedwaredd ganrif ar ddeg oblegid ni cheir unrhyw awgrym fod yr olaf o Feirdd y Tywysogion, Bleddyn Fardd (*fl.* 1258–84), yn cydnabod y rheol hon.[105] Ymhellach, y mae yr un mor amlwg fod y cyfyngu hwn ar y cynganeddion o dan sylw yn adlewyrchu twf un o egwyddorion canolog y gynghanedd gyflawn, sef yr angen i ateb y cytseiniaid o amgylch y prif acenion mewn trefn briodol.

Cymharu'r llawysgrifau

Hyd yma buom yn ymdrin â thystiolaeth testunau'r pedair llawysgrif fel cyfangorff, ond dichon y byddai profi bod gwahaniaethau o bwys ym mhatrwm y gynghanedd rhwng rhai o'r llawysgrifau hyn a'i gilydd yn ddarganfyddiad o wir bwys. Byddai dangos bod cyfran dda o'r cerddi yn *Gwaith Dafydd ap Gwilym* yn perthyn i haenau sy'n adlewyrchu arferion mydryddol tra gwahanol i'w gilydd yn gryn gefn i achos y rhai hynny sy'n sylfaenol amheus o'r ymdrech a wnaed gan Thomas Parry i sefydlu canon Dafydd ap Gwilym. Ond byddai darganfyddiad o'r fath hefyd yn gaffaeliad i'r rhai sy'n frwd dros adolygu gwaith Thomas Parry a mynd ati o'r newydd i ddidoli'r defaid oddi wrth y geifr.

Er imi ddangos uchod fod patrwm gwasgariad y gynghanedd sain yng nghyhyddau'r pedair llawysgrif fymryn yn wahanol i'r hyn a geir gan Iolo Goch, ac er imi awgrymu, yn eithriadol o betrus, y *gallesid* cymryd hynny fel arwydd fod cywyddau Dafydd a'i efelychwyr diweddarach eisoes yn gymysg ar dafod-leferydd y datgeiniaid erbyn canol y bymthegfed ganrif, y mae'n rhaid pwysleisio, unwaith y dechreuir cymharu'r pedair llawysgrif â'i gilydd, na chanfyddir unrhyw wahaniaethau arwyddocaol rhyngddynt. Nid nad oes yma rai mân wahaniaethau. Er enghraifft, a chymryd cywyddau'r llawysgrifau fel cyfangorff, gwelir bod rhyw ddau o bob tri ohonynt yn cynnwys enghreifftiau o'r cynganeddion deoledig. Eto, yn achos Peniarth 57 (rhan i) un cywydd allan o bump sy'n cynnwys cynghanedd o'r fath. A ellid awgrymu, felly, fod mwy o ddiweddaru wedi bod ar gynghanedd cywyddau'r llawysgrif hon wrth iddynt gael eu trosglwyddo ar lafar? Hwyrach, yn wir, y gellid, ond cyn rhuthro i gasgliad o'r fath y mae'n werth sylwi mai nifer fechan o gywyddau a geir yn y llawysgrif hon, a phrin fod hynny'n sail ddigonol ar gyfer dod i'r fath gasgliad. Yn yr un modd, y mae'r ffaith fod cynifer o linellau digynghanedd i'w cael yn Peniarth 54 yn ymddangos, ar yr olwg gyntaf, yn dra arwyddocaol. Ar gyfartaledd, rhyw un o bob chwech o holl gywyddau'r llawysgrifau sy'n cynnwys enghreifftiau o'r fath (llinell neu ddwy ym mhob cywydd a'r rheini ym mraich gyntaf pob cwpled yw'r patrwm arferol), ond yn Peniarth 54 ceir tuag un o bob tri, ac y mae yn y llawysgrif hefyd bum cywydd (rhifau 15, 22–5 yn nhabl 1C) gyda nifer anghyffredin o uchel ynddynt o freichiau digynghanedd. Gogleisiol yw'r ffaith fod pedwar o'r cywyddau hyn (sef 22–5), ynghyd â chywydd arall ac ynddo sawl llinell ddigynghanedd, sef cywydd i un o'r Brodyr Duon a briodolir i Fadog Benfras, yn ffurfio bloc yn y llawysgrif.[106] Y mae'n gwbl ddichonadwy nad yw llawysgrifau'r bymthegfed ganrif a'r unfed ar bymtheg yn adlewyrchu helaethder y breichiau digynghanedd a geid yng nghywyddau'r bedwaredd ganrif ar ddeg gan fod bylchau cynganeddol o'r fath, dros amser, wedi eu llenwi a'u cywreinio gan y datgeiniaid. Yn hynny o beth y mae tystiolaeth y darn cywydd a ddarganfu Dafydd Johnston ac Ann Parry Owen yn llawysgrif Peniarth 10 yn eithriadol o ddadlennol, oblegid fel y dangoswyd eisoes (nodyn 94) fe geir ymhlith y 25 llinell sy'n gyflawn ynddo 4 o linellau digynghanedd. Oni ellid dadlau, felly, fod prif law Peniarth 54, o leiaf yn achos y bloc hwn o gywyddau, wedi taro ar ryw ffynhonnell, un ysgrifenedig efallai, a ddiogelodd rai nodweddion mydryddol tra hynafol? Unwaith eto, serch hynny, fe dâl inni fod yn ochelgar. Nid ffenomen fydryddol bur mo'r arferiad o roi breichiau digynghanedd mewn cywydd, ac yn sicr ddigon, fel y sylwodd Thomas Parry, ni ellir cymryd bod cywydd ac ynddo lawer o freichiau di-gynghanedd wedi ei lunio, o angenrheidrwydd, yn gynnar yng ngyrfa Dafydd ap Gwilym cyn i'r mesur newydd ddod i'w lawn dwf.[107] Yn syml ddigon, gellir dadlau bod y cywyddau hyn – a sylwer bod 'Dan y Bargod', 'Y Don ar Afon Dyfi' a 'Merched Llanbadarn' yn eu plith – yn cynnwys nifer helaeth o linellau digynghanedd am eu bod yn glerwraidd eu hysbryd ac am fod ynddynt naill ai elfen storïol gref neu ddeialog.[108] Yn sgil hynny, ni raid rhagdybio bod y bloc hwn o gywyddau, o angenrheidrwydd, yn tarddu o ryw ffynhonnell ysgrifenedig gynnar gan y byddai'r datgeiniaid yn llenyddol effro i briod nodweddion cywyddau clerwraidd o'r fath ac yn osgoi'r demtasiwn i safoni'r gynghanedd ynddynt. Profir hynny i gryn raddau gan 'Rhybudd Brawd Du', cywydd arall sy'n cynnwys swrn o linellau digynghanedd er na ddiogelwyd mohono yn unrhyw un o'r llawysgrifau cynnar.[109]

Ni cheir, felly, unrhyw anghysondebau mawr oddi mewn i dystiolaeth y pedair llawysgrif, ac efallai nad yw hynny'n syndod o gofio bod y pedair wedi eu copïo o fewn ychydig ddegawdau i'w gilydd yn yr un rhanbarth. Buddiol, wrth reswm, fyddai mynd ati i gymharu'r dystiolaeth a geir ynddynt hwy â'r patrymau cynganeddol sydd i'w cael mewn llawysgrifau

136

eraill, ac fel y nodwyd yn barod, byddai cael adluniad o gynsail y *vetustus codex* yn gymorth mawr i gyflawni'r fath dasg. Y mae'n dra phosibl, unwaith yn rhagor, na ddeuid o hyd i wahaniaethau gwirioneddol arwyddocaol, ond byddai'r llafur yn sicr o ildio tystiolaeth ddefnyddiol y gellid ei chymharu â thystiolaeth ein pedair llawysgrif. Yn sicr ddigon, nid ofer o waith fu ymroi fel hyn i ddadansoddi'r gynghanedd yn y llawysgrifau cynharaf. Er enghraifft, er iddo ei gynnwys yn *Gwaith Dafydd ap Gwilym*, yr oedd Thomas Parry yn bur amheus o awduraeth y cywydd 'Y Fun o Eithinfynydd' a hynny, fe ymddengys, oherwydd ei arddull a'i eiriad syml.[110] Bellach, ar sail ein dadansoddiadau ni, gellir ychwanegu bod i'r cywydd hwn, a ddiogelwyd mewn llawysgrifau lled ddiweddar, rai hynodion mydryddol na cheir mohonynt yn y cywyddau cynharaf o eiddo Dafydd ap Gwilym a roed ar glawr. Ceir ynddo enghraifft gwbl reolaidd o'r gynghanedd groes o gyswllt, math ar gynghanedd na cheir enghraifft sicr ohoni yn nhestunau'r pedair llawysgrif. Yn fwy arwyddocaol efallai, ni cheir yn y cywydd yr un enghraifft o'r gynghanedd lusg, cynghanedd y ceir enghreifftiau ohoni ym mhob un testun a ddadansoddwyd yn y tablau uchod.

Safoni Cynghanedd

Yn y bennod hon yr ydym wedi nodi sawl tro fod tuedd ymhlith datgeiniaid a chopïwyr i safoni cynganeddion a ystyrid ganddynt hwy yn rhai gwallus. Mewn llawysgrifau o ail hanner yr unfed ganrif ar bymtheg ymlaen y gwelir olion hyn amlycaf, ac nid yn annisgwyl ceir sawl ymdrech i newid a 'chywiro' enghreifftiau o'r cynganeddion hynafol hynny a ddeolwyd yng Nghaerfyrddin yn 1451. Er enghraifft, yn nhestun rhif 8 yn nhabl 1B, sef fersiwn Peniarth 48 o'r cywydd sy'n dwyn y teitl 'Merch Fileinaidd' yn *Gwaith Dafydd ap Gwilym*, digwydd y llinell 'Ni chaf i hi oi hanvodd'. Yn llawysgrif Wynnstay 2 y darlleniad yw 'ni chaf ddyn lân o'i hanfodd', ac mae'n amlwg fod cynghanedd lusg wedi ei gosod yn y llinell hon gan yr ystyrid y sain bengoll a geir yn Peniarth 48 yn 'anghywir' erbyn dechrau'r ail ganrif ar bymtheg.[111] Y mae'n werth cofio bod y fersiwn o Statud Gruffudd ap Cynan a geir gan Siôn Dafydd Rhys yn ei Ramadeg yn nodi'n ddiamwys fod disgwyl i'r datgeiniad '[f]edru gossod yn iawn bôb hengerdh o'r a gapho ynghamm gann aralh', ac fel y crybwylla Einir Gwenllian Thomas ceir cyfeiriadau cyffelyb mewn testunau eraill.[112] Teg yw holi, gan hynny, a ellir canfod olion safoni yn y pedair llawysgrif a fu o dan y chwyddwydr yn y bennod hon. Yn yr un modd, gan i ni agor ein hymdriniaeth ym maes dyrys egwyddorion golygu testunau, buddiol yw holi ym mha fodd yr ymatebodd Thomas Parry i'r agwedd hon ar drosglwyddiad cywyddau'r Oesoedd Canol.

Yn gyntaf oll dylid nodi'n gwbl eglur nad John Morris-Jones mo Thomas Parry! Gŵyr y rhai sy'n gyfarwydd â'u *Cerdd Dafod* mai un o ffenomenâu digrifaf y gyfrol honno yw'r modd y ceryddir, ar dro, hyd yn oed feirdd y canrifoedd a fu am lacrwydd tybiedig eu celfyddyd.[113] Rheolau a chywirdeb oedd obsesiwn mawr Morris-Jones, ac anodd osgoi'r casgliad y byddai golwg bur wahanol ar *Gwaith Dafydd ap Gwilym* petai'r dasg o'i olygu wedi dod i'w ran ef.[114] Fel y gwelsom eisoes yn yr ymdriniaeth hon, yr oedd Thomas Parry yn gwbl effro i'r ffaith fod cyfnewidiadau wedi bod yng nghrefft cerdd dafod rhwng canol y bedwaredd ganrif ar ddeg ac ail hanner y bymthegfed, ac fel y noda'n gwbl eglur yn ei ragymadrodd yr oedd yn dra gochelgar o'r llawysgrifau hynny lle'r aed ati i geisio safoni a rheoleiddio'r gynghanedd.[115] Ac nid oes dim, mewn gwirionedd, sy'n profi'n eglurach nad oedd, mewn unrhyw fodd, yn glynu'n bedestraidd gaeth wrth ddeddfiadau digymrodedd Morris-Jones na'r nodyn pwysig, 'Pynciau Cynghanedd', a gyhoeddwyd yn 1939 ac yntau wrthi ar y pryd yn cywain deunyddiau ar gyfer ei olygiad (gw. nodyn 47 uchod). Drwy ganfod bod mwy o gytseiniaid gwreiddgoll yng ngherddi'r Cywyddwyr na'r hyn a nodir yn *Cerdd Dafod*, a thrwy sefydlu egwyddor bwysig y cytseiniaid perfeddgoll, profodd yn y nodyn hwnnw fod y gynghanedd yn llacach ei gwead nag y dangosodd ei hen athro gynt.

Nid yn annisgwyl, felly, gwelir bod ymdrech drwyadl wedi ei gwneud yn *Gwaith Dafydd ap Gwilym* i ddiogelu'r nodweddion hynafol neu afreolaidd (hynny yw, o safbwynt *Cerdd Dafod*) sydd i'w cael yng nghynghanedd ein pedair llawysgrif. Er hynny, ceir rhai llithriadau, ac y mae'r rheini, yn fwy na dim arall, yn adlewyrchu gwendidau'r dull cyfansawdd a'r ffaith fod Thomas Parry, ar brydiau, yn dibynnu'n ormodol ar ddarlleniadau llawysgrifau diweddar ar draul tystiolaeth llawysgrifau ail hanner y bymthegfed ganrif. Ystyrier y darlleniadau a ganlyn:

(1) Ni welo Mair ddyn geirsyth (GDG 72.31)
     Ni welo duw r dyn geirsyth (rhif 17/Peniarth 54)
     Ni welo Dduw ddyn gairsyth (rhif 45/Peniarth 49)

(2) Dau lygad swrth yn gwrthgrif (GDG 95.49)
     Dau lygad dyn yn gwrt[h]grif (rhif 41/Peniarth 49)

(3) Na ddylyud ddilëu (GDG 97.5)
     Ond na ddylit ddilëu (rhif 51/Peniarth 49)

(4) Melynu am ail Enid
     Y mae'r grudd, nid mawr y gwrid (GDG 105.7–8)

Melynu am ail luned
Y mae'r croen mawr yw na'm cred (rhif 53/Peniarth 49)

Yn achos (1) nid oes unrhyw un o'r llawysgrifau a rydd y darlleniad a geir yn *Gwaith Dafydd ap Gwilym* (cynghanedd lusg reolaidd) yn gynharach na'r ail ganrif ar bymtheg, ac y mae'n bur amlwg ei fod yn ddarlleniad a ddeilliodd o ryw ymdrech i safoni'r gynghanedd fraidd gyffwrdd yn Peniarth 49 a 54.[116] O droi at (2) gellid awgrymu mai cynghanedd draws bengoll a geir yn Peniarth 49, ac y mae'n werth nodi bod yr un darlleniad i'w gael hefyd yn Hafod 26, llawysgrif ac ynddi gerddi yn tarddu, fel y sylwasom, o ryw ffynhonnell a oedd yn gytras â'r *vetustus codex*. Da sylwi, yn ogystal, fod enghraifft o gynghanedd groes bengoll i'w chael yn yr un cywydd. Dichon mai'r ffaith fod calediad yn cael ei anwybyddu yn y darlleniad hwn (*dau / lygad dyn*) a barodd anhawster i Thomas Parry. Er hynny, gellid cadw'r darlleniad o ddadlau mai braich ddigynghanedd sydd yma (cf. rhif 40 yn nhabl 1Ch). Yn (3), hyd y gellir barnu oddi wrth ei amrywiadau, troes Thomas Parry am gymorth darlleniad llawysgrif o'r ddeunawfed ganrif (Peniarth 197), a hynny, mae'n ddiau, oherwydd diweddarwch y ffurf *dylit* yn Peniarth 49 a'r ffaith fod yn y llinell enghraifft o'r bai crych a llyfn. Ond, wrth wneud hynny, rhoes inni eng-hraifft ddigamsyniol arall o gynghanedd a safonwyd. Fel yr awgrymodd J. Lloyd-Jones gellid darllen *na ddlÿud* yn Peniarth 49, a rhoddai hynny naill ai cynghanedd groes wreiddgoll, neu enghraifft o groes o gyswllt gydag *n* wreiddgoll ac *n* berfeddgoll, er bod yr ail drywydd yn llai tebygol yn wyneb absenoldeb y groes o gyswllt yn ein llawysgrifau.[117] Dichon mai'r enghraifft fwyaf trawiadol o safoni yw (4). Yn achos ail fraich y cwpled hwn, gellid cynnig mai croes gyda dwy gytsain berfeddgoll olynol yw'r gynghanedd a geir yn Peniarth 49 ('Y mae'r croen / mawr yw *na'm* cred'). Ond wrth safoni'r gynghanedd hon bu'n rhaid newid dwy linell, gan gynnwys odl y cwpled, a throes Eluned yn Enid!

Mewn cyswllt â (4), pwysig yw sylwi nad yw darlleniad Peniarth 49 (Y Llyfr Gwyn) i'w gael mewn unrhyw lawysgrif arall. Yn wir, a barnu oddi wrth yr amrywiadau a roes John Davies ar ddiwedd y testun, ymddengys mai'r darlleniad a fabwysiadwyd gan Thomas Parry a geid yn y *vetustus codex*,[118] a chan ei fod i'w gael, yn ogystal, yn Hafod 26, gellir cynnig mai hwn hefyd oedd y darlleniad yn y cynsail y tarddai'r *vetustus codex* ohono (sef 'Cynsail y Gogledd' Thomas Parry). Onid rhesymol felly oedd rhoi ffafraeth iddo yn y testun golygedig? Eto, a bwrw am y tro fod yn rhaid i un o'r darlleniadau hyn fod yn 'gywir' a'r llall yn 'anghywir', a bod un, o angenrheidrwydd, wedi esgor ar y llall, y mae'n haws o lawer gennyf fi weld Peniarth 49 (Y Llyfr Gwyn) a'i gynghanedd afreolaidd yn rhoi bod i gwpled diwygiedig a gwahanol ei odlau nag i'r gwrthwyneb. O ran hynny, fe ellid cyfeirio at ragor o enghreifftiau o gynganeddion y mae lle cryf dros dybio eu bod wedi eu safoni yng nghynsail y *vetustus codex*:

(5)   mewn tywyllwg tew allan (rhif 93/Peniarth 54)
        Mewn tywyllwg tew allan (GDG 127.12)
        mewn tywyllwch maint allan (Peniarth 49/vc)

(6)   Nid oedd vnrryw deddf anrreg (rhif 19/Peniarth 54)
        Nid oedd unrhyw, deddf anrheg (GDG 131)
        Nid oedd vnrhyw dydd anrheg (Peniarth 49/vc)

(7)   a meistrawl ar wawl wiwgamp (rhif 19/Peniarth 54)
        A meistrawl ar wawl wiwgamp (GDG 131.24)
        A meistrawl ar wawl walamp (Peniarth 49/vc)

Yn y tair enghraifft fel ei gilydd y mae'r darlleniad 'diwygedig' i'w gael nid yn unig yn y cerddi a godwyd yn uniongyrchol o'r *vetustus codex* i Peniarth 49[119] ond hefyd yn Hafod 26,[120] a gogleisiol yw nodi yn achos (5) fod *m* ac *n*, fel yn (4) uchod, i'w cael yn olynol fel cytseiniaid coll yn y llinell yr aed ati i'w chywreinio.[121]

    Ond nid y *vetustus codex* a'i gynsail yn unig sy'n cynnwys enghreifftiau o safoni. Er bod (1), (2), (3) a (4) uchod yn dangos fel y diogelodd Llyfr Gwyn Hergest rai cynganeddion hynafol, sylwyd ar o leiaf un achos clir o'r Llyfr Gwyn yn safoni ac addasu, gyda'r *vetustus codex*[122] a Hafod 26 y tro hwn, fel y dengys y darlleniad yn *Gwaith Dafydd ap Gwilym*, yn cadw un o'r cynganeddion deoledig:

(8)   lle y mae galluau mwyeilch (rhif 52/Peniarth 49)
        Lle tew lletyau mwyeilch (GDG 119.33)

Yn yr un modd, o droi at y cywydd 'Dan y Bargod', cywydd ac ynddo sawl braich ddigynghanedd, gellir awgrymu mai enghraifft o safoni ar ran Peniarth 54 yw'r gynghanedd gyflawn a geir yno mewn llinell sy'n ddigynghanedd yn Hafod 26 ac yn nhestun *Gwaith Dafydd ap Gwilym*:

(9)   am oettydd a mi nyd *d*a (rhif 22/Peniarth 54)
        Ymaith fy meddwl nid â (GDG 89.43)

Dylwn brysuro i nodi nad yw'r enghreifftiau y cyfeiriwyd atynt yn yr adran hon mewn unrhyw fodd yn ffrwyth ymchwiliad systematig a thrwyadl o'r llawysgrifau o dan sylw. Ond o leiaf y mae yma ddigon o dystiolaeth i awgrymu bod olion safoni cynghanedd eisoes i'w gweld yng nghywyddau

Dafydd ap Gwilym pan ddechreuwyd eu rhoi ar glawr yn ystod ail hanner y bymthegfed ganrif.

Clo

'Textual criticism is a science, and, since it comprises recension and emendation, it is also an art.' Felly yr honnodd A. E. Housman un tro. Ond er iddo, yn yr un traethawd, fynd rhagddo i'n rhybuddio nad gwyddor gysáct mo gwaith yr ysgolhaig testunol, dengys ei eiriau fod ysbryd cynnydd oes Fictoria wedi ei gynysgaeddu yntau, fel holl blant ei oes, â ffydd ddihysbydd yng ngallu'r meddwl gwyddonol i goncro pob cyfandir deallusol.[123] Gyda'i feini prawf a'i ystadegau, y mae'r un hyder yn nodweddu *Gwaith Dafydd ap Gwilym*, ac ymglywir ynddo â'r un optimistiaeth wyneb yn wyneb ag anawsterau testunol yr ystyriai rhai eu bod yn gwbl anorthrech. Yr oedd nod y cyfraniad hwn o'm heiddo i yn llawer llai uchelgeisiol. Ni cheisiwyd symud yr anawsterau testunol. Ond, wrth roi'r parch dyladwy i'r llawysgrifau, o leiaf fe lwyddwyd i amlygu ambell i batrwm. Dichon y bydd rhai o'r materion mydryddol a drafodwyd o gymorth wrth fynd ati o'r newydd i ystyried canon Dafydd ap Gwilym, ond dangoswyd hefyd fod anawsterau lu yn wynebu'r sawl a fyn ganfod llais awdurol y tu hwnt i'r llawysgrifau cynharaf a thraddodiad hylifol y datgeiniad.

Nodiadau

[1] Crynhoir y prif egwyddorion yng nghyfrol dryloyw Paul Maas, *Textual Criticism*, cyf. Barbara Flower (Oxford, 1958).
[2] Jerome J. McGann, *A Critique of Modern Textual Criticism* (Chicago, 1983).
[3] Tim William Machan (gol.), *Medieval Literature: Texts and Interpretation* (Binghamton, New York, 1991); A. J. Minnis a Charlotte Brewer (gol.), *Crux and Controversy in Middle English Textual Criticism* (Cambridge, 1992); Vincent P. McCarren a Douglas Moffat (gol.), *A Guide to Editing Middle English* (Michigan, 1998).
[4] Jerry Hunter, 'Testun Dadl', *Tu Chwith*, 3 (1995), 81–5.
[5] *Selections from the Dafydd ap Gwilym Apocrypha*, gol. Helen Fulton (Llandysul, 1996).
[6] *Cywyddau Iolo Goch ac Eraill*, gol. Henry Lewis *et al.* (Bangor, 1925); *Cywyddau Dafydd ap Gwilym a'i Gyfoeswyr*, gol. Ifor Williams a Thomas Roberts (ail arg., Caerdydd, 1935); *Gwaith Guto'r Glyn*, gol. John Llywelyn Williams ac Ifor Williams (Caerdydd, 1939).
[7] *Gwaith Dafydd ap Gwilym*, gol. Thomas Parry (Caerdydd, 1952).
[8] Ddechrau'r ugeinfed ganrif rhoed bri neilltuol ar y dull cyfansawdd o olygu testunau gan yr ysgolhaig clasurol (a'r bardd) A. E. Housman, yn enwedig yn sgil ei olygiad o Manilius (ymddangosodd y gyfrol gyntaf yn 1903), gw. *The New Princeton Encyclopedia of Poetry and Poetics*, gol. Alex Preminger a T. V. F. Brogan (Princeton, New Jersey, 1993), 1275 s.v. Textual Criticism. Ceir adran hirfaith gan Housman ynghylch ei ddulliau golygyddol yn ei ragymadrodd, gw. *M. Manilii Astronomicon:*

Liber Primus, recensvit et enarravit A. E. Housman (ail arg., Cambridge, 1937), xxx–lxix.

[9] DGA xix–xx.

[10] DGA xxi–xxii.

[11] T. D. Crawford, 'The *Englynion* of Dafydd ap Gwilym', *Études Celtiques*, 22 (1985), 235–85; *idem*, 'Cyfartaledd y Gynghanedd Sain yng Nghywyddau Dafydd ap Gwilym', YB, 12 (1982), 131–42. Ni cheir englynion Dafydd ap Gwilym i'r Grog o Gaer yn GDG, ond gan mai Llawysgrif Hendregadredd yw eu hunig ffynhonnell, trafod tystiolaeth un llawysgrif yn hytrach na thestun cyfansawdd a wneir i bob pwrpas yng nghyfraniad Ann Parry Owen, 'Golwg Byr ar Fydryddiaeth Englynion Dafydd ap Gwilym i'r Grog o Gaer', *Dwned*, 1 (Hydref, 1995), 41–53.

[12] Yr un cwestiwn, ond mewn cyd-destun gwahanol wrth reswm, sydd wrth wraidd ymdriniaeth Derek Pearsall, 'Chaucer's Meter: The Evidence of the Manuscripts' yn Machan, *Medieval Literature*, 41–57.

[13] A. Cynfael Lake, 'Awduraeth Cerddi'r Oesoedd Canol: Rhai Sylwadau', *Dwned*, 3 (Hydref 1997), 63–71. Perthnasol hefyd yw sylwadau Nicolas Jacobs sy'n pwyso ar dystiolaeth o Gymru yn ei gyfraniad 'Kindly Light or Foxfire? The Authorial Text Reconsidered' yn McCarren a Moffat, *A Guide to Editing Middle English*, 7–9.

[14] GIG xxviii.

[15] Ymhlith yr eithriadau y mae 'Moliant Dafydd ap Cadwaladr o Fachelltref' o eiddo Dafydd Bach ap Madog Wladaidd, gw. *Gwaith Dafydd Bach ap Madog Wladaidd 'Sypyn Cyfeiliog' a Llywelyn ab y Moel*, gol. R. Iestyn Daniel (Aberystwyth, 1998), 13–20 (cerdd 1).

[16] Eurys I. Rowlands, 'Nodiadau ar y Traddodiad Moliant a'r Cywydd', LlC, 7 (1962–3), 222.

[17] D. J. Bowen, 'Dafydd ap Gwilym a Datblygiad y Cywydd', LlC, 8 (1964–5), 30 n218.

[18] GDG 396 (149.43–4); *Gwaith Guto'r Glyn*, 217 (LXXXII.45–8); D. J. Bowen, 'Tri Chywydd gan Hywel ap Dafydd ab Ieuan ap Rhys', *Dwned*, 5 (Hydref 1999), 77 (1.14); D. H. Evans, 'Cyfeiriad at Ddafydd ap Gwilym', B, 32 (1985), 156–7.

[19] Cf. sylwadau D. J. Bowen, 'Beirdd a Noddwyr y Bedwaredd Ganrif ar Ddeg', LlC, 17 (1992–3), 73: 'gall y darlleniadau amrywiol ar gyfer testunau o awdlau a chywyddau amgen na'r rhai a berthyn i gartrefi penodol adlewyrchu grisiau yn eu datblygiad wrth i fardd eu dwyn adref i wahanol neuaddau gwasgaredig, yn hytrach na bod yr amrywiadau o reidrwydd yn ganlyniad ymyrraeth datgeiniaid neu gopïwyr â'r fersiynau gwreiddiol.'

[20] Sylwer, er enghraifft, ar y gwahaniaethau yn achos rhifau 171–2 yn GLGC 377–80, 605–6. Y mae'r dystiolaeth i'w chael yn hygyrch hefyd yn *Gwaith Lewis Glyn Cothi*, gol. E. D. Jones, I (Aberystwyth, 1953).

[21] GP 17.

[22] Gw. sylwadau D. J. Bowen, 'Beirdd a Noddwyr y Bedwaredd Ganrif ar Ddeg', 92.

[23] Am y farn ddiweddaraf ar Robert ap Huw, gw Sally Harper (gol.), *Astudiaethau Robert ap Huw Studies* (Caerdydd, 1999). Perthnasol hefyd yw *idem*, 'Issues in Dating the Repertory of *Cerdd Dant*', SC, 35 (2001), 325–40. Caed ymdrech ddiddorol i ddatgan cerddi'r Cywyddwyr i gyfeiliant cerddoriaeth llawysgrif Robert ap Huw – ymdrech a oedd yn seiliedig ar lafarganu'r farddoniaeth fel bod curiadau'r gainc ac acenion y farddoniaeth yn cyd-daro – gan Meredydd Evans a Phyllis Kinney (darlith a draddodwyd yn y Ganolfan Uwchefrydiau Cymreig a Cheltaidd, 30 Medi 1999. Ceir recordiad o'r ddarlith yn Archif Genedlaethol Sgrin a Sain Cymru, Llyfrgell Genedlaethol Cymru, Aberystwyth). Wrth osod cywydd 'Y Ferch Anwadal', DGG 132–4 (LXXIII), i gyfeiliant Gosteg Dafydd Athro, rhannwyd y cywydd yn adrannau. Ond dylid pwysleisio mai trwyadl ddamcaniaethol oedd y gosodiadau. Fe wyddom, wrth gwrs, am ddulliau'r datgeiniad pen pastwn. Ond i gyfeiliant dyrnodau ei bastwn, yn hytrach na cherddoriaeth, y datganai ef gerddi'r beirdd yn ôl tystiolaeth Siôn Dafydd Rhys yn ei Ramadeg; gw. Einir Gwenllian Thomas, 'Astudiaeth Destunol o Statud

Gruffudd ap Cynan' (Ph.D. Prifysgol Cymru, Bangor, 2001), 837, a sylwadau Gwyn Thomas, *Eisteddfodau Caerwys* (Caerdydd, 1968), 64.

[24] Ar rannu'r cywydd deuair hirion yn adrannau neu benillion, ceir sylwadau petrus gan J. Glyn Davies ac ymdrech, yn ogystal, i olrhain gwahanol fathau o gyrch-gymeriad oddi mewn i'r mesur; gw. ei *Welsh Metrics* (London, 1911), 2–3, 49 a 57.

[25] Da cofio bod gosodwyr cerdd dant y cyfnod diweddar (hynny yw, canu penillion) yn creu fersiynau cwtogedig o awdlau meithion gan gyfuno gwahanol rannau yn ôl y galw. I ddibenion cymharol yn unig y nodaf hynny; am ddadleuon gwrthgyferbyniol ynghylch gwreiddiau a hynafiaeth canu penillion, gw. Osian Ellis, *The Story of the Harp in Wales* (Cardiff, 1991), 54–63, a chyfraniad Meredydd Evans yn y gyfrol *Gwŷr wrth Gerdd* (Rhuthun, 1981), 72–91.

[26] Gruffydd Fôn Gruffydd, 'Cerddi Taliesin Ben Beirdd y Gorllewin: Detholiad o Gerddi a Briodolir i Daliesin' (Ph.D. Prifysgol Cymru, Bangor, 1997).

[27] DGA xxv *et passim.*

[28] Gw. adolygiadau Huw M. Edwards, CMCS, 39 (Summer 2000), 82–4, a Dafydd Johnston, LlC, 21 (1998), 202–6.

[29] GP 118–24.

[30] Gw. sylwadau Thomas Parry yn Rhagymadrodd GDG cxl–cxli.

[31] Daniel Huws, 'Llawysgrif Hendregadredd', CLlGC, 22 (1981–2), 11–12 *et passim.* Adargraffwyd fersiwn Saesneg o'r un erthygl yn MWM 193–226. Golygwyd cyfran dda o'r testunau yn *Gwaith Llywelyn Brydydd Hoddnant, Dafydd ap Gwilym, Hillyn ac Eraill,* gol. Ann Parry Owen a Dylan Foster Evans (Aberystwyth, 1996).

[32] Yn fwyaf penodol, gwaith y pum bardd, Dafydd y Coed, Ieuan Llwyd fab y Gargam, Llywelyn Goch ap Meurig Hen, Madog Dwygraig a Meurig ab Iorwerth, a ganodd i Hopcyn ap Tomas (*c.*1330–*c.*1408) o Ynysforgan, y gŵr a gomisiynodd y llawysgrif yn ôl pob tebyg; gw. RBP col. 1267–80, 1301–11, 1330, 1359–61b, 1373–9, 1415. Am olygiadau o rai o'r cerddi hyn, gw. *Gwaith Dafydd y Coed a Beirdd Eraill o Lyfr Coch Hergest,* gol. R. Iestyn Daniel (Aberystwyth, 2002) a *Gwaith Llywelyn Goch ap Meurig Hen,* gol. Dafydd Johnston (Aberystwyth, 1998). Ceir arolwg o weithgaredd llenyddol Hopcyn gan Christine James, '"Llwyr Wybodau, Llên a Llyfrau": Hopcyn ap Tomas a'r Traddodiad Llenyddol Cymraeg' yn *Cwm Tawe,* gol. Hywel Teifi Edwards (Llandysul, 1993), 4–44.

[33] E. D. Jones, 'A Welsh *Pencerdd'*s Manuscripts', *Celtica,* 5 (1960), 17–27; Huws, MWM 61–3; GLGC xxvii–xxxiii; *Gwaith Dafydd Epynt,* gol. Owen Thomas (Aberystwyth, 2002), 2–6.

[34] John Morris-Jones, *Cerdd Dafod* (Rhydychen, 1925).

[35] Owen ac Evans, *Gwaith Llywelyn Brydydd Hoddnant,* 51–85 (4); GDG 44–7 (16); R. Geraint Gruffydd, '*Englynion y Cusan* by Dafydd ap Gwilym', CMCS, 23 (Summer 1992), 1–6.

[36] MWM 89–91.

[37] Seiliwyd cynnwys y paragraff hwn a'r nesaf ar sylwadau Daniel Huws (MWM 93–6) a cheir cyfeiriadau llyfryddol llawn yno.

[38] Diddorol yw sylwi mai tystio, tua'r un cyfnod, i boblogrwydd barddoniaeth Dafydd ap Gwilym mewn llysoedd yn ne-ddwyrain Cymru a wna Guto'r Glyn, Hywel Dafi a Ieuan Tew (gw. nodyn 18 uchod).

[39] GDG clxx.

[40] Argraffwyd 25, 39 a 47 yn DGA 93 (34), 103–5 (39), 131–3 (46).

[41] Collwyd diwedd rhif 13 yn Pen 48 a'r priodoliad o ganlyniad. Y mae'n werth nodi mai yn sgil dehongli tra llythrennol ar ran Thomas Parry y gwrthodir 25 a 39 (GDG clxxviii a clxxxii), ac y mae tystiolaeth y llawysgrifau yn bur gadarn o blaid Dafydd yn achos rhif 47 (GDG clxxv). Ymhellach ar y gerdd olaf, gw. *Gwaith Gruffudd Llwyd a'r Llygliwiaid Eraill,* gol. Rhiannon Ifans (Aberystwyth, 2000), 316.

[42] Sylwer hefyd fod fersiwn Pen 54 o'r cywydd wedi'i olygu gan Helen Fulton yn DGA 114–19 (42).

143

43 Sef 'Awdl i Ifor Hael', 'Mawl Llywelyn ap Gwilym' a 'Marwnad Llywelyn ap Gwilym', gw. GDG 13–15 (5), 31–3 (12), 34–9 (13).

44 Paratowyd y trawsysgrifiadau fel rhan o brosiect o dan nawdd Bwrdd Ymchwil y Celfyddydau a'r Dyniaethau (AHRB) i ailolygu gwaith Dafydd ap Gwilym. Rwy'n ddiolchgar i gyfarwyddwr y prosiect, Yr Athro Dafydd Johnston, am ganiatâd i weld rhywfaint o'r ymchwil ragarweiniol ar y llawysgrifau ac i Dr Sara Elin Roberts am sawl cymwynas. Am drawsysgrifiad printiedig o Pen 48, gw. Timothy Lewis, 'The Oldest Known MS. of the Poetry of Dafydd ap Gwilym', *Aberystwyth Studies*, 14 (1936), 35–51.

45 *Peniarth MS. 57*, transcribed by E. Stanton Roberts (Cardiff, 1921); *Peniarth 49*, copïwyd a golygwyd gan T. Parry (Caerdydd, 1929).

46 CD 151–2.

47 Thomas Parry, 'Pynciau Cynghanedd', B, 10 (1939–41), 1–5; D. J. Bowen, 'Cynganeddion Gruffudd Hiraethog', LlC, 6 (1960–1), 5–6.

48 Yng ngolwg Simwnt Fychan dichon mai cynghanedd draws fyddai hon. Yn y *Pum Llyfr Cerddwriaeth* y llinell 'Kwvert hardd mewn kyvair tec' yw'r enghraifft a gynigir ganddo o gynghanedd draws (GP 119). Ond sylwer nad yw ef yn crybwyll y cytseiniaid canolgoll o gwbl.

49 CD 181–4.

50 *Barddoniaeth Dafydd ab Gwilym*, o grynhoad Owen Jones (Owain Myfyr), William Owen (Dr W. Owen Pughe) ac Edward Williams (Iolo Morganwg), tan olygiad Cynddelw (ail arg., Liverpool, 1873).

51 GDG xciii–xcviii.

52 Mewn perthynas â (2), caed rhai ystadegau yn seiliedig ar englynion Dafydd ap Gwilym gan Crawford, 'The *Englynion* of Dafydd ap Gwilym', 257.

53 Cf. sylwadau Thomas Parry, 'Pynciau Cynghanedd', 2. Anghytunir â Saunders Lewis, 'Dafydd ap Gwilym', LlC, 2 (1952–3), 199–200, sy'n dehongli llinellau o'r fath fel cynganeddion croes o gyswllt. Gw. hefyd *Gwaith Gruffudd Hiraethog*, gol. D. J. Bowen (Caerdydd, 1990), liii–liv.

54 *Poems of the Cywyddwyr*, ed. Eurys I. Rowlands (Dublin, 1976), xlvii.

55 *Gwaith Dafydd Epynt*, 18.

56 Eurys I. Rowlands, 'Cynghanedd Lewys Môn', LlC, 4 (1956–7), 140–2.

57 Dafydd H. Evans, 'Ieuan Du'r Bilwg (*fl. c.*1471)', B, 33 (1986), 104–5.

58 Ar y sain o gyswllt a'r math hwn o gynghanedd, gw. CD 167–8.

59 CD 217.

60 GDG xcviii.

61 DGA xvi.

62 GLGC xxxiv–xxxv; Thomas, *Gwaith Dafydd Epynt*, 20–1.

63 GDG xcvii–xcviii.

64 Saunders Lewis, 'Dafydd ap Gwilym', 200; Crawford, 'Cyfartaledd y Gynghanedd Sain yng Nghywyddau Dafydd ap Gwilym', 141.

65 Thomas Parry, 'Dafydd ap Gwilym a'r Cyfrifiadur', YB, 13 (1985), 120–2.

66 Eurys Rolant, 'Arddull y Cywydd', YB, 2 (1966), 39–45.

67 Gruffydd Aled Williams, 'Adolygu'r Canon: Cywydd arall gan Iolo Goch i Owain Glyndŵr', LlC, 23 (2000), 39–71.

68 Rolant, 'Arddull y Cywydd', 39–40 (ond ni nodir yn glir ai'r cymedr a gynrychiolir gan y ffigwr hwn).

69 Crawford, 'Cyfartaledd y Gynghanedd Sain', 132.

70 Ceir llinellau digynghanedd yn rhifau 10, 22 a 15. Ac anwybyddu'r rheini, byddai cyfartaledd y gynghanedd sain fel a ganlyn: 15.8 y cant, 22.6 y cant a 30 y cant.

71 *Gwaith Siôn Ceri*, gol. A. Cynfael Lake (Aberystwyth, 1996), 13; *Gwaith Huw ap Dafydd ap Llywelyn ap Madog*, gol. *idem* (Aberystwyth, 1995), 9; *Gwaith Mathau Brwmffild*, gol. *idem* (Aberystwyth, 2002), 9.

72 Rowlands, 'Dadansoddiad o Gynghanedd Lewys Môn', 136; Roy Stephens, 'Mydryddiaeth Cerddi Wiliam Llŷn', YB, 15 (1988), 97.

[73] *Gwaith Siôn ap Hywel ap Llywelyn Fychan*, gol. A. Cynfael Lake (Aberystwyth, 1999), 8–9.

[74] Daw'r ystadegau mewn perthynas ag Iolo Goch a Lewys Glyn Cothi o ddwy ffynhonnell: Dafydd Johnston, 'Gwaith Iolo Goch' (Ph.D. Prifysgol Cymru, Aberystwyth, 1984), 68, a Gruffydd Aled Williams, 'Adolygu'r Canon', 51.

[75] Cf. sylwadau Eurys Rowlands yn *Gwaith Owain ap Llywelyn ab y Moel* (Caerdydd, 1984), xiv.

[76] GLM 335–6 (XCII); 339–40 (XCIV). Ond fel y nodir yn Rowlands, 'Cynghanedd Lewys Môn', 136–7, nid yw patrwm y cynganeddu yn unffurf yng nghywyddau serch Lewys, a cheir cerddi lle mae nifer y cynganeddion sain yn sylweddol is, er enghraifft GLM 341–2 (XCV). Ceir hefyd ymhlith cerddi Siôn Ceri un cywydd serch a nifer y cynganeddion sain ynddo yn sylweddol uwch nag yn ei gywyddau eraill, Lake, *Gwaith Siôn Ceri*, 14, ac y mae enghreifftiau cyffelyb i'w cael ymhlith cerddi serch Siôn ap Hywel, gw. Lake, *Gwaith Siôn ap Hywel*, 10–12.

[77] *Cywyddau Serch y Tri Bedo*, gol. P. J. Donovan (Caerdydd, 1982), 2–3 (II), 25–6 (XIX), 38–9 (XXIX), 49–51 (XXXVIII). Y mae dosbarthiad y gynghanedd sain yn y cywyddau eraill fel a ganlyn: 1–10 y cant (8); 10–20 y cant (20); 20–30 y cant (9).

[78] Daniel, *Gwaith Dafydd Bach ap Madog Wladaidd*, 29–30 (5).

[79] Cf. sylwadau Eurys Rolant, 'Arddull y Cywydd', 41.

[80] CD 170–1.

[81] *Poems of the Cywyddwyr*, xlvii; gw. hefyd ei gyfraniad 'Cynghanedd, Meter, Prosody' yn A. O. H. Jarman a Gwilym Rees Hughes (gol.), *A Guide to Welsh Literature*, 2 (Swansea, 1979), 216.

[82] Mae'r canrannau hyn yn seiliedig ar yr ystadegau a geir yn Stephens, 'Mydryddiaeth Cerddi Wiliam Llŷn', 95–6.

[83] Lake, *Gwaith Siôn Ceri*, 13; *idem, Gwaith Siôn ap Hywel*, 8. Ceir hefyd ddwy enghraifft o'r sain gadwynog ac un sain drosgl yng ngwaith Mathau Brwmffild, gw. *idem, Gwaith Mathau Brwmffild*, 9.

[84] GP 119.

[85] CD 187–8.

[86] Gw. Johnston, 'Gwaith Iolo Goch', 81.

[87] Sef cerddi 3, 7, 9, 10, 11, 16 a 19 yn Owen ac Evans, *Gwaith Llywelyn Brydydd Hoddnant*.

[88] Cerddi 1–5 (Gruffudd ap Dafydd ap Tudur), 8, 9, 12, 13 (Gwilym Ddu o Arfon) yn *GGDT*; cerddi 1–3, 6–9 ac 11 yn GC. Y mae'r ffigyrau fel a ganlyn yn achos rhai o'r Gogynfeirdd eraill: Sefnyn, 0/10, Rhisierdyn, 0/10, Gruffudd Fychan, 3/28 (10.7 y cant), gw. cerddi 2, 6, 7, 10 a 12 yn *GSRh*; Llywelyn Goch ap Meurig Hen, 0/15, gw. cerddi 1, 3–6 yn *GLlG*; Dafydd y Coed, 6/47 (12.8 y cant), gw. cerddi 2, 3, 5–11 yn *GDC*, 6/35 (17.1 y cant), gw. cerddi 1, 3, 5, 6, 8, 10 ac 11 yn *GPB*.

[89] Cerdd 4 yn Owen ac Evans, *Gwaith Llywelyn Brydydd Hoddnant*; Gruffydd, 'Englynion y Cusan', 4.

[90] Y mae'r ffigwr hwn yn seiliedig ar yr ystadegau ar geir yn Crawford, 'The *Englynion* of Dafydd ap Gwilym', 251 a 260.

[91] Rolant, 'Arddull y Cywydd', 45. Ar berthynas yr englyn unodl union â'r cywydd deuair hirion, gw. Ifor Williams, 'Dafydd ap Gwilym a'r Glêr', THSC (1913–14), 176–9.

[92] Owen, 'Golwg Byr ar Fydryddiaeth', 52.

[93] Tom Parry, 'Datblygiad y Cywydd', THSC (1939), 218.

[94] Y mae'n werth nodi, er hynny, fod cyfartaledd y gynghanedd sain yn bur uchel yn y darn cywydd a ddarganfu Dafydd Johnston ac Ann Parry Owen yn llawysgrif Peniarth 10. Dyma gywydd serch tra chynnar a roed ar glawr yn ystod hanner cyntaf y bedwaredd ganrif ar ddeg. O blith y 25 llinell sy'n gyflawn, y mae 16 yn cynnwys cynghanedd sain, a da cofio bod 4 llinell yn ddigynghanedd, gw. Dafydd Johnston ac Ann Parry Owen, 'Tri Darn o Farddoniaeth yn Llawysgrif Peniarth 10', *Dwned*, 5 (1999), 35–45. Ceir tri chwpled yn y cywydd i Fefeddus a gofnodwyd yn nhrydedd haen

Llawysgrif Hendregadredd, a cheir ynddo gynganeddion croes (3), sain (2) a llusg (1); ymhlith 8 llinell y cywydd pos yn yr un llawysgrif, ceir cynganeddion croes (2), traws (2), traws wreiddgoll (1) a sain (3), gw. Owen ac Evans, *Gwaith Llywelyn Brydydd Hoddnant*, 149 (13) a 154 (15).

[95] Dyma ganran y gynghanedd sain yn esgyll englynion y Gogynfeirdd uchod y gellir bod yn lled hyderus ynghylch eu dyddiadau (gw. nodiadau 87 ac 88 am y ffynonellau): Llywelyn Brydydd Hoddnant et al. (*c.*1325– *c.*1350), 86.4 y cant (57/66); Gruffudd ap Dafydd ap Tudur (*fl. c.*1300), 67.2 y cant (39/58); Gwilym Ddu o Arfon (*fl. c.*1316–18), 86.4 y cant (57/66); Casnodyn (*fl. c.*1316–*c.*1350), 92.5 y cant (148/160); Sefnyn (*fl. c.*1350–*c.*1382), 33.3 y cant (4/12); Rhisierdyn (*fl.* 1360–1400), 55.5 y cant (10/18); Gruffudd Fychan (*fl.* 1350–75), 38.4 y cant (28/74); Llywelyn Goch ap Meurig Hen (*fl.* 1350–90), 50 y cant (15/30); Dafydd y Coed (*fl.* 1350–1400), 43.5 y cant (47/108).

[96] Cynigia Ann Parry Owen y flwyddyn 1335 fel dyddiad posibl ar gyfer yr englynion 'I'r Grog o Gaer', gw. ei herthygl 'Englynion Dafydd Llwyd ap Gwilym Gam i'r Grog o Gaer', YB, 21 (1996), 35 a 36.

[97] Am ddisgrifiad o'r cynganeddion hyn, gw. CD 184–7. Gan gynnwys y sain bengoll, gwelir bod enghreifftiau o'r cynganeddion deoledig i'w cael mewn 41 o'r testunau.

[98] Johnston, 'Gwaith Iolo Goch', 80–1.

[99] Sef englynion y beirdd a restrir yn nodyn 95.

[100] CD 185–6.

[101] Yn ail fraich y cwpled y digwydd *mewn tywyllwg tew allan* (rhif 29 yn nhabl 1C), ond efallai yr ystyrid hon yn gynghanedd draws gan mai *m* ac *n* a hepgorir, cf. *Myn dail gwŷdd a delw y gog* (Bedo Brwynllys), Donovan, *Cywyddau Serch y Tri Bedo*, 34 (XXVII.20), a gw. sylwadau D. J. Bowen yn *Gwaith Gruffudd Hiraethog*, lv–lvi a nodyn 47 uchod. Y mae *Da gwyr i ddrem gelu ddrwg* (rhif 48 yn nhabl 1Ch) hefyd i'w chael yn yr un safle, ond gan fod yn y cywydd lle y digwydd rai llinellau digynghanedd efallai mai trawiad damweiniol sydd yma. Yr unig wir eithriad, o ran ei safle, yw'r llinell *Calon serchog syberw fydd*, sef llinell glo cywydd 'Y Cleddyf' (rhif 60 yn nhabl 1Ch).

[102] Yn ail fraich y cwpled y digwydd *O law ilaw loyw eilun* (rhif 36). Awgryma'r cysylltnodau a ychwanegodd Thomas Parry, *O-law-i-law, loyw eilun*, gw. GDG 255 (93.30), mai sain bengoll ydyw. Ond dichon fod y copïydd yn nes ati o ran cyfleu aceniad yr ymadrodd *o law i law* (= o law ilaw) a'i bod yn ddiogel casglu mai cynghanedd groes sydd yma; ar aceniad ymadroddion adferfol o'r fath, gw. sylwadau John Morris-Jones, WG 62–3.

[103] Gw., er enghraifft, Costigan *et al.*, *Gwaith Gruffudd ap Dafydd ap Tudur*, 17 (4.35), 108 (12.7, 15, 19), 110–12 (13.3, 11, 31, 39, 91); GC 18 (1.39), 23–4 (2.15, 39), 35 (3.7, 11), 46–7 (6.27, 43, 51), 80–2 (11.87, 143, 147, 151, 155). Cf. hefyd sylw cynnil Crawford, 'The *Englynion* of Dafydd ap Gwilym', 260 n87.

[104] Gw. sylwadau Huw Meirion Edwards yn *Gwaith Prydydd Breuan*, 36, lle'r amodir rhywfaint ar sylwadau Morris-Jones, CD 180–1.

[105] Gw. CBT VII, 45.28, 47.20, 49.4, 16, 20, 51.16, 56.28. Am arolwg meistraidd o gynganeddion Bleddyn, gw. Rhian M. Andrews, 'Cynganeddion Bleddyn Fardd', SC, 28 (1994), 117–52.

[106] Daw'r cywydd a dadogir ar Fadog rhwng rhifau 23 a 24 yn nhabl 1C, gw. RMWL, I, 411. Ceir golygiad o'r testun yn DGA 11 (4).

[107] Parry, 'Datblygiad y Cywydd', 214.

[108] Am sylwadau ar y llinellau digynghanedd yn 'Merched Llanbadarn', gw. D. J. Bowen, 'Cywydd Dafydd ap Gwilym i Ferched Llanbadarn a'i Gefndir', YB, 12 (1982), 111–12. Cofier, serch hynny, nad oes na naratif na deialog yn y cywydd a ddiogelwyd yn Peniarth 10 (gw. nodyn 94 uchod).

[109] GDG 366–7 (138).

[110] GDG 153–4 (57), a'r nodyn ar y gerdd (t. 490).

[111] Gw. yr amrywiadau yn GDG 275.

[112] Thomas, 'Astudiaeth Destunol o Statud Gruffudd ap Cynan', 66, 837. Yn y testun a geir yn BL 15,038 (*c.*1575) dywedir bod disgwyl i'r datgeiniad 'wybod a fydd pennill o

gowydd yn ei le, a medry i rroi yn i lle oni byddant [*sic*]'; gw. ibid., t. 778. Gan fod i *pennill*, erbyn ail hanner yr unfed ganrif ar bymtheg, ystyron ehangach na 'llinell' (gw. GPC 2754), y mae'n ymddangos nad sôn am drwsio cynghanedd y mae'r cyfarwyddyd hwn, ond ei fod yn ymwneud yn hytrach â rhoi cwpledi mewn trefn briodol, rhywbeth sy'n dra pherthnasol i'r materion a drafodwyd yn rhan gyntaf yr ymdriniaeth hon.

[113] Gw., er enghraifft, CD 59, 81–2.

[114] Ceir sylwadau dadlennol ynghylch ei barch eithafol at 'reolau' mewn ysgrif goffa gan Ifor Williams, 'Syr John Morris-Jones', *Y Traethodydd* (1929), 148.

[115] GDG cvi–cvii, cxl–cxli.

[116] Y mae'n werth nodi mai darlleniad Peniarth 54 a geir yn DGG 11 (VI.29).

[117] G 423 s.v. *dylÿu*.

[118] Parry, *Peniarth 49*, 86.

[119] Ibid., 119 (79.12) a 134 (89.3, 21).

[120] Gw. yr amrywiadau yn GDG 338 a 350.

[121] Gw. y sylwadau uchod (nodyn 101).

[122] Gw. yr amrywiadau ar ddiwedd y testun yn Parry, *Peniarth 49*, 85.

[123] A. E. Housman, *Collected Poems and Selected Prose*, gol. Christopher Ricks (London, 1988), 325.

6

Cadair Ceridwen

MARGED HAYCOCK

Yn niwedd y bedwaredd ganrif ar ddeg, canodd Iolo Goch gywydd marwnad dychanol a lliwgar i Hersdin Hogl. 'Cymeriad stoc cellweirus' oedd y 'ddiefles' hon, fe ymddengys,[1] ac y mae'r darlun ohoni'n tynnu ar fotifau gwrthfenywaidd cyfarwydd wrth ddyfalu'n ffiaidd ei chorff hagr, heintus, a'i natur fwyteig. Nid syndod iddi baru â chymar llawn mor ddieflig â hi ei hun, ac iddi gael ei chladdu yn sŵn diasbedain 'ei hudffat a'i throedffust' a hithau'n 'widdon geuffrom' a fu fyw yn hir, meddir, 'yn oes hen Geridfen gynt'.

Yn gynharach yn y bedwaredd ganrif ar ddeg, bu ysgrifwr medrus yn copïo rhyw drigain o gerddi i gasgliad enwog Llyfr Taliesin.[2] Yn eu plith y mae sypyn o gyfeiriadau at 'hen Geridfen' bondigrybwyll, ynghyd â cherdd, 'Cadair Ceridwen' (BT 35.20–36.22), y mae o leiaf ran ohoni'n edrych ar yr olwg gyntaf fel ymson gan y cymeriad ei hun. Yn y bennod hon ceisir dehongli'r gerdd gyda chymorth ei chyd-destun llawysgrifol, gan ystyried union hyd a lled y traddodiadau am Geridwen yn ystod yr Oesoedd Canol. Mae geiriau'r Athro Caerwyn – 'Byddai'n werth ichwi *ystyried* rhai o'r posibiliadau eraill' – yn dod i'r meddwl yn aml, ac yn yr ysbryd hwnnw y ceisiaf holi ymhellach am hynt Ceridwen (ac Afagddu yntau) ac am y berthynas gymhleth rhwng rhai o gerddi Llyfr Taliesin a gwaith llenorion eraill hyd at y Dadeni.

Wrth chwilio am enghreifftiau pellach o enw Ceridwen yng ngwaith cywyddwyr y bedwaredd ganrif ar ddeg a'r bymthegfed, syndod braidd oedd canfod nad oedd yr un ohonynt yn ei chrybwyll wrth ei henw. Casnodyn ynghyd â'i gyfoeswr iau, Iolo Goch, yw'r beirdd hysbys diweddaraf i wneud hynny yn yr Oesoedd Canol. Mae'n wir fod amryw o'r Cywyddwyr yn sôn am ferw'r 'pair awen' fel y mae yna gyfeirio droeon at episodau yn hanes Taliesin, yn enwedig ei lwyddiant yn trechu beirdd mewn gornest ac yn rhyddhau ei noddwr Elffin drwy rym ei eiriau. Profodd y rhan hon o'r stori yn ddefnyddiol pan fynnai bardd bwysleisio gwerth ei wasanaeth i'w noddwr, neu ddymuno adferiad iddo ac yntau'n sâl neu yngharchar. Er enghraifft, gwnaeth Gwilym ab Ieuan Hen gyfeiriad pwrpasol at yr episod hon wrth gwyno carchariad Henri ap Gwilym ac Owain Llwyd yn Harlech:[3]

> O wawd Taliesin a'i waith
> [Y]'i tynnwyd o'i wart unwaith . . .
> Drwy ngherdd, o gwna Duw erddi,
> Felly dêl fy llewod i.

Ond ymddengys, erbyn y bedwaredd ganrif ar ddeg a'r bymthegfed ganrif, fod gwŷr wrth gerdd yn gynyddol gyndyn i'w cysylltu eu hunain, drwy eu heicon, Taliesin, â dewindabaeth, ymrithiadau hynod a hocws-pocws gwrachïod uwchben 'hudffat'.[4] Yn hytrach fe bwysleisia cyfeiriadaeth y Cywyddwyr diweddar – er mor deligraffig ydyw – mai â dysg a doethineb a dilysrwydd yr oedd a wnelai awen Taliesin. Nodwn yn y cyswllt hwn gywydd marwnad i'r bardd Siôn Tudur *c*.1602, sy'n crybwyll, fel y gwna'r marwnadau eraill iddo, ei dras ddeallusol (Ofydd ac Erasmus, yn ogystal â Dafydd ap Gwilym, Tudur Aled ac Ieuan Deulwyn): datgenir yma mai 'ffrwd bur' oedd tarddle 'puriaith' berffaith ac awen Siôn, 'nid pair Ceridwen'.[5]

Enw Ceridwen: ffurfiau ysgrifenedig

Defnyddio ffurf fodern arferedig yr enw a wneir yn nheitl ac yng nghorff y drafodaeth hon gan fod cryn ansicrwydd ynglŷn â'r ffurf wreiddiol ac am y tarddiad. Nodir i ddechrau yn eu trefn gronolegol y ffurfiau a geir gan ysgrifwyr y 'Five Ancient Books' a Peniarth 3.

Llyfr Du Caerfyrddin c.1225–50: Kyrridven.[6] Yn y system orgraffyddol hon mae <v> yn dilyn <d> yn cynrychioli'r sain *v*: cymh. *advit* (adfydd), *lledvegin* (lledfegin). Amwys yw'r llythyren <i> yn y goben: naill ai *i*, neu *y*-dywyll fel a geir yn *llauuridet* (llawfrydedd); *ridid* (rhyddid); *pridit* (prydydd).[7]

Peniarth 3 c.1250–1300: Kyrrytuen.[8]

Llawysgrif Hendregadredd: Kyrriduen[9] a ysgrifennwyd gan Law Alpha (*c*.1300): *v* yw gwerth <u> sy'n dilyn <d> yn gyson (cymh. *cludueird*, f. 110[r]). *Kyrriduen*[10] a geir gan Law J hefyd (1300–25) (cymh. *pryduerth*, etc.).

Llyfr Taliesin c.1300–50: Tair ffurf wahanol a geir yma, sef *Cerituen* BT 27.14; *Kerrituen* BT 35.21–2 (teitl); a *Kerritwen* BT 33.10. Yn wahanol i'r ysgrifwyr uchod, mae hwn yn defnyddio <t> o flaen cytsain ar ganol gair i gynrychioli *d* (er enghraifft *hutlath* 28.26; *atuyd* 11.2; *atvi* 16.12; *atui* 16.13,14,15;[11] *katueirch* 17.15; *katuaon* 24.2–3; *troetued* 25.1).[12] Defnyddir <t> am *d* o flaen y lledlafariad *w* hefyd, a gynrychiolir gan y llythyren <w> (er enghraifft *getwided* 36.19; *ketwyr* 35.15; *tytwet* 37.7; *atwen* 43.16; *katwo* 35.14; *detwyd* 36.1).[13] Mae'n ddiogel cymryd, felly, mai *-fen* yw'r terfyniad a fwriedid gan <-uen> yn y ddwy enghraifft gyntaf.[14] Gwahanol ydyw yn achos *Kerritwen* BT 33.10 (yn odli ag *ogyrwen*, gair a drafodir isod, tt. 154–5). Os *-fen* yw'r terfyniad tebycaf, fel yr awgryma'r dystiolaeth uchod, beth sydd i gyfrif am y ffurf <-wen>? Cyfarwydd yw'r amrywiad achlysurol *u ~ v* rhwng llafariaid (er enghraifft *cawod > cafod*);[15] a rhwng *v ~ u* ar ôl *r-* (er enghraifft *Corfaen > Corfen > Corwen*; *Iorferth ~ Iorwerth*; *Serfan ~ Serwan*). Dywed Jackson fod yr amrywio hwn, pan fo'n dilyn cytsain, wedi'i gyfyngu bron yn gyfan gwbl i safleoedd ar ôl *l-*, *r-*, ac *n-*.[16] Noder, fodd bynnag, sylw Ifor Williams fod modd olrhain yr enw lle *Blodwel*, *Blodwol* i *Blodfol*.[17] A ddarfu i'r ysgrifydd (neu i un o'i ragflaenwyr) gamfoderneiddio <-uen > neu <-ven> yn ei gynsail efallai wrth gael ei lygad-dynnu gan derfyniad y gair *ogyrwen* yn y llinell ddilynol?[18] Neu ynteu, fel sydd debycach, ai drwy gydweddiad â'r mynych enwau merched yn terfynu â *gwen* (er enghraifft *Olwen*, *Gallwen*, *Garwen*, *Tangwen*)[19] y cafwyd y ffurf?

Llyfr Coch Hergest c.1400: *Kerituen*[20] yw'r ffurf a ysgrifennwyd gan Hywel Fychan (sy'n defnyddio <w> ar gyfer y lledlafariad, er enghraifft *bratwenn* RBP 1242.1). *Kyrrituen*[21] sydd gan Law C (cymh. *etuynt* RBP 1429.39).

Awgryma'r holl ffurfiau uchod ac eithrio un (BT 33.10) mai *-fen* oedd y terfyniad a ddeellid gan gopïwyr y drydedd ganrif ar ddeg a'r bedwaredd ar ddeg. At hynny, ysgrifennir <-rr-> fel arfer, er nad bob tro. Gwelir gwahaniaethau yn y llafariad gyntaf hefyd: <e> yn ddieithriad yn Llyfr Taliesin, yn wahanol i bob un o'r lleill ac eithrio Hywel Fychan. A oedd hyn yn adlewyrchu amrywiad seinegol yn yr enw? O flaen sain drwynol fel arfer y ceid *e* ac *y* (ac *a*) yn amrywio (er enghraifft *cenllysg/cynllysg*; *kyntaf/kentaf/kantaf*; *ymyll/emyl*),[22] neu ynteu mewn elfennau a gynhwysai sain drwynol yn wreiddiol (megis *cysefin/cesefin*). Ond dengys parau fel *ger/gyr*; *cewilydd/cywilydd*, *llewenydd/llywenydd*, *cedymdaith/cydymdaith* nad oedd y fath amrywio'n gyfyngedig bob tro i'r safleoedd hynny. Mentrwn reswm gwahanol eto dros yr amrywio: o realeiddio llafariad lusg rhwng *c* ac *r*, gan dybio am funud fod yr enw gwreiddiol yn cychwyn â *Cr-* (gw. isod, t. 153), gellid <e> ochr yn ochr ag <y>.[23]

Ar y llaw arall, a allai fod yr amrywio rhwng <e> ac <y> yn fwy arwynebol na hynny, ar lefel yr orgraff yn hytrach nag ar lefel y sain?

Golygai hynny fod y sillafiadau yn <e> wedi deillio o ffurfiau ysgrifenedig lle safai <e> am y sain dywyll *y*. Ceir ffurfiau tebyg yn Llyfr Aneirin a llawysgrifau eraill o'r drydedd ganrif ar ddeg (er enghraifft *bedin* = byddin; *Kenon* = Cynon; *evei* = yfai), yn ogystal ag yn ambell un o'r glosau Hen Gymraeg (er enghraifft *cemecid* = cyfegydd; *remedaut* = rhyfeddod; *creman* = cryman; *leder* = llythyr).[24] Ond anarferol ydynt yn system orgraff Llyfr Taliesin,[25] ac mae'n anodd credu nad *Cer-* a fwriadwyd gan yr ysgrifydd hwn, fel yn achos Hywel Fychan yntau yn y Llyfr Coch. Serch hynny, ni allwn gau allan y posibilrwydd fod a wnelo hyn â chynsail lle safai <e> am *y*-dywyll. Mae hynny'n arwain wedyn at gynnig gwrthwyneb: bod <e> gychwynnol (hynny yw, Ceridfen) wedi'i chamfoderneiddio gan rywrai mwy esgeulus na'i gilydd a dybiai mai *y* oedd gwerth <e>. *Mutatis mutandis*, gallwn holi set debyg o gwestiynau am *i versus y* ynghanol yr enw: amwys yw sillafu'r Llyfr Du, ond *y* yn bendant a geir yn ffurf Peniarth 3.

Trown at y dystiolaeth ddiweddarach. Ysywaeth, nid oes cynghanedd yn y llinell o waith Iolo Goch a ddyfynnwyd ar ddechrau'r bennod, ac y mae'r copïau cynharaf o'r cywydd (15g.–17g.) yn tystio i gryn ansefydlogrwydd neu amrywio yn ffurf yr enw, awgrym efallai nad oedd ei darddiad yn glir (yn wahanol i enw Taliesin, er enghraifft). *Cereidven* a geir yn y copi hynaf (Peniarth 54, ail hanner y 15g.), eithr yn yr unfed ganrif ar bymtheg ceir *Cyridven*, *[C]erridwen*; *Caridwen* (gan Roger Morris), *Cridwen* (gan John Jones, Gellilyfdy); a *Cridfen* yng nghopi Wiliam Bodwrda (17g.).[26] Nodwn hefyd dystiolaeth y darnau hynny o farddoniaeth lai swyddogol a gynhwyswyd gan Elis Gruffydd a Roger Morris yn eu fersiynau rhyddiaith o 'Ystoria Taliesin' (canol a diwedd yr 16g.), cerddi a oedd hefyd yn cylchredeg yn eang heb ffrâm y stori ryddiaith mewn llawysgrifau o'r Dadeni ymlaen.[27] Y ffurf *K*/*Ceridwen* a ddefnyddir gan Elis Gruffydd yn y cerddi fel yn yr adran ryddiaith, 'Ystoria Gwion Bach'; felly hefyd David Parry (NLW 6209E) yn ei gopi o'r testun hwnnw. Ond *Cariduen* (= -wen) a geir yn y fersiwn o'r episod gan Roger Morris (NLW 1553A), sef yr un sillafiad ag yn ei gopi o gywydd Iolo Goch. Fersiwn Morris oedd ffynhonnell copi John Jones yn Peniarth 111, tt. 1–12 (lle defnyddir y sillafiad *Karidwen*), ond yng nghopi Jones o'r gerdd 'Tewch chwi bosfeirdd' yn nes ymlaen yn y llawysgrif (t. 370), ceir 'yn llys Geridwen'. Ceir *Caridwen* yn Llanstephan 18 (Moses Williams), eto o ffrwd Roger Morris, a *Karidwen* drachefn yn Peniarth 66 (16g.), t. 77. *Keritwen* a geir yn y triawd diweddar yn Peniarth 47iii (canol y 15g.).[28]

Enw Ceridwen: tarddiadau

Yn ei ddarlith O'Donnell cynigiodd Ifor Williams mai *Cyrridfen* oedd y ffurf wreiddiol, gan gellwair mai 'cam ofnadwy . . . oedd troi ei henw'n Geridwen'.[29] Dewisodd ei tharddu o *cwr(r)* a ddeallai yma i olygu 'rhywbeth cam' + *ben*, efallai yng ngoleuni ei ymdriniaeth flaenorol â Chyrwen (*Cyrrguenn*), ffon fagl Padarn Sant.[30] Gellid ychwanegu (fel y gwnaethai Syr Ifor wrth drafod Cyrwen) mai 'ongl, pig, pwynt' yw ystyr fanwl gywir yr enw *cwrr*, fel ei gytras Gwyddeleg *corr*,[31] a bod posib-ilrwydd hefyd y gellid ansoddair, 'onglog', ohono.[32] O blaid y tarddiad hwn y mae'r ffaith sicr fod *cwr* yn gweithredu fel elfen gyntaf enw priod benywaidd (Cyrwen). Yn ogystal, mae *Cyrridfen* yn gyson â rhai o'r ffurfiau ysgrifenedig a restrwyd uchod, yn fwyaf arwyddocaol ffurf y Llyfr Du (os *i* yw'r llafariad ganol), a ffurf Llawysgrif Hendregadredd.

Braidd yn denau yw'r dystiolaeth i'r elfen *ben* 'menyw'[33] o'i chymharu â *benyw*, fel y sylwyd gan eraill, ond problem anos gydag esboniad Ifor Williams yw canol y gair, sef Cyrr-*id*-fen, na soniodd ef ddim amdano. Os *-i-* yw'r llafariad yma, yna disgwylid ei tharddu o *i*-hir Gelteg. Rhoddai *i*-fer wreiddiol *Cyrrydfen*, ffurf nad oes ond ychydig o dystiolaeth iddi yn y ffurfiau ysgrifenedig uchod (sef Peniarth 3; amwys yw'r Llyfr Du).[34] Oedwn gyda'r *i*-hir am y tro. Ceisiwyd yn y gorffennol gysylltu *cerid-* â bon y ferf *caru*[35] ond ni thâl hynny am nad oes *i*-hir yn perthyn i'r bôn hwnnw. O ran canfod ôl-ddodiad *-id*, prin eithriadol yw'r rheini yn ôl Zimmer a Schumacher: dwy enghraifft yn unig a nodwyd o eiriau a allai ei gynnwys, sef *eddewid* a *cynhenid* (16g.).[36] Yn hytrach, mae *-id* ar ddiwedd gair fel arfer naill ai: (1) yn dod o'r Lladin, er enghraifft *Tegid* < *Tacitus*; *trybelid*; *cegid*; *oblegid*; (2) wedi'i ddadfathu o *-ut* dan amodau arbennig, er enghraifft *gofid* < *gofud*; *newid* < *nouud*, yn dilyn *o, ü, u*;[37] neu (3) yn perthyn i'r bôn berfol (er enghraifft *prid, gwrid*).[38] Ymddengys nad oedd yr *-id* (y 'verbal abstract', chwedl Schumacher) yn gynhyrchiol ac eithrio mewn enwau gweithredol megis *cedwidydd, llam(h)idydd, drem(h)idydd*, etc.[39]

Yn wyneb yr anhawster hwn, teflir rhai posibiliadau pellach i'r pair yn bum dyrnaid:

1. Tybed a ddylid chwilio eto am air annibynnol yn terfynu yn *-id*, gan dybio, gydag Ifor Williams am y tro, mai *cwrr* yw elfen gyntaf yr enw. Dyna, er enghraifft, *rhid* 'ymgydiad â'r fenyw (am anifeiliaid), pariad', gair a ddigwydd yn y bedwaredd ganrif ar ddeg yng nghanu dychan Prydydd Breuan i Siwan o Aberteifi, ac yn 'Afallennau' Madog Dwygraig lle cystwyir 'Mallt butain' am ei hanlladrwydd.[40] Os *cwrr* + *rhid* + *ben* yw'r elfennau, ystyr enw Cyrridfen fyddai 'menyw a'i chydiad megis cilfach/yn culhau', neu, yn debycach o lawer, 'cydwraig onglog'. Dyna *hud* wedyn, ond anodd cyfrif am *u* > *i*: tybir mai diweddar yw *Llugwy* > *Lligwy*,[41] ond

ceir yn yr enw Gwenhidwy enghraifft bosibl o'r un datblygiad.[42] Yn achos y ddau esboniad hyn (*rhid, hud*), sylwer nad oes unrhyw olwg o *h-* yn y ffurfiau ysgrifenedig (hynny yw **Cyrhidfen).

2. Trown nesaf at syniad a grybwyllwyd yn barod, sef y gallai'r amrywio yn llafariad gyntaf yr enw (*Cer-/Cyr-*) ddeillio o'i statws fel llafariad ymwthiol. *Crydfen* fyddai un man cychwyn posibl: o *cryd* 'ysgryd, cryndod, yn ffig. braw, dychryn; clefyd sy'n peri cryndod, twymyn; clefyd, clwyf' + *ben* (cymharer, efallai, yr enw personol Galeg *Critognatus*).[43] Os oedd y fenyw hon yn peri cryndod neu ofn, mi fyddai'n debyg i wrach Cors Fochno a barai dwymyn, neu 'gryd y wrach', yn ôl traddodiadau llên-gwerin y cyffiniau.[44] Gyda'r llafariad lusg, ceid *Cyrydfen* ac efallai *Cerydfen*, er na ddigwydd y ffurf honno yn unman. Byddai'n rhaid tybio wedyn fod y ffurfiau yn -*i*- naill ai'n ffrwyth dadfathu *Cyrydfen > Cyridfen* neu yn ganlyniad camfoderneiddio rhyw gynsail hŷn â'r sillafiad <i> am y llafariad dywyll *y* (hynny yw ffurfiau ysgrifenedig fel *Ceridven* neu *Cyridven*).

3. Anodd fyddai cynnig **crid[45] fel elfen gyntaf. Ychydig yn fwy addawol fyddai ffurf amrywiol *craid* am *graid* 'angerdd, gwres'.[46] O ddechrau â *Creidfen* 'dynes angerdd[ol]', dyweder yn ei wisg Hen Gymraeg (*Credven*) gydag <e> am *ei*, ychwanegu'r llafariad lusg, a cham-foderneiddio, gellid *Cyrydfen, Cerydfen*, ac felly ymlaen ar hyd yr un trywydd â 2 uchod. Ond nodwn ar yr un pryd mai *Cereidven* sydd yn y copi cynharaf o gywydd Iolo Goch. Yr anhawster yw y gallai *Cereidven* hefyd fod yn ffrwyth troi -*i*- yn -*ei*- (cymh. *Moriddig/Moreiddig*).

4. Gellid efallai ystyried mai *ŷd* yw'r ail elfen (gyda'r datblygiadau a nodwyd ar ddiwedd 2 uchod). Hyn, yn ogystal â'r tebygrwydd rhwng dechrau'r enw ac enw'r dduwies Ceres, a barodd i hynafiaethwyr ei hystyried fel 'corn goddess'.[47]

5. Cofnoda triawd yn Peniarth 47iii (15g.) ac 'Ystoria Taliesin' fod gan Geridwen ferch o'r enw Creirwy, merch a fuasai'n safon prydferthwch yng ngolwg y Cywyddwyr o amser Dafydd ap Gwilym ymlaen. *Creir* yw'r elfen gyntaf yma yn ddiau, yn golygu 'crair, rhywbeth y credir ynddo', yna 'trysor, peth gwerthfawr'. Daw'r gair hwn o'r un gwreiddyn â'r ferf *credu*, ac felly – yn ddiddorol ddigon – ffigur etymolegol a geir yn yr hen drawiad 'crair/creiriau Cred'.[48] Awgryma'r cysylltiad hwn bosibilrwydd gwahanol eto gan fod y ferf *credu* â'i bon yn -*i*- hir (fel y dengys y ffurf 3 un. gorff. *credis*). O dybio ychwanegu'r ôl-ddodiad Celteg cyffredin *-*to*/*-*tā* at *kreddī-, ceid yn y Gymraeg *credid*. *Credidfen* 'menyw? y credir ynddi' fyddai ein man cychwyn tybiedig, yna *Credidfen > Cerdidfen* (drwy drawsosod) > *Ceridfen* (dadfathiad drwy golli cystsain).[49] Os yw hyn yn gywir, byddai Creirwy a Cheridfen yn bâr 'etymolegol' < *Kred-ro-eiā a *Kreddī-to-benā.

Cyfeiriadau'r Gogynfeirdd at Geridwen

Pum cyfeiriad at Geridwen a geir gan y Gogynfeirdd. Y cyntaf ohonynt, sydd ar glawr yn y Llyfr Du (*c.*1225–50), yw'r cofnod ysgrifenedig cynharaf o'r enw. Digwydd ar ddechrau'r awdl foliant eithriadol o gywrain gan fardd anhysbys i'r uchelwr Cuhelyn Fardd o Gemais yng ngogledd sir Benfro (*fl.* 1100–30). Deisyfu awen gan Dduw a wneir, i'w throi'n foliant brwd ('ffynedig wawd') i Guhelyn, yn ddatganiad grymus ('ffrwythlawn draethawd'), ac yn destun ymffrost y llu:[50]

Herwydd urdden	awddl Cyridfen,	ogrfen amhad,
Amhad anaw,	araith afrllaw	i gaw geinaid . . .

(Yn ôl urddas cân Cyridfen, amrywiol [ei] hysbrydoliaeth, yn olud amrywiol, yn ymadrodd parod i ddatgeiniaid celfydd)

Duw – *Dëws Reen* – yw ffynhonnell addefedig yr awen hon a'r dulliau mynegi aruchel[51] a ddeillia ohoni. Ond cymherir hwy ar yr un gwynt ag 'urddas' cân Ceridwen y mae iddi '?ysbrydoliaeth' (*ogrfen*) yn cynnwys 'amryw had'. Ei henw hi sy'n cyflwyno'r cymeriad llythrennol C sy'n cydio yn enw Cuhelyn ymhen dwy linell, ac sy'n byrlymu drwy weddill y caniad cyntaf. Yn nes ymlaen yn yr awdl, molir Cuhelyn nid yn unig am ei deithi sad, a'i allu i gadw trefn yn ei dalaith, ond hefyd am ei allu i gynnal *greddf* rhag *lleddf ogrfen*, sef ysbrydoliaeth annheilwng neu ddi-nod – y gwrthwyneb, fe dybiwn, i honno a gysylltid ag 'awddl Cyridfen'.

Gan Gynddelw y ceir yr ail gyfeiriad, ar ddechrau marwnad gymysgryw i'r arglwydd Rhirid Flaidd a'i frawd, Arthen, a laddwyd, efallai, ychydig flynyddoedd ar ôl 1160.[52] Pwysleisio ffyddlondeb a gwasanaeth i Dduw a wneir ar ddechrau'r awdl hon yn hytrach na deisyfu awen fel ym moliant Cuhelyn. Agorir y ffordd, felly, i'r bardd ei frolio ei hun wrth gyflwyno ei wrogaeth farddol. Fel y mae gan y Duwdod weddau amrywiol neu enwau – Peryf, Mab, Mawrdad, Rheen, Ysbryd uchel, Arglwydd gwladlwydd, Gwledig Moesen – felly y mae gan y bardd yntau ei amryw briodoleddau fel bardd. O fewn fframwaith cadarn rhestrir hwy am yn ail â llinellau (neu hanner-llinellau) sy'n dangos ei dristwch wedi marwolaeth y ddau frawd:

> Mor wyf gerdd geinrwyf, hyglwyf hagen,
> Mor wyf hyglau fardd o feirdd ogrfen,
> Mor wyf gŵyn gyfrwys, nid wyf gyfrwen,
> Mor wyf gyfrin ffyrdd cyrdd Cyridfen;
> Mor eisau eu dwyn yn eu dyrwen,
> Aesawr annïanc oes annïen!

(Gymaint yr wyf feistr gwych ar gerdd, ond clwyfedig [serch hynny], y fath fardd enwog wyf o [blith] beirdd yr awen, mor gyfarwydd wyf â galar, nid wyf yn llawen, mor gyfrannog wyf o ddulliau celfyddyd(au) Ceridwen; mor anghennus [am eu bod wedi] eu dwyn yn eu hafiaith, amddiffynwyr diencil garw [eu] gyrfa!)

Yna, a'r cymeriad geiriol yn parhau, culhau y mae'r ffocws nes canolbwyntio'n llwyr ar y tristwch a'r dicter a'i meddianna yn wyneb marwolaeth 'llwyth Pobien'. Unwaith eto, gwelir odli *Cyridfen* ag *ogrfen*; beth bynnag fo union arlliw ystyr y gair hwnnw, carfan y mae Cynddelw yn falch o'i harddel yw 'beirdd ogrfen'[53] fel yr ymfalchïa yn ei gynefindra â chyfrinachau ffyrdd crefftau (*cyrdd*) Ceridwen.[54] Gan fod y gerdd gyfan yn gyforiog o enwau priod – yn bobl, lleoedd, a brwydrau'r gorffennol – nid yw'n syndod mai yma y ceir (yn y caniad olaf) yr unig gyfeiriad gan Gynddelw at Daliesin. Bardd byddin y Cynferching (sef teulu Urien Rheged) ydyw yma, a'i gerdd yn meddu ar *barddrin beirddring* (ymadrodd a ddeallaf fel 'cyfrinach barddol a berthyn i fuddugoliaeth/esgynfa'r beirdd').[55] Ni bydd unrhyw ddiffyg na chyfyngder ar ei farddair yntau, medd Cynddelw gan ei roi ei hun yn gadarn mewn olyniaeth wiw. Mae'n wir, fel y dywed golygyddion y gerdd, fod Cynddelw'n ystyried Taliesin yma fel bardd y Cynferching. Ond nid yw hynny'n golygu nad oedd Cynddelw'n gyfarwydd â gweddau eraill y daethpwyd i'w cysylltu â ffigur Taliesin erbyn y ddeuddegfed ganrif. Ni allwn ddweud i sicrwydd ei fod yn gwybod am gysylltiad rhwng Taliesin a Cheridwen, ond eto y mae'r ffaith fod caniad cyntaf y gerdd yn crybwyll 'cyrdd Cyridfen' (yr unig gyfeiriad ganddo) a'r olaf yn sôn am Daliesin, bardd y Cynferching, yn awgrymog, a dweud y lleiaf. Fe allai fod yn rhan o fwriad Cynddelw, yn wir, i ddangos ei fod yn hepgor am y tro rannau o'i *repertoire* farddol er mwyn llwyr ganolbwyntio ar farwnadu yn null y 'gwir' Daliesin y ddau frawd a fu farw mewn brwydr. Byddai hynny'n gyson â'r dehongliad o'r caniad cyntaf a nodwyd uchod.

Gan Brydydd y Moch yn nechrau'r drydedd ganrif ar ddeg y ceir y ddau gyfeiriad nesaf. Y mae'r cyntaf, yn englynion mawl Gruffudd ap Cynan ab Owain Gwynedd, yn debyg iawn ei swyddogaeth i'r cyfeiriad yn awdl Cuhelyn, ond ceir yma yn ogystal ei 'phair' (am y tro cyntaf y tu allan i Lyfr Taliesin):[56]

> Duw Ddofydd dy-m-rhydd awen – bêr
> Fal o bair Cyridfen,
> Arwar udd gwrddfar, gordden,
> Eryr gwythyr gwaith Feigen.

(Yr Arglwydd Dduw a rydd i mi rodd [o] awen beraidd fel o bair Ceridwen, [er mwyn] diddanu arglwydd mawr ei lid [ond] tirion, arwr ffyrnig brwydr Meigen.)

Ar ddechrau'r 'Canu Bychan' afieithus i ddathlu buddugoliaethau Llywelyn Fawr yn y Mers a'r Deheubarth yn 1217 y ceir yr ail gyfeiriad gan Brydydd y Moch:[57]

> Cyfarchaf i'm Rhên cyfarchfawr awen,
> Cyfrau Cyridfen, rwyf barddoni,
> Yn null Taliesin yn nillwng Elffin,
> Yn dyllest barddrin beirdd fanieri.

(Gofynnaf i'm harglwydd am awen wych ei chyfarch, [sef] geiriau Ceridwen, rhwyf barddoniaeth, yn null Taliesin yn rhyddhau Elffin, yn null dysg farddol [sy'n peri] bonllefau [cymeradwyaeth] y beirdd.)

Gelwir Ceridwen yn 'rhwyf' barddoni, un sy'n rhoi cyfeiriad iddo, ei lywio, neu un sy'n ei droi, megis padl mewn cerwyn, er bod yr ystyr 'arweinydd' hefyd yn bosibl.[58] Dyma gysylltiad diymwad rhwng y geiriau (*cyfrau*) a ddaeth ohoni a'r gyfrinach farddol a barodd i Daliesin ryddhau ei noddwr Elffin drwy rym ei orchest. Digwyddodd hyn yn Negannwy, meddai un o gerddi Llyfr Taliesin:[59]

> Dodwyf Deganhwy y amrysson
> A Maelgwn uwyaf y achwysson.
> Ellygeis vy arglwyd yg gwyd deon
> Elphin, pendefic ryhodigyon.

(Deuthum i Ddegannwy i ymryson â Maelgwn, yr un mwyaf ei hawliau. Gollyngais yn rhydd yng ngŵydd dynion da f'arglwydd, [sef] Elffin, pennaeth y rhai hawddgar.)

Buasai Degannwy ym meddiant Llywelyn Fawr rhwng 1200 a 1210 pan gipiwyd y lle gan iarll Caer. Fe'i hailfeddiannwyd gan Lywelyn yn 1213. Tybed nad oedd y fuddugoliaeth honno – un o blith nifer, mae'n wir – wedi ysgogi cyfeiriad Prydydd y Moch at gamp Taliesin yno, a thrwy hynny y sôn am Geridwen? Mewn awdl gynharach a ganwyd rhwng 1175 a 1190 i Rodri fab Owain Gwynedd, gwelir bod gan Brydydd y Moch ddarn arall o wybodaeth am gysylltiadau chwedlonol Degannwy, canys sonia am haelioni Rhodri yn ardal 'llys Dygant fab Dôn'; gallai fod yn arwyddocaol fod y bardd yn honni bod yn drech na'r beirdd eraill trystfawr a dyrrai yno i foli'r tywysog ond heb gael ffordd ato.[60] A dychwelyd at y 'Canu Bychan', nid yn aml y soniai'r beirdd llys am broffwydoliaeth,[61] ond dyma sy'n cynnal rhan olaf yr awdl: datgenir bod gyrfa Llywelyn yn gwireddu darogan Myrddin a'r 'derwyddon' a ddywedai y deuai eto 'ddadeni' o linach arglwyddi o Eryri. Yn wir, meddai Prydydd y Moch, gan fenthyg mantell yr awenydd, 'honnaf, hwn yw Beli Hir'.

Yn 'Marwnad Madog Fychan o Dir Iarll' gan Gasnodyn (wedi 1329) y daw'r pumed cyfeiriad gogynfarddol.[62] Milwr glew a noddwr beirdd a goffeir, a dymuna'r bardd ganu

> Am Fadog ddeifniog, ddofn awen,
> Am nur pur fal pair Ceridfen,
> Am ner pêr parodedd Pasgen,
> Am nerth berth a barthai ychen
> A meirch erch i archwyr aren.

Dehonglwyd y ddwy linell gyntaf i olygu 'Am Fadog sylweddol, [ag] awen ddwys, am arglwydd di-fai [a hynny ag ysbrydoliaeth] pair Ceridfen',[63] ond yr un mor bosibl (ac yn fwy naturiol o ystyried patrwm y llinellau dilynol), yw bod gan Fadog ei hun 'ddofn awen' a'i fod yn cael ei gymharu â'r pair.

Dengys y pum cyfeiriad hyn fod enw Ceridwen (a gyplysir fel arfer ag *awen* neu *ogyrfen*) yn hysbys o leiaf o ddechrau'r ddeuddegfed ganrif ac yn barchus gan feirdd llys y De a'r Gogledd fel ei gilydd; fod cyfoeth ac amrywiaeth ymadrodd (a *genre*, o bosibl) yn gysylltiedig â hi; a bod y cysylltiad rhyngddi hi a stori Taliesin yn rhyddhau Elffin (mewn ymryson, fwy na thebyg) yn bod erbyn degawdau cyntaf y drydedd ganrif ar ddeg pan welir hefyd y cyfeiriad dyddiadwy cyntaf at 'bair Ceridwen'.[64]

Cadair Ceridwen

Trown nesaf at Lyfr Taliesin a gopïwyd yn hanner cyntaf y bedwaredd ganrif ar ddeg, ac yn benodol at grŵp o gerddi nas dyddiwyd ag unrhyw radd o sicrwydd hyd yma, sef y 'Cadeiriau'. Digwydd y rhain gyda'i gilydd yn y llawysgrif:

1a. 'Mydwyf Merwerydd' (teitl *Kadeir Taliessin. xxiiii*)[65] BT 31.21–32.25
1b. ['Golychafi Gulwydd, Arglwydd pob echen' (dim teitl) BT 33.1–34.14]
2. 'Araith awdl eglur' (teitl *Kadeir Teyrnon. ccc*) BT 34.15–35.21
3. 'Rhen rymawyr tithau' (teitl *Kadeir Kerrituen. ccc*) BT 35.22–36.22

Mae'r eitem gyntaf yn gybolfa o ymffrost Taliesin, cwestiynau astrus tebyg i'r rhai sy'n britho nifer o gerddi'r casgliad,[66] a rhestr afradlon o blanhigion, diodydd a defnyddiau meddygol, a holi am y cysylltiadau rhyngddynt. Ni ddigwydd y gair 'cadair' yn y gerdd ac nid wyf yn meddwl bod y darn yn un o'r 'Cadeiriau'. Tybiaf fod y teitl wedi'i gamleoli a'i fod yn perthyn yn hytrach i'r gerdd ddilynol (sef 1b). 'Ysid imi dair cadair gywair gyson' a fydd yn parhau 'gan gerddorion', meddai Taliesin, a thrachefn, 'ys cywair fy nghadair yng Nghaer Sid(d)i'. Cerdd 'omnibus' yw 1b, un sy'n bwrw golwg dros holl anturiaethau'r bardd a'i gysylltiadau (meibion Llŷr yn Ebyr Henfelen, Brochfael Powys, Maelgwn, y cyrch gyda Brân i Iwerddon, Cad Goddau gyda Lleu a Gwydion, yn ogystal â Chaer Sid(d)i dros yr eigion). Cydia rhai o'r cyfeiriadau hyn wrth gerddi eraill yn y casgliad, megis 'Cad Goddau' a 'Preiddiau Annwn'. Yma hefyd y ceir y cyfeiriad a nodwyd uchod at ryddhau Elffin yn Negannwy mewn ymryson â Maelgwn.

Diau i deitl cerdd 2 hefyd gael ei dynnu o ymadroddion yng nghorff y gerdd: y 'gadair gymesur', a 'Cadair Teyrnon, celfydd rwy cadwo'. Ym mhob achos, y mae'r ansoddeiriau sy'n goleddfu 'cadair' (ynghyd â'r defnydd o ferfau megis 'cadw' a 'parhau') yn awgrymu y gallai 'cadair' olygu cân neu fesur, nid *chair* o reidrwydd.[67] O'r Lladin *cathedra* y daw *cadair*, ond byddai'r gair benthyg yn agored hefyd i gael ei ffugdarddu'n chwareus o *cad + gair* 'battle-song;?ymrysongerdd', a hwyrach mai rhywbeth tebyg i hynny (neu yn syml, 'cân') yw ei ystyr yn yr enghreifftiau hyn.

Canolbwyntir yn awr ar y drydedd gerdd, 'Gadair Ceridwen', wedi'i hatalnodi a'i throsi (yn betrus mewn mannau, fel y gwelir):

> Ren ry'm awyr titheu
> *Arglwydd, dyro dithau imi*
> kerreifant o'm karedeu.
> *faddeuant am fy mhechodau.*
> Yn deweint, ym pylgeineu,
> *Yn y [gweddïau] ganol nos, yng [ngweddïau'r] bore*
> llewychawt vy lleufereu.
> *disgleiria fy nghanhwyllau.*
> 5 Mynawc hoedyl Minawc ap Lleu
> *Boneddigaidd [oedd] cwrs bywyd Miniog fab Lleu*
> a weleis-i yma gynheu,
> *a welais-i yma gynnau,*
> Diwed yn llechued [Din]lleu,
> *[ac] yn y diwedd yn llechwedd [Din]lleu,*
> Bu gwrd y hwrd yg kadeu.
> *Bu cadarn ei ymosodiad mewn brwydrau.*
> Auacdu, vy mab inheu,
> *Afagddu, fy mab innau,*

10   detwyd Douyd rwy goreu;
     Duw dedwydd a'i gwnaeth;
     yg kyfamrysson kerdeu
     mewn cydymryson celfyddydau/cerddi
     oed gwell y synhwyr no'r veu.
     oedd gwell ei synnwyr na'r eiddof.
     Keluydaf gwr a gigleu,
     Y gŵr mwyaf celfydd y clywais sôn amdano,
     Gwydyon ap Don dygynuertheu,
     [sef] Gwydion fab Dôn, cyson ei ddoniau/ryfeddodau,
15   a hudwys gwreic o vlodeu,
     a hudodd [i fodolaeth] wraig o flodau,
     a dyduc moch o Deheu –
     a ddug foch o'r De –
     kan bu idaw *dysg oreu.*   ms *disgoreu*
     gan fu iddo'r ddysg orau,
     drut ymyt a gwryt pletheu –
     un eofn mewn brwydr, ag [ystrywiau fel] plethiadau cadwyn –
     a rithwys gorwydawt
     a luniodd geffylau
20   y ar plagawt [l]lys,
     er mwyn? dyhuddo gwrthwynebiad,
     ac enwerys kyfrwyeu.
     a chyfrwyau rhyfeddol.
     Pan varnher y kadeireu
     Pan farner y 'Cadeiriau'
     arbenhic vdun y veu:
     f'eiddof i [fydd] y bennaf ohonynt:
     vyg kadeir a'm peir a'm deduon,
     fy nghadair a'm pair a'm deddfau,
25   a'm areith tryadyl, gadeir gysson.
     a'm datganiad trwyadl [mewn] cân gyson/gymesur.
     Ry'm gelwir kyfrwys yn Llys Don,
     Fe'm gelwir yn un wybodus yn Llys Dôn,
     mi ac Euronwy ac Euron.
     mi ac Euronwy ac Euron.

     Gweleis ymlad taer yn Nant Ffrangcon
     Gwelais ymladd ffyrnig yn Nant Ffrancon
     Duw Sul pryt pylgeint rwg wytheint a Gwydyon.
     Ddydd Sul yn gynnar yn y bore rhwng adar ysglyfaethus a Gwydion.
30   Dyf Ieu, yn geugant, yd aethant Von
     Ddydd Iau, yn wir, fe aethant i Fôn
     y geissaw *escut* a hudolyon.   ms *yscut*
     i geisio un deheuig, a hudolion.

Aranrot drem clot tra gwawr hinon,
Aranrhod, golwg glodfawr ?mwy na disgleirdeb hindda,
mwyhaf gwarth y marth o parth Brython;
y gwarth mwyaf o barth y Brythoniaid [oedd] y dychryn a achoswyd iddi;
dybrys am y [l]lys efnys afon,
prysura am ei llys afon aruthr,
35 afon ae hechrys gwrys gwrth terra:
afon â'i ffyrnigrwydd enbyd [yn curo] yn erbyn y tir:
gwenwyn y chynbyt, kylch byt ed a
gelyniaethus ei magl, o amgylch y byd yr â
(nyt wy dyweit geu llyfreu Beda).
(nid yw llyfrau Beda yn dweud anwiredd).
Kadeir *getwidyd* yssyd yma,   ms *getwided*
Ceidwad y Gadair sydd yma,
a hyt Vrawt paräwt yn Europa.
a hyd y Farn y parhâ['r gân] yn Europa.
40 A'n rothwy y Trindawt
Bydded i'r Drindod roi inni
  trugared Dyd Brawt,
  drugaredd ar Ddydd y Farn,
  kein gardawt gan wyrda.
  [a] chardod mwyn gan ddynion da.

Nodiadau testunol

2 kerreifant: yn ôl GPC, mae'r gair anarferol (nas ceir ond yma ac yn CBT V, 7.14 gan Brydydd y Moch) i'w gysylltu â'r bôn berfol *cyrraf-* (y bôn a welir yn y ffurf orchmynnol 2 un. *kyrraw di imi vy geu*).

4 llewychawt: ffurf ferfol neu ansoddair 'disgleiriol': gw. BBGCC 39.

5 Minawc ap Lleu: ni sonnir am fab Lleu yn PKM 4, ac nid oes cyfeiriad hysbys arall at y cymeriad hwn. Os cywir y ffurf *Minawc* (≡ *Miniawg*), gellid ei chysylltu â *min* 'gwefus, ceg; awch, miniogrwydd', efallai'n golygu 'un ffraeth neu finiog' (am dreiddgarwch meddwl neu ymadrodd). Os ydyw'n cadw hen orgraff, gellid *Mynawg* 'un cwrtais'.

6 gynheu: cymh. y defnydd a welir yn y gerdd am y Pater Noster, a olygir gan R. Iestyn Daniel yn y gyfrol hon (t. 227).

7 Diwed yn llechued [Din]lleu: mae llau. 4–7 fel petaent yn chwarae ar y gair/enw *lleu*. Gan fod y llinell yn fyr (chwe sillaf, yn hytrach na saith), a chan fod gair unsill yn annodweddiadol o gymalau olaf llinellau'r darn hwn o'r gerdd, ac na ddisgwylid yr odl-air Lleu ar ei ben ei hunan unwaith eto, rheitiach adfer gair neu eiriau rhwng *llechued* a *lleu*: er enghraifft *din* (a roddai gyflythreniad â *diwed*), *caer*, neu *nant Lleu*, yn hytrach na dilyn awgrym W. J. Gruffydd, *Math vab Mathonwy* (Caerdydd, 1928), 58 (a ddilynwyd yn TYP 422), i adfer *Arllechued* (neu *Ardllechued*), ardal a oedd hefyd yn cael ei galw 'y Llechwedd'.[68] Tybir mai Dinas Dinlle(u) yw'r 'Gaer Leu a Gwydion' a gyrchir gan Daliesin yn ei ymddiddan ag Ugnach.[69] Dywed 'Englynion y Beddau' fod bedd Lleu 'o dan achles môr, yn y bu ei gyfnes' (sef ei efell, Dylan, y rhoddir ei fedd yntau yn Llanfeuno (= Clynnog, neu Faen Dylan)). Ar ddechrau'r llinell, gall 'diwedd' olygu 'marwolaeth': asiai hynny'n dda â'r sôn hiraethus am 'hoedl' y cymeriad *Minawc* (a folir, fel Afagddu yntau, dros uned o bedair llinell). Ond gellid adferf ohono ('o'r diwedd'; ?'yn ddiweddar', cymh. *gynheu*, ll. 6). Nid tebygol y cyfansoddair *di* + *wedd* 'heb wedd'.

9 Auacdu vy mab inheu: gwelir dau gyfeiriad arall at y cymeriad hwn yn y llawysgrif. Ar ddechrau'r gerdd 'Angar Kyfyndawt' (BT 19.5), lle enwir hefyd Taliesin, Cian a Gwiawn, y daw'r cyntaf: *bylleith bit areith auacdu* (gan fod y llinell honno'n rhy hir, adferodd G *bylleith bit ardu/ areith auacdu*, y gellid ei gyfieithu 'hyd farwolaeth bid araith Afagddu'n drist/aruthr'). Yn dilyn hynny ceir *Neus duc yn geluyd/ kyureu argywyd* 'y mae'n ei dwyn yn gelfydd gân bersain' (gall Afagddu fod yn oddrych, ond gellid cydio'r llinellau ag 'iaith Taliesin' yn y darn blaenorol). Yn 'Marwnad Uthr Ben' (BT 71.7–72.8) y ceir y cyfeiriad arall: *Midwyf fardd moladwy yghywreint;/ poed ygan vrein ac eryr ac wytheint,/ Auacdu ae deubu y gymeint,/ pan ymbyrth pedrywyr rhwg dwy geint* (G yn diwygio > *ceinc*). Y cyfan y medraf ei gasglu oddi wrth y rhain yw bod Afagddu yn datgan ('araith'), a'i fod fwy na thebyg yn fardd crefftus. Yn y gerdd bresennol, dywedir bod gan Afagddu y gallu i ragori ar y siaradwr o ran ei synnwyr mewn ymryson, sy'n gyson â'r ychydig a gasglwn oddi wrth y cerddi eraill. O ran tarddiad yr enw Afagddu, nid oes dim *comparanda* Cymraeg i *afag*-fel y cyfryw ac fe allai fod yn fenthyciad o'r Wyddeleg *abac* (gair cytras â Chymraeg *afanc*).[70] Fodd bynnag, yn ôl y traddodiad canoloesol, yr oedd gan *Daliesin* fab o'r enw Addaon (weithiau ~ Afaon),[71] enw i'w darddu o *add* + *aon*,[72] < *ago*-, fel y dengys y sillafiad Hen Gymraeg yn Llyfr Llandaf, *Auagon*. Yn wir, fe allasai ffurf ysgrifenedig debyg i'r olaf esgor ar *Afag*-, er ei bod yn anodd cyfrif am ychwanegu'r elfen *du* (oni bai i *on* gael ei ddarllen fel *ou* neu *du*). Cystal nodi y rhoddai *Afagdeu* yma yn ein cerdd ni yn odl fewnol ag *inheu* (er na thyciai yn y ddwy enghraifft arall). Gellid wedyn gynnig y camau hyn: *Auagon* > *Auagou* (camddarllen n/u) > *Auagdu* (drwy gydweddiad ag *afag*, neu ynteu â *magddu*: gw. isod, a nodyn 73). Mae'r ychydig bosibilrwydd fod a wnelo Afagddu rywsut ag enw Afaon yn gofyn inni holi eto ynghylch pwy yw llefarydd y rhan hon o'r gerdd. Cymerwyd yn ganiataol mai Ceridwen ei hun sy'n siarad yma, gan y dywed testunau Roger Morris ac Elis Gruffydd o stori Gwion Bach (16g.) mai 'Y Fagddu'[73] oedd enw arall ar Forfran, mab hyll Tegid Foel a Cheridwen ('am dywylled ei liw'). Ond ar y llaw arall, fe ellid dychymygu bod yr enw wedi'i godi rywbryd o gopi ysgrifenedig o 'Cadair Ceridwen' – hynny yw, fod teitl y gerdd, yntau wedi'i fathu dan ddylanwad yr ymadrodd *a'm peir* yn ll. 24 (gw. isod), wedi awgrymu i rywun neu rywrai mai hi, nid Taliesin, a oedd yn siarad, ac mai hi, felly, oedd mam Afagddu, a bod y gred honno wedi'i himpio ar stori'r dyn hyll Morfran Ail Tegid, cymeriad a oedd yn adnabyddus ddigon o gyfnod 'Culhwch ac Olwen' ymlaen.[74] Mae cynnwys a naws y gerdd bresennol ar ei hyd yn gwbl gyson ag 'awen' a diddordebau ffigur Taliesin, ac oni bai am y teitl, cesglid mai ef yw'r llefarydd.

10 rwy: *ry* + rhagenw mewnol 3 un. Noda GMW 55 ei ddefnydd 'in early poetry', ac fe welir enghreifftiau tebyg yn y casgliad: *y ren rwy digonsei*, BT 24.5 ('Cad Goddau'); *Gwawt ogrwen . . . fy ren* (diw.) *rwy digones*, BT 33.11–12 ('Golychaf-i Gulwydd'); *keluyd rwy katwo*, BT 35.14 ('Cadair Teyrnon'). Ond gan fod y ffurf yn dal ei thir yng ngwaith Cynddelw (CBT IV 8.6; 16.84 (*rwy gwna*)) ac, yn fwy arwyddocaol, yng ngwaith Prydydd y Moch (12–13g.), camarweiniol yw GMW ar y pen hwn (gw. CBT V, 1.108 (*rwy goruc*) a 115; 5.10, 16 a 61; 18.22; 23.133; 26.58 a 66 (*rwy goreu*).

13 keluydaf: cymh. y modd yr aeth Gwydion 'yn ei gelfyddodau' (PKM 70).

14 dygynuertheu: gair cyfansawdd â lluos. *berth (fel yn *aberth*, etc.), er nodi gyda G 417 y posibilrwydd o adfer *dygynnertheu* < *nerth*. Ond gellid tybio bod *bertheu* yn ffurf luos. ar yr ans. *berth* 'hardd', etc., a'i bod, fel *berthon* (y ffurf luos. arferol) yn golygu 'goludoedd, cyfoeth', etc. Gellid hefyd ystyried diwygio > *dygynuerthideu* gan gymharu *mawr y verthideu* am Dduw (BT 37.2–3) a'r enghrau. eraill a ddyry GPC s.v. *berthid* 'rhyfeddod, gallu, golud'.

16 dysg oreu (ms disgoreu): awgryma'r llawysgrif mai ffurf ferfol yw hon, sef *dy* + *s* + *goreu* 'fe'i gwnaeth/fe'u gwnaeth', ond fel y noda G, gellid diwygio > *dysg oreu*. Os berf, gallai'r rhagenw gyfeirio at yr hyn a wnaethpwyd ganddo (= 'gan y bu iddo'r hyn a wnaeth', oni ddeellir *kan bu* fel 'cant o warheg' (*can mu* GMW 47), hynny yw 'cant o warheg iddo a'u gwnaeth'), neu at rywbeth yn y llinell ddilynol, ond nid yw'r un o'r ddau drywydd hynny'n addawol iawn. Dewiswyd am y tro ddiwygio > *dysg oreu*.

17 kan bu idaw: gw. GMW 198 ar y gystrawen hon; a gw. y nodyn ar l. 16 am bosibilrwydd gwahanol.

18 gwryt pletheu: derbynnir awgrym G s.v. *gwryt* 'cadwyn' (a ddilynir gan GPC s.v.), gair sy'n cydio'n dda â *pletheu*, ac â nodweddion Gwydion y 'trickster', un a chanddo 'dafod lawn dda' (PKM 69) i roi ei ystrywiau ar waith. Ond ni ellid cau allan *gwryt* 'gwroldeb' a *gwrhyt* 'mesur dyn'.

20 y ar plagawt [l]lys: tybiodd Ifor Williams (B, 17 (1958–60), 98; CA 197) y gallai'r gair *hapax*, *plagawt*, fod wedi'i fenthyg < Ll. *placatio* neu *placatus* (y ddau o'r ferf *placo* 'cymodloni, dyhuddo'), gydag arlliw ystyr y ferf gysylltiedig *placeo* 'plesio': ei gyfieithiad ef yw 'er mwyn boddio'r llys' (*ar*

yn golygu'r un peth ag *er*, neu 'er mwyn'; gydag *l-* i'w hadfer o flaen *lys*).
Ond gall *y ar* hefyd olygu 'yn ogystal â'. Ystyrier hefyd: 1. 'llysnafedd, cen;
mould' (GPC s.v. *llys²*) ('yn ogystal â chen [ar ffurf] hyfryd'), gan gofio mai
o fadarch y rhithiwyd y tarianau yn PKM 4; 2. 'llys, planhigyn', etc. 'yn
ogystal â phlanhigyn a ryngai fodd'; 3. 'gwrthwynebiad (i dyst);
anghymwyster (mewn tyst)' (GPC s.v. *llys³*) '?in order to allay the
objection', efallai, o gofio am yr amod rhwng Pryderi ac Arawn a
waharddai ef rhag rhoi'r moch i ffwrdd. Rhithiodd Gwydion y ceffylau a'r
milgwn a'u trugareddau yn unswydd er mwyn rhyddhau Pryderi rhag yr
amod a roesai i Arawn. Dilynir y trydydd trywydd wrth aralleirio.

22 pan varnher y kadeireu: gw. uchod (t. 158) ar *cadair*. Mae'r ferf o blaid
'cân, mesur' yn yr enghraifft hon; awgryma llau. 24–5 fod chwarae ar
ddwy ystyr y gair.

24 a'm peir: gan fod Taliesin yn ogystal â Cheridwen yn gysylltiedig â phair
awen, nid yw hyn yn profi mai hi yw llefarydd y gerdd (gw. uchod ar l. 9).

25 gadeir gysson: posibl hefyd fyddai 'consistent with a chair', hynny yw
'yn haeddu cadair'. Rhoddir yr ystyr lythrennol yn y cyfieithiad, fodd
bynnag.

26 Llys Don: Dôn o Arfon, rhiant Gwydion, Gilfaethwy ac Aranrhod yn
'Math fab Mathonwy'. Gan fod Triawd 35 yn dweud mai Beli oedd tad
Aranrhod, daethpwyd i'r casgliad mai chwaer Math oedd Dôn. Ond fe all
mai cymeriad arall oedd Aranrhod ferch Beli yn y triawd. Yn ôl y rhestr yn
'Bonedd yr Arwyr' (a olrheinia Bartrum i gynsail efallai o'r 13g.) yr oedd
Gofannon, Amaethon, Hunawg, Eufydd, Digant (gw. uchod t. 156),
Elestron ac eraill yn blant Dôn hefyd: P. C. Bartrum, *Early Welsh
Genealogical Tracts* (Cardiff, 1966), 90, a WCD 204, am gyfeiriadau at y
gred ganoloesol mai dyn ydoedd Dôn. Gw. ymhellach Ian Hughes, *Math
Uab Mathonwy* (Aberystwyth, 2000), xvi–xviii, a John T. Koch, 'Some
Suggestions and Etymologies Reflecting upon the Mythology of the Four
Branches', *Proceedings of the Harvard Celtic Colloquium*, 9 (1989), 1–11
(tt. 4–5), lle y gwrthodir y cysylltiad honedig â'r dduwies Wyddelig *Danu*,
gan awgrymu mai 'plant y ddaear' (< *ghdonos) oedd ystyr wreiddiol
'plant Dôn'. Sonnir am 'lys Dôn' mewn rhai copïau llawysgrif o'r gerdd
'Myfi a fûm gyda'm Nêr' a dynnwyd i rwyd 'Ystoria Taliesin' (er
enghraifft Pen 111: 'Mi a fum yn llys don kyn geni Gwdion' (*llys deon* a
geir yn fersiwn Elis Gruffydd, fodd bynnag): gw. Gruffudd, 'Cerddi
Taliesin Ben Beirdd', 674 ymlaen. Mae rhai copïau o gerdd arall,
'Peddestrig a wnaf' (YT 74) yn rhoi 'yn llys meibion Dôn' (*deuon* yn Elis
Gruffydd): Gruffudd, 'Cerddi Taliesin Ben Beirdd', 654. Ar y deunydd
diweddar hwn a'i berthynas â deunydd Llyfr Taliesin, gw. isod, tt. 168–70.

27 Euronwy ac Euron: enwir Euron (ac Eurwys) yn 'Cad Goddau': *Am
swynwys i Wytyon/ mawnut o brython/ o Eurwys o Euron/ o Euron o Vodron/ o*

pymp pumhwnt keluydon mewn darn o'r gerdd lle'r edrydd Taliesin am ei lunio 'o naw rhith llafanad'[75] gan Fath a Gwydion, rhyw arglwydd ('gwledig') a rhyw ddyn doeth ('sywyd'). Fe ddichon fod gan Eurwys, Euron, Modron a 250 o gelfyddwyr (neu o leiaf hud y cyfryw rai) ran yn y creu.[76] Tybia Koch, 'Suggestions and Etymologies', 6–8, fod Euron yn yr enghraifft honno'n ganlyniad camfoderneiddio'r ffurf ysgrifenedig *Uuron (< Bryth. *Wironos) 'the divine man', ac mai *Gwron* sydd i'w adfer yno (enw i'w gysylltu â Goronwy, Gronw, etc.). Awgryma y gallai'r camgymeriad fod naill ai yng nghynsail y gerdd ei hun, neu mewn fersiwn cynnar o restr fel 'Plant Dôn o Arfon'. Ar y llaw arall, ceir *eur-* yn elfen gyntaf mewn enwau benywaidd (Eurgain, Eurolwyn, Eurbrawst), ac y mae Euron yn arferedig fel enw merch yn y ddeuddegfed ganrif (BTyw, 45). At hynny, yr oedd amryw o'r Cywyddwyr yn crybwyll Euron fel paragon o ferch.[77] Mewn rhai achosion, mae'n wir, gallent fod yn croesgyfeirio at gariad enwog y bardd Llywelyn ab y Moel, a lysenwyd (efallai) yn Euron.[78] Gall Euronwy fod yn ddybled yn wreiddiol (efallai ar ddelw Math/Mathonwy). Enwir Euronwy ferch Clydno Eidyn fel mam Gwrwst Sant yn yr achau, ac y mae Lewys Glyn Cothi'n cyfarch un o'i noddwyr fel 'Ail Mathonwy o Euronwy', fel petai Euronwy yn gymar i Fathonwy ac yn fam i Fath.[79] Pe gellid sicrwydd mai menywod oedd Euronwy ac Euron yn y llinell hon, byddai mwy o gyfiawnhad dros dybio mai Ceridwen oedd y llefarydd.

28 Nant Ffrangcon: noda J. Lloyd-Jones, *Enwau Lleoedd Sir Gaernarfon* (Caerdydd, 1928), 70, yr enw ger Carn Fadrun, yn ogystal ag enw'r cwm rhwng Bethesda a Llyn Ogwen.

29 pryt pylgeint rwg wytheint a Gwydyon: ar *wytheint* 'adar ysglyfaethus' gw. B, 4 (1927–9), 145–7, lle'r awgryma Ifor Williams hepgor *pryt*, a darllen *a* yn lle dileu *rwg* (gyda G), a hynny er mwyn hyd y llinell, fe ymddengys.

31 y geissaw escut (*ms* **yscut) a hudolyon**: deallaf *escut* 'dyn/dynion deheuig, bywiog, parod'.

32 Aranrhot drem clod tra gwawr hinon: chwaer Gwydion a gelyn iddo yn 'Math fab Mathonwy'. Enwir hi mewn triawd (TYP 277–8) gyda Chreirwy ferch Ceridwen. Ar wahanol ystyron posibl *tra* ('over, across, beyond, more than') a *gwawr* ('arglwyddes, gwawr', etc.) gw. GPC. Yn ddiddorol, fe grybwyllir hi hefyd yng ngherddi 'Ystoria Taliesin' (ll. 540 'hual Aranrhod'; ll. 427 'Myfi a fûm dri chyfnod/ mewn carchar Arianrhod').

33 mwyhaf gwarth y marth o barth Brython: deallaf hyn fel cyfeiriad at Wydion yn peri cywilydd a dychryn i Aranrhod wrth iddo gyrchu ei llys (o gyfeiriad tir mawr Prydain) yng nghwmni ei mab: PKM 78. Pe diwygid *brython* > *brithron* (gw. nodyn 76 uchod), gellid ei ddeall yn hytrach fel cyfeiriad at 'gywilydd' Aranrhod a ddatgelwyd yn ddisymwth pan gamodd dros hudlath Math: PKM 77.

34–7 Dybrys am y [l]lys . . . Beda): gw. Haycock, 'Questions', 45–50, am y *digressio* hwn am yr eigion, megis afon, yn cyrchu ei llys (Caer Aranrhod, yn ôl pob tebyg), ac am y cyfeiriad at Beda, *auctor* y parhâi ei enwogrwydd fel esboniwr ac fel awdur gwerslyfrau gwyddonol (yn enwedig ei *De Temporibus Ratione*) ymhell ymlaen i'r Oesoedd Canol. Trafodir cyfeiriad arall ato gan Iestyn Daniel yn y casgliad hwn (t. 230).

38 getwidyd (*ms* getwided): diwygiwyd gyda G er mwyn yr ystyr a'r odl fewnol. Ar y ffurfiant, gw. uchod, t. 152.

39 paräwt: gw. y drafodaeth uchod (t. 158) ar *gadair*, a pharhad caneuon (cymh. *Eil ddigabl barabl parhaawd/ Pêr awen, parhaus hyd Frawd*, CBT IV, 9.5–6; CBT V, 8.9).

42 gwyrda: gellid hefyd ystyried diwygio > *wrda* (am Dduw).

Mydr, iaith a dyddiad: Ceir peth gwahaniaeth rhwng dwy ran y gerdd. Yn y rhan gyntaf, tuedda'r llinellau i fod yn seithsill (llau. 1–27), gyda'r amrywio rhwng strwythur deir-ran a dwy-ran a nodweddai'r math hwn o linell.[80] Byddai'n bosibl hefyd ystyried llau. 1–4, 5–8 a 9–12 fel tri englyn gwastad ar yr un odl, ond darfod y mae'r patrwm wedyn. Yn ail ran y gerdd (llau. 28–42), ceir llinellau nawsill gyda *cadence* amlwg a chyson o bedair sillaf ar eu diwedd yn union yn null cyhydedd naw ban 'Armes Prydein' neu awdlau'r beirdd llys diweddarach. Gwneir defnydd yn y ddwy ran o batrymu tebyg i ddull traeanog (llau. 19–21, 39–42) er nad yw nifer y sillafau'n cydymffurfio â'r enghreifftiau (5/5/6) a welir yng ngwaith Beirdd y Tywysogion. Os oes gennym yma ddeunydd a ffurfiasai ddwy gerdd yn wreiddiol, ymddengys fod copïwyr (neu ddatgeiniaid) yn barnu eu bod yn ddigon cymharus i'w rhoi gyda'i gilydd. Ymwna'r ddwy i raddau anarferol â theulu Dôn, ac â Gwydion yn enwedig; sonnir am lys Dôn yn y naill a llys Aranrhod yn y llall; mae llinellau agoriadol y ddwy ran yn cyfeirio at 'pylgeint'; ac fe ddefnyddir *cadair* i olygu 'cân'. Ni welaf yn y naill ran na'r llall yr un ffurf ieithyddol 'gynnar' sy'n gorfodi inni ddyddio'r gerdd yn ei ffurf bresennol cyn y ddeuddegfed ganrif.

Cyfeiriadau eraill at Geridwen yn Llyfr Taliesin

Dau ddarn perthnasol sydd i'w hystyried. Daw'r cyntaf o ddechrau 'Mabgyfrau Taliesin', cerdd sy'n llawn cwestiynau, yn enwedig am darddiad ffenomena naturiol a materion ysbrydol:[81] *Kyuarchaf ym Ren/ y ystyraw awen./ py dyduc aghen/ kyn no Cherituen/ cysseuin ym byt/ a uu eissywyt* (BT 27.13–14). Fel y saif: 'Cyfarchaf i'm Harglwydd i ystyried yr awen. Pa beth a gyflawnodd yr angen [hwnnw] cyn Ceridwen? Bu'r dyn cyntaf yn y byd yn golledig,' gan ddeall mai Adda yw'r 'cysefin ym myd', nid Ceridwen ei hun.[82] Ond gellid hefyd dybio bod *awen* ac *aghen* wedi eu camleoli: 'Cyfarchaf i'm Harglwydd i ystyried [fy] angen [ysbrydol]. Pa beth a ddug yr awen cyn Ceridwen?' Daw'r ail gyfeiriad o'r gerdd 'Golychaf-i Gulwydd', lle y rhestra 'Taliesin' rai o'r dynion y bu'n canu ger eu bron, gan gynnwys Urien:

keint yn aduwyn rodle ymore rac Vryen,	
yny uyd am an traet gwaet ar dien.	ms *Ynewyd*
Neut amuc yg kadeir o peir Kerritwen;	
handit ryd vyn tauawt yn adawt <> ogyrwen.	ms *gwawt*
5 Gwawt ogyrwen *ys fy ren* rwy digones	ms *uferen*
arnun a llefrith a gwlith a mes.	ms *arnunt*

(Cenais mewn rhodle teg yn y bore o flaen Urien nes bod gwaed ar y glaswellt o gwmpas ein traed. Fe amddiffynnodd fy nghân [a ddaeth] o bair Ceridwen; rhydd yw fy nhafod [sydd] yn storfa ysbrydoliaeth. Ysbrydoliaeth bardd-oniaeth – fy Nuw a'i gwnaeth, ynghyd â llefrith a gwlith a mes.)

Os cywir y diwygiad yn ll. 5, dangosir yma'r syncretiaeth a nodwyd yn barod yng nghyfeiriadau Beirdd y Tywysogion, sef mai Duw yn y pen draw yw ffynhonnell yr ysbrydoliaeth a geid o bair Ceridwen.

Y gronyn a'r iâr, a'r berthynas ag 'Ystoria Taliesin'

Erys un darn enwog i'w drafod, er nad enwir Ceridwen ynddo. Daw ar ddiwedd[83] y gerdd hir, 'Angar Kyfyndawt' (BT 22.18–23.8) gan ddechrau â'r llinell 'Ail waith y'm rhithiad'. Rhestra 'Taliesin' amryfal ymrithiadau (ci, hydd, bwyell, ceiliog, ceffyl, tarw, etc.) cyn bwrw iddi i ymhelaethu ar un antur neilltuol (a roddir yma mewn orgraff fodern):

Bûm bwch melinawr,	
mâl amaethawr;	ms *ymaethawr*
bûm gronyn ergennis;	ms *erkennis*
ef tyfwys ym mryn.	
5 A'm metawr, a'm dotawr,	
yn sawell y'm gyrrawr,	
y'm rhy giawr o law,	
wrth fy ngoddeiddiaw.	
A'm harfolles iâr	
10 grafrudd, grib esgar.	
Gorffowysais naw nos	
yn ei chroth yn was.	
Bûm aeddfedig,	
bûm llad rhag gwledig;	
15 bûm marw, bûm byw;	

caing ydd y'm eddyw;
bûm (i) ar waddawd,
i ragddaw bûm tawd;
a'm ail *gyngh[nö]es*,   ms *kyghores*
20   gres grafrudd a'm rhoddes.

(Bûm yn stacan [yn y] melinau, yn fâl [gan] amaethwyr; bûm yn ronyn
?wedi'i ogrynu; fe dyfodd ar y bryn. Fe'm medir, fe'm plennir. Fe'm gyrrir
i'r odyn, fe'm gollyngir o'r llaw er mwyn fy rhostio. Fe dderbyniodd iâr fi,
un goch ei chrafanc, gelyn cribog. Fe orffwysais i am naw noson yn ei
chroth, mewn trigfan. Bûm wedi f'aeddfedu, bûm yn ddiod o flaen
arglwydd: bûm farw, bûm fyw; fe aeth cangen (neu 'cainc') i mewn i mi;
bûm ar waddod [y ddiod], oddi wrtho, bûm yn gyfan. Ac fe'm hailgnôdd;
rhoddodd yr un â chrafanc goch angerdd imi).[84]

Er gwaethaf rhai anawsterau testunol, y mae'n amlwg fod a wnelo sylwedd
y darn hwn â'r broses o facsu cwrw, a hynt y gronyn – ei blannu, ei fedi, ei
gynaeafu a'i grasu mewn ffwrn neu odyn ('sawell')[85] er mwyn cynhyrchu'r
brag. Yna, wedi'i aeddfedu, ei sod ar ffurf diod 'o flaen arglwydd'. Gellid
cymharu'r disgrifiad o broses debyg a geir yn 'Canu y Cwrw' yn Llyfr
Taliesin (lle y'i hasiwyd ag ymdriniaeth drosiadol â Dydd y Farn),[86] a'r
cyfeiriadau eraill yn y llawysgrif at ryfeddodau alcohol,[87] hylif yr oedd ei
darddiad a'i natur yr un mor ddirgel â'r awen o'r pair. Gellid cymharu'n
ogystal y faled enwog, 'John Barleycorn', sy'n adrodd hanes y gronyn bob
cam o'r pridd i'r ddiod orffenedig, gan gynnwys ei grasu mewn odyn:

O the next they put him in the maltin' kiln
Thinking to dry his bones
And the worst of all they served Barleycorn
They crushed him between two stones.

Then they put him into the mashing-tub
Thinking to scald his tail
And the next thing they called Barleycorn
They called him home-brewed ale.[88]

Mae'r un math o dechneg i'w gweld ar ffurf posau cynnar hefyd. Er
enghraifft, mewn casgliad o *trivia* Lladin o'r ddegfed ganrif sy'n perthyn i
ddosbarth ehangach o destunau hawl-ac-ateb a oedd yn sicr yn ad-
nabyddus i awduron cerddi'r Taliesin chwedlonol, holir am hynt gronyn o
lin drwy'r prosesau gwahanol:

Quid est nec maior nec minor quasi formica, in terra vergitur, crescit sicut
herba, floret sicut garba, colorem habet sicut cera, in ligno suspenditur, in

aqua mergitur, ad solem producitur, cum ligno ceditur, ad ferrum rumpitur, in ligno torquitur, in ignem mittitur, unde ecclesia et principes ornati sunt? Grana sunt lini.[89]

(Pa beth sydd heb fod yn fwy nac yn llai na morgrugyn, a droir i mewn yn y ddaear, a dyf fel glaswellt, a flodeua fel ysgub o ŷd, a chanddo liw fel cwyr, a grogir ar bren, a drochir mewn dŵr, a ddangosir i'r haul, a fwrir gan bren, a dorrir ar haearn, a droir ar bren, a roddir mewn tân, drwy'r hyn yr addurnir yr eglwys a thywysogion? Grawn llin ydynt.)

Ac fe ddyry Archer Taylor enghreifftiau pellach o bosau sy'n ymwneud â chyfres o arteithiau a ddioddefir gan y gwrthrych – fel arfer, blanhigyn sy'n cael ei drin at ddefnydd dynion.[90] Nid yw gweld yr un patrwm ar waith yn y gerdd Gymraeg yn peri syndod o gwbl yng nghyd-destun Llyfr Taliesin. Mae'n fwy annisgwyl, efallai, o safbwynt hanes baledi, fod rhagredegydd – *in embryo* megis – o John Barleycorn, i'w ganfod yn y llawysgrif hon.

Ond pam y mae'r 'iâr grafrudd' wedi cael ei phig i mewn yma, tybed? Yr ateb, efallai, yw fod trosiad ar waith – yr odyn fragu, gyda'r tân yn goch wrth ei throed (ei 'chrafrudd' yn ymestyn allan o'i blaen), a'i chorn yn codi y tu ôl fel 'crib', a'i siâp – wel, fel iâr dew yn gori mewn pant, a'r gwiail plethedig yn ddigon tebyg i resi o blu.[91] Yno, 'yn ei chroth' y llechai'r gronyn am naw noson, tua'r lleiafswm o amser sydd ei angen i gwblhau'r brag.[92] Ymddengys mai ymbalfalu tuag at esboniad cyffelyb yr oedd T. Gwynn Jones, er na soniodd yn benodol am y sawell. 'I am sometimes disposed to conjecture the words only form part of a medieval riddle', a thrachefn, 'to suspect either that riddling ingenuity is responsible for much that has been taken as evidence of belief in transformation'. Ac wrth drafod cin llinellau ni, '[they] certainly suggest a Riddle having for a subject some kind of strong drink'.[93] Pwysleisiwn innau fod yma heb unrhyw amheuaeth ymuniaethu rhwng Taliesin a'r gronyn ac, wedyn, rhyngddo a'r ddiod feddwol ei hun; at hynny, fel yr awgrymwyd, ceir posibilrwydd cryf mai'r odyn fragu yw'r 'iâr' drosiadol.

Yn sicr ddigon, nid oes unrhyw gyfiawnhad testunol yn Llyfr Taliesin dros gysylltu'r iâr – boed yn iâr go iawn neu yn iâr drosiadol – â Cheridwen. Gwneir hynny, yn gam neu'n gymwys, ar sail y stori ryddiaith ddiweddar. Yn fersiwn Elis Gruffydd, ar ôl nifer o ymrithiadau gan Wion Bach a Cheridwen yn ei erlid ar ffurf miliast, hebog ac yn y blaen, try ef yn ronyn 'mewn twr mawr o wenith puredig' ac fe'i llyncir gan Geridwen, sydd bellach ar ffurf iâr. Yno yr erys am naw mis a chael ei eni drachefn – ei 'phlentyn', megis – cyn cael ei osod ar y dyfroedd. Caiff ei ddarganfod maes o law gan Elffin, ac ni chlywn ragor am Geridwen (ar wahân i'r cyfeiriadau yn y cerddi a ddatgan Taliesin yn llys Maelgwn Gwynedd: 'Myfi a fûm naw mis hayach/ yng nghroth Ceridwen y wrach').

Yn lle ufuddhau i'r *dictum* 'This poem and others of the same category cannot be explained without reference to [the] folk-tale called Hanes Taliesin,'[94] tybed nad edrych drwy ben arall y sbienddrych sydd ei angen a thrwy hynny ganfod bod rhai o gerddi Llyfr Taliesin, neu gerddi tebyg iddynt, wedi cael eu defnyddio yn gloddfan (ochr yn ochr ag amrywiaeth o ffynonellau eraill, gan gynnwys storïau rhyngwladol)[95] wrth i rywrai lunio'r cerddi a ymddengys yn 'Ystoria Taliesin' (ac ambell ran o'r stori ryddiaith yn ogystal). Gellid nodi cyfatebiaethau fel y rhain:[96]

Llyfr Taliesin	*Cerddi 'Ystoria Taliesin'*
gogyfarch	gogyfarch a wnaf 312
tair cerdd gywir gyson	y gerdd gywir gyson 317
cyfresi o *bûm* . . .	cyfresi o *Myfi a fûm* 404–
Alexander	409, 421
llys Don	llys deon 418 (gw. uchod, t. 163)
wyf bardd ac wyf telynawr	Myfi a fum fardd telyn 444
pan yw du pysgawd,/ morfwyd fydd eu cnawd	ny wyddys beth yw fy nghnawd/ ai cig ai pysgawd 456–7
hual eurin	hual goreurin 492[97]
Pa fesur mwynaf/ a orug Addaf?	Pa ddyn gynta/ a orug Alffa? 505–6
yn ddillad, i dda, yn fwyd, yn ddiawd, hyd Frawd yd barha.	pa fwyd, pa ddiod/ pwy ddoeth J ddillad? 509–10
Pan yw mor drwm maen?	Paham J mae kaled maen 513
Pan yw mor llym draen?	Paham y mae blaenllym y draen/ pwy sydd galed val
pan yw hallt halwyn	maen/ ac yn hallt fal halen 513–16
rhwng graean a gro	dan raean a gro 550
barddgyfreu	y mars gyffyrau 699

Yn yr achos presennol, hwyrach mai camddehongli arwyddocâd y darn am yr iâr a'r gronyn a sbardunodd yr episod storïol am Geridwen yn llyncu Gwion Bach, neu'n hytrach, a fu'n gyfrifol am wthio 'bywgraffiad' chwedlonol Taliesin i gyfeiriad y stori ryngwladol, 'Y Dewin a'i Ddisgybl', fel y bu i amryfal ymrithiadau'r bardd Taliesin hwyluso'r cymathiad â storïau'r 'Ffoedigaeth Ymrithiol' ac 'Ymryson y Ddau Ddewin'. Mae deall hynt a chyflymder y prosesau hyn, a'r camau a fu wrth symleiddio, impio, addasu a rhesymoli, yn gofyn am drafodaeth arall, a'r cyfan a wneir yma yw awgrymu y gallai fod rhai o'r cerddi cynharach wedi chwarae rhan yn y prosesau hynny.

Casgliadau

Wrth gloi, mentrwn rai casgliadau bras am hanes Ceridwen: (a) Menyw yn rheoli pair ysbrydoliaeth farddol ydoedd yn sicr. Ni allwn ddweud mai 'duwies' ydoedd gan nad oes tystiolaeth i gwlt neu i addoli fel y cyfryw. (b) Os *cwrr* yw'r elfen gyntaf yn ei henw, gellid tybio mai fel gwraig onglog (a hen) y dychmygid hi; ond nodwyd hefyd y posibilrwydd y gallai ei henw gynnwys elfennau a olygai 'gwres' neu 'braw' neu 'angerdd' neu 'cred'. Ni wyddys pa mor hen yw ffurfiant yr enw, ond mae'r ffaith nad yw'r elfen *-ben* yn rhyw gynhyrchiol yn yr Oesoedd Canol yn awgrymu ffurfiant lled gynnar. (c) Nid yw ei henw ar glawr cyn dechrau'r ddeuddegfed ganrif, fodd bynnag, pan gysylltir hi gan ambell un o'r Gogynfeirdd ag awen gyfoethog ac amrywiol. Er eu bod yn falch o'i harddel, maent yn cydnabod hefyd mai Duw yw pennaf ffynhonnell yr awen. (ch) Nid gwrach mohoni yn eu golwg hwy, hyd y gallwn farnu, nac yng ngolwg awduron cerddi Llyfr Taliesin ychwaith; cyfeiriad anuniongyrchol Iolo Goch yw'r unig awgrym o'i thrin felly. Erbyn y bedwaredd ganrif ar ddeg a gorseddu uniongrededd 'y wir awen o Dduw', y mae fel petai hi'n cilio o'r golwg, er bod yma a thraw sôn anfanwl am 'bair awen' ac awgrym erbyn diwedd y bymthegfed ganrif fod stori am y 'mab o Lanfair [Caereinion, hynny yw Gwion]' yn rhoi ei law yn y pair yn hysbys.[98] (d) Mae statws teitl y gerdd 'Cadair Ceridwen' yn ansicr fel y mae rhai o deitlau eraill Llyfr Taliesin; hawdd tybio iddo gael ei greu drwy ddal ar yr ymadrodd 'fy mhair' yn y gerdd (ei hategolyn hi, fel petai), ac efallai oherwydd y cymeriadau benywaidd a enwir ynddi (er y gall yr ail ddadl weithio'r ddwy ffordd). Mae'r gerdd yn gydnaws â llais Taliesin ac â'r pynciau a'r *milieu* daearyddol a gysylltwn ag ef (cymeriadau ac episodau'r 'Pedair Cainc', yn enwedig y bedwaredd; chwarae ar eiriau; sôn am ymrysonfeydd, llanw a thrai'r moroedd, y celfyddydau, gwlad Arfon). (dd) Os Taliesin yw'r llefarydd yn hytrach na Cheridwen, cyfyd y posibilrwydd mai ei fab ef yw Afagddu; petrus yw'r awgrym mai o ffurf ysgrifenedig hŷn ar yr enw

170

Afaon y daw, ac mai drwy gamddehongli'r gerdd fel ymson gan Geridwen y cafwyd enw ei 'mab' yn Hanes Gwion Bach. (e) Hanes arteithiau'r gronyn a macsu cwrw yw'r pwnc a drafodir ar ddiwedd 'Angar Kyfyndawt'; awgrymir mai'r odyn sychu grawn yw'r 'iâr grafrudd', ac mai proses o ailddehongli ac ailweithio'r darn hwnnw a fu'n rhannol gyfrifol am y stori a welir gyntaf yng Nghronicl Elis Gruffydd.

Nodiadau

[1] GDG 554–5; GIG 364.

[2] 'Llyfr Taliesin', CLlGC, 25 (1988), 357–86.

[3] *Gwaith Deio ab Ieuan Du a Gwilym ab Ieuan Hen*, gol. A. Eleri Davies (Caerdydd, 1992), XVI.31–2, a 37–8. Cymh. GGGl XLIV, 35–8.

[4] Mae ambell eithriad, fodd bynnag: er enghraifft ym marwnad y bardd Rhys Nanmor gan Lewys Môn (GLM xc. 57–8), dywedir 'Awen Rhys yn yr oesoedd/ o bair y wrach berwi'r oedd'.

[5] *Gwaith Siôn Tudur*, gol. Enid Roberts, 2 gyfrol (Caerdydd, 1980), I, 920, ll. 80. Ysywaeth y mae'r llinell yn ddiffygiol yn Pen 87, yr unig gopi sydd ar glawr: 'pur [c   ] nid pair Ceridwen'.

[6] LlDC 3.3, 4.1.

[7] Prin fod y duedd dde-orllewinol i hepgor yr *y*-dywyll (nodwedd a gysylltir yn enwedig â sir Benfro) i'w gweld ar glawr a chadw mewn llawysgrif o'r 13g.

[8] Dyfynnwyd y ffurf gan G 136; gw. y testun yn D. M. Lloyd, 'La poésie de Cynddelw Brydydd Mawr et le manuscrit Peniarth 3', ÉC, 5 (1950–1), 87–104 (t. 103, VIb, ll. 2). Ni nodwyd y ffurf hon yn CBT III, cerdd 24, er cynnwys yno lawer o ddarlleniadau Pen 3.

[9] F. 109ʳ (Prydydd y Moch): CBT V, 25.2.

[10] F. 118ᵛ (Prydydd y Moch): CBT V, 10.2.

[11] Awgrym mai <v> = [v] oedd yng nghynsail y gerdd 'Armes Prydein' (fel yn y Llyfr Du), a bod yr ysgrifydd wedi methu â'i moderneiddio y tro cyntaf ond iddo wneud hynny'n iawn wedyn.

[12] Ond gwrthgyf. *aduant* BT 20.26.

[13] Gw. y nodyn testunol isod, t. 165.

[14] Ond sylwer i John Davies, Mallwyd, yn ei gopi yntau (NLW 4973B) foderneiddio'r enw bob tro yn *Cer(r)idwen*.

[15] WG 28.

[16] LHEB 414.

[17] PKM 201–2; GLGC 212.11 a 59.

[18] Mae arwydd arall ei fod yn hepian fan hyn wrth gopïo'r ail linell: *handit ryd vyn tafawt yn adawt gwawt ogyrwen* (ychwanegwyd *gwawt* yn ddifeddwl).

[19] A chymh. Ehangwen (enw llys Arthur), Cyrwen (ffon fagl Padarn Sant).

[20] RBP 1241.29–30.

[21] RBP 1428.32–3.

[22] GMW 2.

[23] Cymh. y ffurf *kyriawal* 'criafol', RBP 1033.41. Tybir, fodd bynnag, mai ffurfiau toredig ar *kerreifyeint* a *kyrreifyant* yw *creiuyeint/creiuyant* 'maddeuant': GPC s.v. *cyreifiant*; G 172.

[24] Y tri cyntaf hyn o flaen sain drwynol, fodd bynnag. Cymhlethir y cwestiwn gan gymathiad posibl yn achos y ddwy enghraifft gyntaf a'r olaf.

[25] Dyma rai eithriadau: *reuedaf* 'rhyfeddaf' BT 57.7; *trebystawt* BT 60.13 (PT VI.7, a t. 73) (os nad trawsosod syml o *trybestawt* sydd yma); *lleuuyd* 'llywydd' BT 65.6 (PT IX.1).

171

[26] GIG xxx.

[27] Defnyddiwyd yr holl lawysgrifau yng ngolygiad Gruffudd Fôn Gruffudd, 'Cerddi Taliesin Ben Beirdd y Gorllewin' (Traethawd Ph.D. Prifysgol Cymru, Bangor, 1997).

[28] TYP 198.

[29] *Chwedl Taliesin* (Caerdydd, 1957), 3–4.

[30] 'An Old Welsh Verse' (1941) a ailgyhoeddwyd yn Ifor Williams, *The Beginnings of Welsh Poetry*, gol. Rachel Bromwich (Cardiff, 1972, 1980), 181–9 (tt. 183–5).

[31] GPC s.v. *cwr* (ceir hefyd yr ansoddair *cyriog*/*cyrrog* 'ymylog; conglog; â cheg gam; danheddog, fforchog'). Ar *corr* yn yr Wyddeleg gw. *Lexique Etymologique de l'Irlandais Ancien de J. Vendryes*, gol. E. Bachellery a P.-Y. Lambert, Lettre C (Dublin/Paris, 1987), 211–12, a ddyry'r ystyron 'pointu, sillant, conique, enflé' (ansoddair); 'coin, bec, pointe, partie saillante' (enw).

[32] Fel yn achos epithet *Cynwas Curyuagyl* (= cwr ei fagl) yn CO ll. 186: Proinsias Mac Cana 'Notes on the English Edition of *Culhwch and Olwen*', CMCS, 29 (1995), 53–7 (t. 57).

[33] Cun *Ben* Celyn ar arysgrif Tywyn yw'r unig enghraifft o'r gair ar ei ben ei hun (darlleniad Ifor Williams ac eraill: gw. Patrick Sims-Williams, 'The Five Languages of Wales in the Pre-Norman Inscriptions', CMCS, 44 (Winter, 2002), 1–36 (t. 7); am ddarlleniad gwahanol, gw. John T. Koch, 'When was Welsh Literature First Written Down?', SC, 20–1 (1985–6), 43–66 (t. 66, n.14)). Mae ansicrwydd hefyd ynglŷn â'r *comparanda* a nododd Williams, sef *tynghedfen* (gw. GPC s.v.) ac *aerfen*/*Aerfen*. Barnai Lloyd-Jones (G 12) mai ffurf fenywaidd *aerfyn* ydoedd, neu ynteu ffurf i'w chysylltu â *men*, tarddiad a gynigiasai Williams ei hun yn 'The British Section of the Ravenna Cosmography', *Archaeologia*, 93 (1949), 1–50 (t. 31); am gyfeiriadau eraill at Aerfen, hen enw tybiedig Afon Dyfrdwy, gw. D. H. Evans, 'An Incident on the Dee during the Glyn Dŵr Rebellion', *Trafodion Cymdeithas Hanes Sir Ddinbych* (1988), 5–40 (t. 10, n.32, a t. 19). Digon cyffredin yw'r elfen *-benā* mewn enwau benywaidd Galeg, fodd bynnag: *Sacrobena* (Hagrfen), *Senobena* (Henfen), *Vitubena, Sicriobena, Sollenbena*: Karl Horst Schmidt, *Die Komposition in gallischen Personennamen* (Tübingen, 1957), 147–8.

[34] Gellid cymharu *Cyrryd-* ag enwau o Gâl, *Curita* a *Curitius* i'w cysylltu efallai â'r ferf Ladin *curito* 'gofalu am' (cymh. y cyfenw *Curata* < *curo*): A. Holder, *Alt-celtischer Sprachschatz*, cyfrol I (Leipzig, 1896), col. 1202; Iiro Kajanto, *The Latin Cognomina* (Helsinki, 1965), 231. Ond byddai rhaid wrth ryw ffurf fel **Cu(r)ritia* i gyfateb i ran gyntaf yr enw Cymraeg.

[35] Ond mae'n bosibl mai dyna sut y deellid yr enw gan y copïwyr diweddar hynny a ysgrifennai *Caridwen* (gw. uchod, t. 151).

[36] Stefan Zimmer, *Studies in Welsh Word-formation* (Dublin, 2000), 443; Stefan Schumacher, *The Historical Morphology of the Welsh Verbal Noun* (Maynooth, 2000), 110 a 132–3 (er cael *berthid*, ymddengys o'r enghreifftiau cynnar, megis Juvencus 9, mai *-u-* oedd llafariad wreiddiol y terfyniad). Gwelir prinder ffurfiau cyfatebol yn yr Wyddeleg: gw. Britta Sofie Irslinger, *Abstrakta mit Dentalsuffixen im Altirischen* (Heidelberg, 2002), 56–7, lle dyry hi ddwy enghraifft, sef *fili* 'bardd' (cymh. yr enw personol VELITAS ar arysgrif Ogam), ac *óigi* 'gwestai'.

[37] Henry Lewis, 'cyfnofut: cyfnewid, B, 15 (1952–4), 121.

[38] Terddir *tremid* gan GPC yn betrus o *tra* + *mid*; gwrthgyf. barn Lloyd-Jones (gw. nodyn CBT III, 311).

[39] Schumacher, *Historical Morphology*, 133; gw. ymhellach Paul Russell, 'Agent Suffixes in Welsh: Native and Non-native', B, 36 (1989), 30–42 (tt. 37–8).

[40] Gw. GPC s.v. Am yr enghraifft gyntaf, gw. GPB 13–15, 31–6. Os datblygodd yr ystyr o ystyr letach megis 'gwres, angerdd', efallai mai dyna'r elfen a geir yn yr enw (gwrywaidd) personol, Rhirid (< *rhi* 'brenin' + *rhid*), yn hytrach na *rhyd* 'ford; braint, cyfle' neu *gryd* (gyda chymathiad â llafariad gyntaf yr enw). Tybir, fodd bynnag, mai'r gair cytras â *rhyd* a geir yn yr enw personol Llydaweg, *Ritgen*/*Ritien* (GPC s.v. *rhyd*; LHEB 439). Mae'r enw personol Cymraeg, Rhidian, efallai i'w olrhain i *rhyd* (gyda

chymathiad o flaen -*ian*); ond nid amhosibl *rhid* + *ian*. Cysylltwyd yr enwau Galeg personol, *Ritogenus* a *Ritomarus*, hwythau â *rhyd*: D. Ellis Evans, *Gaulish Personal Names* (Oxford, 1967), 249–51. O ran sillafu'r enw Rhirid, ceir *Rhiryd* yn ogystal â *Rhirid* gan law Alpha Llawysgrif Hendregadredd, ac odlir yn fewnol â geiriau megis *gwryd*, *menwyd* (CBT III, 24.85, 96, etc.), a awgryma na ddefnyddid y ffurf gymathedig bob tro.

[41] R. J. Thomas, 'Afonydd a'r Ôl-ddodiad *wy*' [ail ran], B, 8 (1935–7), 27–43 (tt. 33–5).

[42] G s.n.: 'am ddrychiolaeth neu fwgan ar y cyntaf, ond newidiodd yr ystyr, a daeth i'w defnyddio am forforwyn, ellyll, bod ansylweddol, rhywun dibwys a distadl'; GLGC 90.63; WCD 319.

[43] Evans, *Gaulish Personal Names*, 78.

[44] Gw. y cyfeiriadau yn GPC s.v. *gwrach*; T. Gwynn Jones, *Welsh Folklore and Folk-custom,* (ail arg., Cambridge, 1979), 83.

[45] Eto cymh. yr enw KRЄITE (KRЄITIS yw'r cyflwr goddrychol tybiedig) ar arysgrif ar biler angladdol ger Nîmes (mae ∈*i* Groeg yn cynrychioli *i*-hir): Michel Lejeune, *Receuil des Inscriptions Gauloises, vol. I Textes Gallo-Grecs* (Paris, 1985), 294–6 [diolch i Patrick Sims-Williams am y cyfeiriad hwn ac am help gyda'r ffonoleg].

[46] Dywed G (s.v. *creit*) y gellid *eurgreit* < *creit* yn hytrach nag o *greit* 'brwydr, angerdd, gwres'. Noda GPC s.v. *digraid* (14g. ymlaen) y gallai ffurf wedi'i chaledu fodoli gan gymharu *croesaw* ~ *groesaw*; mwy perthnasol fyddai cymharu *crëu* < *grëu*.

[47] Am gyfeiriadau, gw. D. W. Nash, *Taliesin: or the Bards and Druids of Britain* (London, 1858), 186.

[48] Gw. GPC s.v. *crair*.

[49] Am drawsosod *d*/*r* yn *Gwrhydr* ~ *Gwrhyrd*, gw. Patrick Sims-Williams, *Celtic Inscriptions of Britain: Phonology and Chronology, c.400–1200* (Oxford, 2003), 107; cymh. *cyrbachu*/*crybachu*/*crebachu*.

[50] Golygwyd y gerdd gan R. Geraint Gruffydd, CBT I, cerdd 2.

[51] Sylwer ar y mynych eiriau Lladin, neu rai sydd o darddiad Lladin, yn y darn hwn (*ffynedig, ffrwythlawn, traethawd, urdden, araith*).

[52] Golygwyd testun Llawysgrif Hendregadredd gyda darlleniadau Pen 3 a llaw-ysgrifau eraill gan Ann Parry Owen a Nerys Ann Jones, CBT III, cerdd 24. Er bod disgynyddion Rhirid Flaidd yn ardal Penllyn erbyn y 14g., nid oes dim tystiolaeth gynnar i gysylltu Rhirid â'r ardal honno yn y 12g. (gw. cyfeiriadau CBT III, 291). Ar enw Rhirid, gw. uchod, t. 172.

[53] Cymh. 'Mi Gynddelw gerdd ogrfen', CBT III, 16.93 ('Canu Owain Cyfeiliog').

[54] 'Minteioedd' yn hytrach os ffurf luosog *cordd* ydyw.

[55] Gan ddeall mai cyfansoddeiriau â *rhin* a *dring* ydynt: gwrthgyf. dehongliad CBT III, 24. 154 (a'r nodyn, t. 315).

[56] CBT V, 10.1–4. Nodwn fod yr awdl foliant i Ruffudd (CBT V, 9.1) yn ei alw'n 'rhwy Dygannwy'; ond gw. y nodyn yn CBT V, 86.

[57] CBT V, 25.1–5. Newidiwyd ychydig ar y cyfieithiad a geir yno.

[58] 'Arglwyddes' a ddyry CBT V, 255, fodd bynnag, gyda GPC s.v. *rhwyf* (2).

[59] Ar yr episod hon, gw. Haycock, 'Canu y Medd o Lyfr Taliesin', *Dwned* , 1 (1995), 7–23.

[60] CBT V, 4.42, 27–34, yn arbennig 'Mi i'm deddf wyf diamryson/ O'r prif feirdd, 'ym mhrif gyfeillion' (llau. 27–8).

[61] Diddorol nodi bod Cynddelw yntau'n crybwyll 'caer Dygant' wrth gyfeirio at farwolaeth Owain Gwynedd ('mawrgoel darogant'), 'armes draig dragon pedrydant': CBT IV, 4.2–4; a chymh. 'Daroganaf nas daroganant,/ Daroganfeirdd heirdd digeirdd Dygant', GEO 87.

[62] GC, cerdd 2 (tt. 23–34, 98–108).

[63] GC 31.

[64] Mae'r cysylltiad rhwng *pair* a chrefft eiriol neu ysbrydoliaeth farddol yn digwydd yn achlysurol yng ngwaith y Gogynfeirdd: er enghraifft CBT I, 16.7 (Elidir Sais)

'Llathraid fy marddair wedi Myrddin,/ Llethrid a berid o bair awen'; CBT V, 19.9 (Prydydd y Moch i Lywelyn Fawr) 'Gair fy ngair o'r pair yn perthyn – ar bawb/ O bobloedd dyffestin'; CBT II, 2.32 (Llywelyn Fardd) 'Cred fy ngair o'm pair; perid ataf./ Parawd fy nhraethawd . . .' Ond i nifer o'r beirdd (Cynddelw yn anad neb), gair i'w neilltuo ar gyfer Duw neu arglwydd bydol pwerus ydoedd 'pair': 'pair rhoddion', 'pair cyfraith', 'gwladoedd bair', etc.

[65] Ar waelod y tudalen y mae'r teitl, nid gyda dechrau'r gerdd. Rhoddir gwerthoedd cyffelyb i rai cerddi eraill yn y rhan hon o'r llawysgrif: 'Glaswawd Taliesin' BT 30–1 (xxiiii), 'Canu y Gwynt' BT 36–7 (ccc); 'Canu y Medd' BT 40 (xxiiii); 'Canu y Cwrwf' BT 40–1 (xxiiii); 'Plâu'r Aifft' BT 44–5 (xc). Barnwyd ar sail y 'fairytale-like values' i'r Gorchanau yn Llyfr Aneirin (CA 55; MWM 75) fod a wnelo'r rhain â'u gwerth mewn ymryson, ond nid oes unrhyw sicrwydd am eu harwyddocâd na'u dyddiad gwreiddiol.

[66] Gw. Marged Haycock, 'Taliesin's Questions', CMCS, 33 (1997), 19–80.

[67] Gw. GPC s.v. am rychwant yr ystyron, ac am ddefnydd y gair yn GP (testunau'r 16g.) 'pum cadair cerdd dafod', 'tair colofn a thair cadair', etc., gw. Haycock, 'Llyfr Taliesin: Astudiaethau ar Rai Agweddau' (Ph.D. Prifysgol Cymru, Aberystwyth, 1983), 635–7.

[68] P. Sims-Williams, 'Clas Beuno and the Four Branches of the Mabinogi', yn *150 Jahre "Mabinogion": Deutsch-Walisische Kulturbeziehungen*, gol. Bernhard Maier a Stefan Zimmer (Tübingen, 2001), 111–27 (t. 118).

[69] Mae Graham R. Isaac, '"Ymddiddan Taliesin ac Ugnach": Propaganda Cymreig yn Oes y Croesgadau?', LlC, 25 (2002), 12–20 (tt. 16–17), fodd bynnag, o'r farn mai'r Llwybr Llaethog a olygir yno.

[70] Gw. *Lexique*, s.v. *abac* " 'castor et surtout 'nain' ".

[71] 'Y gwas cymhennaf a doethaf . . . yn y deyrnas hon', yn ôl 'Breuddwyd Rhonabwy': gw. tystiolaeth y Trioedd a chyfeiriadau eraill yn TYP 269, a thrafodaeth BBGCC 292. Ansicr yw'r *pedyr afaon* yn BT 47.25 ('Canu y Meirch'; ?darll. *pedryfaon*); *adawavn* CA 1433 (Gorchan Maelderw).

[72] Sims-Williams, *Celtic Inscriptions*, 209.

[73] Defnyddiwyd *y fagddu* i olygu 'tywyllwch' yn Beibl William Morgan (1588): gw. GPC s.v. *fagddu* (o'r enw personol Afagddu, meddir). Mae hyn yn awgrymu i mi fod a wnelo hyn yn hytrach â'r fannod + *mag* 'rearing, nurture' + *du*, fel yr awgrymodd P. K. Ford (YT 89), a bod y gair hwnnw wedi'i gysylltu â'r enw Afagddu (a oedd o darddiad gwahanol) gan Roger Morris, Elis Gruffydd a'r lleill.

[74] Gw. TYP 463–4.

[75] BT 25.21–3; gw. BBGCC 50–2.

[76] Dibynna hyn ar sut y deellir *mawnut*. Os diwygir > *mawrhut* efallai (Haycock, 'Astudiaethau', 159), ystyrier diwygio *brython* > *brithron* 'hudlath' (gan ddilyn awgrym Williams, *Chwedl Taliesin*, 21, ynglŷn â *datwyrein y vrythron a oreu Gwytyon* 'cyfodi ei hudlath a wnaeth Gwydion' yn yr un gerdd (BT 24.3). Yna, byddai 'mawrhud' ffon Gwydion yn cael ei drosglwyddo gan y ffigurau a grybwyllir yn ail ran y dyfyniad.

[77] GLGC 44.33; 119.1; 139.49; GTA, 1, V.49 ('chwaer Euron'), CX.34 ('dwylo Euron'), LXXVII.78, LXXIV.29; *Peniarth 76*, gol. E. Stanton Roberts a W. J. Gruffydd (Caerdydd, 1927), 75 (*nith evronn*); GLM XCIII.27 ('nith Euron'), XXIV.43 (a gw. t. 413). 'Euron hil' yw'r ferch ddienw yn GGrG, 5.15.

[78] Gw. GSCyf 138, a'r cyfeiriadau yno. Casgla'r golygydd mai merch o Fôn ydoedd, ond ni welaf fod modd dod i'r casgliad hwnnw ar sail cyfeiriad Guto'r Glyn.

[79] GLGC 41.83–4, a nodyn t. 544.

[80] 'Class 3' yn ôl fy nosbarthiad bras yn 'Metrical Models for the Poems in the Book of Taliesin', yn *Early Welsh Poetry: Studies in the Book of Aneirin*, gol. Brynley F. Roberts (Aberystwyth, 1988), 171–2.

[81] Gw. trafodaeth yn Haycock, 'Questions'.

[82] Neu ynteu gymryd 'cysefin' yn adferfol, a chydio 'eisiwyd' â 'byd' (cymh. BT 80.10): 'cyn Ceridwen gyntaf, yn y byd a fu'n golledig'.

[83] Dechrau cerdd newydd, yn ôl PT xxv.

[84] Trafodwyd y darn hwn gan Williams, *Chwedl Taliesin*, 19–20, ac fe geir cyfieithiad o rai llinellau yn PT xvi. Llinell 1: gw. Haycock, 'Questions', 58. Ni chofnodir y ferf *melino* tan y 15g., yn ôl GPC; fel arall, gellid ffurf ferfol o *melinawr* 'a felir' (GMW 121). Llinell 2: deallaf ffurf luos. yr enw *amaeth* 'ffermwr', ond ystyrier efallai ffurf ferfol. Llinell 3: 3 un. myn. gorff. *arganfod* yw *erkennis*, yn ôl G. Yma fe'i cysylltir â'r ferf *ergannu* (< *cannu*). Llinell 9: cofnodir yr ystyr 'beichiogi' hefyd o'r 14g. ymlaen. Llinell 13: awgryma Williams adfer *heid* o flaen 'aeddfedig'. Llinell 16: 'cainc', efallai'n llythrennol am gangen o bren a ddefnyddid i droi'r cymysgedd, neu a ychwanegid ato er mwyn gwella'r blas, neu'n ffigurol am gainc o farddoniaeth. Llinell 19: GPC piau'r diwygiad.

[85] Gair anarferol, wedi'i fenthyg, efallai, o'r Hen Wyddeleg *sabail* (< Ll. *stabellum*).

[86] Haycock, '"Canu y Cwrw" o Lyfr Taliesin', *Dwned*, 4 (1988), 9–32; cymh. hefyd sylwadau Archer Taylor, *English Riddles from Oral Tradition* (Berkeley, 1951), 251–3, am enghreifftiau o addasu posau am gynhyrchu bara at yr un diben.

[87] Haycock, 'Questions', 52–5.

[88] Dyfynnir yma'r fersiwn o sir Amwythig a geir yn llawn yn Peter Kennedy, *Folksongs of Britain and Ireland* (London, 1975), rhif 276 (t. 608). Cymh. rhif 277 (t. 609), a'r cyfeiriadau at fyrdd o fersiynau eraill (cerdd Robert Burns yn eu plith), 627–8. Noda Kennedy mai y faled debyg yng nghasgliad Pepys (dechrau'r 17g.) yw'r fersiwn cyntaf hysbys ar glawr.

[89] Walther Suchier, *Das Mittellateinische Gespräch Adrian und Epictitus nebst verwandten Texten (Joca Monachorum)* (Tübingen, 1955), 14 (a gw. nodyn t. 23, a thestun arall, t. 35).

[90] Taylor, *English Riddles*, 236–8, 240–7; mae GDG 62 ('Y Mwdwl Gwair') yn enghraifft o ddefnyddio'r un motif (diolch i Dafydd Johnston am ddwyn hyn i'm sylw).

[91] Dywed Dr Michael Monk, Prifysgol Genedlaethol Iwerddon, Corc (mewn llythyr) y gallai'r trosiad fod yn addas: am fanylion pellach, gw. H. T. Knox, 'Notes on Gig-mills and Drying Kilns near Ballyhaunis, Co. Mayo', *Proceedings of the Royal Irish Academy*, 26, section C (1907), 265–74 (a phlât XX.6), a W. Britnell, 'A Fifteenth-century Corn-drying Kiln from Collfryn, Llansantffraid Deuddwr, Powys', *Medieval Archaeology*, 28 (1984), 190–4 (a Ffig. 7) (diolch i Dr Monk am y cyfeiriadau hyn). Awgrymwyd mai 'ffwrn' yw un ateb posibl i'r pos Hen Saesneg a geir yn Llyfr Caer-wysg. Sonnir yno am wrthych fel 'dumb lady . . . making a meal of gifts that come from a man's hand, she swallows daily sustaining treasures dearer than gold' (Craig Williamson, *The Old English Riddles of the Exeter Book* (Chapel Hill, 1977), 98 (rhif 47)). Ond nid oes unrhyw sicrwydd mai dyna'r ateb cywir, yn ôl Williamson, 289–90.

[92] Noda Fergus Kelly, *Early Irish Farming* (Dublin, 1997), 256, mai rhwng 12 a 15 diwrnod yw'r cyfnod arferol.

[93] Jones, *Welsh Folklore*, 25 a 27.

[94] PT xvi.

[95] Gw. Kenneth Jackson, *The International Popular Tale and Early Welsh Tradition* (Cardiff, 1961), 115–17; ac yn enwedig Juliette Wood, 'The Folklore Background of the Gwion Bach Section of Hanes Taliesin', B, 29 (1980–2), 621–34.

[96] Gw. ar y tueddiad hwn hefyd Haycock, 'Questions', 68 (n.252); 70 (n.260); 72 (n.271); 74 (n.280).

[97] Cymh. efallai 'hual Aranrhod': gw. y nodyn ar l. 32 o 'Cadair Ceridwen'.

[98] PWDN, XL, tt. 109–11 (marwnad Dafydd Nanmor gan Hywel Rheinallt), cyfeiriad a nodwyd gan Wood, 'The Folklore Background', 294.

7

Marwnadau Beirdd y Tywysogion: Arolwg

NERYS ANN JONES

Yr Athro Caerwyn Williams oedd un o'r ysgolheigion cyntaf i drafod cerddi'r Gogynfeirdd fesul *genre*. Yn 'Beirdd y Tywysogion: Arolwg' a gyhoeddwyd yn *Llên Cymru* yn 1970, ceir ganddo adrannau ar ganu mawl, marwnad, dadolwch, dychan, bygwth, ymffrost, canu serch a chanu crefyddol.[1] Dilynodd batrwm tebyg yn ei astudiaeth olaf, *The Court Poet in Medieval Wales*, lle yr olrheinia wreiddiau'r dosbarthiadau hyn o ganu a chymharu eu nodweddion arbennig ag eiddo cerddi tebyg o Iwerddon, Lloegr, Gwlad yr Iâ a'r Cyfandir.[2]

O holl *genres* y Gogynfeirdd a amlinellwyd gan yr Athro Caerwyn, y farwnad yw'r hawsaf ei hadnabod, ei diffinio a'i deall gan y darllenydd modern, a hynny am fod ei bwriad yn syml ac amgylchiadau ei chyfansoddi yn amlwg. Corff gweddol unffurf o ganu marwnad a ddisgwylid gan Feirdd y Tywysogion sydd yn enwog am eu ceidwadaeth farddol, ond yr hyn sydd yn taro dyn o ddarllen y 72 o gerddi sydd ar glawr yw'r amrywiaeth eithriadol o ran ffurf, cynnwys ac arddull.[3]

Bwriad y bennod hon yw ceisio darganfod beth sydd i gyfrif am yr amrywiaeth hwn. Sut byddai bardd proffesiynol o'r ddeuddegfed ganrif neu'r drydedd ganrif ar ddeg yn dewis y math o farwnad i'w chyfansoddi ar gyfer noddwr arbennig? Pam y mae rhai cerddi yn gwta ddeuddeg llinell o hyd ac eraill yn ymestyn hyd at bron i dri chant o linellau? Pam y mae rhai wedi eu canu ar fesur englyn ac eraill ar fesur awdl? Pam y mae ffurfioldeb a chonfensiwn yn nodweddu rhai tra bo eraill yn fwy personol ac emosiynol? Pam y mae rhai'n pwysleisio'r golled ar ôl yr ymadawedig ac eraill yn canolbwyntio bron yn llwyr ar ei rinweddau neu ei orchestion pan oedd yn fyw? Pam y mae elfen gref o weddi a hyd yn oed o bregethu mewn rhai cerddi tra bo eraill yn amddifad o unrhyw sôn am Dduw a Nef?[4]

Y man cychwyn amlwg yw edrych ar hyd a mesur y cerddi gan fod y marwnadau'n ymrannu'n dwt yn dri dosbarth, yn awdlau hirion (tua chant o linellau ac yn amlganiad gan mwyaf), yn awdlau byrion (tua hanner can llinell o hyd ac yn un caniad fel arfer) ac yn gyfresi englynion. Tybed a oes perthynas rhwng ffurf y marwnadau hyn a safle gymdeithasol y rhai a goffeir ynddynt neu a statws y beirdd a'u lluniodd? Disgwylid efallai i'r awdlau hirion, a olygai wythnosau o waith, hyd yn oed i'r beirdd mwyaf profiadol, gael eu neilltuo ar gyfer y tywysogion yn unig, ac i'r englyn llai uchelgeisiol fod yn briod fesur y canu i uchelwyr, gwragedd, cyd-feirdd ac ati, ond nid felly y mae hi. Er bod tuedd tuag at y patrwm hwn, nid oes rhaniad clir. Ymhlith y 10 awdl hir sydd ar glawr, canwyd 2 i uchelwyr, ymhlith y 45 o gyfresi englynion ceir rhyw 15 i dywysogion ac ymhlith yr awdlau byrion hwythau y mae cerddi i dywysogion ac i uchelwyr a'r unig farwnad i wraig a gadwyd. Beth am y beirdd felly? A all mai'r uchaf eu statws yn unig o blith y Gogynfeirdd a ganai'r awdlau meithion a bod y beirdd isradd wedi eu cyfyngu i'r awdlau byrion a'r mesurau englynol? Tystia cyfeiriadau dilornus rhai ohonynt at 'gychwilfeirdd', 'manfeirdd' a 'gofeirdd'[5] fod gwahanol fathau o feirdd yn ymweld â'r llysoedd, a sonia'r Cyfreithiau am hawliau a dyletswyddau gwahanol y pencerdd a'r bardd teulu.[6] Dangoswyd bellach, fodd bynnag, nad oes yng ngwaith y Gogynfeirdd dystiolaeth sy'n dangos bod graddau o feirdd a ganai ar fesurau penodol yn bodoli yng Nghymru'r Oesoedd Canol.[7] Y mae'n wir mai englynion yn unig sydd ar glawr o waith beirdd fel y Prydydd Bychan, Einion Wan a Gwilym Ryfel, ond y rheswm mwyaf tebygol am hyn yw bod cyfran o'u gwaith ar goll yn y llawysgrifau cynharaf. Gan mai arfer 'golygydd' y prif gasgliad, Llawysgrif Hendregadredd, oedd trefnu cerddi beirdd unigol yn ôl eu mesur, a'u gosod yn aml mewn plygion ar wahân, hawdd fyddai colli holl gyfresi englynion neu awdlau un bardd a pheri iddynt ymddangos fel awduron un math o ganu yn unig.[8]

Y mae'r ffaith fod Cynddelw Brydydd Mawr a Bleddyn Fardd wedi cyfansoddi marwnadau ar fesur awdl ac ar fesur englyn i'r un gwrthrych yn ategu'r dyb nad statws y bardd neu'r noddwr yn syml a oedd yn pennu'r ffurf. Wrth drafod y parau hyn o gerddi yn ei ddarlith 'The Court Poets of the Welsh Princes' cynigiodd yr Athro J. Lloyd-Jones y gallent fod wedi eu bwriadu ar gyfer dwy gynulleidfa wahanol.[9] Er mwyn ceisio profi'r ddamcaniaeth hon a chwilio am ffactorau eraill posibl, dadansoddwyd pob marwnad yn fanwl gan edrych am gyfeiriadau a allai fod yn arwyddocaol. Penderfynwyd hefyd gasglu tystiolaeth am amgylchiadau marw pob noddwr ac am berthynas beirdd unigol â hwy. Nid oedd yn bosibl gwneud hyn yn achos pob un o'r cerddi ysywaeth, oherwydd nad oedd yr wybodaeth berthnasol ar gael, ond yn achos beirdd fel Cynddelw, Llywarch Brydydd y Moch, Dafydd Benfras a Bleddyn Fardd a ganodd i noddwyr adnabyddus ac y gellir olrhain eu gyrfaoedd i ryw raddau, buan y gwelwyd bod yr ymchwil yn dwyn ffrwyth.

Trown yn gyntaf at yr awdlau hirion:

1 Meilyr Brydydd i Ruffudd ap Cynan, tywysog Gwynedd, m. 1137[10]
2 Gwalchmai i Fadog ap Maredudd, tywysog Powys, m. 1160[11]
3 Cynddelw i Owain ap Gruffudd, tywysog Gwynedd, m. 1170[12]
4 Cynddelw i Gadwallon ap Madog, arglwydd Maelienydd, m. 1179[13]
5 Cynddelw i Ririd Flaidd ac Arthen ei frawd, uchelwyr o Bowys, m. tua 1160[14]
6 Cynddelw i Einion ap Madog ab Iddon, uchelwr o Bowys, m. ail hanner y 12g.[15]
7 Dafydd Benfras i Lywelyn ap Iorwerth, tywysog Gwynedd, m. 1240[16]
8 Dafydd Benfras i Ruffudd ap Llywelyn, tywysog Gwynedd, m. 1244[17]
9 Dafydd Benfras i Ddafydd ap Llywelyn, tywysog Gwynedd, m. 1246[18]
10 Gruffudd ab yr Ynad Coch i Lywelyn ap Gruffudd, tywysog Gwynedd, m. 1282[19]

Rhychwanta cerddi'r dosbarth hwn y rhan helaethaf o'r cyfnod y perthynai Beirdd y Tywysogion iddo. Ar un eithaf y mae marwnad Meilyr Brydydd i Ruffudd ap Cynan, y farwnad gynharaf o waith y Gogynfeirdd sydd ar glawr. Ar yr eithaf arall y mae marwnad Gruffudd ab yr Ynad Coch i'w ddisgynnydd, Llywelyn ap Gruffudd, aelod o'r to olaf o dywysogion Gwynedd. Yn ddaearyddol, cyfyng yw ystod y canu. Nid oes ar glawr yr un farwnad hir o'r Deheubarth, a phrin yw'r enghreifftiau o Bowys. Nid syndod hyn, fodd bynnag, gan mai cofnodi canu llysoedd Gwynedd yn bennaf a wnaethpwyd yng nghasgliad Hendregadredd.[20] Fel y crybwyllwyd eisoes, amrywiol yw statws cymdeithasol gwrthrychau'r cerddi. Amrywiol hefyd oedd amgylchiadau eu marw. Hunodd rhai, fel Gruffudd ap Cynan a Llywelyn ap Iorwerth, yn dawel wedi teyrnasiad faith, tra lladdwyd eraill, fel Dafydd ap Llywelyn a Llywelyn ap Gruffudd, ym mlodau eu dyddiau. Llofruddiwyd Cadwallon ap Madog gan un o arglwyddi'r Mers, a damwain wrth geisio dianc o garchar yn Llundain a oedd yn gyfrifol am dranc Gruffudd ap Llywelyn. Er mai'r un yw bwriad cyffredinol pob un o'r cerddi hyn, sef coffáu'r marw, ac mai cyfuniad o'r un prif elfennau, yn foliant i'r ymadawedig ac yn ymateb i'r golled ar ei ôl, a geir ynddynt, y mae'n amlwg fod y modd y bu farw'r gwrthrych yn dylanwadu ar ddewis y bardd o thema ganolog. Ar ddwyn i gof yr hyn a gyflawnodd ei noddwr Gruffudd ap Cynan yn ystod ei yrfa faith y mae pwyslais Meilyr Brydydd a phrin y mae'n sôn am ei alar ar ei ôl, tra bo Dafydd Benfras yn canolbwyntio'n llwyr ar ei ymateb ingol i farwolaeth drasig Gruffudd ap Llywelyn. Ymddengys fod canlyniadau gwleidyddol y farwolaeth yn ffactor pwysig arall. Cynrychiolai marwolaeth ambell noddwr ddiwedd cyfnod, ac weithiau ddiwedd y byd, i'r beirdd. Mewn achosion eraill, yr oedd yr olyniaeth yn sicr a'r dyfodol yn olau. Er i Ririd

Flaidd a'i frawd, Arthen, gael eu lladd yn wŷr ifainc ar faes y gad, cerdd obeithiol yw marwnad Cynddelw iddynt, yn cloi gyda gweddi ar i Dduw fendithio eu disgynyddion. Ar y llaw arall, er i Fadog ap Maredudd farw mewn gwth o oedran, parodd lladd ei etifedd, Llywelyn, yn fuan wedyn i Walchmai fynegi anobaith llwyr yn ei farwnad iddo a defnyddio termau apocalyptaidd wrth sôn am effaith y ddwy farwolaeth:

> Och, Dduw, na ddoddyw Dyddbrawd can deryw
> Derwyddon weinifiad;
> Diwreiddwys Powys beleidrad rhyfel,
> Rhyfarw udd gwlydd Ystrad.[21]

(Och, Dduw, nad yw Dydd y Farn wedi dod canys wedi marw y mae gwasanaethwr beirdd; cwympodd ymladdwr [dros] Bowys [mewn] rhyfel, llwyr farw yw arglwydd tirion Ystrad.)

Ychydig iawn y gellir ei gasglu o'r cerddi hyn am amseriad ac amgylchiadau eu datgan, ond awgryma cyfeiriad ym marwnad Dafydd Benfras i Lywelyn ap Iorwerth at ddyfodiad mis Mai i'r gerdd honno gael ei chanu rhyw fis ar ôl ei farw yn Ebrill 1240.[22] Gwyddom ei bod yn arfer yn yr Oesoedd Canol i gynnal Offeren Goffa 30 diwrnod wedi'r farwolaeth neu'r gladdedigaeth, a thystia yr unig ddisgrifiad sydd ar glawr o'r arfer yng Nghymru sydd yn dyddio o'r unfed ganrif ar bymtheg, y gallai'r achlysur hwn fod mor gyhoeddus â'r angladd ei hun a'i fod yn gyfle i aelodau'r teulu, eu cyfeillion a gwŷr mawr y wlad glywed datganiad o'r farwnad.[23] Nid oes awgrym yn yr un o'r cerddi eraill am amgylchiadau'r perfformiad cyntaf, ond o ystyried eu hyd a'u cywreinrwydd, anodd credu nad cerddi comisiwn oeddent, wedi eu bwriadu ar gyfer rhyw achlysur cyhoeddus, ffurfiol, beth amser ar ôl y farwolaeth. Diddorol sylwi mai pedair yn unig o'r marwnadau hyn sydd yn canolbwyntio'n llwyr ar yr ymadawedig heb enwi'r un aelod arall o'i deulu. Mwy cyffredin yw cael adran yn moli ei feibion yn ogystal neu yn rhestru enwau perthnasau iddo a fu farw o'i flaen. Amrywia'r pwyslais a roddai'r beirdd ar gwestiwn yr olyniaeth, gan ddibynnu, yn ôl pob tebyg, ar y sefyllfa wleidyddol a achoswyd gan y farwolaeth.[24] Y mae'r cwestiwn yn ganolog i farwnad Cadwallon ap Madog sy'n agor gyda Chynddelw'n holi'n ofidus am olynydd i'w noddwr mewn cyfres o linellau dan y cymeriad *py* ac yn cloi gydag ateb gobeithiol mewn cyfres o linellau dan y cymeriad *tri* yn moli rhinweddau tri mab Cadwallon. Ym marwnad Owain Gwynedd, ar y llaw arall, a ganwyd, yn ôl pob tebyg, yn ystod yr ymrafael rhwng ei feibion, Hywel a Dafydd, ni fentrodd Cynddelw wneud mwy na gosod y cwestiwn 'Gwynedd wen . . . pa wledig a wledych arnai?'[25] Gyda'r gwrthdaro rhwng disgynyddion mor ffyrnig a'i effaith mor bellgyrhaeddol, rhaid bod y beirdd yn ymwybodol iawn o'r perygl o gefnogi'r ymgeisydd anghywir. Anghyffredin, felly, yw datganiad di-flewyn-ar-dafod Dafydd Benfras o'i ymlyniad at Lywelyn yn ei farwnad i'w dad Gruffudd.[26] Ymdrech at gydbwysedd ac amwysedd a welir fel arfer yn y cerddi. Nid yw Meilyr, er enghraifft, yn ffafrio yr un o feibion Gruffudd ap Cynan. Mola rinweddau'r ddau ohonynt fel ei gilydd ond gan awgrymu ei fod yn gwybod yn iawn 'pwy a enillo o'r do ysydd'.[27] Nid enwa Gwalchmai ym marwnad Madog ap Maredudd y rheini o blith meibion a neiaint y tywysog a oedd yn ymryson am uchafiaeth ym Mhowys yn 1160, ond arwyddocaol efallai yw'r ffaith ei fod yn cynnwys mawl i Hywel a Gruffudd, brodyr Madog, er eu bod wedi marw dros ddeunaw mlynedd ynghynt.[28]

Mewn cerddi ac iddynt swyddogaeth gymdeithasol amlwg fel y rhain, disgwylid i'r bardd ganu ar ran ei gynulleidfa gan ei chynnwys yn y mawl a'r galar. Digwydd hyn yn rhai o farwnadau'r dosbarth hwn, megis eiddo Dafydd Benfras i Lywelyn ap Iorwerth lle y cyferchir y gwrandawyr, defnyddir y person cyntaf lluosog a chyfeirir wrth gloi at bawb a fu'n ddibynnol ar y tywysog ac a ddioddefai o'i golli:

> Ei deulu a delynt yng ngryd
> Delwau aur ar eu cyfeiryd;
> Ei wŷrda oedd dda, oedd ddiwyd – pob un,
> Oedd anhawdd iddun ei ddiofryd.
> I'i weision o'i wasanaeth i gyd,
> I'i feirdd (byddyn heirdd, byddyn harddglyd),
> I'i fyrddoedd cyhoedd cyhyd – edgyllaeth,
> Am ei freuolaeth, hiraeth o hyd.[29]

(Arferai ei osgordd haeddu mewn brwydr ddarnau o arian bath ar eu cyfer; yr oedd ei uchelwyr yn dda, yr oedd pob un [ohonynt] yn ffyddlon, yr oedd yn anodd iddynt ymadael ag ef. I'w weision yn ei holl wasanaeth, i'w feirdd (arferent fod yn wychion, arferent fod yn wych a chysurus), i'w luoedd hynod [y mae] galar mor faith, oherwydd ei freuoldeb, [y mae] hiraeth drwy'r amser.)

Nid yr un yw llais y bardd ym mhob marwnad hir, fodd bynnag. Mynegi gofid ei gyd-feirdd yn unig a wna Cynddelw yn ei gerddi i Owain Gwynedd ac i Einion ap Madog, dwy awdl sy'n ymwneud bron yn gyfan gwbl â rôl yr ymadawedig fel noddwr barddoniaeth. Y mae'r canu ym marwnadau Gwalchmai i Fadog ap Maredudd a Dafydd Benfras i Ddafydd ap Llywelyn yn hollol bersonol ac yn ymylu ar fod yn ddeialog rhwng y bardd a'i Dduw ynglŷn â'r golled a ddioddefodd. Ni olyga hyn mai cerddi preifat ydynt, fodd bynnag. Defnyddir dyfais debyg yn rhai o gerddi penydiol y Gogynfeirdd lle y mae'r bardd yn personoli yr ymateb edifeiriol y dymuna ei feithrin ymhlith ei wrandawyr.[30] Y bwriad yn y marwnadau, yn ôl pob tebyg, yw peri i'w gyd-alarwyr uniaethu â'r emosiynau a gyflwyna'r bardd a rhannu'r un cysur ag a dderbynia ef wrth weddïo, cyn cloi, ar i'w noddwr gael mynediad i'r Nef.

Disgwylid i'r weddi glo yn cyflwyno'r ymadawedig i ofal Duw fod yn nodwedd gyffredin ar bob un o'r marwnadau hyn. Nis ceir mewn dwy ohonynt, fodd bynnag, a phedair cerdd yn unig sydd yn agor gyda chyfarchiad ffurfiol i Dduw fel sydd yn gyffredin yn llawer o awdlau mawl y Gogynfeirdd.[31] Yn wir, amrywiol iawn yw'r elfen grefyddol yn y dosbarth hwn. Prin iawn yw'r cyfeiriadau at y Duwdod yng ngherdd Cynddelw i Owain Gwynedd, er enghraifft, tra bo pob caniad o farwnad Meilyr Brydydd i'w dad Gruffudd yn gorffen gydag apêl ar i Dduw drugarhau wrth ei noddwr.[32]

O edrych ar y dosbarth hwn o ganu ar ei ben ei hun fel hyn, y gwahaniaethau rhwng y cerddi sydd fwyaf amlwg. Anodd yw gweld unrhyw nodweddion cyffredin ynddynt heblaw am eu hyd a'u ffurf. Y mae'n bryd, felly, symud ymlaen at yr awdlau byrion:

11 Cynddelw i Fadog ap Maredudd, tywysog Powys, m. 1160[33]
12 Seisyll Bryffwrch i Owain ap Gruffudd, tywysog Gwynedd, m. 1170[34]
13 Daniel ap Llosgwrn Mew i Owain ap Gruffudd, tywysog Gwynedd, m. 1170[35]
14 Seisyll Bryffwrch i Iorwerth ab Owain, arglwydd Nanheudwy ac ymgeisydd yn yr ymrafael am orsedd Gwynedd, m. 1174[36]
15 Elidir Sais i Rodri ab Owain, ymgeisydd yn yr ymrafael am orsedd Gwynedd, arglwydd ar Wynedd Uwch Conwy 1175–90, 1193, m. 1195[37]
16 Gruffudd ap Gwrgenau i Ruffudd ap Cynan, arglwydd Meirionnydd, gydag awdurdod dros Wynedd Uwch Conwy hefyd am gyfnod wedi 1194, m. 1200[38]
17 Einion ap Gwalchmai i Nest ferch Hywel ap Gruffudd ap Cynan, arglwydd Meirionnydd, m. 1200x1220[39]
18 Phylip Brydydd i Rys Ieuanc, arglwydd yng Ngheredigion, m. 1222[40]
19 Dafydd Benfras i'r triwyr ynghyd, sef Llywelyn ap Iorwerth (m. 1240) a'i feibion, Gruffudd (m. 1244) a Dafydd (m. 1246)[41]
20 Elidir Sais i Hywel ab Arthen, uchelwr o Feisgyn ym Morgannwg, m. tua 1250[42]
21 Dafydd Benfras i Ruffudd ab Ednyfed, swyddog i dywysogion Gwynedd, m. wedi 1256[43]
22 Llygad Gŵr i Hywel ap Madog, brawd i Ruffudd, arglwydd Maelor, m. wedi 1262[44]

23 Bleddyn Fardd i Owain ap Gruffudd, brawd i Lywelyn, tywysog Gwynedd, m. 1282[45]

24 Bleddyn Fardd i Lywelyn ap Gruffudd, tywysog Gwynedd, m. 1282[46]

25 Bleddyn Fardd i Ddafydd ap Gruffudd, brawd i Lywelyn a thywysog Gwynedd ar ôl ei farw, m. 1283[47]

26 Bleddyn Fardd i dri mab Gruffudd ap Llywelyn, Owain, Llywelyn a Dafydd, m. 1282x3[48]

27 Bleddyn Fardd i Ddafydd ap Gruffudd, uchelwr o Edeirnion, m. wedi 1284[49]

Marwnadau i aelodau o bum cenhedlaeth o deulu brenhinol Gwynedd, o ganol y ddeuddegfed ganrif hyd at ddiwedd y drydedd ganrif ar ddeg, sydd yn y dosbarth hwn yn bennaf. Ceir hefyd gerddi i ddau aelod o linach tywysogion Powys ac i un o wyrion yr Arglwydd Rhys, i dri uchelwr (o Bowys, Gwynedd a Morgannwg), a marwnad i ferch i un o arglwyddi Meirionnydd. Tebyg yw rhychwant amseryddol a daearyddol y cerddi, felly, i eiddo'r awdlau hirion, ond y maent yn llawer mwy unffurf o ran eu cywair a'u cynnwys. Cyflwynir pob marwolaeth bron fel ergyd bersonol i'r bardd a chanolbwyntir yn llwyr ar ei ymateb ef iddi heb unwaith gyfarch aelodau'r gynulleidfa na sôn am eu teimladau hwy. Yr ymadawedig yn unig a folir, hyd yn oed yn y cerddi i fân arglwyddi ac uchelwyr lle y disgwylid gair neu ddau am eu tywysog.[50] Ni thrafodir yr olyniaeth ac, yn wir, anaml iawn y cyfeirir at unrhyw agwedd benodol ar fywyd a marwolaeth y noddwr. Yr hyn a geir, yn hytrach, yw 'moli anfanwl' (a defnyddio'r term a fathwyd gan Peredur Lynch),[51] sef moliant cyffredinol i filwriaeth a haelioni'r gwrthrych. Diddorol, yn y cyswllt hwn, yw cymharu marwnad fer Cynddelw i Fadog ap Maredudd lle na cheir ond yr awgrym lleiaf o'r argyfwng a wynebai ei ddeiliaid wedi lladd yr etifedd, Llywelyn,[52] gydag awdl hir Gwalchmai y dyfynnwyd ohoni uchod. Canu cynnil, crefftus, sy'n nodweddu'r cerddi hyn a'r beirdd yn symud yn urddasol, bwrpasol o un syniad i'r llall heb ymollwng i alar eithafol ni waeth pa mor drasig y farwolaeth. Angerdd wedi ei ffrwyno sy'n nodweddu marwnad Bleddyn Fardd i Lywelyn ap Gruffudd, er enghraifft, a hyn, mae'n debyg, sy'n gyfrifol am y ffaith nad oes iddi'r un apêl i'r darllenydd modern â marwnad enwog Gruffudd ab yr Ynad Coch i'r un tywysog. Yr unig eithriadau i'r canu gofalus hwn yw marwnad Seisyll Bryffwrch sydd yn ymateb i'r newyddion am farwolaeth Iorwerth Drwyndwn,[53] marwnad Nest ferch Hywel gan Einion ap Gwalchmai sydd ar ffurf cerdd serch,[54] a marwnad Elidir Sais i Rodri ab Owain sydd yn cynnwys gweddi angerddol ar i Rodri gael dychwelyd i drechu ei wrthwynebwyr:

Echwng Lloegr lletgynt farwolaeth,
Och Dduw! na ddaw ef etwaeth
I ystwng treiswyr, treiswriaeth – cynnygn
Yng nghynnif prysuriaeth.[55]

(Cyfyngwr Lloegr [oedd y] trallodus ei farwolaeth. Och Dduw na ddaw ef eilwaith i ddarostwng treiswyr [a] threiswaith gelynion mewn brwydr o wasgfa!)

Y mae i'r gerdd hon elfen grefyddol gref sydd yn ei gosod ynghyd â marwnad Gruffudd ap Gwrgenau i Ruffudd ap Cynan ab Owain ar wahân i'r marwnadau byrion eraill ar fesur awdl. Ni cheir, gan mwyaf, ond gweddi glo fer am Nef i'r noddwr yn y cerddi eraill hyn, ond ymdebyga rhannau agoriadol y ddwy farwnad hyn i ganu penydiol y Gogynfeirdd, gyda'u pregethu ar fyrhoedledd bywyd dyn a mawredd Duw a'u gweddïau ar i'r bardd gael osgoi erchyllterau Uffern. Defnyddia Gruffudd ap Gwrgenau 30 llinell gyntaf ei gerdd i foesoli am bechodau'r bywyd hwn cyn mynegi ei alar am ei noddwr Gruffudd a chanmol ei rinweddau. Yn yr un modd, cyn marwnadu Rhodri, mola Elidir Sais raslonrwydd Duw tuag at ddyn gan erfyn am Ei nawdd. Gellid ychwanegu at y marwnadau hyn ddwy awdl fer arall a gadwyd yng nghasgliad Hywel Fychan o gerddi crefyddol Beirdd y Tywysogion yn Llyfr Coch Hergest, sef 'I'r Mab cyfarchaf' gan Elidir Sais[56] a 'Gosymwy tramwy' a allai fod yn waith Einion ap Gwalchmai neu Lywelyn Fardd.[57] Marwolaeth Dafydd ab Owain yn alltud yn Lloegr yw achlysur y gerdd gyntaf, sydd yn agor gyda datganiad o fwriad Elidir i fod yn fardd i Dduw a deisyfiad am iddo gael ei arbed 'rhag oerwern gethern uffern affan'.[58] Yn ail hanner y gerdd, mynegir galar am y tywysog a chymherir trychineb ei farw â cholli Caersalem i'r Arabiaid yn 1187, digwyddiad a ysgwydodd y Byd Crist-nogol i'w seiliau.[59] Digwydd patrwm deublyg tebyg yn y gerdd ansicr ei hawduraeth sy'n agor gydag anogaeth i fynd ar bererindod i'r Wlad Sanctaidd ac yn cloi gyda mynegiant o ofid y bardd am farwolaeth un y cyfeirir ato fel 'brenin Gwynedd'.[60] Ni ellir dyddio'r gerdd hon gyda sicrwydd, ond diddorol sylwi bod y tair cerdd arall wedi eu canu o fewn wyth mlynedd i'w gilydd ar droad y ddeuddegfed ganrif. Ceir clwstwr arall o ganu tebyg tua diwedd y drydedd ganrif ar ddeg. Ar ffurf gweddi bersonol y cyflwynir marwnadau Bleddyn Fardd i Lywelyn a Dafydd ap Gruffudd tra bo ei farwnad i'w brawd, Owain, ac eiddo Dafydd Benfras i Ruffudd ab Ednyfed, yn agor gyda myfyrdod ar ddrygau'r byd a sicrwydd Angau a'r Farn.

Un awdl yn unig yn y dosbarth hwn y gellir bod yn weddol sicr o amgylchiadau ei chanu, sef marwnad Dafydd Benfras i Lywelyn ap

Iorwerth a'i feibion. Cesglir oddi wrth y gerdd mai achlysur ei datgan oedd claddu gweddillion Gruffudd ap Llywelyn yn abaty Aberconwy ym mis Mai 1248, bedair blynedd wedi iddo farw wrth geisio dianc o'r Tŵr Gwyn yn Llundain.[61] Ar gais ei feibion, Owain a Llywelyn, a thrwy eiriolaeth abadau Aberconwy ac Ystrad-fflur, caniataodd brenin Lloegr i'w gorff ddychwelyd i Wynedd i'w gladdu gyda'i dad Llywelyn a'i hanner-brawd Dafydd. Gellid dadlau bod y cyfeiriad moliannus at 'ddawn yr abad, gwirdad gwirion'[62] a'r diffyg sôn am feibion Gruffudd, yn awgrymu mai aelodau'r gymuned fynachaidd yn Aberconwy yn hytrach nag aelodau'r teulu a gomisiynodd y gerdd i'w datgan wedi'r gladdedigaeth.[63]

Os felly, tybed ai ar gyfer cynulleidfaoedd o eglwyswyr hefyd y lluniwyd yr is-ddosbarth o farwnadau byrion, crefyddol eu naws a drafodwyd uchod? Yr hyn sy'n drawiadol am y cnewyllyn cynharaf yw bod y tri thywysog, Rhodri, Dafydd a Gruffudd, wedi eu trechu cyn marw. Difeddiannwyd Rhodri gan Lywelyn ap Iorwerth a meibion Cynan yn 1194 wedi pedair blynedd o wrthdaro a bu farw flwyddyn yn ddiweddarach a'i gladdu yn eglwys glas Caergybi.[64] Gorchfygwyd Dafydd yntau yn 1194 a cholli ei awdurdod yng Ngwynedd. Ar ôl blwyddyn yng ngharchar Llywelyn, ymgiliodd yn 1197 i'w diroedd yn Lloegr lle y bu farw ymhen chwe mlynedd.[65] Ar ôl cyfnod o gydweithio'n llwyddiannus, y mae'n debyg i Ruffudd ap Cynan gael ei drechu gan Lywelyn ap Iorwerth rywbryd cyn iddo ymgilio i abaty Aberconwy lle y bu farw yn 1200 'drwy diwed da wedy kymrut abit kreuyd'.[66] Yn yr achosion hyn, mae'n bosibl nad oedd y sefyllfa wleidyddol o fewn Gwynedd yn caniatáu cynnal y fath o achlysur gwladol a geid fel arfer wedi marw tywysog, pan gomisiynai ei olynwyr awdl hir fawreddog i'w pherfformio gerbron ei holl berthnasau a'i gyfeillion a'i ddeiliaid. Yn hytrach, awgryma ffurf a chynnwys y cerddi, ac yn enwedig natur llai gochelgar y mawl, achlysur mwy preifat ar gyfer carfan o'i gefnogwyr yn unig.[67] Gall mai'r gladdedigaeth yn eglwys Caergybi ac yn abaty Aberconwy oedd achlysur canu'r cerddi i Rodri a Gruffudd, ac mai canu offeren goffa gan gymuned eglwysig yng Ngwynedd a arhosodd yn driw iddo a sbardunodd gomisiynu'r gerdd i Ddafydd.[68]

Creodd Bleddyn Fardd ei farwnad i dri mab Gruffudd ap Llywelyn ar batrwm marwnad Dafydd Benfras i Lywelyn ap Iorwerth a'i feibion.[69] Y mae'n debygol fod ei eiriau agoriadol, 'Neud amser gaeaf', yn dynodi'r adeg o'r flwyddyn pan ganwyd hi gyntaf. Cynigiodd golygydd y gerdd, Rhian M. Andrews, iddi gael ei datgan ddiwrnod neu ddau ar ôl Calan Gaeaf 1283 ac mai ei bwriad oedd coffáu Dafydd ddeng niwrnod ar hugain ar ôl ei farw ar 3 Hydref.[70] Yn anffodus, ni ellir ond dyfalu ymhle ac i bwy y canwyd hi, gan nad oes yr un awgrym yn y gerdd ei hun. Anodd hefyd yw gwybod pam y dewisodd Bleddyn ddefnyddio awdlau byrion a chyfresi englynion i farwnadu'r tri thywysog yn unigol, yn hytrach nag efelychu ei athro barddol a luniodd awdlau hirion i Lywelyn, Gruffudd a Dafydd genhedlaeth ynghynt. Gall mai'r hinsawdd wleidyddol a oedd yn gyfrifol am y gwahaniaeth. Yr oedd 1282–4 yn gyfnod o ryfel: trodd nifer o'u cefnogwyr yn erbyn y tywysogion, lladdwyd Llywelyn a dienyddiwyd Dafydd gan wŷr Lloegr, ac erlidiwyd a charcharwyd eu perthnasau. Pwy oedd ar ôl i gomisiynu marwnadau gan y beirdd? Fel y crybwyllwyd uchod, y mae i awdlau Bleddyn, yn wahanol i farwnadau Dafydd Benfras, elfen o ganu penyd. Tybed, felly, ai ar gyfer aelodau un o'r abatai a gefnogai'r tywysogion, megis Cwm Hir lle y claddwyd corff Llywelyn, y'i cyfansoddwyd?[71] Ar y llaw arall, yn wahanol i farwnadau crefyddol eu naws y ddeuddegfed ganrif, cynildeb sy'n nodweddu'r cerddi hyn, fel pe bai'r bardd yn ofni tramgwyddo ei wrandawyr. Diddorol, er enghraifft, yw cymharu'r modd y defnyddia Bleddyn y ddyfais o gyffelybu Llywelyn â Christ sydd yn pellhau'r gwrandawr oddi wrth realiti erchyll ei farwolaeth, ag uniongyrchedd Gruffudd ab yr Ynad Coch mewn llinellau fel 'Pen Llywelyn deg, dygn a fraw – i'r byd/ bod pawl haearn trwyddaw'.[72] Awgrymodd Tomos Roberts, ar sail cyfeiriadau at ddau le di-nod wrth droed Castell y Bere, mai yn y castell hwnnw, yng ngŵydd Dafydd a'i gefnogwyr, y canodd Gruffudd ei farwnad ef am y tro cyntaf, a hynny yn ystod y misoedd rhwng lladd Llywelyn yn Rhagfyr 1282 ac Ebrill y flwyddyn ganlynol pan ildiodd garsiwn y castell i luoedd brenin Lloegr.[73] Gwahanol iawn, i bob golwg, oedd cynulleidfa ac achlysur canu marwnad Bleddyn i'r tywysog.

Nid Llywelyn oedd yr unig arglwydd a oedd yn wrthrych mwy nag un farwnad ar fesur awdl. Y mae ar glawr hefyd bâr o farwnadau i Fadog ap Maredudd a fu farw yn 1160 a thriawd o farwnadau a ganwyd i Owain Gwynedd ddeng mlynedd yn ddiweddarach. Sylwyd eisoes ar natur gyffredinol mawl Cynddelw i Fadog a'i gynildeb wrth gyfleu colled ddeublyg pobl Powys o'i gymharu â theimladrwydd Gwalchmai. Y mae gwahaniaeth amlwg hefyd rhwng cerddi Seisyll Bryffwrch a Daniel ap Llosgwrn Mew i Owain ac eiddo Cynddelw. Tra chonfensiynol ac amhenodol yw'r moliant a roddir i Owain yn y ddwy awdl fer. Y mae yng ngherdd Daniel fynegi galar dwys ond ymyla canu Seisyll ar fod yn amhersonol. Cynddelw, yn yr achos hwn, yw'r mwyaf ymrwymedig o'r tri wrth iddo leisio gofid ei gyd-feirdd yn ogystal â'i hiraeth ef ei hun am y tywysog.

Pam y mae mwy nag un awdl farwnad wedi ei llunio ar gyfer yr un gwrthrych? Pam maent yn wahanol i'w gilydd o ran ffurf a chywair? A pham y mae Cynddelw wedi cyfansoddi un fath o farwnad i goffáu Madog a math arall ar gyfer Owain? Efallai mai un bardd yn unig a dderbyniai gomisiwn i greu'r farwnad 'swyddogol' ond bod beirdd eraill yn llunio cerddi llai uchelgeisiol i'w canu yn llysoedd perthnasau a chyfeillion yr ymadawedig. Y tebyg yw mai *penkert patrie* y testunau cyfraith Lladin, pencerdd yr ardal lle y cynhelid yr offeren a'r wledd goffa[74] a oedd â'r hawl i ganu'r farwnad amlganiad yn wreiddiol ond nid oes tystiolaeth yng nghanu'r Gogynfeirdd i gadarnhau hyn. Anodd gwybod beth yn union oedd natur perthynas Gwalchmai, y bardd o Wynedd, â Madog ap Maredudd a'i lys. Yr unig beth y gallwn fod yn weddol sicr ohono yw ei fod yn hŷn na Chynddelw, a'r tebyg yw ei fod, yn 1160, yn bwysicach bardd nag ef.[75] Ddegawd yn ddiweddarach, yr oedd Cynddelw yn ei anterth a hawdd deall pam mai ef a ddewiswyd i ganu marwnad fawreddog i Owain.[76]

Diddorol sylwi bod awdl fer Cynddelw i Fadog wedi ei chadw yn Llyfr Du Caerfyrddin, llawysgrif o'r drydedd ganrif ar ddeg a luniwyd yn y Deheubarth ac sydd yn cynnwys cerddi a oedd, yn ôl pob tebyg, yn boblogaidd yn llysoedd tywysogion y dalaith honno yn ystod y ganrif flaenorol.[77] Tybed a deithiodd y bardd i lys yr Arglwydd Rhys a oedd yn fab-yng-nghyfraith i Fadog ap Maredudd, i ddatgan y farwnad? Tybed a fu iddo ei chanu hefyd yn llys Owain Gwynedd wrth iddo geisio ennill ei nawdd, yn ogystal ag yn llysoedd olynwyr Madog ym Mhowys? Gall mai'r bwriad i'w datgan gerbron nifer o gynulleidfaoedd gwahanol sydd i gyfrif am natur ochelgar y mawl yn rhai o'r marwnadau byrion hyn ac am y ffaith na sonnir am neb ond yr ymadawedig. Rhaid oedd i'r bardd sicrhau bod ei gerdd at ddant pawb, hyd yn oed y rheini a fu'n wrthwynebwyr i'w arglwydd!

Bu'n rhaid i Fleddyn Fardd yntau chwilio am noddwyr newydd wedi i deulu brenhinol Gwynedd gael ei ddifodi gan Edward I, yn yr un modd ag y gwnaeth Cynddelw wedi marwolaethau Madog ac Owain dros ganrif ynghynt. Tybed a luniodd ei gyfres o awdlau i'r tri thywysog a'r farwnad i'r tri ynghyd i'w canu yn llysoedd yr uchelwyr wrth iddo grwydro Gwynedd a Phowys yn chwilio am nawdd yn ystod y blynyddoedd wedi 1284?[78] Efallai yr eglurai hynny y gamp lenyddol arbennig sydd ynddynt, camp nid annhebyg i eiddo Cynddelw yn ei farwnad i Fadog.[79]

Erys y cyfresi englynion.[80]

28 Cynddelw i Fleddyn Fardd, rhyfelwr o Bowys, m. 1157[81]
29 Cynddelw i Heilyn ap Dwywg, uchelwr o Bowys, m. cyn 1160[82]
30 Cynddelw i Fadog ap Maredudd, tywysog Powys, ei fab Llywelyn a'i osgordd, 1160[83]
31 Cynddelw i osgordd Madog ap Maredudd pan fu farw, 1160[84]
32 Cynddelw i Ririd Flaidd, uchelwr o Bowys, tua 1160[85]
33 Cynddelw i Ednyfed, arglwydd Crogen, m. yn ail hanner y 12g.[86]
34 Cynddelw i Ddygynnelw, ei fab, rhyfelwr, m. yn ail hanner y 12g.[87]

35   Cynddelw/Llywelyn Fardd i aelodau o osgordd Owain Gwynedd, 1165x70[88]

36   Cynddelw i Ithael ap Cedifor, rhyfelwr o Wynedd, m. tua 1167?[89]

37   Peryf ap Cedifor i'w frodyr, rhyfelwyr o Wynedd, m. 1170[90]

38   Peryf ap Cedifor i'w frodyr ac i'r tywysog Hywel ab Owain Gwynedd, m. 1170[91]

39   Cynddelw i Iorwerth Goch, brawd i Fadog ap Maredudd, arglwydd ym Mhowys ac ymgeisydd yn yr ymrafael am orsedd Powys, m. tua 1171[92]

40   Cynddelw i Byll o Lansadwrn, rhyfelwr, m. 1170x79[93]

41   Cynddelw i Owain Fychan ap Madog, arglwydd ym Mhowys ac ymgeisydd yn yr ymrafael am orsedd Powys, m. 1187[94]

42   Prydydd y Moch i Iorwerth ap Rhotbert, uchelwr yn Arwystli, m. wedi 1197[95]

43   Prydydd y Moch i Ruffudd ap Cynan, arglwydd Meirionnydd, gydag awdurdod dros Wynedd Uwch Conwy hefyd am gyfnod wedi 1194, m. 1200[96]

44   Llywelyn Fardd I i Gedifor ap Genillyn, uchelwr o Feirionnydd, m. tua 1200[97]

45   Gruffudd ap Gwrgenau 'i'w gyfeillion', rhyfelwyr, tua 1200?[98]

46   Prydydd y Moch i Ruffudd, mab Hywel ab Owain Gwynedd o bosibl, m. tua 1200[99]

47   Prydydd y Moch i Faredudd ap Cynan, brawd Gruffudd, arglwydd ar diroedd yng Ngwynedd rhwng 1175 a'i farw yn 1212.[100]

48   Y Prydydd Bychan i Forgan ap Rhys, penteulu i'w frawd, Gruffudd, uchelwr yn y Deheubarth, m. 1215[101]

49   Prydydd y Moch i Hywel ap Gruffudd, arglwydd Meirionnydd o 1201 hyd ei farw yn 1216[102]

50   Y Prydydd Bychan i Rys Ieuanc, arglwydd yng Ngheredigion, m. 1222[103]

51   Y Prydydd Bychan i Rys Gryg, arglwydd yn y Deheubarth, m. 1233[104]

52   Y Prydydd Bychan i Owain ap Gruffudd, arglwydd yng Ngheredigion, m. 1235[105]

53   Einion Wan i Fadog ap Gruffudd Maelor, arglwydd Powys Fadog, m. 1236[106]

54   Y Prydydd Bychan i Gynan ap Hywel Sais, arglwydd Dyfed, m. tua 1240[107]

55   Einion Wan i Lywelyn ap Iorwerth, tywysog Gwynedd, m. 1240[108]

56   Y Prydydd Bychan i Rys ap Llywelyn, distain i Faredudd ab Owain, m. 1240x1265[109]

57   Elidir Sais i Ednyfed Fychan (distain i Lywelyn ap Iorwerth a'i fab Dafydd, m. 1246) a Thegwared ab Iarddur[110]

58   Y Prydydd Bychan i Rys Foel ap Rhys a Samson ap Meurig, swyddogion yn llys Maredudd ab Owain (arglwydd yng Ngheredigion), o bosibl, m. tua 1250[111]

59 Y Prydydd Bychan i Wên ap Goronwy, distain i Ruffudd ap Gwenwynwyn, arglwydd ym Mhowys, m. tua 1250[112]

60 Bleddyn Fardd i Ddafydd ap Llywarch (Dafydd Benfras?), uchelwr yng Ngwynedd, m. tua 1257[113]

61 Y Prydydd Bychan i Faredudd ab Owain, arglwydd yng Ngheredigion m. 1265[114]

62 Bleddyn Fardd i Oronwy ab Ednyfed, distain i Lywelyn ap Gruffudd, m. 1268[115]

63 Y Prydydd Bychan i Oronwy ab Ednyfed[116]

64 Bleddyn Fardd i Hywel, mab Goronwy ab Ednyfed, uchelwr yng Ngheredigion, m. ail hanner y 13g.[117]

65 Y Prydydd Bychan i Fadog Môn, uchelwr yng ngwasanaeth rhyw dywysog, m. hanner cyntaf y 13g.[118]

66 Y Prydydd Bychan i Fleddyn ap Dwywg, swyddog llys, m. hanner cyntaf y 13g.[119]

67 Y Prydydd Bychan i Lywelyn ap Rhys ap Iorwerth, swyddog llys, m. hanner cyntaf y 13g.[120]

68 Y Prydydd Bychan i Flegywryd, deiliad i Faredudd ab Owain, m. hanner cyntaf y 13g.[121]

69 Bleddyn Fardd i Owain ap Gruffudd, brawd i dywysog Gwynedd, m. tua 1282[122]

70 Bleddyn Fardd i Lywelyn ap Gruffudd, tywysog Gwynedd, m. 1282[123]

71 Bleddyn Fardd i Ddafydd ap Gruffudd, brawd i Lywelyn a thywysog Gwynedd ar ôl ei farw, m. 1283[124]

72 Bleddyn Fardd i Ruffudd ap Iorwerth, uchelwr ym Môn, m. ar ôl 1284[125]

O'r tri dosbarth o farwnadau, hwn sydd â'r cydbwysedd gorau rhwng y canu i linachau tair prif dalaith Cymru a rhwng y canu i dywysogion, mân arglwyddi ac uchelwyr. Oherwydd hyn, ac am fod cymaint yn fwy o gyfresi englynion wedi eu cadw nag o awdlau, efallai y bydd modd sylwi ar ambell wahaniaeth rhwng canu marwnadol beirdd Gwynedd a'r beirdd a ganai yn llysoedd y De a rhwng beirdd y ddeuddegfed ganrif a beirdd y drydedd ganrif ar ddeg. Rhaid troedio'n ofalus, fodd bynnag, gan fod ar glawr lawer mwy o waith Cynddelw a'r Prydydd Bychan na'r un bardd arall.

Y peth cyntaf sy'n taro dyn ynglŷn ag englynion marwnad beirdd y ddeuddegfed ganrif yw'r amrywiaeth mawr yn hyd y cerddi. Y mae cyfresi o dri, pump, chwech, saith, wyth, naw, un ar ddeg, deuddeg, tri ar ddeg, pedwar ar ddeg a deunaw o englynion, ac un gyfres o un englyn ar bymtheg ar hugain sydd yn hwy na rhai o'r awdlau amlganiad! Llawer mwy cyfyng yw ystod hyd marwnadau beirdd y ganrif ddilynol gyda rhwng chwech a naw o englynion ym mwyafrif helaeth y cyfresi. Ceir mwy o unffurfiaeth hefyd yn null beirdd y drydedd ganrif ar ddeg o gadwyno englynion o fewn cyfres ac yn eu dewis o fesurau. Cyrch-gymeriad sydd yn cysylltu'r englynion ym mhob un o'u cyfresi hwy, tra defnyddir dulliau eraill mewn nifer o gerddi'r ganrif flaenorol, megis cymeriad geiriol neu ailadrodd enw, gair neu ymadrodd allweddol ym mhob englyn. Ar un mesur yn unig y cenir y rhan fwyaf o'r cyfresi, sef yr englyn unodl union, gydag ambell gyfres o englynion proest, ond mewn pedair o farwnadau'r ddeuddegfed ganrif ceir cyfuniad o hyd at bedwar math gwahanol o englyn.[126]

Diddorol sylwi mai er cof am ryfelwyr ifainc y lluniwyd y cerddi mwyaf anghonfensiynol o ran ffurf. Cyfres o dri englyn yn unig, wedi eu cysylltu'n gelfydd drwy ailadrodd enw'r gwrthrych, a ganodd Cynddelw i Byll a laddwyd mewn ymgyrch yn y De, ac i Ddygynnelw, ei fab ei hun.[127] Anodd bod yn sicr o arwyddocâd yr ymadrodd *mab aillt* a ddefnyddir i ddisgrifio Pyll yn nheitl y gerdd yn Llawysgrif Hendregadredd, ond gall mai 'aelod o osgordd' yw'r ystyr.[128] I osgorddion y canwyd y ddwy gyfres englynion hwyaf a briodolwyd i Gynddelw, y naill i deulu Madog ap Maredudd, tywysog Powys a'i fab Llywelyn, a'r llall i deulu Owain Gwynedd. Nodweddir y ddwy gerdd gan lacrwydd eu hadeiladwaith syniadol. Hawdd fyddai ychwanegu englynion atynt heb amharu ar y cyfanwaith ac efallai mai hyn sy'n gyfrifol am eu hyd anghyffredin.[129] Tebyg iawn o ran strwythur (neu ddiffyg strwythur) yw cyfresi englynion Peryf ap Cedifor i'w frodyr a laddwyd gyda'u brawd-maeth, Hywel ab Owain,[130] a cherdd Gruffudd ap Gwrgenau *o'i gedemeithon*, sef casgliad o englynion i bedwar rhyfelwr a oedd o bosibl yn perthyn i'r un osgordd frenhinol â'r bardd ei hun.[131]

Gall mai cyflawni un o swyddogaethau traddodiadol y bardd teulu a wnâi'r beirdd wrth lunio rhai o'r cerddi hyn lle yr enwir ac y molir aelodau gosgordd yn unigol. Fel un o'r teulu y canodd Cynddelw y farwnad i Fadog ap Maredudd a'i fab Llywelyn sydd yn agor gyda rhestr o ymgyrchoedd y bu iddo gymryd rhan ynddynt ar ffin ddwyreiniol Powys.[132] Yn yr un modd Peryf ap Cedifor, a fu'n llygad dyst i ladd nifer o'i frodyr ef ei hun a'i arglwydd, Hywel ab Owain, ym Mrwydr Pentraeth. Y mae'r cyfresi hyn i'w cymharu o ran *genre* â'r 'Gododdin', ac yn wir, awgrymwyd bod marwnad Cynddelw i osgordd Owain Gwynedd o fwriad yn efelychu'r 'Gododdin'.[133] Diddorol sylwi, fodd bynnag, mai gwahanol yw rhan Cynddelw yn y gerdd olaf hon. Nid yw'n honni bod yn aelod o osgordd Gwynedd, nid yw ychwaith yn moli'r rhyfelwyr a laddwyd fel noddwyr iddo ef yn bersonol ac arwyddocaol, efallai, yw'r ffaith fod y gyfres yn cychwyn gyda'r geiriau *Owain arwyrain* 'moliant i Owain' ac yn cloi hefyd gydag enw'r tywysog.[134]

Awgryma geiriau heriol Cynddelw yn englynion clo'r gyfres i deulu Madog a Llywelyn,

Pei byw llary Lleisiawn ni luestai Wynedd
Ym mherfedd Edeirniawn . . . [135]

(Pe bai'r gŵr hael o dylwyth Lles yn fyw ni wersyllai gwŷr Gwynedd yng nghanol Edeirnion . . .)

mai ar gyfer cynulleidfa o gefnogwyr y tywysogion yn unig y'i bwriadwyd. Y mae gan y bardd gyfresi eraill, fodd bynnag, sydd yn debycach o ran cywair i rai o'r awdlau byrion a drafodwyd uchod. Tua 1171 bu farw Iorwerth Goch, brawd i Fadog ap Maredudd, ar faes y gad, ac un mlynedd ar bymtheg yn ddiweddarach llofruddiwyd Owain Fychan, mab i Fadog, *drwy nosawl urat a thwyll*.[136] Lluniodd Cynddelw gyfres englynion ffurfiol a swyddogol ei natur i Iorwerth gan ganu am ddelfryd yn hytrach nag am unigolyn.[137] Cyflwynodd Owain fel cyfaill iddo ond gan ganolbwyntio'n llwyr ar y golled ar ei ôl. Nid oes awgrym pendant yn y naill gerdd na'r llall ymhle nac ar gyfer pwy y'u lluniwyd hwy, ond diddorol sylwi ar ofal y bardd wrth gyfeirio at safleoedd Owain ac Iorwerth o fewn y Bowys ranedig. Er mor gyffredinol y mawl iddo, fel 'deifniog ri' (un sy'n addas neu'n deilwng i fod yn frenin), yn hytrach nag fel rhi y coffeir Iorwerth, ac fel 'deifniog . . . Madog' y molir Owain yntau.[138] Gwyddom fod Cynddelw, yn fuan ar ôl marwolaeth Owain Fychan, wedi canu awdl fawl uchelgeisiol i Owain Cyfeiliog, prif wrthwynebydd Owain Fychan yn yr ymrafael am orsedd Powys.[139] Tybed ai cerdd i'w chanu yn llys y gŵr hwn a oedd yn sicr o fod â rhyw ran yn ei lofruddiaeth, oedd marwnad Owain Fychan?

Y mae'n bosibl fod Prydydd y Moch eisoes yng ngwasanaeth Llywelyn ap Iorwerth pan luniodd ei gyfres englynion marwnad i Ruffudd ap Cynan. Cerdd urddasol, swyddogol ei naws ydyw gyda'r pwyslais ar haelioni Gruffudd ac ar y golled a ddioddefodd y beirdd yn arbennig, o ganlyniad i'w farwolaeth.

Llawr Ruffudd, llary udd, llawen gymwyd – ysb,
Llawer osb nad ydwyd,
Ethynt feirdd, er pan athwyd,
Heb aur seirch, heb feirch, heb fwyd.[140]

(Gruffudd gampus, arglwydd hael, cydymaith llawen gwesteion, y mae llawer gwestai [heb ei fodloni am] nad wyt, aeth y beirdd, oddi ar i ti fynd, heb harnais euraid, heb feirch, heb fwyd.)

Diddorol yw cymharu'r gerdd hon â marwnad a ganodd Prydydd y Moch i Faredudd, brawd Gruffudd, ddeuddeng mlynedd yn ddiweddarach. Ceir ynddi englynion lle y coffeir y ddau frawd ynghyd mewn modd tipyn llai cynnil.

190

Dwyn meibion Cynan cyn bu llwyd – yr un,
        Arwynawl ym mhlymnwyd,
Engyrdd gyrdd, gwrthlys annwyd,
Angau, anghyfartal wyd![141]

(Cipio meibion Cynan cyn y bu [gwallt] yr un [ohonynt] yn llwyd, [rhai]
ffyrnig mewn brwydr, [rhai a chanddynt] luoedd dewr, gelyniaethus [eu]
natur – Angau, anghwrtais ydwyt!)

Tybed ai yn llys Hywel, mab Gruffudd ap Cynan a'r gŵr a ddisodlodd
Faredudd ym Meirionnydd, yn hytrach nag yn llys Llywelyn y canodd
Prydydd y Moch y gerdd hon?

Amrywia llais y Prydydd Bychan o farwnad i farwnad yn yr un modd, gan
ganu weithiau'n gynnes, bersonol, dro arall yn ffurfiol a gofalus. Er bod y
dystiolaeth yn brin, anodd peidio â chasglu mai natur y gynulleidfa y
bwriadwyd y farwnad ar ei chyfer oedd yn pennu ei chywair gan amlaf.
Enghraifft dda yw'r canu i Rys Ieuanc a Chynan ap Hywel, dau o wyrion yr
arglwydd Rhys a fu'n noddwyr i'r bardd. Bu'r ddau farw'n ddietifedd a
rhoddwyd eu tiroedd i aelodau eraill o'r llinach, gan Lywelyn Fawr yn achos
Rhys a chan William Marshal, iarll Penfro, yn achos Cynan. Er iddo ddewis
agor a chloi ei gadwyn i Rys gyda'r gair 'colled', ni fynega'r Prydydd alar
personol am ei arglwydd ac ni leisia ofid ei ddilynwyr. Yn hytrach, canmola
filwriaeth Rhys drwy raffu epithetau moliannus ac ailgylchu nifer o themâu
traddodiadol y canu mawl. Y mae'r gyfres i Gynan, ar y llaw arall, yn agor a
chloi gydag enw ei diriogaeth, ac ynddi, uniaetha'r bardd yn llwyr â gwŷr
Dyfed yn eu colled gan fynegi eu pryder am y dyfodol.

Llwyr y'n lladdawdd cawdd cwynfeddu – galar
        (Gelyn Lloegr a ddarfu!)
Bod gŵr arall yn gallu
Ymaddolwyn â'i deulu.[142]

(Yn gyfan gwbl y'n trawodd gofid cwynfeddiannol galar (y mae gelyn
gwŷr Lloegr wedi marw!) bod gŵr arall yn gallu ymwneud â'i osgordd.)

Cymharol brin ymhlith y cyfresi englynion yw marwnadau fel yr un i
Rys Ieuanc lle y mae'r bardd yn ei gyfyngu ei hun i foli rhinweddau'r
ymadawedig yn gonfensiynol ddiogel.[143] Llawer mwy cyffredin yw'r cerddi
megis marwnad Einion Wan i Lywelyn ap Iorwerth, lle y mae'n mentro
cyflwyno ei ymateb personol i'r farwolaeth neu'n canu ar ran ei
gynulleidfa. Y mae'r gerdd hon yn arbennig o ddadlennol am fod y bardd
yn cyfarch ei wrandawyr droeon.

Iorferth esillydd! Arfogion – ei hil!
Hael gynnil gynrheinion!
Gwae ni, Wynedd orchorddon,
Gweled llawr ar llyw mawr Môn.[144]

(Gwehelyth/disgynnydd Iorwerth! Gŵyr arfog ei dylwyth! Rhyfelwyr [y]
gŵr deheuig ucheldras! Gwae ni, osgorddion Gwynedd, wled [y] ddaear
dros reolwr mawr Môn.)

Daw'n amlwg mai gerbron un neu fwy o feibion Llywelyn ac yng ngŵydd
ei osgordd y datganwyd y gerdd hon gyntaf, a hynny yn un o'i lysoedd ym
Môn, os gellir rhoi pwys ar y cyfeiriadau niferus at yr ynys a'i phobl sydd
yn y gerdd. Diddorol yw'r cyfarchiad, 'Doethon, lleÿgion!'[145] sydd yn
awgrymu bod eglwyswyr yn bresennol yn y gynulleidfa yn ogystal â
rhyfelwyr. Efallai fod hyn yn egluro'r gyntaf o ddwy nodwedd arbennig
sydd yn gwneud y gerdd hon yn wahanol i'r rhan fwyaf o farwnadau'r
Gogynfeirdd ar fesur englyn, sef y ffaith fod ynddi fynych sôn am Dduw a
Christ. Nid oes yr un gair am grefydd yn ymron i hanner y cyfresi eraill
sydd ar glawr ac yn y gweddill ni cheir ond ambell gŵyn gan y bardd fod
Duw wedi cipio ymaith ei noddwr, neu ddymuniad ar iddo ei waredu o'i
alar. Rhyw bump o gyfresi yn unig sydd yn cloi gyda gweddi ar i'r marw
gael Nef. Llawer mwy cyffredin yw agor a chau'r gadwyn gydag enw'r
ymadawedig neu air arwyddocaol, fel 'colli', 'dwyn', 'marw', 'gŵr',
'arglwydd' ac ati. Yr ail nodwedd anghyffredin yng ngherdd Einion Wan
yw'r cyfeiriad at fab neu feibion Llywelyn. Mewn un gyfres yn unig yr
enwir olynydd yr ymadawedig, sef 'Marwnad Cedifor ap Genillyn' gan
Lywelyn Fardd. Canolbwyntio ar y marw a wneir yn y rhan fwyaf o'r
cerddi eraill heblaw am rai o'r cyfresi sydd yn coffáu uchelwyr.

Fe dâl inni oedi gyda'r dosbarth hwn o ganu i'r gwŷr a wasanaethai'r
tywysogion ar faes y gad ac yng ngweinyddiaeth eu teyrnasoedd. O ran y
mawl, anodd gwahaniaethu rhyngddynt a'r marwnadau i noddwyr
brenhinol gan mai'r un rhinweddau traddodiadol a ganmolir, sef dewrder
a ffyrnigrwydd yn y frwydr a graslonrwydd yn y llys. Yr un fath o
ymadroddion a ddefnyddir hefyd i gyfleu'r golled ar eu hôl ac i gyflwyno
perthynas y beirdd â hwy. Mewn nifer o'r cerddi, fodd bynnag, cyfeirir at
berthynas yr uchelwr â'i dywysog yn ogystal. Cyflwynir Blegywryd, deiliad
i un o dywysogion y Deheubarth, gan y Prydydd Bychan, fel 'da ŵr
arglwydd'.[146] Sonia'r un bardd am y golled i 'wawr llawr Llannarth' pan fu
farw Rhys Foel ap Rhys a Samson ap Meurig,[147] ac am farwolaeth Rhys
ap Llywelyn fel 'chweddl oer i eurfab Owain'.[148] Molir Cedifor ap Genillyn
gan Lywelyn Fardd fel 'tad maeth myged Maredudd'[149] ac Ednyfed,
arglwydd Crogen, gan Gynddelw fel 'brawdfaeth Llywelyn'.[150] Tybed,
felly, ai yn llysoedd y tywysogion yn hytrach nag yng nghartrefi'r uchelwyr

eu hunain y datgenid y cerddi hyn? Ceir awgrym mewn rhai ohonynt fod yr osgordd hefyd yn bresennol a bod y bardd yn canu'r farwnad ar eu rhan.[151] Efallai yr eglura hyn pam mai fel 'cyd-ryfelwr a ddigwyddai fod yn fardd' y coffeir y Bleddyn Fardd cyntaf gan Gynddelw,[152] a pham mai canmol gorchestion Dafydd Benfras fel milwr yn hytrach nag fel prydydd a wna'r ail Fleddyn Fardd.[153] Eglurai hefyd yr adlais o'r 'Gododdin' ym marwnad Cynddelw i Fleddyn sy'n dwyn i gof y gyfres englynion i aelodau gosgordd Owain Gwynedd.[154]

Tystia'r cerddi fod y ddau fardd hyn wedi eu lladd mewn ymgyrchoedd milwrol, ond, hyd y gwyddom, yn ei wely y bu farw Ednyfed Fychan, wedi oes hir yn gwasanaethu Llywelyn ap Iorwerth a'i fab, Dafydd, fel cynghorwr a llysgennad. Eto i gyd, fel rhyfelwr yn unig y mola Elidir Sais ef gan ganolbwyntio ar orchestion milwrol ei ieuenctid. Tybed ai'r rheswm am hyn ac am y ffaith fod y bardd yn ei goffáu ar y cyd â'i gyfaill, Tegwared ab Iarddur (na wyddom ddim amdano), oedd i'r ddau ohonynt fod yn gyd-aelodau o'r osgordd frenhinol pan oeddent yn ifanc ac iddynt farw tua'r un pryd?[155] Y mae lle i gredu mai rhyw haint a fu'n gyfrifol am ladd Samson ap Meurig a Rhys Foel, dau ddisgynnydd i'r Arglwydd Rhys a farwnedir ynghyd gan y Prydydd Bychan.[156] Fel rhyfelwyr y molir hwythau yn bennaf, ond deil Morfydd E. Owen, golygydd gwaith y Prydydd, fod rhai cyfeiriadau yn yr englynion yn awgrymu y gallasent hwythau fod yn swyddogion llys fel Ednyfed.[157] Yn wahanol i Elidir Sais, a Bleddyn Fardd a ganodd i Oronwy, mab Ednyfed Fychan, y mae'r Prydydd Bychan yn cydnabod y twf ym mhwysigrwydd swyddogion llys y tywysogion yn ystod y drydedd ganrif ar ddeg.[158] Cyfeiria at Rys ap Llywelyn a Gwên ap Goronwy fel disteiniaid, gan gyflwyno darlun o'r olaf yn gweithredu mewn cyfarfod rhwng arweinwyr gwleidyddol:

> Cynnaddl, lle bai beilch ddoethon
> Yn ymarfodd, mawrweilch trin,
> Ei lw ni lithid ar Wên,
> Ei air oedd crair crededun.[159]

([Mewn] cynhadledd lle y byddai heirdd ddoethion yn cynghreirio, rhyfelwyr mawr [y] frwydr, ni chymhellid ei lw ar Wên, byddai ei air megis crair credadwy.)

Ac yn ogystal â moli gallu Madog Môn ar faes y frwydr, canmola hefyd ei ddawn fel cyfryngwr ar ran ei arglwydd:

> Oedd tafawd coeth doeth digrif
> Ar lles pob neges o'i naf.[160]

(Cywrain, doeth [a] diddan [ei] dafod ydoedd er lles pob gorchwyl [a wnaeth] ar ran ei arglwydd.)

Y mae'n drueni na chadwyd englynion coffa i uchelwyr y Deheubarth o waith beirdd eraill heblaw'r Prydydd Bychan i gadarnhau'r dyb mai enghraifft yw hon o flaengarwch beirdd y De o'i gymharu â beirdd Gwynedd.

Awgrymwyd eisoes mai ar gyfer achlysuron ffurfiol, beth amser ar ôl y farwolaeth y bwriadwyd awdlau marwnad y Gogynfeirdd. Yr argraff a rydd y rhan fwyaf o'r cyfresi englynion, oherwydd eu byrder, eu hanffurfioldeb a'r diffyg cyfeiriadau crefyddol, yw mai mewn gwledd yn dilyn yr angladd y cenid hwy. Gwyddom mai drannoeth claddu Hywel a dau o frodyr y bardd 'yn naear franar Fangor' y datganwyd un o gyfresi Pcryf ap Cedifor.[161] Awgryma'r llinell, 'Uwchben bedd newydd Ednyfed y bûm', mai ychydig wedi ei gladdu y canodd Elidir Sais ei farwnad yntau i Ednyfed Fychan.[162] Tybed ai'r ffaith iddynt gael eu llunio mor fuan wedi'r farwolaeth sy'n gyfrifol am yr elfen ddramatig gref a geir mewn nifer o'r englynion a'r bardd yn cyfarch yr ymadawedig, dyfais nas ceir yn yr awdlau?[163] Diddorol sylwi ar y gwahaniaeth rhwng y ddwy farwnad a gyfansoddodd Bleddyn Fardd i Lywelyn ap Gruffudd. Ni cheir yn yr englynion gynildeb a chlyfrwch yr awdl. Yn hytrach, ymateb syfrdan ydyw i ladd Llywelyn 'â llafnau o bob tu'[164] a'r bardd yn lleisio ymdeimlad ei ddilynwyr fod diwedd y byd wedi dod.

Ymddengys fod yr Athro J. Lloyd-Jones yn llygad ei le pan honnodd mai ar gyfer cynulleidfaoedd ac achlysuron gwahanol y lluniai Beirdd y Tywysogion eu marwnadau ar fesur awdl ac englyn a bod y ddau fath o ganu, o bosibl, yn deillio yn y pen draw o swyddogaethau gwahanol y pencerdd a'r bardd teulu. Gobeithio fod y bennod hon wedi cyfleu natur amlweddog y canu hwn y mae cymaint o agweddau arno yn haeddu astudiaeth bellach.

Nodiadau

[1] LlC, 11 (1970), 3–94.

[2] J. E. Caerwyn Williams, *The Court Poet in Medieval Wales, An Essay* (Lewiston, Queenston, Lampeter, 1997).

[3] Y mae yn y llawysgrifau 68 o farwnadau cyfain a 4 cerdd anghyflawn o waith 17 o feirdd gwahanol allan o'r cyfanswm o 217 o gerddi a briodolir i Feirdd y Tywysogion.

[4] Yr wyf yn ddyledus i waith arloesol yr Athro Caerwyn ar ganu'r Gogynfeirdd, i waith golygyddol fy nghyd-weithwyr ar brosiect *Cyfres Beirdd y Tywysogion*, ac i ddwy erthygl ddiweddar ar ganu marwnad, sef Huw Meirion Edwards, 'Dwyn Marwnadau Adref', LlC, 23 (2000), 21–38, a Rhian Andrews, 'Galar Tad am ei Fab: Marwnad Dygynnelw gan Cynddelw Brydydd Mawr', LlC, 24 (2001), 52–60. Cefais fudd hefyd o ddarllen 'Cerddi Huw Morys i Barbra Miltwn' gan Nesta Lloyd, YB, 21 (1996), 97–109.

[5] Gw. er enghraifft CBT I, 3.85, 141 a CBT VI, 14.20, 15.4.

[6] Gw. er enghraifft *Llyfr Iorwerth*, gol. Aled Rhys Wiliam (Caerdydd, 1960), para. 13 a 40.

[7] Gw. Dafydd Jenkins, '*Bardd Teulu* and *Pencerdd*', yn *The Welsh King and his Court*, gol. T. H. Charles-Edwards *et al.* (Cardiff, 2000), 142–66 (tt.141–4).

[8] Ymhellach ar y Prydydd Bychan, gw. Dafydd Johnston, adolygiad o CBT VII, LlC, 22 (2000), 162. Ar y posibilrwydd fod plyg yn cynnwys gwaith Einion Wan wedi ei golli o Lawysgrif Hendregadredd, gw. MWM 214 n.31. Diddorol sylwi bod Iorwerth Beli yn enwi Gwilym Ryfel nad oes ond dwy gyfres englynion i'w enw, yn un o'r *prifeirdd heirdd* a ganai *ym mawrblas Môn*, gw. GGDT, cerdd 15.

[9] PBA, 34 (1948), 167–97 (t. 75). Gw. hefyd Morfydd E. Owen, 'Noddwyr a Beirdd', yn BTh 88–9.

[10] CBT I, cerdd 1.

[11] CBT I, cerdd 7.

[12] CBT IV, cerdd 4.

[13] CBT III, cerdd 21.

[14] CBT III, cerdd 24.

[15] CBT III, cerdd 26.

[16] CBT VI, cerdd 27.

[17] CBT VI, cerdd 29.

[18] CBT VI, cerdd 30.

[19] CBT VII, cerdd 36. Y mae'r gerdd hon yn anodd ei dosbarthu am ei bod wedi ei chanu ar ffurf un caniad hir. Gw. ymhellach, Peredur Lynch, 'Yr Awdl a'i Mesurau', yn BTh 258–87 (tt. 278–80).

[20] Am arolwg o ganu Beirdd y Tywysogion fesul talaith, gw. Owen, 'Noddwyr a Beirdd', 78–84.

[21] Llau. 81–4.

[22] CBT VI, 27.55.

[23] Am ddisgrifiad George Owen Harry, rheithor Tre-groes ym Mhenfro, 1584–*c*.1613, gw. Edwards, 'Dwyn Marwnadau Adref', 21.

[24] Am astudiaeth fanwl o wreiddiau'r gwrthdaro a ddilynodd farwolaeth nifer o'r tywysogion, gw. J. Beverley Smith, 'Dynastic Succession in Medieval Wales', B, 33 (1986), 199–232.

[25] Llau. 215–18.

[26] Llau. 64–79. Tybed a oes elfen wleidyddol i'r farwnad hon? Ai er mwyn annog eu disgynyddion i gefnogi Llywelyn y cynhwyswyd yn y caniad cyntaf foliant i bump o dywysogion Powys a'r Deheubarth a fu farw o flaen Gruffudd?

[27] Llau. 141–56.

[28] Llau. 19–26. Yr oedd Gruffudd ap Maredudd yn dad i Owain Cyfeiliog, yr amlycaf o'r ymgeiswyr am orsedd Powys.

[29] Llau. 89–96.

[30] Am drafodaeth ar y ddyfais hon, gw. er enghraifft, Patrick S. Diehl, *The Medieval European Religious Lyric* (Berkeley, Los Angeles, London, 1985), 33–4, 158–61.

[31] Am restr o linellau agoriadol cerddi'r Gogynfeirdd sy'n cynnwys cyfeiriadau at Dduw, gw. y Chwaer Bosco, 'Awen y Cynfeirdd a'r Gogynfeirdd', yn BTh 14–38 (tt. 28–34).

[32] Y mae'r gofid a fynega Meilyr am gyflwr enaid Gruffudd (er enghraifft llau. 35–40, 89–92, 157–64) yn anghyffredin ym marwnadau'r Gogynfeirdd.

[33] CBT III, cerdd 7.

[34] CBT II, cerdd 22.

[35] CBT II, cerdd 18.

[36] CBT II, cerdd 23.

[37] CBT I, cerdd 15.

[38] CBT II, cerdd 31.

[39] CBT I, cerdd 26. Ar Nest, gw. Gruffydd Aled Williams, 'The Literary Tradition to *c*.1560' yn *History of Meirioneth*, ii, *The Middle Ages*, gol. J. Beverley Smith a Llinos Beverley Smith (Cardiff, 2001), 530, n.149.

[40] CBT VI, cerdd 16. Y mae lle i gredu bod y gerdd hon yn anghyflawn.

[41] CBT VI, cerdd 31.

[42] CBT I, cerdd 19. Y mae lle i gredu bod diwedd y gerdd hon ar goll.

[43] CBT VI, cerdd 33.

[44] CBT VII, cerdd 27.

[45] CBT VII, cerdd 48.

[46] CBT VII, cerdd 50.

[47] CBT VII, cerdd 52.

[48] CBT VII, cerdd 54.

[49] CBT VII, cerdd 55.

[50] Gwrthg. yr awdlau hirion i Gadwallon ap Madog ac i Ririd Flaidd lle y ceir adrannau yn moli Owain Gwynedd a Madog ap Maredudd.

[51] 'Llygad Gŵr: Sylwebydd Cyfoes', YB 16 (1990), 31–51 (t. 44).

[52] Tystia'r disgrifiad o Bowys fel *peues ddiobaith* (ll. 24) ac efallai'r cyfeiriad at *gam cymaint ei affaith* (ll. 40) mai wedi lladd Llywelyn y canwyd y gerdd, ond nid enwir y tywysog ifanc ynddi.

[53] Y mae'r farwnad hon yn wahanol i'r marwnadau eraill ar fesur awdl ar gyfrif ei byrder (18 llinell yn unig) a'i hanffurfioldeb ac efallai y dylid ei gosod mewn dosbarth ar ei phen ei hun.

[54] Yn y gerdd hon mabwysiada Einion *bersona*'r bardd serch gan sôn am ei berthynas â'r ferch pan oedd yn fyw ac am boen yr hiraeth a ddioddefa ar ei hôl.

[55] Llau. 25–8.

[56] CBT I, cerdd 16.

[57] CBT VI, cerdd 36.

[58] Ll.13.

[59] Y farn arferol yw mai alltudiaeth Dafydd o Gymru yn 1198 oedd yr ysgogiad i ganu'r gerdd hon (gw. CBT I, 333), ond awgryma'r eirfa a'r themâu a ddefnyddir mai am ei farwolaeth yn 1203 y sonnir.

[60] CBT VI, 561–3.

[61] Am drafodaeth ar y prolog natur sy'n dynodi adeg canu'r gerdd hon ac o bosibl farwnad Bleddyn Fardd i feibion Gruffudd ap Llywelyn hefyd, gw. J. E. Caerwyn Williams, 'The Nature Prologue in Welsh Court Poetry', SC, 24/25 (1989–90), 70–90.

[62] Ll. 26.

[63] Yr unig gerddi eraill o waith Beirdd y Tywysogion y gwyddom i sicrwydd iddynt gael eu comisiynu gan wŷr eglwysig yw'r canu i saint (gw. ymhellach Nerys Ann Jones a Morfydd E. Owen, 'Twelfth-century Welsh Hagiography: the *Gogynfeirdd* Poems to Saints', yn *Celtic Hagiography and Saints Cults*, gol. Jane Cartwright (Cardiff, 2003), 45–76), ond y mae'n bosibl mai dan eu nawdd hwy hefyd y canwyd cyfran o'r cerddi crefyddol.

[64] Gw. J. E. Lloyd, *A History of Wales from the Earliest times to the Edwardian Conquest* II (trydydd argraffiad, London, 1939), 588–9; David Stephenson, *The Governance of Gwynedd* (Cardiff, 1984), 200.

[65] Lloyd, *History of Wales*, 589–90. Awgryma cyfeiriad at ymosodiad ar Elsmer, cartref Dafydd yn Sir Amwythig, mewn cerdd fawl gan Brydydd y Moch i Lywelyn a ddyddir 1199 (CBT V, 20.41–4), fod Dafydd wedi parhau i wrthwynebu ei nai, gw. ymhellach Esther Feer a Nerys Ann Jones, 'A Poet and his Patrons: the Early Career of Llywarch Brydydd y Moch, yn *Medieval Celtic Literature and Society*, gol. Helen Fulton (i'w gyhoeddi 2004).

[66] BTyw 145. Y farn draddodiadol yw bod Llywelyn wedi meddiannu Gwynedd ar farwolaeth Gruffudd yn 1200 ond gw. J. Beverley Smith, 'The Age of the Princes', yn *History of Meirioneth*, ii, 20, a Feer a Jones, 'A Poet and his Patrons'.

[67] Gw. uchod eiriau heriol Elidir Sais yn ei farwnad i Rodri sydd yn dwyn i gof anogaeth Dafydd Benfras i gefnogwyr Owain a Llywelyn yn ei farwnad i'r tri thywysog mewn llinellau fel: *Pei yn fyw yd fyddynt ym Môn/ Perynt hynt hendref Wyrangon* (llau. 49–50).

[68] Awgryma ymateb eithafol Elidir i farwolaeth Dafydd nad ar gyfer clustiau Gruffudd ap Cynan na Llywelyn ap Iorwerth y'i bwriadwyd, ond arwydda'r geiriau *traw â Dygen* (ll. 25) a'r cyfeiriad at alar *hil mawr Maelgwn* (ll. 28), mai yng Ngwynedd y'i canwyd.

[69] Ymhellach, gw. Rhian M. Andrews, '*Triwyr a gollais:* Yr Awdlau Marwnad i Dri Mab Gruffudd ap Llywelyn gan Fleddyn Fardd' yn BTh 174–8.

[70] Gw. Andrews, '*Triwyr a gollais*', 179, n.30.

[71] Am y gwaith llysgenhadol a gyflawnodd eglwyswyr, yn arbennig abadau Aberconwy, ar ran Llywelyn, gw. J. Beverley Smith, *Llywelyn ap Gruffudd, Prince of Wales* (Cardiff, 1998), 322–3, ac ar gladdu gweddillion Llywelyn yng Nghwm Hir, gw. J. Beverley Smith, *Llywelyn ap Gruffudd, Tywysog Cymru* (Caerdydd, 1986), 383 (fersiwn Saesneg, 568).

[72] Llau. 91–2. Sylwer hefyd ar gynildeb Bleddyn wrth gyfeirio at farwolaeth erchyll a chywilyddus Dafydd, *Dewr a was ban llas yn llasar arfau* (ll. 15).

[73] Darlith anghyhoeddiedig. At Nancoel a Nancaw (ll. 48), dau ddyffryn cul ger y castell, y cyfeirir yn y gerdd. Diddorol nodi ymhellach fod gŵr o'r enw Gruffudd ap Madog (enw ffurfiol Gruffudd ab yr Ynad Coch) yn aelod o'r garsiwn yng Nghastell y Bere pan ildiwyd ef i'r brenin. (Diolch i Mr Tomos Roberts ac i'r Athro Beverley Smith am yr wybodaeth ac am fod mor barod i drafod y gerdd gyda mi.)

[74] Gw. Jenkins, '*Bardd Teulu* and *Pencerdd*', 158–60.

[75] Ymhellach, gw. N. A. Jones, 'Y Canu Mawl i Deulu Brenhinol Powys yn y Ddeuddegfed Ganrif: Arolwg', LlC, 22 (1999), 30–6.

[76] Ar yrfa Cynddelw, gw. T. M. Charles-Edwards a Nerys Ann Jones, '*Breintiau Gwŷr Powys*: the Liberties of the Men of Powys' yn *The Welsh King and his Court*, 191–223 (tt. 197–204).

[77] Ar y llawysgrif, gw. MWM 70–2, ac ar y cyswllt rhwng y canu Gogynfarddol a gynhwyswyd yn y Llyfr Du a llys Rhys ap Gruffudd, gw. Nerys Ann Jones, 'Golwg Arall ar Fawl Hywel ap Goronwy', LlC, 21 (1998), 6–7.

[78] Un o'r uchelwyr hyn oedd Dafydd ap Gruffudd ab Owain o Edeirnion y mae awdl farwnad Bleddyn iddo yn llawn adleisiau bwriadol o'r canu hwn.

[79] Am drafodaeth fanwl ar farwnad Cynddelw i Fadog, a nodweddir gan y syniad o'r *arglwydd gedymdaith* sy'n rhedeg fel llinyn arian drwy'r gerdd, gw. Marged Haycock, 'Early Welsh Poetry' yn *Memory and Poetic Structure*, gol. Peter Ryan (London, 1981), 91–135 (tt. 119–23). Ar y dyfeisiau llenyddol a ddefnyddir gan Fleddyn Fardd yn ei awdlau marwnad i feibion Gruffudd ap Llywelyn, gw. Andrews, '*Triwyr a gollais*'.

[80] Yn ogystal â'r cerddi a restrir isod y mae ar glawr englynion coffa unigol a oedd, yn ôl pob tebyg, yn rhan o gyfresi hwy: gw. CBT II, cerdd 20, CBT IV, cerdd 11, a CBT VII, cerdd 37.

[81] CBT III, cerdd 29.

[82] CBT III, cerdd 28.

[83] CBT III, cerdd 8.

[84] CBT III, cerdd 9. Y mae diwedd y gerdd hon ar goll yn y llawysgrifau.

[85] CBT III, cerdd 25.

[86] CBT III, cerdd 27.

[87] CBT III, cerdd 30.

[88] CBT IV, cerdd 5.

[89] CBT IV, cerdd 7.

[90] CBT II, cerdd 19. Y mae dechrau'r gerdd hon ar goll yn y llawysgrifau.

[91] CBT II, cerdd 21.

[92] CBT III, cerdd 12.

[93] CBT IV, cerdd 11.

[94] CBT III, cerdd 15.

[95] CBT V, cerdd 28.

[96] CBT V, cerdd 11.

[97] CBT II, cerdd 4.

[98] CBT II, cerdd 32.

[99] CBT V, cerdd 16.

[100] CBT V, cerdd 12.

[101] CBT VII, cerdd 7.

[102] CBT V, cerdd 13.

[103] CBT VII, cerdd 2.

[104] CBT VII, cerdd 3.

[105] CBT VII, cerdd 5.

[106] CBT VI, cerdd 4

[107] CBT VII, cerdd 6.

[108] CBT VI, cerdd 5.

[109] CBT VII, cerdd 15.

[110] CBT I, cerdd 18.

[111] CBT VII, cerdd 14.

[112] CBT VII, cerdd 18.

[113] CBT VII, cerdd 44.

[114] CBT VII, cerdd 13.

[115] CBT VII, cerdd 45.

[116] CBT VII, cerdd 21. Yn anffodus, sgerbwd cerdd yn unig sydd ar glawr.

[117] CBT VII, cerdd 47.

[118] CBT VII, cerdd 16.

[119] CBT VII, cerdd 17.

[120] CBT VII, cerdd 19.

[121] CBT VII, cerdd 20.

[122] CBT VII, cerdd 49.

[123] CBT VII, cerdd 51.

[124] CBT VII, cerdd 53.

[125] CBT VII, cerdd 56.

[126] Ymhellach, gw. Jones, 'Y Gogynfeirdd a'r Englyn'.

[127] Am ymdriniaeth fanwl a threiddgar â'r gerdd hon, gw. Andrews, 'Galar Tad am ei Fab'.

[128] CBT IV, 220, n.3.

[129] Nid yw'n syndod fod fersiwn Llawysgrif Hendregadredd o farwnad teulu Owain yn hwy o chwe englyn nag un Llyfr Coch Hergest.

[130] Ceir blerwch testunol yma hefyd, a'r tebyg yw bod englyn olaf y gyfres sydd yn Llawysgrif Hendregadredd (CBT II, cerdd 20) yn perthyn yn wreiddiol i'r gyfres yn llawysgrif John Davies.

[131] Anodd bod yn sicr ai cerdd lac iawn ei gwead ydyw ynteu nifer o englynion crwydr wedi eu gosod ynghyd gan gopïwr.

[132] Tebyg yw agoriad y gyfres arall o eiddo Cynddelw i osgordd Madog y mae ei diwedd ar goll yn y llawysgrifau.

[133] Gw., er enghraifft, Thomas Parry, *Hanes Llenyddiaeth Gymraeg hyd 1900* (Caerdydd, 1944), t. 39. Anodd bod yn sicr o hyn, fodd bynnag, gan nad oes ynddi gyfeiriadau uniongyrchol at osgordd Mynyddog a'r cyrch i Gatraeth fel sydd yn 'Hirlas Owain', na'r un llinell y gellid dweud ei bod yn adleisio'r 'Gododdin' yn benodol.

[134] Ceir dyfeisgarwch tebyg yn 'Hirlas Owain', cerdd arall sy'n adleisio'r 'Gododdin' ac sydd yn cynnwys elfen o farwnadu aelodau gosgordd yn ogystal â'u moli. Gw. ymhellach, CBT II, 221–3.

[135] Llau. 65–8.

[136] BTyw 170.

[137] Diddorol sylwi bod Cynddelw yn cyfeirio at Iorwerth fel *gelyn Brynaich* (ll. 13) er iddo fod yn deyrngar i frenin Lloegr am ran helaeth o'i yrfa a derbyn pensiwn sylweddol yn ystod ei flynyddoedd olaf: gw. CBT III, 143–4.

[138] Gw. ymhellach Charles-Edwards a Jones, *'Breintiau Gwŷr Powys'*, 194–5.

[139] Gw. Charles-Edwards a Jones, *'Breintiau Gwŷr Powys'*, 203.

198

[140] Llau. 33–6.

[141] Llau. 21–4.

[142] Llau. 5–8.

[143] Am enghreifftiau eraill, gw. er enghraifft CBT VII, cerddi 13 a 16.

[144] Llau. 29–32.

[145] Ll. 21.

[146] Ll. 8.

[147] Ll. 8. Cyfeiriad ydyw, yn ôl pob tebyg, at Faredudd ab Owain, arglwydd yng Ngheredigion.

[148] Ll. 23. Cyfeiriad arall at Faredudd ab Owain.

[149] Ll. 48. Cyfeiriad at Faredudd ap Cynan, arglwydd Meirionnydd.

[150] Ll. 18. Anodd gwybod ai at Lywelyn ap Madog ap Maredudd ynteu at Lywelyn ap Iorwerth y cyfeirir yma. Ar yr arfer o roi meibion tywysogion ar faeth yng Nghymru'r Oesoedd Canol, gw. Llinos Beverley Smith, 'Fosterage, Adoption and God-parenthood: Ritual and Fictive Kinship in Medieval Wales', CHC, 16 (1992), 1–35.

[151] Gw. er enghraifft, Marwnad Cedifor ap Genillyn, 21, lle y cyferchir *maon Meirionnydd*.

[152] Gw. Nerys Ann Jones, 'Marwnad Bardd-ryfelwr', YB, 20 (1995), 90–107.

[153] Y mae lle i amau, fodd bynnag, ai Dafydd Benfras y teitl yn Llawysgrif Hendregadredd yw'r Dafydd ap Llywarch a goffeir gan Fleddyn Fardd. Am rai o'r anawsterau, gw. CBT VI, 363–71.

[154] Gw. Jones, 'Marwnad Bardd-ryfelwr', 93.

[155] Sylwer ar ddiffyg adeiladwaith syniadol y gerdd hon sy'n dwyn i gof y cerddi i aelodau gosgordd a drafodwyd uchod.

[156] Cynigir yn CBT VII, 110, mai dyna a awgrymir yn y cwpled 'Angau rhy ddiau (engyrth seithug – pla) plant Addaf ryamug' (llau. 17–18).

[157] CBT VII, 110, a gw. yn arbennig y nodyn ar l. 5.

[158] Gw. ymhellach, Morfydd E. Owen, 'Literary Convention and Historical Reality: the Court in the Welsh Poetry of the Twelfth and Thirteenth Centuries', ÉC, 29 (1992), 80–81.

[159] Llau. 21–4.

[160] Llau. 11–12.

[161] Gw. cerdd 34 uchod, llau. 33–5: 'Am fyned Hywel . . . yn naear franar Fangor doe, a dau *fab Cedifor*.' Y mae lle i gredu mai wedi claddu'r pedwar brawd a laddwyd yn y frwydr y canodd Peryf y gerdd arall.

[162] Ll. 1.

[163] Cyferchir y marw yng ngherddi 33, 38, 47, 49 a 71 uchod.

[164] Ll. 14.

8

Bywyd Marwnad: Gruffudd ab yr Ynad Coch a'r Traddodiad Llafar

DAFYDD JOHNSTON

O ran eu hanes testunol y mae cerddi Beirdd y Tywysogion yn dra gwahanol i lawer o gerddi'r Cywyddwyr cynnar. Tra bo'r amrywiadau sylweddol rhwng gwahanol gopïau o gywyddau'r bedwaredd ganrif ar ddeg yn brawf ddiamheuol o drosglwyddiad llafar, prin iawn yw olion y fath drosglwyddiad yn achos cerddi'r ddeuddegfed ganrif a'r drydedd ar ddeg. Ond nid yw hynny'n syndod o gofio mai ychydig iawn o gerddi Beirdd y Tywysogion sydd wedi'u cadw mewn mwy nag un copi annibynnol. Y casgliad mawreddog yn Llawysgrif Hendregadredd (H), a luniwyd tua dechrau'r bedwaredd ganrif ar ddeg, yw'r unig ffynhonnell ar gyfer y rhan fwyaf o'r cerddi.[1] Er bod y casgliad llai a geir yn Llyfr Coch Hergest o ddiwedd yr un ganrif yn ymddangos yn annibynnol ar yr olwg gyntaf, mewn gwirionedd mae lle i gredu bod testunau'r cerddi a geir yn y ddwy lawysgrif yn deillio o ffynhonnell gyffredin.[2] Nid oes dim gorgyffwrdd o gwbl rhwng casgliad John Davies, Mallwyd, yn rhan gyntaf llawysgrif NLW 4973 a'r hyn sydd i'w gael yn H heddiw ac, am yr union reswm hwnnw, rhesymol yw cymryd mai copi ydyw o blygion crwydr o H ei hun.[3] Yr unig destunau annibynnol a geir o gyfnod y Tywysogion yw llond dwrn o gerddi mewn tair llawysgrif o'r drydedd ganrif ar ddeg, sef Llyfr Du Caerfyrddin, llyfr cyfraith a adwaenir fel y Llyfr Du o'r Waun, ac un plyg anghyflawn yn llawysgrif Peniarth 3.

O gymharu testunau Llyfr Du Caerfyrddin â rhai H, fe welir gwahaniaethau nas disgwylid o gopïo ysgrifenedig yn unig. Yng nghyfres englynion Cynddelw i osgordd Madog ap Maredudd mae trefn y tri englyn cyntaf o chwith, a cheir yr un math o gymysgu trefn yn ei englynion dadolwch i'r Arglwydd Rhys.[4] Diddorol yw nodi bod englynion y ddwy gyfres wedi'u clymu ynghyd trwy ailadrodd y gair cyntaf, math o gymeriad nad yw'n gymorth i gofio trefn yr englynion, a lle bo cyrch-gymeriad i'w gael rhwng diwedd un englyn a dechrau'r nesaf yn rhan olaf y gyfres i'r Arglwydd Rhys yr un drefn a geir yn y ddwy lawysgrif. Dau yn unig o bum caniad Marwysgafn Cynddelw a geir yn Llyfr Du Caerfyrddin, ond mae trefn y ddau o chwith o gymharu â thestun NLW 4973, ac unwaith eto mae'r ddau ganiad dan sylw yn dechrau â'r un ymadrodd.[5] O ran darlleniadau, mae ambell amrywiad yn y tair cerdd sy'n awgrymu dibynnu ar y cof yn hytrach na chopïo testun ysgrifenedig (er enghraifft *mur eglur* yn lle *mawrglod mur* yn IV 9.15), ond ar y cyfan nid yw'r gwahaniaethau'n ddigon helaeth i brofi cyfnod hir o drosglwyddo llafar. Yr unig un o'r pedair cerdd yn Llyfr Du Caerfyrddin nad yw'n dangos gwahaniaeth trefn llinellau o gymharu â H yw'r awdl farwnad un-caniad i Fadog ap Maredudd, ond y mae mân amrywiadau o ran darlleniadau yn honno hefyd.[6] Mae'r dystiolaeth hon yn gyson â'r syniad fod rhywun yn atgynhyrchu ar ei gof destun a welodd yn ysgrifenedig. Ond anodd yw dweud pa un ai yn y Llyfr Du neu yng nghynseiliau H y digwyddodd hynny, gan nad yw'r naill drefn yn rhagori'n amlwg ar y llall. Gan nad oes ond dau ganiad o'r farwysgafn yn y Llyfr Du, efallai mai rhesymol yw cymryd bod y drefn wedi'i drysu yn hwnnw.

Amhendant yw tystiolaeth y copi o farwnad Dafydd Benfras i Lywelyn ap Iorwerth a ysgrifennwyd ar waelod pedwar tudalen o'r Llyfr Du o'r Waun gan law a ymddengys yn gyfoes â'r gerdd ei hun tua chanol y drydedd ganrif ar ddeg.[7] Er bod y rhan fwyaf o ran olaf y gerdd yn annarllenadwy, mae digon o'r rhan gyntaf yn eglur (hyd at linell 65 o gyfanswm o 102) i ddangos bod y testun yn agos iawn i'r hyn a geir gan John Davies yn NLW 4973. Dim ond mewn dau le y gwelir amrywiaeth o ran trefn y llinellau, sef 29, 27, 28, a 36, 41–2, 37–40, 43. Yn y ddau achos y mae'r llinellau'n rhan o gyfres rethregol yn dechrau â'r un gair. Mae dryswch o'r fath yn un o nodweddion y traddodiad llafar yng nghyfnod y cywydd, ond ar y llaw arall hawdd gweld sut y gallai ddigwydd wrth gopïo o destun ysgrifenedig hefyd. Nid yw'r gwahaniaethau o ran darlleniadau yn ddigon i dorri'r ddadl.

Ceir achosion cyffelyb mewn dwy o'r pedair cerdd o waith Cynddelw a geir yn llawysgrif Peniarth 3, sef ei farwnad i Einion ap Madog ab Iddon a'i awdl arwyrain i'r Arglwydd Rhys.[8] Cymharol fyr yw'r arwyrain, ac unwaith y drysir y drefn mewn cyfres o linellau'n dechrau â'r elfen *teyrn-* (ac mae'r ffaith fod tair llinell ar goll o'r gyfres yn dangos mai yn y llawysgrif hon y digwyddodd y dryswch, ac nid yn Llawysgrif Hendregadredd). Yn y farwnad faith ceir cynifer â phum enghraifft o ddrysu trefn llinellau, a phob un yng nghyd-destun cymeriad geiriol ar ddechrau'r llinell. Ond mae'r ffaith nad oes yr un llinell ar goll mewn testun o 142 o linellau yn awgrymu nad oedd copïydd Peniarth 3 yn dibynnu ar ei gof yn unig, ac nid yw'n annichon mai gwallau copïo oedd pob un o'r rhain.

Mae lle i gredu, felly, fod traddodiad ysgrifenedig cryf yn diogelu cerddi Beirdd y Tywysogion yn y drydedd ganrif ar ddeg, ac yn ôl pob tebyg yn y ddeuddegfed ganrif hefyd, ond bod y cof yn chwarae rhyw ran o leiaf yn y trosglwyddiad. Wrth gwrs, ni ellir ond dyfalu pa faint o drosglwyddo llafar 'pur', hynny yw heb ddefnydd o ysgrifen o gwbl, a ddigwyddai yn y cyfnod, gan fod traddodiad o'r fath yn ddiflanedig yn ei hanfod. Mae'n berffaith bosibl, er enghraifft, fod y beirdd a'u datgeiniaid yn cadw'r cerddi ar eu cof, ac mai gweinyddwyr y llysoedd a'u rhoddodd ar glawr.[9] Ond eto, mae digon o dystiolaeth bod rhai o leiaf o'r beirdd yn llythrennog ac yn abl i gofnodi eu cerddi eu hunain.[10]

O droi at hanes diweddarach y cerddi o'r bedwaredd ganrif ar ddeg ymlaen fe welir perthynas agos rhwng llafar a llyfr, rhwng cof ac ysgrifen, er mai ychydig yw'r testunau nad ydynt yn gopïau uniongyrchol o'r prif gasgliadau a drafodwyd uchod. Llawysgrif arwyddocaol iawn yn y cyddestun hwn yw Peniarth 10. Prif destun y llawysgrif yw'r chwedl ryddiaith 'Ystoria Siarlymaen' a gopïwyd tua chanol y bedwaredd ganrif ar ddeg.[11] Mewn bylchau yn y testun hwnnw fe ysgrifennwyd dau ddarn o waith Beirdd y Tywysogion, un gan y llaw a gopïodd y prif destun a'r llall gan law gyfoes.[12] Deg llinell o ganol awdl farwnad Gwalchmai ap Meilyr i Fadog ap Maredudd yw'r naill, a phedair llinell ar bymtheg o ganiad olaf awdl farwnad Cynddelw i Owain Gwynedd yw'r llall. Mae'r copïau hyn yn bwysig am eu bod yn annibynnol ar Lawysgrif Hendregadredd. Gellid ystyried y darn o awdl Cynddelw yn ddirywiad, ar gof efallai, o'r testun a geir yn H, ond yn achos y darn o waith Gwalchmai ceir o leiaf dri darlleniad sydd yn bendant yn cynnig gwelliant ar rai H, a dyna brawf sicr fod hwn yn tarddu o ffynhonnell annibynnol. Ond mae'r ffaith fod rhai darlleniadau eraill yn y darn byr yn amlwg yn waeth na rhai H yn awgrymu bod hwn wedi'i gofnodi oddi ar gof. Mae'r safon amrywiol yn nodweddiadol o'r fath destun, ar y naill law yn diogelu rhai darlleniadau da o'i ffynhonnell, ond ar y llaw arall yn colli'r gwreiddiol yn llwyr mewn mannau. Dyma'r ddwy linell sy'n amlygu rhagoriaeth testun Peniarth 10, o ran synnwyr a mydryddiaeth, ac fe welir bod modd esbonio diffygion H yn nhermau copïo o ffynhonnell ysgrifenedig:

> llywelyn llyw diarchar
> a llawen kyny bo llauar (H)

> llywelyn lleifiat diarchar
> a llauyn ky ny bo yawn llauar (Pen 10)

Ar y llaw arall, dyma linell o'r un darn sy'n amlygu diffygion testun Peniarth 10 (er ei fod yn gwbl dderbyniol ynddo'i hun):

> gól[e]idyaton gygwasgar (H)

gwledic mawr diarchar (Pen 10)

Bydd gennym achos i ddychwelyd at lawysgrif Peniarth 10 yn y man i ystyried y ddwy gerdd o waith Gruffudd ab yr Ynad Coch a gopïwyd ynddi yn y bymthegfed ganrif, ond yn gyntaf mae angen rhoi sylw i enghraifft arall o destun annibynnol o'r bedwaredd ganrif ar ddeg yn Llyfr Gwyn Rhydderch.

Priodolir y gyfres englynion 'Arwyddion cyn Dydd Brawd' i Lywelyn Fardd yn Llyfr Coch Hergest, ac fe'i derbyniwyd yn betrus gan olygyddion Cyfres Beirdd y Tywysogion yn waith Llywelyn Fardd I, bardd llys o'r ddeuddegfed ganrif.[13] Eithr ceir dau gopi yn Llyfr Gwyn Rhydderch, a luniwyd tua chanol y bedwaredd ganrif ar ddeg, y naill yn ddienw a'r llall yn ei phriodoli i 'Morudd Esgob' (ar sail cyfeiriad at rywun o'r enw Morudd yn y gerdd, mae'n debyg). Gan fod cynnwys ac arddull hon yn wahanol i gerddi crefyddol eraill y beirdd llys, awgrymodd Catherine McKenna mai gwaith clerigwr ydyw, a bod y priodoliad i Lywelyn Fardd yn ddyfais i roi awdurdod iddi, yn yr un modd ag y tadogwyd cerddi crefyddol dysgedig ar Daliesin.[14] Ond serch hynny, mae priodoliad y Llyfr Coch yn gyfiawnhad dros drin yr achos hwn yn rhan o hanes testunol cerddi Beirdd y Tywysogion.

Syndod ar yr olwg gyntaf yw'r ffaith fod dau gopi o'r un gerdd yn y Llyfr Gwyn, ond mae dadansoddiad Mr Daniel Huws o wneuthuriad y llawysgrif yn gymorth i esbonio hynny.[15] Dangosodd ef nad oedd y pedwar plyg cyntaf yn rhan o gynllun gwreiddiol y llawysgrif.[16] Ymhlith y deunydd dysgedig a defosiynol yn y plygion hynny y ceir un copi o'r englynion, ac efallai fod y cyd-destun hwnnw yn tueddu i gadarnhau awgrym McKenna ynghylch awduraeth glerigol y gerdd. Mae'r copi arall i'w gael yn nes ymlaen yn y llawysgrif, ar blyg o ddeunydd cymysg, gan y llaw a gopïodd destun y Pedair Cainc.[17] Mae'r testunau hyn yn ddigon tebyg i'w gilydd i fod yn tarddu o'r un gynsail, ac mae hynny'n wir am destun y Llyfr Coch hefyd, ond eto mae gwahaniaethau diddorol rhyngddynt, yn enwedig yn yr un na pherthynai i'r Llyfr Gwyn yn wreiddiol. Yn hwnnw mae dau o'r englynion wedi'u cymysgu, a hynny er gwaethaf y ffaith fod trefn y gyfres wedi'i sicrhau gan y trefnolion sy'n dynodi'r dyddiau cyn Dydd y Farn. Yn yr englyn sy'n dechrau 'Wythuet dyd' rhoddwyd arwyddion y pumed dydd, ac fel arall. Gellir bod yn sicr mai camgymeriad yw hyn oherwydd cryfder traddodiad rhyngwladol yr arwyddion. Prin y byddai dryswch o'r fath yn digwydd wrth gopïo'n uniongyrchol, a haws yw ei esbonio o gymryd bod y copïydd yn cofio testun ysgrifenedig a welodd. Ategir hynny gan natur rhai o'r darlleniadau amrywiol, lle y gwelir tuedd i aralleirio. Er enghraifft yn llinell 44, aeth 'a'n rodes-ny cret a bedyd' yn 'can caussam gret a bedyd'. Ar y llaw arall, mae'r amrywiadau a welir yn y copi arall yn y Llyfr Gwyn yn rhai nodweddiadol o gopïo ysgrifenedig, megis 'aryneit' am 'aryneic' yn llinell 40, sy'n ffrwyth cymysgu rhwng *c* a *t*.

Mae'r berthynas agos rhwng testunau Llyfr Gwyn Rhydderch a Llyfr Coch Hergest yn adnabyddus ym maes y chwedlau ac ym maes yr englynion chwedlonol, ac fe dybir bod cynseiliau cyffredin y tu ôl i'r ddwy lawysgrif.[18] Mae'n debyg fod yma enghraifft arall o'r un berthynas, ac os felly, efallai fod hynny'n taflu goleuni ar gwestiwn awduraeth y gerdd. Fe ymddengys fod y gerdd yn ddienw yn y gynsail a welodd copïwyr y Llyfr Gwyn, ac os yr un gynsail a oedd gan law Peniarth 32 ar gyfer ei gopi yn y Llyfr Coch, yna ni pherthyn unrhyw awdurdod i'r priodoliad i Lywelyn Fardd.

Fe ymddengys fod achos arall o draddodiad llafar yn hanes testunol 'Marwnad Owain Gwynedd' gan Ddaniel ap Llosgwrn Mew.[19] Ceir testun dibynadwy o'r awdl hon yn Llawysgrif Hendregadredd. Ond mewn nifer o lawysgrifau o chwarter olaf yr unfed ganrif ar bymtheg ymlaen fe geir fersiwn arall, a threfn y llinellau fel a ganlyn: 1–8, 13–18, 9–12, 19–31, 33, 32, 34–43, 46–51, 44–5, 52–3. Sylwodd golygydd Cyfres Beirdd y Tywysogion y gallai'r amrywiaeth yn y drefn ddeillio o draddodiad llafar, ond ar y llaw arall noda hefyd y tebygolrwydd fod y copïau hyn yn deillio o H, 'ac mai dyfeisgarwch copïydd cynnar sydd yn cyfrif am yr amrywiadau'.[20] O ran darlleniadau mae'r fersiwn hwn yn weddol agos at H, ac mae'r amrywiadau a geir yn rhai nodweddiadol o waith y cof. Aralleirio diarwyddocâd yw'r rhan fwyaf, fel 'kynn nom bod yn herw' am 'kynn yn dwyn yn herw' (26), 'mab dyn' am 'nep dyn' (36), newid trefn 'ner' a 'nenn' (49), a rhoi 'cadarn' yn lle'r gair cyfansawdd anghyffredin 'talarw' (16). Nid yw'r dryswch trefn mor fawr ag yr ymddengys ar yr olwg gyntaf, ac mae'r newidiadau i gyd yn rhesymol. Symudwyd un bloc o bedair llincll mcwn adran wedi'i chlymu ynghyd gan ailadrodd y gair 'gŵr', newidiwyd trefn dwy linell yn dechrau 'Gwelei doryf / Gwelei daryf', a symudwyd datganiad rhethregol yn nes at uchafbwynt y gerdd. Gellid esbonio hyn oll trwy ragdybio bodolaeth fersiwn canoloesol coll a oedd yn annibynnol ar H, ond ni welaf fod angen hynny. Gallai'r holl amrywiadau hyn fod yn ffrwyth cofio testun H ei hun. Ond gan bwy? Un a fu'n copïo nifer o gerddi o H oedd y bardd Wiliam Llŷn (m. 1580) yn llawysgrif Caerdydd 5.167, ac fe geir copi ffyddlon o'r gerdd hon ganddo yn y fan honno. Byddai gan fardd afael dda ar gerdd ar ei gof ar ôl ei chopïo unwaith, a rhesymol yw tybio mai cof Wiliam Llŷn oedd ffynhonnell y fersiwn amrywiol, efallai ar gais un o'i noddwyr a ddymunai gael esiampl o gerdd gan un o'r hen feirdd.[21]

Hyd yma buom yn ystyried ychydig esiamplau prin o amrywiadau testunol a allai ddeillio o drosglwyddo ar lafar neu oddi ar y cof, a'r rheini ar wasgar ymhlith cannoedd o gerddi, heb unrhyw batrwm amlwg a fyddai'n esbonio eu bodolaeth. Ond y mae gwaith un bardd yn arbennig wedi goroesi mewn nifer o destunau amrywiol iawn, sef Gruffudd ab yr Ynad Coch. Un rheswm am hyn, mae'n debyg, yw'r ffaith fod Gruffudd yn ei flodau ar ddiwedd oes y Tywysogion. Ond yr un mor bwysig yw natur ei gerddi.

Goroesodd wyth cerdd o waith Gruffudd ab yr Ynad Coch, sef ei farwnad enwog i Lywelyn ap Gruffudd, englyn yn fersiwn Peniarth 20 o Ramadeg y Penceirddiaid a chwe cherdd grefyddol.[22] Heblaw'r englyn, cadwyd y rhain i gyd yn Llyfr Coch Hergest, y farwnad yn yr un llaw â Peniarth 32 a'r cerddi crefyddol yn llaw Hywel Fychan.[23] Ni cheir dim o waith Gruffudd yn Llawysgrif Hendregadredd fel y mae heddiw, ond cofier awgrym Daniel Huws y gallasai rhai o'i gerddi fod ar un o'r plygion a gollwyd o'r llawysgrif.[24] Pedair o'r wyth cerdd hyn sy'n dangos olion trosglwyddo ar gof; y fwyaf trawiadol ohonynt yw'r awdl farwnad, ond yn gyntaf carwn drafod tair o'r cerddi crefyddol.

Canodd Gruffudd ab yr Ynad Coch gerddi defosiynol dwys a fyddai'n annog myfyrdod gan y gynulleidfa, a hawdd yw gweld pam y byddai'r rhain yn boblogaidd fel cymorth i ddefosiwn personol.[25] Ceir fersiynau amrywiol o ddwy ohonynt yn llawysgrif Peniarth 10, eto mewn gofod gwag yng nghanol 'Ystoria Siarlymaen' fel y darnau o gerddi gan Walchmai a Chynddelw a nodwyd uchod, ond y tro hwn gan law o ddiwedd y bymthegfed ganrif. Er bod y ddwy gerdd yn agos at ei gilydd ac yn yr un llaw, mae cryn wahaniaeth rhyngddynt o ran safon eu testunau. Mae'r naill, 'Ponid gwan truan', yn ddryslyd iawn, gyda chwe llinell ar goll, pymtheg llinell ychwanegol, amrywiadau o ran trefn llinellau a nifer o ddarlleniadau sydd yn amlwg yn wallus.[26] Fe ymddengys fod cyfnod o drosglwyddiad llafar y tu ôl i'r testun hwnnw. Mae'r llall, 'Och hyd ar Frenin', yn destun da, heb ond un achos o ddrysu trefn mewn cyfres o linellau sy'n ailadrodd 'Er . . .'[27] Cynigia rhai o'i ddarlleniadau welliannau posibl ar destun y Llyfr Coch.

Myfyrdod yw'r gerdd hon ar y croeshoeliad ac ar ymddangosiad y Crist croeshoeliedig ar Ddydd y Farn. Yn y frawddeg gyntaf gresynir bod pechaduriaid yn diystyru'r croeshoeliad, ac mae dau o ddarlleniadau amrywiol Peniarth 10 yn fodd i gryfhau'r thema hon a rhoi gwell ffocws i'r frawddeg. Dyma'r frawddeg fel y'i ceir yn y Llyfr Coch:

> Och hyt ar Vrenhin vreint uchelda6,
> Haeldat, goleuat llygat a lla6,
> Na chret pechadur y diuurya6
> Hynny el y b6ll y bell drigya6,
> Na phoeni geu gallonn dreula6
> Na mynet o Grist y'r groc yrda6,
> Ac na wyr yn llwyr llebydya6 – yn Argl6yd
> A thr6y waratwyd y wir ada6.[28]

Yn llinell 3 gellir dilyn Peniarth 10 a darllen, 'Na chred pechadur i Dduw friwiaw', hynny yw i Dduw gael ei ddolurio.[29] Ac, ar sail darlleniad Peniarth 10, yn llinell 5 gellir darllen, 'Na phoeni Celi, calon ddrylliaw'. O wneud y ddau newid byddai'r frawddeg gyfan yn canolbwyntio ar ddioddefaint Crist.

Mae'r frawddeg sy'n rhag-weld ymddangosiad Crist ar Ddydd y Farn yn dechrau fel hyn yn ôl testun y Llyfr Coch:

> Bei na bei vndyd (Douyd a'n da6!),
> Dydbra6t yn bara6t y'n diburya6
> A'r g6aet yn giret ar dyd y croget,
> A'e d6yla6 ar llet wedy r'llidya6 . . .[30]

Nid yw pwynt y gystrawen *Bei na bei* (= 'Pe na bai') yn glir, a cheir gwell synnwyr o ddilyn Peniarth 10 eto, 'Ac i mewn undydd . . .' Ac yn sicr mae Peniarth 10 yn gywir wrth ddarllen, 'A'i waed cyn ired â'r dydd y croged' yn y drydedd linell.[31] Os yw'r darlleniadau hyn yn ddilys, mae'n weddol sicr fod testun Peniarth 10 yn deillio o ffynhonnell annibynnol ar Lyfr Coch Hergest. Diddorol, felly, yw nodi bod y gerdd hon yn sefyll ar wahân i weddill cerddi crefyddol Gruffudd ab yr Ynad Coch yn y Llyfr Coch. Tybed a ddeilliai o ffynhonnell arall, lai dibynadwy na'r lleill, ac un a oedd yn ffrwyth trosglwyddo'r testun ar gof efallai? Dengys yr achos hwn na ddylid cymryd yn ganiataol fod y testun cynharaf o reidrwydd yn rhagori ar rai diweddarach.

Mae'r drydedd gerdd grefyddol a hawlia ein sylw i'w chael mewn 22 o lawysgrifau o ddiwedd yr unfed ganrif ar bymtheg ymlaen, ac mae'r fersiwn diweddar hwn yn gwbl annibynnol ar y testun a geir yn Llyfr Coch Hergest.[32] Awdl yn yr hen ddull yw cerdd y Llyfr Coch, sef cerdd unodl yn cynnwys nifer o wahanol fesurau. Mae'r fersiwn diweddar yn dilyn patrwm a ddaeth yn gyffredin yn awdlau'r bedwaredd ganrif ar ddeg, gyda chadwyn o englynion unodl union ar ddyddiau'r wythnos ar y dechrau, englyn proest chwe llinell yn cydio'r gadwyn englynion wrth gorff yr awdl a geir yn y Llyfr Coch, ac englyn proest chwe llinell arall i gloi'r gerdd, gan gyrchu'n ôl i eiriau cyntaf y gadwyn englynion.

Datblygiad graddol oedd y defnydd o'r englyn mewn awdlau. Ceir ychydig enghreifftiau o englyn unigol ar ddiwedd awdl yng nghyfnod y Tywysogion gan Gynddelw, Gwalchmai, Einion ap Gwalchmai a Phrydydd y Moch, ond nid oes yr un gan feirdd ail hanner y drydedd ganrif ar ddeg.[33] Gwnaeth Gruffudd ap Dafydd ap Tudur yr un peth ar ddiwedd dwy o'i awdlau yn fuan ar ôl y Goncwest, ac wedyn gwelir Gwilym Ddu o Arfon yn dechrau dwy o'i awdlau gydag un englyn.[34] Casnodyn oedd y bardd cyntaf i roi cyfres o englynion ar ddechrau awdl, a thua chanol y bedwaredd ganrif ar ddeg y daeth gosod englynion ar ddechrau ac ar ddiwedd awdl yn beth cyffredin. Mae awdl gyfansawdd y fersiwn diweddar yn annhebygol o fod yn waith Gruffudd ab yr Ynad Coch, felly. Ac mae'r defnydd o'r englyn proest chwe llinell yn ein harwain i'r un casgliad, oherwydd gan Ruffudd ap Maredudd ap Dafydd yn ail hanner y bedwaredd ganrif ar ddeg y ceir yr enghraifft gynharaf o'r mesur hwn.[35] Nodwedd arall sy'n gymorth i ddyddio yw'r cynganeddion pengoll. Fel y gellid disgwyl, mae nifer fawr o'r rhain yn yr awdl wreiddiol o waith Gruffudd ab yr Ynad Coch fel y mae yn y Llyfr Coch, ond fe geir rhai yn yr englynion hefyd, arwydd eu bod hwy'n perthyn i'r cyfnod cyn i gynghanedd gyflawn ddod yn ofynnol ym mhob llinell. Mae awdlau cref-yddol o'r math hwn yn nodweddiadol o waith y Gogynfeirdd diweddar, ac fe ymddengys fod rhyw fardd wedi mynd ati, yn ail hanner y bedwaredd ganrif ar ddeg yn ôl pob tebyg, i ymhelaethu ar gerdd Gruffudd ab yr Ynad Coch a'i throi'n awdl yn ôl y safon gyfoes. Mae'n anodd dweud ai cyfansoddiad newydd oedd yr englynion a ychwanegodd, ynteu cerdd a fodolai'n barod. Gan nad oes fawr o gyswllt thematig rhwng y gadwyn englynion a gweddill y gerdd, a bod y ddau englyn proest fel petaent yno er mwyn llunio cyrch-gymeriad, mae lle i gredu bod yr englynion ar ddyddiau'r wythnos yn bodoli fel cerdd annibynnol cyn ei chysylltu ag awdl Gruffudd. Fe gawn weld bod yr un broses i'w chanfod yn hanes yr awdl farwnad hefyd.

O ran corff yr awdl sy'n gyffredin i'r ddau fersiwn, fe ymddengys fod rhywun wedi cofio'r testun gwreiddiol yn fras, gan ollwng ambell linell dros gof ac ychwanegu nifer ar sail yr un patrymau rhethregol. Pedair prif adran sydd i'r awdl, sef adran am y pechodau ('Gwae . . .'), adran am boenau uffern ('A . . .'), adran o ymbil am iachawdwriaeth ('Er . . .') ac adran yn datgan awydd i gefnu ar bechodau ('Ni bwyf . . .'). Ychwanegwyd at bob un o'r rhain, yn enwedig yr un gyntaf a aeth o 14 i 24 llinell. Diddorol yw nodi bod rhai o'r llinellau ychwanegol yn cynnwys elfen o gŵyn am anghyfiawnder cymdeithasol, fel y rhain:

> Gwae frawdwr a frodio gamfarnau,
> Gwae raglaw a'i ruglon ddirwyau,
> Gwae rhingyll o'i sefyll mewn swyddau.[36]

Mae mydryddiaeth yr awdl wreiddiol yn weddol gymhleth, gyda chyfuniad o gyhydedd fer, cyhydedd naw ban a thoddeidiau byrion, ac yna gyhydedd hir yn y disgrifiad o uffern tan ddiwedd y gerdd. Symleiddiwyd hyn yn y fersiwn diweddar gan roi cyhydedd naw ban yn unig yn y rhan gyntaf, ond cadwyd y cyhyddeddau hir yn yr ail ran, gan newid mesur yn yr un man er nad ar yr un llinell. Mae'n amlwg felly fod cynllun mydryddol sylfaenol y gerdd wedi aros ar gof y sawl a fu wrthi'n ei hailwampio. Mae'n debyg fod llawer o'r darlleniadau amrywiol wedi'u llunio i droi llinellau o gyhydedd fer neu doddeidiau yn gyhydedd naw ban. Felly newidiwyd toddaid y llinellau cyntaf fel hyn (gan gryfhau'r gynghanedd ar yr un pryd):

> Y G6r a'n rodes rinnyeu – ar daua6t
> Ac arawt a geireu,[37]

> Y Gŵr a rannawdd inni riniau
> Ar dafawd ag arawd a geiriau,[38]

Dyma addasu bwriadol yn hytrach na chamgofio esgeulus. O ran gwelliannau ar Lyfr Coch Hergest ychydig iawn sydd yn ymgynnig yn y fersiwn diweddar. Ond efallai fod rhywbeth o'i le ar destun y Llyfr Coch yn y llinellau hyn:

> A'r ffeir yn hirdr6c a'r ff6rn dywyll6c,
> A pha6b [a'e] ol6c ar y balueu,
> A phob ry6 hirdr6c a phob kyfri6c,
> A phob eidor6c ar hen doreu,[39]

Nid yw cadw'r un rhagodl dros ddau bennill o gyhydedd hir yn beth arferol, ac mae ailadrodd *hirddrwg* yn edrych yn amheus hefyd. Un pennill cyfatebol sydd yn y fersiwn diweddar: 'A berau hirddrwg a phob eiddorwg,/ A phawb heb olwg ar ei balau'.[40] Od braidd yw defnyddio *ffair* am uffern (er bod yr ystyr drosiadol 'heldrin' yn bosibl), ac mae *berau*, 'picelli', yn cyd-fynd yn well â'r ansoddair *hirddrwg*. Ac efallai fod 'heb olwg' yn yr ail linell yn dangos bod y diwygiad a wnaed i'r llinell gyfatebol yn nhestun y Llyfr Coch yn mynd yn groes i'r synnwyr. Onid y pwynt yw ei bod mor dywyll yn uffern fel na all neb weld ei ddwylo ei hun?

Y mae i farwnad Llywelyn ap Gruffudd hanes testunol neilltuol o gymhleth sy'n amlygu'r diddordeb a fu yn y gerdd enwog hon ar ddiwedd yr Oesoedd Canol. O ran y testun 'gwreiddiol' mae pethau'n ymddangos yn ddigon syml gan nad oes ond un copi canoloesol, a hwnnw yn Llyfr Coch Hergest ac yn destun da yn ôl pob golwg. Ond fe gawn weld bod rhyw le i gredu efallai fod testun yn Llawysgrif Hendregadredd hefyd ar un adeg. Ac efallai fod modd gweld arwyddocâd yn lleoliad y gerdd yn y Llyfr Coch. Er bod Rhian Andrews yn dweud mai copïydd Peniarth 32 a'i hysgrifennodd yn y Llyfr Coch, tybiai Gifford Charles-Edwards mai llaw debyg, dan ddylanwad copïydd Peniarth 32, yw hon.[41] Ond yn ôl Daniel Huws, yr un llaw yw hon ag eiddo copïydd Peniarth 32, ond ei bod yn ysgrifennu'n fanach nag arfer.[42] Ac nid anodd yw gweld paham yr ysgrifennai'n fân, oherwydd saif y gerdd ar ddiwedd bwlch o chwe thudalen gwag yn y llawysgrif.[43] Fe ymddengys i'r copïydd hwn lunio ei gasgliad o gerddi secwlar Beirdd y Tywysogion mewn dwy ran (col. 1381–407 a 1419–42), gan adael bwlch rhyngddynt. Os felly, copïodd y farwnad hon yn ddiweddarach, gan wneud ymdrech i'w chynnwys ar un tudalen. Nid oedd y tudalen o flaen rhan gyntaf ei gasgliad yn gwbl wag, felly dewisodd ei gosod ar ddechrau'r ail ran. Tybed a ydyw hyn yn arwydd ei fod yn sylweddoli pwysigrwydd y gerdd arbennig hon?[44]

Y cynharaf o'r fersiynau diweddar o'r farwnad yw'r un a geir yn llawysgrif Peniarth 54.[45] Cynigia Daniel Huws ddyddiad tua 1480 ar gyfer y llawysgrif hon, ac awgryma gyswllt â theulu'r Peutun ger Aberhonddu, ac yn benodol ag Ieuan ap Gwilym Fychan ap Llywelyn o'r Peutun Du.[46] Ysgrifennwyd y copi o farwnad Llywelyn gan yr un llaw â'r casgliad o gerddi Dafydd ap Gwilym sy'n ei ragflaenu. Yn ei astudiaeth o hanes trosglwyddo cerddi Dafydd ap Gwilym, sonia Daniel Huws amdano fel 'the anonymous main scribe of the book', gan awgrymu ei fod efallai'n fardd.[47] Erbyn hyn mae Mr Huws yn barod i gynnig enw, sef Gwilym Tew, bardd o Forgannwg (*fl.* 1460–80).[48] Mae hyn yn gwneud synnwyr da, oherwydd fel y cawn weld mae lle i gredu bod y copïydd wedi ailgyfansoddi rhai llinellau yn ei destun.

O ran nifer a threfn llinellau mae copi Gwilym Tew yn weddol agos at destun y Llyfr Coch. Dim ond pedair llinell sydd ar goll (41–2, 48, 79), ac un llinell sydd allan o'i lle (80 cyn 78, mewn cyfres o linellau'n dechrau 'Pob . . .'). O'r safbwynt hwnnw gallai'r testun hwn fod yn ffrwyth copïo esgeulus. Ond mater gwahanol ydyw o ran y darlleniadau. Amrywiol yw'r ansawdd, weithiau'n agos iawn at destun y Llyfr Coch, a thro arall yn bell ohono. Dim ond mân wahaniaethau sydd hyd ddiwedd ll. 18, ac wedyn ceir dwy linell sy'n gwbl wahanol i'r hyn a geir yn y Llyfr Coch:

> Ys meu, gan deunyd, ymdiuan6 a Du6
> A'm edewis hebda6
>
> yss mav eirw donnav amdanaw ar rudd
> yss mav vawr gystudd am i guddiaw   (Pen 54)

Ieithwedd marwnadau'r bymthegfed ganrif sydd yn fersiwn Peniarth 54, ac mae'n amlwg fod Gwilym Tew wedi cyfansoddi dwy linell newydd sbon. Pa un ai am nad oedd yn cofio'r llinellau gwreiddiol, ynteu am nad oedd yn eu deall, mae'n anodd dweud, a ffactor arall a allai fod yn berthnasol yw'r newid mesur (hon yw'r unig enghraifft o'r mesur traeanog yn y gerdd). Fodd bynnag, fe welwn yr un broses ar waith eto yn ll. 23, a'r tro hwn fe dâl sylwi'n ofalus ar ddarlleniad gwreiddiol y Llyfr Coch:

> Ys meu, y'm dynoedyl, amdana6 – alar,
> Kan ys meu alar, ys meu wyla6

Diwygiwyd *alar* yn y llinell gyntaf i *afar* yn CBT er mwyn osgoi ailadrodd yr un gair yn yr odl gyrch. Efallai fod yr un broblem wedi taro Gwilym Tew, ond yr oedd ei ateb ef yn fwy chwyrn. Aeth ati i ailwampio'r llinell gyntaf fel hyn:

> yss mav a genav i gwynaw n anwar

Ar y llaw arall, lle y gwelodd golygydd CBT yn dda diwygio *Ys meu lit* > *Ys meu llit* yn ll. 17, mae darlleniad Peniarth 54 (a'r fersiynau eraill hefyd) yn cefnogi darlleniad y Llyfr Coch.

Llinell arall a ailgyfansoddwyd am ei bod yn dywyll, mae'n debyg, yw ll. 33:

> Argl6yd kannatl6yd, kynn ada6 – Emreis

Unwaith eto mae fersiwn Gwilym Tew yn syml a rhwydd, ond yn anacronistig:

> arglwydd tir a sir kyn syrthyaw o drais

Mae'n amlwg weithiau ei fod yn cofio sŵn a phatrwm y llinell heb gofio'r geiriau unigol. Yn ll. 40 mae pob un o'r tri gair pwysig wedi newid, ond fe gedwir y gynghanedd lusg a'r cymeriad dechreuol, a'r ystyr yn fras:

> O gledyfeu hir yn y diria6

> O gleif enwir yn dihiriaw

Ond nid oedd sŵn gair bob amser yn ganllaw dibynadwy i'r cof. Un o'r newidiadau mwyaf a wnaeth Gwilym Tew i'r gerdd oedd un gair yn ll. 43: 'Kwbyl a was a las o la6 – ysgereint'. Aeth *ysgereint* ('gelynion') yn *i gereint* yn Peniarth 54, efallai am fod Gwilym Tew yn cofio'r hanes am fradychu Llywelyn gan ei wŷr ei hun. Mae newiadau eraill sydd heb ddim arwyddocâd o gwbl o ran ystyr, ond sy'n arwyddion sicr o gopïydd yn dibynnu ar ei gof, pethau fel newid arddodiad, er enghraifft 'ar rudd' > 'hyd grudd' yn ll. 49, a newid trefn geiriau er mwyn diweddaru'r gystrawen, er enghraifft 'mor 6yf drist' > 'mor drist yr wy' yn ll. 37.

Un ystyriaeth arall sy'n awgrymu cyswllt rhwng testun Gwilym Tew a'r Llyfr Coch yw'r priodoliad. Ysgrifennodd Gwilym 'gr ap yr yngnad' ar waelod ei gopi, ac ni fyddai hynny'n haeddu sylw o gwbl oni bai am y ffaith nad yw enw Gruffudd ab yr Ynad Coch wrth y gerdd yn yr un o'r fersiynau diweddar eraill. Os nad oedd cof byw am awduraeth y gerdd, yna mae'r ffaith fod Gwilym Tew yn ei phriodoli'n gywir (a chymryd bod y Llyfr Coch yn gywir wrth ddweud 'Gruffud uab yr ynat coch ae cant' ar frig y gerdd) yn awgrymu iddo weld priodoliad y Llyfr Coch.[49]

Y ffordd symlaf o esbonio'r berthynas rhwng testunau Llyfr Coch Hergest a Peniarth 54 yw trwy gymryd bod Gwilym Tew wedi darllen (neu glywed) y gerdd yn y Llyfr Coch, ei dysgu ar ei gof a'i chopïo wedyn yn Peniarth 54, yn ôl pob tebyg ar gais noddwr iddo. Mae hynny'n berffaith gredadwy o gofio bod y Llyfr Coch yr adeg honno ym meddiant y gangen o deulu'r Fychaniaid a drigai yn Nhretŵr ger y Fenni (cyn iddo fynd i gangen arall yn Hergest). Un o deulu'r Peutun oedd Gwladus, ferch Syr Dafydd Gam, mam Syr Rhosier Fychan o Dretŵr o'i phriodas gyntaf, a mam William a Rhisiart Herbert o'i hail briodas.[50] Ac efallai y buasai'r farwnad hon o ddiddordeb arbennig i blaid yr Herbertiaid yn sgil dienyddiad William Herbert, iarll Penfro, ar ôl brwydr Banbri yn 1469. Fel Llywelyn, gallai William Herbert honni bod Cymru gyfan dan ei reolaeth ar ran y brenin yn y 1460au, ac fe laddwyd yntau trwy frad a dichell y Saeson. 'Mwya lladdiad y cad cam,/ er Llywelyn, Iarll Wiliam,' meddai Ieuan Deulwyn.[51] Hawdd y gellir dychmygu, felly, y byddai un o geraint yr Herbertiaid yn awyddus i gael copi o'r farwnad enwog hon, a byddai bardd dysgedig fel Gwilym Tew yn barod iawn i'w ddarparu iddo.

Fe geir prawf arall fod Gwilym Tew yn gyfarwydd â'r farddoniaeth yn Llyfr Coch Hergest. Ymhlith y testunau amrywiol yn ei law yn Peniarth 51 ceir copi o ddarn o ganiad olaf 'Marwnad Gwenhwyfar' gan Ruffudd ap Maredudd. Y Llyfr Coch yw'r unig ffynhonnell ganoloesol ar gyfer y gerdd hon, ond o gymharu'r ddau destun fe welir yr un math o amrywiadau ag a geir rhwng y ddau destun o farwnad Gruffudd ab yr Ynad Coch, fel y gellir gweld yn llinell gyntaf y darn:

Ucheneit vann gelein deirran galon dorri[52]

vcheneid rrann gelynn dirrann galon dorri[53]

Mae'n amlwg fod y gynghanedd yn hollbwysig i'r cof yma, ond eto mae'r cof cynganeddol yn gadael digon o le i amrywio o fewn fframwaith yr odlau a'r gyfatebiaeth gytseiniol. Yn y llinell hon mae'r ddau air sy'n cynnal odl y gynghanedd sain a hefyd y gair cyntaf sy'n cyseinio wedi'u newid heb wneud unrhyw wahaniaeth i'r gynghanedd ei hun. Mae amrywiadau tebyg i'w gweld trwy gydol y darn, a dyma esiampl dda o newid ystyr gan gadw'r gynghanedd: 'Gwneuthost ath was va6r alanas veir

211

oleuni'.[54] Newidiodd Gwilym Tew air olaf y llinell i 'eleni', darlleniad digon deniadol o ran ystyr. Efallai y dylid ystyried hwnnw'n ymgais ganddo i wella ar destun y Llyfr Coch, yn hytrach na chamgofio syml.

Mae'r fersiwn nesaf o farwnad Llywelyn ap Gruffudd i'w gael yn Peniarth 55, llawysgrif a ddyddir gan Daniel Huws tua 1500.[55] Mae'r copi yn llaw Dafydd Epynt, bardd o sir Frycheiniog a oedd yn ei flodau rhwng *c.*1456–60 a *c.*1510–15.[56] Ysgrifennodd Dafydd Epynt nifer o'i gerddi ei hun yn Peniarth 55, a hefyd yn Peniarth 54 a Peniarth 60. Fel y nodwyd am Peniarth 54 eisoes, mae'n debyg fod y tair llawysgrif hyn yn perthyn i gylch teulu'r Peutun. Gellid disgwyl, felly, y byddai perthynas agos rhwng testunau Gwilym Tew a Dafydd Epynt o'r farwnad, ond nid felly y mae. Tra bo Gwilym Tew yn cadw'n bur agos at drefn llinellau'r Llyfr Coch, mae trefn testun Dafydd Epynt yn wahanol iawn. Dyma drefn y llinellau yn ei destun ef (gan gyfeirio at y rhifau yn y testun golygedig): 1–6, 9–14, 19, 17, 23–8, 35–6, 39–50, 52, 54, 57–8, 74–7, 80–4, 63–70, 85–7, 93, 91–2, 89, 95–6, 101–4.[57] Sylwer bod tair o'r pedair llinell sydd ar goll o destun Gwilym Tew i'w cael gan Ddafydd Epynt. Dyna brawf go bendant, felly, nad testun Peniarth 54 oedd ffynhonnell fersiwn Dafydd Epynt. Cadarnheir annibyniaeth y ddau fersiwn gan y darlleniadau, oherwydd er bod Dafydd Epynt yn ailgyfansoddi rhai llinellau, fel y gwnaeth Gwilym Tew, nid yr un llinellau a ailgyfansoddwyd gan y ddau fardd. Mae ambell un o linellau Dafydd Epynt yn nes at destun y Llyfr Coch na rhai Gwilym Tew, ac wrth gwrs mae'r gwrthwyneb yn wir yn ddigon aml.

Gellid meddwl bod Dafydd Epynt yntau wedi gweld y gerdd yn Llyfr Coch Hergest, a'i fod yn copïo oddi ar ei gof, a hwnnw'n gof tipyn mwy dryslyd nag un Gwilym Tew. Ond y mae cymhlethdod pellach sy'n ei gwneud yn anodd derbyn y ddamcaniaeth honno. Yn Peniarth 55 mae englynion marwnad Bleddyn Fardd i Lywelyn ap Gruffudd wedi'u cyfuno ag awdl Gruffud ab yr Ynad Coch i greu awdl gyfansawdd yn y dull cyfoes a briodolir i 'llywarch offeiriat'. Ni cheir copi o gerdd Bleddyn Fardd yn y Llyfr Coch. Yr oedd copi yn Llawysgrif Hendregadredd ar un adeg, ond fe gollwyd y cwbl ond y saith llinell olaf am fod dalen ar goll o'r llawysgrif.[58]

Nid yw presenoldeb yr englynion yn dystiolaeth gwbl derfynol, oherwydd gellid damcaniaethu bod Dafydd Epynt wedi eu cael o ffynhonnell arall a'u cyfuno â'r awdl a gafodd o'r Llyfr Coch. Ffordd arall o brofi bod fersiwn Dafydd Epynt yn annibynnol ar y Llyfr Coch yw trwy chwilio am ddarlleniad sy'n rhagori ar eiddo'r Llyfr Coch. Nid yw hyn yn fater hawdd gan fod ansawdd testun y Llyfr Coch yn uchel ar y cyfan, ond y mae un amrywiad yn Peniarth 55 sydd yn sicr yn welliant arno. Dyma'r llinell fel y'i ceir yn y Llyfr Coch:

Nyt oes na chyngor na chlo nac egor[59]

Mae'r llinell honno'n berffaith dderbyniol ar yr olwg gyntaf, ac fe'i derbyniwyd yn ddigwestiwn gan genedlaethau o ddarllenwyr. Ond mae darlleniad Peniarth 55 yn amlwg yn rhagori o ran cysondeb delweddaeth, er mai bach iawn yw'r gwahaniaeth testunol:

> Nit oes na chynnor na chlo nac agor[60]

Ystyr *cynnor* yw 'rhagddrws, drws allanol'. Mae'n air digon cyffredin ym marddoniaeth y bymthegfed ganrif, ac fe welir yr un ddelweddaeth yn union yn y llinellau hyn gan Hywel Dafi:

> Mae n gynnor mae n agoryat
> Mae n glo ar gan mwya n gwlat.[61]

Gan ei fod yn air cyffredin, mae'n bosibl fod Dafydd Epynt wedi adnabod y camgymeriad yn y Llyfr Coch a'i gywiro, ond mae'n debycach fod ganddo ffynhonnell arall a gadwodd y darlleniad gwreiddiol.

Enghraifft bosibl arall o ddarlleniad gwell yn Peniarth 55, ond un llai sicr mae'n rhaid dweud, yw *gynllaith ganllaw* yn lle *k6ynlleith kanlla6* yn ll. 47. Yr oedd ardal Cynllaith yn rhan o Bowys Fadog, ond diddorol yw nodi bod arglwydd Cynllaith, Llywelyn ap Gruffudd Fychan, yn un o'r rhai a laddwyd gyda Llywelyn.[62] Mae *cwynllaith*, 'marwolaeth a gwynir', yn air anghyffredin, ond mae'n debyg fod egwyddor y *lectio difficilior* (darlleniad anos) o'i blaid.

Fe erys y cwestiwn, ble y cafodd Dafydd Epynt ei destun o englynion Bleddyn Fardd? Gan nad oes ond dryll o'r gerdd yn Llawysgrif Hendregadredd erbyn hyn, anodd yw barnu'r berthynas rhwng ei destun ef a'r un a geid yn y fan honno. Awgryma'r saith llinell sy'n weddill nad oedd Dafydd Epynt yn copïo'n uniongyrchol o H, ond gwelir y math o am-rywiadau sy'n nodweddu fersiynau a ddibynnai ar y cof, fel 'a syniaw o dduw' yn lle 'synnyet wrthaw dduw' (lle mae'r odl wedi'i hailwampio) a 'llyw' yn lle 'llu'.[63] Ni ellir profi mai H oedd ei ffynhonnell, ond eto mae'n annhebygol fod mwy nag un copi o'r gerdd hon yn bodoli yn y bymthegfed ganrif. Yr oedd H yn ddigon adnabyddus i'r beirdd pan oedd ym meddiant Rhydderch ab Ieuan Llwyd a'i ddisgynyddion, ac mae'n berffaith bosibl fod Dafydd Epynt wedi cael cyfle i weld y llawysgrif ar daith glera. Os felly, gan gofio bod rhyfaint o le i gredu nad Llyfr Coch Hergest oedd ei ffynhonnell ar gyfer marwnad Gruffudd ab yr Ynad Coch, rhaid ystyried y posibilrwydd mai yn Llawysgrif Hendregadredd y gwelodd honno hefyd, ar blyg sydd bellach ar goll.[64] Gan fod testunau H fel arfer yn rhagori ar rai'r Llyfr Coch o ran cywirdeb manwl, byddai hynny'n fodd i esbonio'r darlleniad *cynnor*, ac efallai hefyd *gynllaith ganllaw*. Ond yn sicr nid oedd

Dafydd Johnston

cerddi Bleddyn Fardd a Gruffudd ab yr Ynad Coch wrth ymyl ei gilydd yn Llawysgrif Hendregadredd. Rhaid mai Dafydd Epynt ei hun a oedd yn gyfrifol am eu cyfuno, pa un ai trwy amryfusedd neu o fwriad er mwyn creu cyfansoddiad a gydymffurfiai â'i safonau ei hun o ran gwneuthuriad awdl, fel y digwyddodd yn achos un o gerddi crefyddol Gruffudd ab yr Ynad Coch. Ac nid oes wybod ai rhith o fardd a greodd Dafydd Epynt o'i ddychymyg ei hun oedd Llywarch Offeiriad, ynteu bardd go iawn na wyddys dim amdano bellach.[65]

Mae un cam pellach yn hanes trofaus y gerdd hon. Mewn tair llawysgrif ddiweddarach (y gynharaf yn llaw Thomas Wiliems tua diwedd yr unfed ganrif ar bymtheg[66]) fe geir fersiwn arall sydd yn amrywio ymhellach o ran trefn llinellau. Mae englynion Bleddyn Fardd ar y dechrau yn yr un drefn ag yn Peniarth 55, ond mae trefn llinellau'r awdl ei hun fel a ganlyn: 1–12, 19–20, 22, 18, 21, 17, 23–5, 35–6, 39–40, 42–50, 52, 54, 57–8, 73–6, 79–82, 84, 83, 63–70, 85–7, 93–4, 91–2, 95–8, 100–4.[67] Y peth cyntaf i'w nodi am y fersiwn hwn yw'r ffaith fod yma nifer o linellau nas ceir gan Ddafydd Epynt (7–8, 18, 20, 22, 73, 79, 94, 97–8, 100), yn ogystal â rhai a geir ganddo ef sydd ar goll yma (13–14, 26–8, 30, 41, 77, 89). Dyna brawf pendant nad yw'r naill fersiwn yn ddirywiad o'r llall. Ar y llaw arall, mae nifer o bethau sylfaenol yn gyffredin sy'n awgrymu perthynas agos rhwng y ddau fersiwn. Yr englynion yw'r peth amlycaf, wrth gwrs, yn ogystal â rhai llinellau sydd ar goll yn y ddau (15–16, 29, 31–4, 37–8, 51, 53, 55–6, 59–62, 71–2, 78, 88, 90, 99), ond dylid nodi hefyd fod un bloc o linellau (63–70) wedi symud i'r un man yn y ddau fersiwn, yn dilyn llinellau 80–4. Dyma'r gyfres rethregol enwog sy'n dechrau 'Poni welwch chwi hynt y gwynt a'r glaw'. Fe'i symudwyd yn nes at ddiwedd y gerdd, ar ôl y disgrifiad o gyflwr truenus Cymru a chyn y gyfres o linellau sy'n chwarae ar y gair 'pen', a hynny mae'n debyg er mwyn cryfhau uchafbwynt emosiynol y gerdd. Beth bynnag oedd y rheswm am y newid, y pwynt pwysig yw ei fod yn gyffredin i'r ddau fersiwn hyn. At hynny, gellir nodi rhai darlleniadau amrywiol arwyddocaol sy'n profi cyswllt agos rhwng y ddau, yn enwedig llinell 76. Dyma enghraifft o ailgyfansoddi llwyr gan Ddafydd Epynt, ac amrywiad ar yr un llinell a geir yn y fersiwn diweddarach:

Vnfford y escor br6yn gyngor bra6[68]

kan gorvv hepkor por pur preiddiaw[69]

kanys gorvv hepgor por pvreiddiaw[70]

Yn anffodus, *cyngor* a geir yn y fersiwn diweddar yn lle *cynnor* yn llinell 75.

214

Ac mae ambell ddarlleniad arall yn hollol wahanol. Er enghraifft yn llinell 65, 'Pony wel6ch ch6i'r mor yn mer6inaw–'r tir?', 'yn mynet ar tir' a geir gan Ddafydd Epynt ac 'yn ymwriaw ar tir' gan Thomas Wiliems. Rhydd *ymwriaw* synnwyr da iawn ('taro'n erbyn ei gilydd'[71]), ac efallai y dylid ei ystyried yn welliant ar destun y Llyfr Coch, yn enwedig o gofio nad oes enghraifft arall o *merwino* fel berf anghyflawn yn yr Oesoedd Canol.[72]

O ran awduraeth fe welir amrywiad pellach yn y fersiwn hwn, ac eto mae cyswllt i'w weld â fersiwn Peniarth 55. Priodolir y gerdd i 'Gruffith ap Rynach a llowarch prydydd y moch' gan Thomas Wiliems, a'r un peth a geir yn Mostyn 146. 'Gruff: ap Reinallt Goch. a llowarch brydydd y moch' yw'r priodoliad gan Wiliam Bodwrda yn Brogyntyn 4.[73] Hawdd deall fel y rhoddwyd enw'r bardd adnabyddus Llywarch, Prydydd y Moch, yn lle Llywarch Offeiriad, ac fe ymddengys fod brith gof hefyd am Ruffudd ab yr Ynad Coch. Ac mae'r ffaith fod y gerdd wedi'i phriodoli i ddau fardd ar y cyd yn awgrymu bod ymwybyddiaeth mai dwy gerdd sydd yma mewn gwirionedd.

Y ffordd symlaf o esbonio'r berthynas gymhleth rhwng fersiwn Peniarth 55 a'r fersiwn a geir mewn llawysgrifau diweddarach yw trwy olrhain yr ail i Ddafydd Epynt hefyd, gan gymryd iddo roi dau gynnig ar gofnodi'r gerdd, un yn Peniarth 55 a'r llall mewn llawysgrif a fu'n gynsail i'r tri chopi diweddarach, ac sydd bellach ar goll.[74] Wrth roi dau wahanol gynnig ar atgynhyrchu testun maith a oedd ganddo ar ei gof, byddai rhywun yn naturiol yn cofio rhai llinellau yr ail dro a anghofiwyd y tro cyntaf, ac fel arall, ond byddai nodweddion sylfaenol ei fersiwn ef o'r testun yn aros yr un peth, megis cyfuno dwy gerdd yn un, symud bloc o linellau, anghofio rhai llinellau'n gyfan gwbl (23 i gyd), ac ailgyfansoddi ambell linell. Ni ddisgwylid amrywio o ran trefn yr englynion gan fod y cyrch-gymeriad rhwng diwedd un a dechrau'r nesaf yn ganllaw i sicrhau eu trefn yn y cof. Os yw'r ddamcaniaeth hon yn gywir, yna fe berthyn llawn cymaint o awdurdod i ddarlleniadau'r fersiwn mewn llawysgrifau diweddar (er enghraifft *ymwriaw* yn ll. 65) ag i rai'r fersiwn yn llaw Dafydd Epynt ei hun. Ac os oedd y ddau'n deillio o'r cof am destun ysgrifenedig cynnar annibynnol ar Lyfr Coch Hergest, yna ni ddylid eu diystyru.

Efallai fod modd defnyddio'r testunau amrywiol hyn er mwyn ceisio agosáu mwy at eiriau gwreiddiol y bardd mewn mannau, ond nid dyna brif amcan y bennod hon. Taflu goleuni ar y broses o draddodi cerddi'r traddodiad oedd y nod. Un o'r pethau pennaf sydd wedi dod i'r amlwg yw ansefydlogrwydd testunau barddoniaeth yn yr Oesoedd Canol, hyd yn oed cerddi a ddiogelwyd mewn copïau ysgrifenedig da yn gynnar yn eu hanes. Yn ei chyfrol ar farddoniaeth lafar sonia Ruth Finnegan am 'interaction between written and oral modes of transmission and distribution' fel un o nodweddion y trosglwyddiad.[75] Nid yw'r astudiaeth hon wedi dangos tystiolaeth bendant o drosglwyddo cerddi Beirdd y Tywysogion ar lafar, yn yr ystyr fod rhywun wedi clywed datgan cerdd a'i chofio heb weld testun ysgrifenedig o gwbl. Ond y mae digon o dystiolaeth yma o gofio cerddi a welwyd yn ysgrifenedig a'u rhoi ar glawr eto wedi'u gweddnewid gan gof a oedd yn wallus weithiau ond hefyd yn hynod o greadigol. Mae'n siŵr fod cofio testunau ysgrifenedig wedi digwydd ers y ddeuddegfed ganrif, a chyn hynny hefyd, ond tua diwedd yr Oesoedd Canol fe geir mwy o enghreifftiau o'r ail gam yn y broses wrth i grefft ysgrifennu ddod yn fwy cyffredin.

Hawdd iawn yw synio am glasuron y traddodiad barddol fel haniaethau perffaith yn bodoli mewn testunau digyfnewid fel y maent yn gyfarwydd i ni heddiw. Trwy astudio hanes marwnad Llywelyn y Llyw Olaf cawsom gipolwg ar brofiad pobl o un o gerddi mwyaf yr iaith. Yr oedd hwnnw'n brofiad amherffaith, mae'n wir, ond yn sicr yr oedd y gerdd yn fyw o hyd.

Nodiadau

[1] Gw. Daniel Huws, 'Llawysgrif Hendregadredd', CLlGC, 22 (1981–2), 1–26; ceir fersiwn Saesneg diwygiedig, 'The Hendregadredd Manuscript' yn MWM 193–226.

[2] Gw. Dafydd Johnston, 'Gwaith Prydydd y Moch', LlC, 17 (1993), 308–9, ac adolygiadau eraill ar Gyfres Beirdd y Tywysogion yn LlC, 18–24 (1995–2001). Os yw hyn yn wir am CBT V, cerdd 23, yna mae'n dangos faint o amrywio sy'n bosibl wrth gopïo.

[3] Gw. Dafydd Johnston, adolygiad ar CBT VI, LlC, 21 (1998), 196–7, a sylwer ar y copïau eraill o'r un ffynhonnell a nodir yno.

[4] CBT III, cerdd 9; IV, cerdd 10.

[5] CBT IV, cerdd 18.

[6] CBT III, cerdd 7.

[7] Pen 29, tt. 31, 42, 45, 47; CBT VI, cerdd 27.

[8] CBT III, cerdd 26; CBT IV, cerdd 8. Yn y ddwy gerdd arall yn Pen 3 (CBT III, 24 a IV, 9), ni cheir amrywiaeth trefn.

[9] Gw. Morfydd E. Owen, 'Noddwyr a Beirdd', yn BTh 77–8.

[10] Mae lle i gredu bod Einion ap Gwalchmai yn ŵr cyfraith yn llys Llywelyn ap Iorwerth, a dengys enw Gruffudd ab yr Ynad Coch ei fod yntau'n perthyn i deulu cyfreithiol, gw. CBT I, 428 a'r cyfeiriadau yno.

[11] Gw. MWM 59.

[12] Gw. Dafydd Johnston ac Ann Parry Owen, 'Tri Darn o Farddoniaeth yn Llawysgrif Peniarth 10', *Dwned*, 5 (1999), 35–45.

[13] CBT II, cerdd 5.

[14] Catherine A. McKenna, 'Welsh Versions of the Fifteen Signs Before Doomsday Reconsidered', yn *Celtic Folklore and Christianity*, gol. Patrick K. Ford (Santa Barbara, 1983), 84–112. Mae'n werth nodi bod lleoliad y gerdd hon yn y Llyfr Coch yn annisgwyl. Copïwyd gweddill canu crefyddol Beirdd y Tywysogion mewn un bloc gan Hywel Fychan, ond mae hon yng nghanol y canu secwlar yn llaw Pen 32.

[15] Daniel Huws, 'Llyfr Gwyn Rhydderch', CMCS, 21 (1991), 1–37.

[16] Mae'r plygion hyn yn y rhan o'r llawysgrif a adwaenir heddiw fel Peniarth 5, ac mae'r englynion ar ff. 11ᵛ–12ʳ.

[17] Pen 4, f. 61ʳ⁻ᵛ.

[18] Gw. EWSP 393–7.

[19] CBT II, cerdd 18.

[20] CBT II, 317.

[21] Sylwer ar nodyn John Jones, Gellilyfdy, yn Pen 113, iddo gael y gerdd 'yn ysgrifenedic mewn llyfyr or eiddo y nhaid Sion ap Wiliam: a venthyciassei ef i wydyr, ac a gefais inneu gan Mr Owen Wynn o wydyr'.

[22] CBT VII, cerddi 36–43.

[23] RBP col. 1417–18, 1159–65, 1192–3.

[24] MWM 214.

[25] Gw. Catherine A. McKenna, *The Medieval Welsh Religious Lyric* (Belmont, 1991), pennod 2. Arwydd pellach o enw Gruffudd ab yr Ynad Coch fel bardd crefyddol yw'r englyn unigol, 'Rhybudd rhag digio Duw', a'r gyfres englynion i'r Forwyn Fair a briodolir iddo mewn llawysgrifau o ddiwedd yr unfed ganrif ar bymtheg a hanner cyntaf yr ail ganrif ar bymtheg, gw. CBT VII, 515–16.

[26] CBT VII, cerdd 38. Ond cofier mai darlleniadau copi John Jones, Gellilyfdy, yn Pen 113 a roddir yno, gan fod testun Pen 10 yn anodd iawn ei ddarllen. Er bod John Jones wedi copïo'n uniongyrchol o Pen 10, nid yw ei gopi'n gywir bob tro (er enghraifft *trym ned* yn y llinell gyntaf, lle ceir *trymued* yn Pen 10).

[27] CBT VIII, cerdd 43.

[28] CBT VII, 43.1–8.

[29] Mae'r enghreifftiau eraill o'r gair *difurio* yn dwyn ystyr fwy llythrennol, er enghraifft CBT VII, 26.27 (Llygad Gŵr), ond gellir cymharu defnydd Meilyr ap Gwalchmai o'r gair mewn cerdd grefyddol ychydig yn gynharach yn y Llyfr Coch, 'Pan vynno Du6 dy divurya6' (CBT I, 33.46).

[30] CBT VII, 43.13–16.

[31] Mabwysiadodd Henry Lewis yr un darlleniad yn *Hen Gerddi Crefyddol* (Caerdydd, 1931), XXXVIII.15 ar sail y *Myvyrian Archaiology*, 269b.

[32] CBT VII, cerdd 40; rhoddir testun golygedig o'r fersiwn diweddar mewn atodiad, tt. 463–7.

[33] Gw. Peredur Lynch, 'Yr Awdl a'i Mesurau', yn BTh 277.

[34] *Gwaith Gruffudd ap Dafydd ap Tudur, Gwilym Ddu o Arfon, Trahaearn Brydydd Mawr ac Iorwerth Beli*, gol. N. G. Costigan (Bosco), Iestyn Daniel a Dafydd Johnston (Aberystwyth, 1995), cerddi 2, 5, 8 a 9.

[35] Gw. CD 326–7, RBP 1322–3; ceir enghreifftiau mewn awdl grefyddol o waith Gruffudd Fychan ap Gruffudd ab Ednyfed hefyd yn yr un cyfnod, *Gwaith Sefnyn, Rhisierdyn ac Eraill*, gol. Nerys Ann Jones ac Erwain Haf Rheinallt (Aberystwyth, 1995), cerdd 12.

[36] CBT VII, 465–6. Cymh. 'Difregwawd Taliesin', BBGCC cerdd 33.

[37] CBT VII, 40.1–2.

[38] CBT VII, 465.

[39] CBT VII, 40.44–7; myfi biau'r bachau petryal yn ll. 45 sy'n dynodi mai ychwanegiad golygyddol yw *a'e*.

[40] CBT VII, 466.

[41] CBT VII, 417; G. Charles-Edwards, 'The Scribes of the Red Book of Hergest', CLlGC, 21 (1979–80), 246–56, 'type Pen 32 small' (t. 256).

[42] Gw. pennod Daniel Huws yn y gyfrol hon, tt. 1–30.

[43] RBP tt. 158–63. Ysgrifennodd yr un llaw awdl Ieuan Llwyd ap y Gargam i Hopcyn ap Tomas yng nghanol y bwlch (col. 1415–16) ac, yn ddiweddarach, ysgrifennodd Lewys Glyn Cothi ddwy o'i awdlau ei hun i deulu Tretŵr ar dudalennau cyntaf y bwlch (col. 1409–12).

[44] Diddorol yw sylwi iddo wneud yr un peth gydag awdl Gruffudd ap Maredudd i Owain Lawgoch, yr olaf o linach teulu brenhinol Gwynedd, ar flaen y casgliad o gerddi'r bardd a gopïwyd gan Hywel Fychan (col. 1313–14).

[45] Pen 54, 99–103; gw. RMWL, I, 409–19.

[46] MWM 95–6.

[47] MWM 96.

[48] Rwy'n ddiolchgar i Mr Huws am fy nghynghori yn hyn o beth. Mae llaw Gwilym

Tew yn ddigon adnabyddus yn llawysgrif Pen 51, llyfr yn cynnwys cerddi a deunydd dysgedig amrywiol. Nid yw'r llaw yn Pen 54 yn union yr un fath â honno, ond yn ôl Mr Huws mae digon o elfennau cyffredin i awgrymu mai'r un copïydd yn gweithio ar wahanol adegau yn ei fywyd yw hwn. Ei law gynnar sydd yn Pen 51. Peth arall sy'n awgrymu'n gryf mai Gwilym Tew a gopïodd gerddi Dafydd ap Gwilym yn Pen 54 yw'r ffaith fod un o'i gerddi ei hun yng nghanol y casgliad o gerddi Dafydd, a'r awduraeth wedi'i dynodi gan y llythrennau 'GT' yn unig (camgymeriad yw 'GE' yn RMWL, I, 410), arwydd clir o gopi holograff.

[49] Diddorol hefyd yw ei sillafiad hynafol, *yngnad*. Y ffurf ddiweddar *ynad* a geir wrth y farwnad ei hun yn y Llyfr Coch, ond mae'r ffurf hŷn *ygnad* i'w chael wrth ei gerddi crefyddol yn RBP 1159 (er nas argraffwyd gan Gwenogvryn Evans, gw. CBT I, 319), ffurf a geir yn gyffredin yn y llyfrau cyfraith hefyd. Ceir *yngnad* ddwywaith yng ngherddi Lewys Glyn Cothi, GLGC 24.37, 48.42.

[50] Gw. D. J. Bowen, 'Gwladus Gam a'r Beirdd', YB, 24 (1998), 60–93.

[51] Alan Llwyd (gol.), *Llywelyn y Beirdd* (Barddas, 1984), XVII.11–12. Cymh. marwnad Dafydd Llwyd o Fathafarn i Syr Gruffudd Fychan (a ddienyddiwyd yn 1447) sy'n adleisio cerdd Gruffudd ab yr Ynad Coch yn benodol, W. Leslie Richards (gol.), *Gwaith Dafydd Llwyd o Fathafarn* (Caerdydd, 1964), 53.61–74.

[52] RBP 1321.4–5.

[53] Pen 51, 133. Mae dau air olaf y llinell wedi'u camgopïo gan Gwenogvryn Evans yn RMWL i, 401, fel 'galar dwys'. Am drawsysgrifiad o'r darn cyfan gw. Ann Elizabeth Jones, 'Gwilym Tew: Astudiaeth Destunol a Chymharol o'i Lawysgrif, Peniarth 51, ynghyd ag Ymdriniaeth â'i Farddoniaeth' (Traethawd Ph.D. Prifysgol Cymru, Bangor, 1981), 237.

[54] RBP 1321.23–4.

[55] Pen 55, 190–5; MWM 63.

[56] Gw. Owen Thomas (gol.), *Gwaith Dafydd Epynt* (Aberystwyth, 2002), 5–6.

[57] Gw. CBT VII, 417 (ond sylwer bod ll. 76 yn y testun, er ei bod wedi'i hailgyfansoddi'n llwyr).

[58] CBT VII, cerdd 51; golygwyd y rhan fwyaf o'r testun ar sail Pen 55 a'r fersiynau eraill a drafodir isod.

[59] CBT VII, 36.75.

[60] Nodir yr amrywiad yn CBT VII, 419, gan gydnabod rhagoriaeth darlleniad Pen 55. Gw. ymhellach Rhian Andrews, '"Nid oes na chyngor na chlo nac egor"', LlC, 24 (2001), 160–1, lle nodir y posibilrwydd fod *cyngor* y Llyfr Coch yn amrywiad tafodieithol ar *cynnor*, gw. T. J. Morgan, 'Geiriau Hynafol Geiriadur Bodvan', B, 8 (1935–7), 320–1. Ond mae'n fwy tebygol mai gwall copïo yw hwn dan ddylanwad *cyngor* yn y llinell ddilynol.

[61] *Peniarth MS. 67*, gol. E. Stanton Roberts (Cardiff, 1918), 100.

[62] Gw. J. Beverley Smith, *Llywelyn ap Gruffudd, Tywysog Cymru* (Caerdydd, 1986), 356, 381. Diddorol yw nodi mai *Gynllaith ganllaw* yw darlleniad Thomas Parry yn *The Oxford Book of Welsh Verse* (Oxford, 1962), 47.

[63] CBT VII, 51.33 a 35.

[64] Gw. nodyn 24 uchod.

[65] Yr unig gerdd arall a briodolir i Lywarch Offeiriad yw'r englyn hwn, 'Hiraeth am yr Arglwydd Llywelyn ai wŷr' yn Pen 151, 79, yn llaw William Morris o Lansilin (1638):

> Mae'r llys yn Niwbwrch, mae'r llyn, mae'r eurglod,
> Mae'r Arglwydd Lywelyn,
> Mae'r gwŷr sâl fu'n ei galyn,
> Mil o fyrdd mewn gwyrdd a gwyn?

Nid oes nodweddion cynnar yn yr englyn, a'r tebyg yw bod fersiwn Dafydd Epynt o'r farwnad wedi dylanwadu ar y priodoliad (gw. nodyn 73 isod).

[66] Bangor Most 5, 36–9; y ddwy arall yw Most 146, 27–9 (yn gynnar yn yr ail ganrif ar bymtheg), a Brogyntyn (y gyfres gyntaf) 4, 2–5 (llaw Wiliam Bodwrda tua 1650).

[67] Dyma'r drefn a geir gan Wiliam Bodwrda yn Brogyntyn 4, y copi llawnaf o'r fersiwn hwn. Mae llinellau 9 a 81 ar goll yn Bangor Most 5, a llinell 40 ar goll yn Most 146. Gan mai copi Wiliam Bodwrda yw'r diweddaraf o'r tri, rhaid bod y tri'n deillio'n annibynnol o'r un gynsail. Yn y stema ar gyfer yr awdl farwnad, CBT VII, 419, awgrymir bod copi yn llaw Ieuan Fardd yn Panton 2 o linellau 1–2 a 4–6 yn tarddu'n annibynnol o gynsail dybiedig y tu ôl i Pen 54 a Pen 55, ond yn y stema ar gyfer englynion Bleddyn Fardd, CBT VII, 589, awgrymir bod testun Ieuan Fardd yn gopi uniongyrchol o Most 146. Copïodd Ieuan Fardd yr englynion yn gyflawn, ond fe ymddengys iddo sylweddoli mai awdl Gruffudd ab yr Ynad Coch oedd gweddill y gerdd yn fuan ar ôl iddo gyrraedd y fan honno yn ei ffynhonnell, a rhoi'r gorau iddi, efallai am fod ganddo gopi o'r awdl o Lyfr Coch Hergest yn Panton 15.

[68] CBT VII, 36.76.

[69] Pen 55.

[70] Bangor Most 5. Darlleniad arall sy'n arwydd o berthynas agos rhwng y ddau fersiwn yw 'myn deinioel' yn lle 'y'm dynoedyl' yn ll. 23.

[71] Cymh. yr enghraifft o'r gair gan Ddafydd Benfras, CBT VI, 24.72, a sylwer bod y gair wedi'i gamgopïo gan law Pen 32 yn y Llyfr Coch.

[72] Gw. GPC 2437.

[73] Ychwanegodd Wiliam Bodwrda, 'medd arall. llowarch Offeiriad', sy'n awgrymu iddo fod yn gyfarwydd â fersiwn Pen 55, o bosibl trwy'r copi (sâl) a geir yn BL Add 14882. Hwnnw yn ei dro oedd ffynhonnell copi Lewis Morris yn CM 14.

[74] Mae'r ffaith mai llawysgrifau gogleddol yw'r tair sy'n cynnwys y fersiwn hwn yn awgrymu i'w lawysgrif goll ymfudo i'r gogledd – onid oedd Dafydd Epynt wedi cofnodi'r gerdd mewn llyfr ym meddiant noddwr yn y gogledd (er nad oes sôn am yr un ymhlith y cerddi o'i waith sydd wedi goroesi).

[75] Ruth Finnegan, *Oral Poetry* (Cambridge, 1977), 160–9. Ar y cydymwneud rhwng y llyfr a'r cof yn yr Oesoedd Canol gw. Mary J. Carruthers, *The Book of Memory: A Study of Memory in Medieval Culture* (Cambridge, 1990), yn arbennig tt. 8 ac 16.

9

Awdl Saith Weddi'r Pader

IESTYN DANIEL

Prin fod yn rhaid dweud wrth neb a fo'n arddel y grefydd Gristnogol fod yn perthyn i Weddi'r Arglwydd[1] bwysigrwydd unigryw. Dyma'r weddi a lefarodd Iesu Grist, mab Duw, wrth ei dad nefol wrth ddysgu ei ddisgyblion sut i weddïo. Hi yw gweddi y gweddïau. Nid yw'n syndod, o ganlyniad, ei bod wedi derbyn sylw gan saint a diwinyddion ym mhob oes.[2] Y cyfnod pwysicaf, yn sicr, o safbwynt esbonio a dehongli'r weddi hon, oedd cyfnod y Tadau Eglwysig (neu'r cyfnod Patristig), sef o ddiwedd y ganrif gyntaf hyd ddiwedd yr wythfed. Yn ystod y blynyddoedd hyn gosododd mawrion fel Clement o Alecsandria ac Origen yn y dwyrain, a Tertwlian, Sierôm ac Awstin yn y gorllewin, y sylfeini y byddai awduron oesoedd diweddarach yn pwyso arnynt wrth ysgrifennu eu hymdriniaethau hwythau â'r un pwnc. Yn yr Oesoedd Canol, gellir crybwyll ymysg rhai o'r enwocaf o'r awduron hyn Bedr Abelard, Rhisiart a Huw o St-Victor, Ffransis o Assisi, Bonafentur, Tomos o Acwin a Meister Eckhart. Yn ddiweddarach, cafwyd ymdriniaethau gan y Diwygwyr Luther a Chalfin ac eraill. Ni pheidiodd y weddi, yn wir, hyd heddiw â derbyn sylw.

Pan edrychwn yng Nghymru'r Oesoedd Canol am olion o'r diddordeb hwn, sylwn yn gyntaf ar y corpws helaeth o ryddiaith grefyddol a geir yn bennaf yn llawysgrifau'r drydedd ganrif ar ddeg a'r ganrif ddilynol. Yma ceir dwy ymdriniaeth fer â Gweddi'r Arglwydd, y naill wedi'i phriodoli i Huw o St-Victor[3] a'r llall i St Awstin,[4] er nad hwy, yn ôl pob tebyg, oedd y gwir awduron.[5] Yn y rhain dyfynnir y Weddi fesul adran yn Lladin (Lladin y Fwlgat), ei chyfieithu i'r Gymraeg a'i hesbonio, ac yn unol â'r dull traddodiadol ar y pryd, cysylltir yr esboniadaeth â bywyd ysbrydol y Cristion.

Fe geir hefyd, fodd bynnag, ymgais i wneud peth rhannol debyg ar fydr, sef awdl yn Llyfr Coch Hergest. Dyma'r unig enghraifft o'i bath sy'n hysbys i mi[6] ac nis golygwyd na'i chyhoeddi o'r blaen. Gwn y buasai wrth fodd yr Athro Caerwyn, gwrthrych y gyfrol goffa hon, a phleser gennyf, gan hynny, yw cyflwyno golygiad ohoni i'w goffadwriaeth ac yn arwydd bach o ddiolch iddo nid yn unig am ei gyfarwyddyd imi fel myfyriwr ymchwil ac, yn ddiweddarach, ei hyfforddiant hael ac amhrisiadwy pan euthum i'r afael â gwaith y Gogynfeirdd gyntaf, ond hefyd am y fraint o gael ei adnabod fel cyfaill hynaws y gallwn sgwrsio ag ef am bethau heblaw traethodau a cherddi yn unig.

Ceir yr awdl, hyd y gwn, mewn pump o lawysgrifau. Y testun hynaf yw eiddo llawysgrif J 111, sef Llyfr Coch Hergest, col. 1366–7, yn llaw y copïwr enwog Hywel Fychan, *c*.1400.[7] Diweddarach o dipyn yw'r llawysgrifau eraill, sef NLW 5474A (= Aberdâr 1), 193–5, llaw Benjamin Simon, 1745–51;[8] NLW 21287B (= IAW 1), 73^r–75^r, llaw Evan Evans (Ieuan Fardd), 18g.;[9] Pen 118, 258–9, llaw cynorthwywr i Siôn Dafydd Rhys,[10] *c*.1600;[11] a Llst 145, 25^v (cerdd rhif 56), llaw Iaco ab Dewi, 17g.–18g.[12] Y mae'r rhain i gyd yn tarddu, yn uniongyrchol neu'n anuniongyrchol, o destun Llyfr Coch Hergest, ac ar y testun hwnnw y seiliwyd y golygiad isod.

Rhagflaenir testun y Llyfr Coch o'r awdl, ar frig colofn 1366, gan deitl diweddarach, yn llaw Syr John Prys, 'O saith wedi y pader', disgrifiad cywir ac un sy'n cyfateb i linell 63 yn y golygiad isod, 'Hynny yw amlder Saith Weddi'r Pader'. Ystyr *Pader*, wrth gwrs, yw Gweddi'r Arglwydd (o *pater* 'tad', gair cyntaf y fersiwn Lladin, sy'n dechrau 'Pater noster', 'ein Tad'), a'r 'saith wedi' yw'r saith deisyfiad a geir ynddi. Nid oes sôn am awduraeth y gerdd. Dilyna ddwy gerdd ddychan gan yr Ustus Llwyd, ond gan fod dalen ar goll rhwng diwedd yr olaf o'r cerddi hynny (gweler uchod, t. 9) a dechrau hon, ni ellir honni unrhyw berthynas awdurol rhyngddi a gwaith yr Ustus Llwyd. Tra gwahanol hefyd, wrth gwrs, yw eu cynnwys hwy (er y gallai beirdd y cyfnod, mae'n wir, droi eu llaw yr un mor hawdd at ddychan ag at foli). Tybiai Iaco ab Dewi mai Iolo Goch oedd awdur yr awdl a'r gerdd sy'n ei dilyn, ond y rheswm am hyn, yn ddiau, yw iddo feddwl ar gam fod y geiriau 'Jollo goch ae cant' sy'n dilyn yr ail gerdd yn cyfeirio yn ôl, nid ymlaen (fel yr arferir â gwneud yn y Llyfr Coch).[13] Nid oes fawr ddim yn yr awdl ychwaith sy'n atgoffa dyn o waith canonaidd Iolo Goch. O ran ei dyddiad, y mae ei chynnwys yn dwyn ar gof rai o gerddi Gogynfeirdd y bedwaredd ganrif ar ddeg yn hytrach na Beirdd y Tywysogion, a sonnir mwy am y pwyntiau hyn isod.

Anghyflawn yw'r awdl. Profir hyn gan y llinell sy'n dilyn ei diwedd, 'lle ymi voli val y pra6 proffwyt. et cetera', sy'n gyfarwyddyd i ailadrodd y gerdd (neu rywfaint ohoni) o'i llinell gyntaf ymlaen, ac y mae honno, fel y gwelir, yn wahanol i ddechrau testun y Llyfr Coch. Gellir ffurfio syniad go dda hefyd pa faint o'r gerdd sydd ar goll trwy sylwi ar ei threfn. Seiliwyd honno ar drefn Gweddi'r Arglwydd, sy'n ymrannu'n naturiol yn wyth adran ddilynol, sef cyfarchiad a saith deisyfiad, ond â'r deisyfiadau yn bennaf oll y mae a wnelom yma a gellir eu nodi fel a ganlyn:

Pater noster, qui es in caelis; (1) sanctificetur nomen tuum; (2) adveniat regnum tuum; (3) fiat voluntas tua, sicut in caelo et in terra. (4) Panem nostrum quotidianum da nobis hodie; (5) et dimitte nobis debita nostra, sicut et nos dimittimus debitoribus nostris; (6) et ne nos inducas in tentationem; (7) sed libera nos a malo.

(Ein Tad, sydd yn y nefoedd; (1) sancteiddier dy enw; (2) deled dy deyrnas; (3) gwneler dy ewyllys, megis yn y nef, felly ar y ddaear hefyd. (4) Dyro inni heddiw ein bara beunyddiol; (5) a maddau inni ein dyledion, fel y maddeuwn ninnau i'n dyledwyr; (6) ac nac arwain ni i brofedigaeth; (7) eithr gwared ni rhag drwg.)

Pan greffir ar yr awdl, gwelir bod yr ymdriniaeth â'r deisyfiad cyntaf yn eisiau; tebyg na chadwyd ond diwedd yr ymdriniaeth â'r ail ddeisyfiad, ac ymddengys fod y ddwy linell a ragflaenai linell 3 o'r golygiad yn ddiffygiol (ymhellach, gweler y nodyn isod ar lau. 1–2 o'r testun). At hyn, naturiol tybio bod ar un adeg gyflwyniad o ryw fath i'r gerdd cyn dechrau trafod y deisyfiadau. Collwyd darn sylweddol o'r gerdd, gan hynny, ond diau fod y rhan fwyaf ohoni o ddigon wedi ei diogelu.

Y mae'n werth sylwi ar y ffordd y mae'r awdur yn ymdrin â'i bwnc. Fel yn achos y ddau draethawd rhyddiaith a grybwyllwyd uchod, dechreua trwy ddyfynnu Gweddi'r Arglwydd yn Lladin fesul deisyfiad cyn mynd ati i'w chyfieithu. Sylwer, er hynny, y trafodir y chweched a'r seithfed deisyfiad gyda'i gilydd yn hytrach nag ar wahân. Ymddengys yn rhyfedd i Gristnogion heddiw, sydd wedi arfer â dweud Gweddi'r Arglwydd yn eu mamiaith, ei bod yn cael ei dyfynnu yn Lladin yn gyntaf, ond fel y dywed John Shinners am Gristnogion y cyfnod: 'Lay people were typically required to memorize the brief Latin of the Lord's Prayer, Hail Mary, and the Creed, though few would understand what they were saying without a vernacular translation.'[14]

Eithr os yw dull yr awdl hon yn ymdebygu hyd yn hyn i eiddo'r traethodau, nid felly yn achos ei dull o drin cynnwys y Weddi. Yr hyn a geir, yn hytrach, yw nid dadansoddiad gwyddonol ond cyfres niferus o ymadroddion amrywiol eu hyd a'u cystrawen wedi eu plethu â'r Lladin a'r cyfieithiad gan ffurfio math o sylwebaeth farddonol, gyffredinol ei naws. Credaf fod Saunders Lewis yn gywir yn gweld yn hyn ôl y *tropus*, dull poblogaidd iawn yn y cyfnod o ddwysáu harddwch ac ystyr testunau litwrgaidd a drowyd, yn ei farn ef, yn rhan o arddull awdl a chywydd yn y drydedd ganrif ar ddeg a'r ganrif ddilynol dan ddylanwad canu eglwysig.[15] Yn sicr, nid fel cruglwydd braidd yn ddi-siâp o sangiadau a geiriau llanw y dylid gweld yr ymadroddion hyn; cadwyn gelfydd ydynt, yn hytrach, o syniadau cyfochrog sydd i raddau yn cyfoethogi a goleuo cynnwys

Gweddi'r Arglwydd eithr heb fennu dim ar ei hanfodion. Gwelir proses debyg ar waith, ond heb ddim cyfieithu, mewn rhan o awdl gan Ruffudd Fychan i Grist a Mair lle y dyfynnir cyfarchiad yr angel Gabriel i Fair yn Lladin dros saith englyn;[16] ac er nad awdl mo'r gerdd, dylid crybwyll hefyd 'Englynion yr Offeren' Dafydd ap Gwlym,[17] '*tropus* Cymraeg rheolaidd i emyn Lladin, sef emyn y cymun, *Anima Christi*'.[18]

Yn yr awdl hon gellir canfod hefyd anogaeth i osgoi pechu. Yn hyn o beth, y mae'n debyg i'r traethawd a briodolir i Huw o St-Victor lle y gwneir y saith deisyfiad yn wrthwenwyn i'r Saith Pechod Marwol ond, yn unol â holl duedd y *tropus*, llawer mwy amhenodol yw pechodau'r awdl. Yr unig fan lle na rybuddir rhag rhyw bechod yw'r ymdriniaeth â'r pumed deisyfiad (llau. 37–46), a hynny, yn ddiau, am mai *maddeuant* pechodau sydd dan sylw.

O ran ei chrefft, y mae 64 llinell ar gadw o'r gerdd ac ymrannant yn bum caniad: (1) llau. 1–12, cyfres o chwe thoddaid (a'r cyntaf yn ddiffygiol) ar y brifodl *-u*; (2) llau. 13–24, cyfres o dri gwawdodyn ar y brifodl *-au*; (3) llau. 25–36, cyfres o ddeuddeg cyhydedd naw ban ar y brifodl *-id*; (4) llau. 37–54, cyfres o naw cyhydedd hir ar y brifodl *-aith*; (5) cyfres o bum cyhydedd hir ar y brifodl *-e*. Ni cheir dim cyrch-gymeriad rhwng y caniadau hyn. Rheolaidd yw hyd y rhan fwyaf o'r llinellau, er y gallai llau. 25 a 27 fod yn naw neu ddeg sillaf o hyd a ll. 45 yn ddecsill (ymhellach, gw. y nodiadau), ond y mae ll. 56 yn rhy hir. Cynganeddwyd y rhan fwyaf o lawer o'r llinellau,[19] a cheir amryw gynganeddion pengoll (er enghraifft, llau. 3, 5, 6, etc.). Fel sy'n nodweddiadol o farddoniaeth y bedwaredd ganrif ar ddeg yn gyffredinol, y gynghanedd sain sy'n teyrnasu, a cheir dwy enghraifft o sain ddwbl (llau. 47, 61). Yna, yn nhrefn ddisgynnol eu mynychder, ceir chwe enghraifft o'r groes (llau. 10, 20, 27, 30, 35, 52), pump o'r braidd gyffwrdd (llau. 15, 22, 26, 28, 58), un o'r llusg (ll. 6), ac un o'r draws (ll. 24). Y mae chwe llinell heb eu cynganeddu (llau. 45, 49, 53, 56, 59, 63). Mewn rhai achosion, digwydd y gynghanedd yn ail hanner llinell yn unig (llau. 13, 37, 39, 41, 43, 57), a gall fod yn arwyddocaol fod Lladin ym mhob un ohonynt (er na fyddai presenoldeb Lladin mewn llinell, wrth gwrs, yn rhwystr, o reidrwydd, i gynganeddu'n gywir neu'n llawn). Ceir pytiau o gymeriad yma ac acw (megis cymeriad llythrennol, synhwyrol a chynganeddol) ond, ar y cyfan, ychydig o ddefnydd a wneir o'r ddyfais hon. Nodweddiadol yw crefft yr awdl hon o eiddo awdlau hanner cyntaf a chanol y bedwaredd ganrif ar ddeg yn gyffredinol.

Pwy oedd awdur yr awdl, pa bryd y'i canwyd, ym mha le, i ba ddiben, ac ar gyfer pwy? Ni allaf ateb y cwestiynau hyn ond yn rhannol. Gan fod priodoliadau'r Llyfr Coch yn rhagflaenu'r cerddi ynddo a bod dechrau'r awdl ar goll, ni ellir gwybod enw'r awdur. Gellir casglu ychydig, er hynny, am sut un ydoedd. Y math o ddyn a fyddai'n debycaf o ymdrin â Gweddi'r

Arglwydd ar fydr fuasai rhyw glerigwr secwlar neu reolaidd yn hytrach na bardd lleyg yn canu yn ei swyddogaeth fel molwr Duw, ac y mae sylwadau awdur y gerdd hon ar y pumed deisyfiad (yn enwedig llau. 39–46, a gw. llau. 43–6n) yn awgrymu i mi un a fu'n dilyn buchedd sanctaidd ddisgybledig. Anodd gwybod pa fath o glerigwr ydoedd. Fe ellid dadlau, ar sail y geiriau 'medd mynechdid' (ll. 29), mai mynach ydoedd, ond credaf ei bod yn fwy tebygol mai ymadrodd yw hwn, megis 'medd Beda' (ll. 3), na ddylid ei ddeall yn llythrennol (ymhellach, gw. y nodiadau). Os clerigwr ydoedd, yr oedd hefyd yn hyddysg yng nghrefft yr awdl, ac odid na fuasai yn fardd wrth ei swydd neu'n fardd 'amatur'[20] cyn ymuno â'r broffes eglwysig. Y mae'n bosibl mai ef yw awdur y gerdd ddilynol yn Llyfr Coch Hergest[21] hefyd gan na ragflaenir honno gan briodoliad.

Am amseriad yr awdl, y mae teithi ei chrefft, fel y dywedwyd, yn nodweddiadol o awdlau'r bedwaredd ganrif ar ddeg, ac yn fwy neilltuol o'i hanner cyntaf a'i chanol. Efallai na fyddem ymhell iawn o'n lle, felly, yn ei hamseru tua chanol y ganrif honno.

Amhosibl, hyd y gwelaf, yw ateb y cwestiwn ym mha le y cyfansoddwyd yr awdl, ac ni ellir ond awgrymu mai yn un o'r mathau o leoedd lle y byddid yn arfer cyfansoddi pethau o'r fath, er enghraifft yn nhŷ offeiriad, mynaich neu Frodyr.

Am ddiben cyfansoddi'r awdl, y mae'n deg casglu oddi wrth y ffaith fod Gweddi'r Arglwydd wedi'i chyfieithu ynddi mai awydd addysgu pobl ynglŷn â'i hystyr oedd yr ysgogiad sylfaenol. Byddai angen rhywbeth fel hyn oherwydd, fel y dywedwyd uchod, yn ei ffurf Ladin y byddai lleygwyr yn dysgu'r Weddi. Y cefndir cyffredinol, yng ngeiriau'r Athro R. Geraint Gruffydd wrth drafod cywyddau Dafydd Ddu Hiraddug, fuasai 'y mudiad eglwysig mawr i addysgu clerigwyr a llcygwyr fel ei gilydd a gychwynnwyd ym Mhedwerydd Cyngor y Lateran yn 1215 ac a gafodd hwb arbennig yn yr ynysoedd hyn drwy gyfansoddiadau Cyngor Lambeth a gynhaliwyd gan yr Archesgob John Peckam yn 1281',[22] ond anodd ar hyn o bryd fyddai manylu mwy na hynny.

Cwestiwn diddorol yw ar gyfer pa gynulleidfa – neu'n hytrach, pa fath o gynulleidfa – y cyfansoddwyd y gerdd. Y mae'n deg tybio, i ddechrau, ar sail y cyfieithu o'r Lladin, mai ar gyfer lleygwyr yn hytrach na chlerigwyr y'i bwriadwyd (er na ddylid diystyru ychwaith y posibilrwydd mai clerigwyr prin eu haddysg oedd mewn golwg). Yn ail, nid cerdd boblogaidd ei naws yw hon, a thebyg ei llunio ar gyfer aelodau cymharol ddysgedig rhengoedd uwch cymdeithas. Y dosbarth cyntaf a ddaw i gof, wrth gwrs, yw'r uchelwyr, a byddai'n ddyfaliad teg mai gerbron cynulleidfa yn nhŷ rhyw uchelwr y datganwyd yr awdl hon. Syniad arall a groesodd fy meddwl oedd, tybed ai ar gyfer cynulleidfa o feirdd y bwriadwyd hi? Nid wyf yn gwybod i neb fynegi'r posibilrwydd hwn o'r blaen ynglŷn â cherdd grefyddol addysgiadol, ond ni welaf ddim rheswm pam na fuasai'n bosibl i glerigwr o fardd, fel un dull efallai ymysg eraill, ddewis addysgu beirdd wrth eu swydd ym mhethau'r Ffydd trwy gyfrwng eu crefft eu hunain, ac y mae'n bosibl fod esiamplau o hyn i'w gweld yn awdlau Casnodyn i Dduw a Mair,[23] er enghraifft, neu yng nghywydd Ieuan ap Rhydderch i'r Offeren.[24] Ond pa fodd bynnag, y mae natur y dystiolaeth, wrth reswm, yn rhwystr i dynnu unrhyw gasgliadau terfynol ynglŷn â'r pwynt dan sylw ar hyn o bryd.

Wrth gloi, gellir dweud bod y gerdd sy'n bwnc y bennod hon yn dangos beth a allai ddigwydd o ddewis cyfrwng yr awdl, rhagor rhyddiaith, i draethu ar Weddi'r Arglwydd. Dyfynnodd yr awdur y Weddi a'i chyfieithu, a hynny'n fedrus ddigon, ond yn hytrach na'i hesbonio fel y cyfryw, dewisodd, gan ddilyn dull y *tropus* yn helaeth, greu *aura* defosiynol o'i chwmpas a fyddai'n help i wrthweithio pechod yn gyffredinol ac a fyddai'n apelio at y galon yn ogystal ag at y pen. Pa un bynnag ai awdur yr awdl ai rhywun arall a ganodd ar y pwnc hwn ac yn y modd hwn gyntaf, y mae nid yn unig yn 'arbrawf' diddorol ond hefyd, os derbynnir esboniad Saunders Lewis, yn dystiolaeth drawiadol a phwysig yn y broses o drawsblannu a chymhwyso un o ddulliau canu Lladin y litwrgi i fyd cerdd dafod Gymraeg.

Seiliwyd y golygiad isod ar destun Llyfr Coch Hergest o'r awdl. Ceir testun y gerdd yn gyntaf a'i ddilyn gan aralleiriad ac, yn olaf, nodiadau. Gan fod y testun weithiau'n sillafu'r geiriau Lladin yn eu ffurf Ladin gywir ond droeon eraill yn eu Cymreigio, penderfynwyd, er mwyn cysonder, eu sillafu oll yn y dull Lladin. Wrth aralleirio, cadwyd yn agos at y gwreiddiol, ond oherwydd amlder y cymalau sy'n sylwadau ar gynnwys y Weddi, barnwyd, er hwylustod i'r darllenydd, fod cyfiawnhad dros ddodi'r mannau nad ydynt yn ffurfio rhan o brif rediad y gerdd mewn print trwm.[25] Defnyddir bachau petryal i ddynodi geiriau nad ydynt yn cyfateb i ddim yn y testun ond a gyflenwyd er mwyn gwneud ei ystyr yn gliriach. Yn y nodiadau, pan dynnir sylw at air, a hwnnw wedi ei dreiglo yn y testun, fe'i dodir yn ei ffurf gysefin ar ddechrau'r nodyn. Yr unig eithriad i hynny yw'r nodyn yn llinell 3 ar *feddu* lle y trafodir darlleniad y llawysgrif.

Saith Weddi y Pader

[ ] trwm yw tremygu – hael Ddofydd,
   [ ] ymrydd o'm rhwyddbrynu.
Llyna, medd Beda, byd feddu – fy Rhi,
4   Ail weddi Celi, ef i'm celu;
A'i synnwyr yw'n llwyr, llwrw traethu – gofeg,
   Herwydd ei hatreg Gymraëgu:

'Dêl dy deyrnas', blas blaid barthu – raddau,
8   Diau na'n maddau, Duw i'n meddu,
Fal y byther, Nêr nef allu, – Dydd Brawd,
    Rhag rhwyf o bechawd, rhyfawr bechu.
Un hanes unlles unllu – un awydd,
12   Ac un Arglwydd rhwydd i'n rhyddhäu.

Fiat voluntas, addas addau,
    Tua rhag traha, trwm feddyliau,
Sicut in celo, salw eiriau – a'i gwna,
16   *Et in terra*, pla plyg eneidiau.
Weldyna drydedd, reufedd Riau,
Weddi ar Geli drwy Lên golau;
A'i synnwyr yn llwyr, Llorf graddau – dwyawl,
20   Dothyw i'n eiriawl, doethion eiriau:
'Bid dy ewyllys', heb frys frodiau,
'Fal y mae yn nef', Naf gwirodau,
'Ar y ddaear', Câr cerddau – Benadur,
24   I bob pechadur rhag pechodau.

Panem nostrum, trwm yw trem ei olid,
Cotidianum, dy enw gleindid,
Da nobis hodie, dyn ys odid
28   A ŵyr dy foli fal y gellid.
Llyna bedwaredd, medd mynechdid,
Weddi o'r Pader, wedd na'n pydid.
Llyma llwyr synnwyr, llwrw o synnid,
32   I'n rhaid, Duw telaid, talm a'n rhoddid:
'Bara peunyddiawl', hawl a holid,
'Dod, Duw gwiw, heddiw', ni haeddwn lid,
Hynny yw buchedd, hon ni bechid,
36   Hanes pob cyffes, caffom ryddid.

Et, reufedd Riau, gwŷd i gyd angau,
    Maddau i ninnau o'n anian ffaith;
Dimitte nobis, Fab rhad Tad dewis,
40   Dilis y'n cedwis, cadarn obaith;
Debita nostra, dybydd dydd bo da,
    Duw a'u gwna'n gyfa, dinam Gyfiaith;
Sicut et nos, segurgrair Air aros,
44   Ufudd-dawd aros dros ein drygwaith,
Dim oed, *dimittimus*, dyb, *debitoribus*
    Nostris, iawn astrus, chwŷl moethus maith.
HaelFab Mair, crair Cred, hon yw, Llyw llwybrged,
48   Y Weddi bumed, gyfred gyfraith.

Llywiwn y geiriau, llyma synhwyrau,
   Drwy'r einym ninnau, orau araith:
'A maddau weithion', mawrDad rad roddion,
52   'Ein gwir ddyledion', gwâr ddilediaith;
'Mal erot tithau', bob cyfryw bynciau,
   'Gwnawn ninnau faddau', feddwl canllaith.

Et, rhag cyfedd cas a llid sid Suddas,
56   *Ne nos inducas in temptatione;*
   Sed libera nos, swydd rwydd rad ddangos,
   A malo, mal dros ddryswch aele.
Llyna weddïau, gyda'r pump gynnau,
60   Gorau rhag barau, berw anaele.
HaelDad rad rifiant, Naf cyntaf a'u cant,
   Maddeuant, gwarant, meddwl gware.
Hynny yw amlder Saith Weddi'r Pader,
64   Honner i nifer nefoedd gyfle.

Ffynonellau
A – J 111 Llyfr Coch Hergest (= RMWL 1), 1366   B – NLW 5474A (=
Aberdâr 1), 193   C – NLW 21287B (= IAW 1), 73   D – Pen 118, 258
E – Llst 145, 56

Darlleniadau'r llawysgrif
1–2 Tr6m y6 tremygu hael douyd ym- | ryd om r6ydbrynu.   3 vuedu.   23
kerydeu.   43 segyrgreir.   63 seith weith wedir pader.   64 *yn dilyn ceir y
geiriau* lle ymi voli val y pra6 proffwyt. & cetera.

Teitl
O saith wedi y pader (*yn llaw Syr John Prys*).

Saith Weddi y Pader

   [   ] trist yw dirmygu Duw hael,
   [   ] rhydd ei hun i'm prynu'n rhadlon.
   Dyna, **medd Beda, teyrnasu ar [y] byd [gan] fy Mrenin,**
4   Ail weddi Duw, **[bydded] ef i'm llochesu;**
   A'i hystyr yn gyflawn, **[yn] null traethu meddwl,**
   O'i throsi i'r Gymraeg, yw:
   'Deled dy deyrnas', **graddau [sy'n] rhannu torf lle,**
8   **Y mae'n sicr na fydd yn ein gadael, [bydded] Duw i deyrnasu arnom,**
   Megis y bydder, **[trwy] allu Arglwydd nef, ar Ddydd Brawd,**
   Rhag gormod o bechod, **pechu'n ddirfawr.**

227

[Boed] un gyfrinach [sy'n dwyn] yr un lles [ar gyfer] un llu [a
      chanddynt] yr un awydd,
12   Ac un Arglwydd haelionus i'n rhyddhau.

Fiat voluntas, **addef[iad] cymwys**,
Tua, rhag traha, meddyliau gorthrymus,
Sicut in celo, **cyflawna geiriau iselwael hynny**,
16   *Et in terra*, **bwrn eneidiau cam.**
Dyna drydedd weddi, **Frenin cyfoeth**,
Ar Dduw drwy Offeiriad disglair;
A'i hystyr yn gyflawn, **Arglwydd [y] graddau dwyfol**,
20   **Daeth [ef] i eiriol drosom, geiriau doeth, [yw]:**
'Bydded dy ewyllys', **heb farnau brysiog**,
'Fel y mae yn [y] nef', **Arglwydd gwirodau**,
'Ar y ddaear', **Pennaeth [sy'n] Gyfaill cerddi**,
24   I bob pechadur rhag pechodau.

Panem nostrum, **llym yw trem ei lid**,
Cotidianum, **dy enw sanctaidd**,
Da nobis hodie, **un prin yw['r] dyn**
28   **A ŵyr sut i'th foli fel y medrid.**
Dyna bedwaredd weddi, **medd mynachaeth**,
Y Pader, **fel na chaem ein peryglu.**
Dyma ystyr gyflawn [hynny], **oherwydd ped ystyrid**,
32   **At ein hangen, Dduw hardd, rhoddid inni ddogn [ohono]:**
'[Ein] bara beunyddiol', **cais a wneid**,
'Dyro, **[O] Dduw rhagorol**, [inni] heddiw', **nid ydym yn haeddu
      digofaint**,
Dyna yw buchedd, [y fuchedd] hon na phechid [ynddi],
36   Cyfrinach pob cyffes, boed inni gael rhyddhad.

Et, **Frenin cyfoeth, holl ddrygioni angau**,
Maddau i ninnau o ran ein natur lwgr;
Dimitte nobis, **Fab graslon Tad dethol**,
40   **Yn ddiogel y'n cadwodd, gobaith cadarn;**
Debita nostra, **daw dydd [pryd] y bydd daioni**,
Gwna Duw hwy yn iach, ?Cyfaill di-fai;
Sicut et nos, **aros [y mae'r] Gair [sy'n] gadernid sicr**,
44   **Aros [y mae ei] ostyngeiddrwydd yn lle ein drygwaith**,
Dim [yw ganddo] oediad, *dimittimus*, **[dim yw ganddo] dyb**, *debitoribus*
Nostris, **[gweithred o] gyfiawnder anodd ei deall**, **[chwyl]dro
      amheuthun [a] maith [ei ganlyniad].**
Mab bonheddig Mair, anwylyd Cred, hwn yw, Lyw haelionus,
48   Bumed [deisyfiad] y Weddi, **cyfraith gydradd.**

Llywiwn y geiriau, dyma['u] hystyron,
Trwy'r eiddom ninnau, **gorau gweddi**:
'A maddau yn awr', **Dad mawr [sy'n rhoi] anrhegion hael**,
52 'Ein gwir ddyledion', **[gweddi] wâr [a] dihalog ei hiaith**;
'Fel er dy fwyn dithau', **pob cyfryw bwnc**,
'Y gwnawn ninnau faddau', **meddwl tyner**.

Et, rhag cydwleddwr cas a llid [o] ?fath Siwdas,
56 *Ne nos inducas in temptatione*;
Sed libera nos, **gweithred [o] ddangos gras yn hael**,
A malo, **megis o achos helbul tost**.
Dyna weddïau, gyda'r pump uchod,
60 [Sydd] orau rhag dicterau, **berw marwol**.
Y Tad hael [a chanddo] gyfrif gras[au], [yr] Arglwydd a'u canodd
gyntaf,
Maddeuant, sicrwydd, meddwl [llawn] llawenydd.
Dyna yw cyfoeth Saith Weddi'r Pader,
64 Datganer i['r] llu [am] eu cartref [yn y] nef.

Nodiadau

1–2 Darlleniad y llsgr. yw *Tr6m y6 tremygu hael douyd ym | ryd om r6ydbrynu*, ond, a chymryd *Tr6m y6 tremygu hael douyd* fel un llinell ac *ym | ryd om r6ydbrynu* fel y llall, ni ffurfiant unrhyw fesur hysbys gan mai wyth sillaf a geir yn y gyntaf a chwech yn yr ail. Gan fod yr adran hon o'r gerdd ar fesur toddeidiau a bod yr adrannau dilynol bob un â'i mesur neu'i chaniad ei hun, y mae'n rhesymol tybio bod yn y llinellau hyn weddillion yr hyn a oedd yn arfer bod yn doddaid arall cyn colli, rywfodd, rai geiriau ohono. Gan mai dull yr adrannau eraill yw dyfynnu Lladin deisyfiadau Gweddi'r Arglwydd cyn eu cyfieithu, y mae'n rhesymol tybio hefyd fod Lladin ail ddeisyfiad Gweddi'r Arglwydd, sef *Adveniat regnum tuum* ('Deled dy deyrnas'), yn rhagflaenu ll. 3 (cymh. hefyd y nodyn nesaf) ac i'w chael – yn rhannol, efallai, yn hytrach nag yn gyfan gwbl – yn llau. 1–2 o'r testun. Gellid llenwi ll. 1 trwy osod *Regnum* o flaen *tr6m* (ar yr odl, cymh. ll. 25 *nostrum, trwm*), gan roi y decsill gofynnol. Gellid darllen wedyn *Tuum* o flaen *ymrydd*, ond wyth sillaf, nid naw, a geir fel hyn, er mai peth digon cyffredin yw llinellau 'afreolaidd' eu hyd yn y canu (neu a oes rhyw air Cymraeg unsill wedi diflannu?). Ymddengys nad oes digon o ofod mydryddol i gynnwys *adveniat* hefyd yn y llinellau hyn a gellir tybio ei fod yn digwydd yn y llinell goll wreiddiol a ragflaenai l. 1. Y mae'n gwestiwn sut yn union y collwyd y geiriau Lladin.

229

(Ped ystyrid y llinellau hyn, yn hytrach, yn weddillion cwpled o gyhydedd naw ban a'u diwygio i *Regnum tuum, trwm yw tremygu/ Hael Ddofydd, ymrydd o'm rhwyddbrynu*, ceid y nifer cywir o sillafau yn y ddwy linell; ond, heblaw mai peth eilbwys yw hynny, byddai defnyddio dau fesur gwahanol o fewn yr un adran yn anghyson â dull yr awdur yng ngweddill y gerdd ac ni fyddai'r goferu o un llinell i'r llall a geid yn . . . *tremygu/ Hael Ddofydd* . . . ychwaith yn nodweddiadol o'r arddull.)

3 **Llyna** Sylwer mai ag *Ail weddi Celi* yn y llinell ddilynol y dylid ei gydio, nid â *byd feddu*; cymh. y patrwm ar gyfer y deisyfiadau eraill yn llau. 17–18, 29–30, 47–8.

medd Beda O ddeall y geiriau hyn yn llythrennol yng nghyd-destun llau. 3–4, yr ystyr yw bod Beda (yr hanesydd enwog o Sais, *c.*673–735) yn dweud mai'r adran o Weddi'r Arglwydd sydd newydd ei dyfynnu yw'r *Ail weddi*. Ond gan fod yr ail ddeisyfiad yn ffurfio rhan organig o Weddi'r Arglwydd erioed, prin y byddai angen apelio at neb, chwaethach at ŵr mor ddysgedig â Beda, fel awdur gosodiad mor amlwg. Yr hyn a wneir, yn hytrach, yw cyflwyno'r ddeuair fel ymadrodd nad oes perthynas resymegol rhyngddo a gweddill y cwpled er mwyn creu awyrgylch neu *aura* o ddysg a doethineb ac awdurdod hynafol. Gwneir peth tebyg iawn yn ll. 29 *medd mynechdid*, gyda gwahaniaeth pwyslais yn unig (gw. y nodyn). O ran diddordeb, ymysg cynhyrchion niferus Beda y mae esboniad ar efengyl Luc lle y dywed am ail ddeisyfiad Gweddi'r Arglwydd, *[Nomen quippe Dei sanctificatur in spiritu,] Dei autem regnum in carnis resurrectione venturum est* ('. . . bydd teyrnas Dduw, fodd bynnag, yn dod yn atgyfodiad y cnawd'), gw. *The Complete Works of Venerable Bede, in the Original Latin . . . Accompanied by a New English Translation of the Historical Works, and a Life of the Author*, gol. J. A. Giles, 12 cyfrol (London, 1843–4), cyfrol 11, 133. Am gyfeiriadau eraill ato yn y farddoniaeth, gw. G 53a–b; uchod, tt. 160, 165.

byd feddu Cymh. geiriau Lladin ail ddeisyfiad Gweddi'r Arglwydd, *Adveniat* **regnum** *tuum*.

feddu Llsgr. *vuedu*. Gan nad yw'r ffurfiau *bueddu* na *mueddu* yn hysbys, cymerir mai ffurf dreigledig *meddu* sydd yma a bod rhywun, ar ôl bwriadu newid yr orgraff trwy ddodi *v* yn lle *u*, wedi anghofio dileu'r *u* (*v* sydd fwyaf cyffredin am sain *f* yn y testun ar ddechrau gair). Posibilrwydd arall yw mai gwall yw *vu* am *w* ac mai ffurf dreigledig y ferf *gweddu* yn yr ystyr 'gostwng, darostwng' (gw. GPC 1610a, 2 (b)) oedd yma yn wreiddiol, ond mwy cydnaws efallai â'r cyd-destun yw ystyr *meddu*.

4   **gweddi** Sef deisyfiad. Felly hefyd lau. 18, 30, 59 (lluos.).

       Celi Hynny yw, Crist y Mab pan lefarodd Weddi'r Arglwydd wrth Dduw'r Tad.

       celu 'Cuddio, cadw'n ddirgel' yw'r ystyron a roddir yn G 127b a GPC 455c, ond ymddengys fod yma ystyr bellach, sef 'amddiffyn, llochesu'. Cymh. y syniad a geir yn y Salmau o Dduw yn cuddio neu gysgodi'r salmydd â'i adenydd, er enghraifft Salm. 17:8 . . . *cuddia fi dan gysgod dy adenydd* (hefyd 36:7, 57:1, 61:4, 63:7, 91:4).

6   **ei hatreg Gymraëgu** Yn llythrennol, 'ei Chymreigio [trwy] droad yn ôl'. Ar yr ystyr sydd i *atreg* yma, gw. GPC 232b, 2.

7   **plas blaid barthu – raddau** Rhennid y nef yn raddau (neu urddau) o angylion a phobl gadwedig; gw., er enghraifft, YE 27–9. Cymh. ll. 19 *graddau dwyawl*.

8   **i'n meddu** Llsgr. *yn medu*, lle y gallai *yn* hefyd gynrychioli 'yn'. Ystyr y llinell felly fyddai 'Y mae'n sicr na fydd Duw yn ein gadael wrth deyrnasu', ond cymh. llau. 4 *Ef i'm celu* (llsgr. *ef ymkelu*), 11–12 *Un hanes . . ./ . . . i'n rhyddhäu*.

9–10   **Fal y byther . . . / Rhag . . .** Y meddwl yw 'Megis y bôm [yn ddiogel] rhag . . .'

10   Cynghanedd groes wreiddgoll gydag *r* berfeddgoll yn ail hanner y llinell.

       Rhag rhwyf o bechawd Cymh. llau. 14 . . . *rhag traha . . .*, 24 . . . *rhag pechodau*, 55 . . . *rhag cyfedd . . .*, 60 . . . *rhag barau . . .*

11   **hanes** Deellir hwn yn gyfeiriad at sagrafen y gyffes; cymh. ll. 36 *Hanes pob cyffes, caffom ryddid.*

12   Cynghanedd sain lle y mae'r cytseiniaid yn rhagflaenu'r acen yn nhraean olaf y llinell. Cyfetyb hyn i'r gynghanedd sain drosgl lle y gweneir yr un peth, eithr yn ail draean y llinell; cymh. ll. 29.

13   **addau** Amrywiad ar y berfenw *addef*, gw. GPC 32a.

15   **celo** Sylwer mai'r sain *s* sydd i'r *c*.

       'i Cyfeirir at *traha* yn y llinell flaenorol.

18   **gweddi ar Geli** Sef gweddi (hynny yw, deisyfiad) Crist ar Dduw.

       Llên Cymerir mai at Grist y cyfeirir. Ar ystyron *llên*, gw. GPC 2152, (b). Ar y syniad o Grist fel offeiriad/archoffeiriad, gw. yn enwedig y 'Llythyr at yr Hebreaid'. Y mae'n bosibl, er hynny, nad yw'r ystyr mor benodol yma ac mai 'gŵr dysgedig, gŵr doeth' neu'r cyffelyb a olygir (cymh. y ffordd y bydd y beirdd yn cyfeirio at Dduw fel *dewin* 'gŵr doeth', etc.).

19   **graddau dwyawl** Gw. ll. 7n.

21   Sylwer nad atebir yr *-s* sydd yn *frys* yn *frodiau*; ymhellach, gw. CD 188.

22   **Naf gwirodau** Y mae'n anodd gwybod ai ystyr lythrennol neu

ffigurol sydd i *gwirodau* yma. Os ystyr lythrennol, yna ystyrier y syniad a oedd yn bod ymysg y beirdd am ddiod feddwol fel un o wyrthiau Duw, gw. Marged Haycock, '"Canu y Medd" o Lyfr Taliesin', *Dwned*, 1 (1995), 7, 20, 22; '"Canu y Cwrw" o Lyfr Taliesin', *Dwned*, 4 (1998), 16–17, 20, 21, 23, 29. Ergyd yr ymadrodd *Naf gwirodau*, felly, fyddai bod Duw yn wneuthurwr rhyfeddodau, megis gwirodau. Posibilrwydd arall yw bod yma gyfeirio at thema'r wledd nefol gyda'r awgrym y darperir gwirodydd yno hefyd. Ar y llaw arall, os ystyr ffigurol sydd yma, cymh. LlA 39.11–12 *abellach dysga6dyr bonhedic dyro ymi* **wirodev yr yspryt glan***. yssyd ynot yn amyl*, Lladin *pocula* ['drachtiau'] *Spiritus sancti*. Y meddwl yw bod yr Ysbryd Glân yn berson yr yfir o'i gariad neu'i ddoethineb.

23 **Câr cerddau** Yr oedd y cyfuniad geiriol *câr* + *cyrdd/cerddau* ('cerddi' neu 'gerddorion') yn drawiad a geid o amser Aneirin ymlaen ynglŷn â noddwyr secwlar; cymh., er enghraifft, CA 13, XXVIII.331 *ys deupo* **car kyrd** *kyvnot*; CBT IV, 4.44 **Car kerteu**, *kertoryon ramant*, 9.122 *Ys cadfyrt, ys* **car kyrt** *kyflef*; CBT V, 17.39 **Car cyrdd***, cerdda pob diffwys*. Yma fe'i cymhwysir at Dduw. Tebyg mai yng nghyd-destun syniad y beirdd am eu proffes a'u cynnyrch fel pethau breiniol a fwynhâi ffafr arbennig Duw y dylid gweld hyn. Ar ystyron *cerdd*, gw. yn enwedig J. E. Caerwyn Williams, 'Cerdd a Phencerdd', LlC, 16 (1990–1), 205–11. Gallai enghraifft y testun olygu 'cerddorion, prydyddion' yn ogystal; *kerydeu* yw darlleniad y llsgr. ond derbynnir diwygiad G 133a.

24 Cynghanedd draws wreiddgoll.

25 **trem ei olid** Llsgr. *trem y olit*. Yn G 554a a GPC 1451c fe'i diwygir i *trem olit* ond nid oes angen, a gellir gwneud hyd y llinell yn rheolaidd trwy seinio *Ei* ac *olid* yn un sillaf (hynny yw *i olid*). Ansoddair yn unig yw *golid* yn G 554a, ond enw ac ansoddair yn ôl GPC 1451c.

26 **enw gleindid** Yn llythrennol, 'enw [o/ac iddo] sancteiddrwydd'.

27 Llinell naw neu ddeg sillaf o hyd yn ôl fel y trinnir *hodie* fel gair dwysill neu deirsill. Sylwer nad atebir y *-b-* yn *nobis*.

28 **gellid** Mwy idiomatig heddiw fyddai defnyddio'r amser presennol dibynnol yn hytrach na'r amser amherffaith dibynnol; cymh. llau. 30 *pydid*, 31 *synnid*, 32 *rhoddid*, 33 *holid*, 35 *bechid*.

29 **medd mynechdid** Gw. ll. 3n. Y bwriad yma, mae'n debyg, yw ychwanegu teimlad o ddyfnder ysbrydol, megis eiddo buchedd mynach, at yr hyn a draethir.

30 Atebir *r* gan *n . . . n*.

31 **Llyma llwyr** Bydd *llyma*, etc., fel rheol yn peri treiglad meddal

(cymh. llau. 17 *Weldyna*, 29, 59 *Llyna*) ond nis ceir yma. Ni cheir esboniad ar hyn yn TC 434–5. Cymh. cywydd Ieuan ap Gruffudd Leiaf i lys y Penrhyn, gw. D. J. Bowen, 'Y Canu i Gwilym ap Gruffudd', *Dwned*, 8 (2002), 75, **Llyma claer** *werwyfa clod,/ Llym yw'n berw llei mae'n barod.*

32   **talm** Ymddengys mai at lau. 25–6 *Panem nostrum . . . / Cotidianum . . .* ('ein bara beunyddiol') y cyfeirir.

33   **hawl a holid** Ffordd arall o ddweud bod y rhan o Weddi'r Arglwydd a ddyfynnir yn gais/erfyniad, sylw amlwg ond un sydd hefyd yn rhan o dechneg yr awdur o gyfoethogi ei ddefnydd ag amryfal gysylltiadau (ar yr amser amherffaith dibynnol, gw. ll. 28n).

35   **buchedd, hon ni bechid** Ffordd arall o ddweud 'peidio â phechu yn y fuchedd hon'. Perthyn *hon* yn agos o ran synnwyr i *buchedd*, ond gan fod yr orffwysfa yn dod rhyngddynt, torrwyd ar eu dilyniant naturiol; cymh. ll. 48 *Y Weddi bumed, gyfred gyfraith* a'r nodyn. Sylwer hefyd, yn y cymal perthynol *hon ni bechid*, nad oes arddodiad rhediadol (sef *ynddi*, yn cyfeirio'n ôl at *hon*); ymhellach, gw. GMW 66.

37   Cytseinedd yn unig a geir yn hanner cyntaf y llinell a chynghanedd sain gadwynog yr yr ail.

      gwŷd i gyd angau Yn llythrennol, 'drygioni i gyd angau'.

41   **dydd y bo da** Cyfeirir, fe ymddengys, naill ai at Dduw yn maddau pechodau a'r daioni a ddaw o hynny, neu yntau at fwynhau gwynfyd nef ryw ddydd.

42   **'u** Sef y *Debita* (ll. 41).

      cyfiaith 'Iaith, lleferydd, ymadrodd' yw cynnig petrus G 209a, (4). Ar amryw ystyron *cyfiaith*, gw. G 209a a GPC 693c. Ystyr arall y dylid efallai ei hystyried yma yw 'gŵr cyfiaith, un yn siarad yr un iaith ag arall, cyd-wladwr, cymar', gw. 693c, 2 (b), ond gyda mwy o flas 'cyfaill'.

43–6   Byrdwn y llinellau hyn yw sicrwydd maddeuant Duw i'r sawl a gyffeso, yr hyn a gyflawnodd trwy ei farw rhyfeddol dros bechodau'r ddynoliaeth.

43   **segurGrair** Llsgr. *segyrgreir*. Ynglŷn â'r elfen gyntaf *segyr*, dywedir yn GPC 3205b y dichon mai'r ansoddair *segr* ?'hardd' ydyw, neu ynteu elfen gyntaf *segrffyg* 'ewcharist, Cymun Bendigaid', benthyciad o'r Lladin *sacrificium*. Gellid gwell synnwyr, fodd bynnag – a sillaf ychwanegol i unioni hyd y llinell – trwy ddarllen *segur-* am *segyr-*. Ar yr ystyr 'hawdd, rhwydd, didrafferth; diogel; sicr', gw. GPC 3205c, 3. Cyffredin yn y farddoniaeth yw *crair* mewn cyfansoddiad ag ansoddair moliannus ynglŷn â Duw a Mair, er enghraifft *eurgrair*, *gloywgrair*, etc., gw. G 173a.

45   Rhy hir yw'r llinell o ddwy sillaf oni chywesgir *dimittimus* yn
      dimitt'mus a *debitoribus* yn *deb'toribus*.

      Dim oed . . . dyb Cymeraf mai ystyr y geiriau hyn yw nad yw Duw
      yn oedi nac yn petruso dim (fel y bydd dynion yn tueddu i wneud)
      wrth faddau eu camweddau i bobl. Sylwer hefyd ar y chwarae
      cytseiniol rhwng y Gymraeg a'r Lladin yn *Dim* a *dimittimus*, *dyb* a
      debitoribus.

46   Cyfeirir yn y Gymraeg at baradocs Duw dibechod yn marw dros
      ddyn pechadurus (*iawn astrus* – a sylwer ar y gwrtheiriad) trwy ei
      atgyfodiad gwyrthiol a phellgyrhaeddol (*chwŷl moethus maith*).

48   **Gweddi** Sylwer mai Gweddi'r Arglwydd a olygir yma, nid y pumed
      deisyfiad (gw. ll. 4n); dynodir hwnnw y tro hwn â'r ansoddair enwol
      bumed yn unig.

      pumed Fe'i diffinnir yn y cyfosodiad *gyfred gyfraith* sy'n ei ddilyn.
      Gellid cymryd *bumed gyfred gyfraith* fel uned (gydag *Y Weddi* yn
      dibynnu arni), ond byddai hynny'n mynd yn groes i'r orffwysfa ar
      ôl *bumed*. Cymh. ll. 35n.

52   **gwâr ddilediaith** Cymerir bod y geiriau hyn yn cyfeirio'n ôl at *orau
      araith* yn ll. 50. Defnyddir *dilediaith* fel arfer ar gyfer
      cyfansoddiadau neu feirdd.

53   **cyfryw bynciau** Sef y *gwir ddyledion* (ll. 52).

55   **cyfedd** Cyfeiriad, y mae'n debyg, at Jwdas (a enwir yn nes ymlaen
      yn y llinell) yn y Swper Olaf.

      sid Ffurf ansicr. Os amrywiad ydyw ar *sud* 'math, dull', etc., yna nis
      nodir yn GPC 3358b–59a (s.v. *sut*). Neu ai benthyciad sydd yma o'r
      Saesneg Canol *sed* (Saesneg Diweddar *seed*) yn yr ystyr 'hiliogaeth'
      (yn ffigurol)? Byddai'r naill esboniad neu'r llall yn gweddu o ran
      ystyr i'r cyd-destun.

56   Rhy hir yw'r llinell o un sillaf neu ddwy yn ôl fel y trinnir
      temptatione fel gair pedeirsill neu bumsill.

      temptatione *temptationem* sy'n ramadegol gywir (*in tentationem* sydd
      yn y Fwlgat) ond hepgorwyd rheolau'r Lladin er mwyn yr odl. Ceir
      enghreifftiau eraill o wneud y math hwn o beth yn y farddoniaeth ond
      y mae'r enghraifft hon yn drawiadol, serch hynny, gan y golyga
      ymyrryd ag un o eiriau gweddi mor bwysig. Caethder a bri cerdd
      dafod Gymraeg a orfu yn yr achos hwn, pwynt diddorol ynddo'i hun.

60   **barau** Dicterau Duw neu bechaduriaid. Cyffredin iawn yw'r unigol
      bâr am ddicter Duw.

      berw anaele Gellid dadlau hefyd mai uffern a feddylir.

61   **cant** Cymh. y ffordd y byddai'r beirdd yn *canu* eu barddoniaeth.

62   **gware** Ni nodir yr ystyr 'llawenydd' yn GPC 841c (s.v. *chwarae*) ond
      rhywbeth felly a ofynnir gan y cyd-destun.

63   **Saith Weddi'r Pader** Gw. y sylwadau rhagarweiniol uchod; *seith weith wedir* sydd yn y llsgr. am *Saith Weddi'r*, darlleniad nad yw'n rhoi cystal synnwyr, er ei fod yn rhoi cynghanedd, ac sy'n gwneud y llinell yn rhy hir o sillaf. Ni ddiwygir yn G 642b s.v. *gweδi*. Cymh. hefyd y teitl (ond sydd mewn llaw wahanol) *O saith wedi y pader*.

Nodiadau

[1] Ar ei ffynhonnell feiblaidd, gw. Math 6:9–13, Luc 11:2–4. Ceir astudiaeth nodedig o ystyr wreiddiol Gweddi'r Arglwydd gan Joachim Jeremias yn ei bennod 'The Lord's Prayer in the Light of Recent Research', gw. Joachim Jeremias, *The Prayers of Jesus* (London, 1967), 82–107. Ar fersiwn Luc, gw. hefyd yn enwedig Joseph A. Fitzmyer, *The Gospel According to Luke*, 2 gyfrol (New York, London, Toronto, Sydney, Auckland, 1981–5), 896–909. Dymunaf ddiolch yn neilltuol i'r Dr Marged Haycock am awgrymu imi'r awdl uchod yn bwnc ar gyfer y bennod hon ac am ei sylwadau niferus a gwerthfawr wedyn. Diolchaf hefyd i'r Athro Dafydd Johnston, Paul Bryant-Quinn a'r Athro Geraint Gruffydd am eu sylwadau gwerthfawr hwythau.

[2] Gw. erthygl Aimé Solignac yn *Dictionnaire de Spiritualité*, 17 gyfrol (Paris, 1937–95), 12, 388–414.

[3] Ceir testunau yn llsgrau. BL Add 31055, J 119, Llst 27, NLW 1990B (= Pant 21), NLW 5267B, Pen 12. Cyhoeddwyd testun J 119 (neu Lyfr yr Ancr) yn LlA 147–51.

[4] Ceir testunau yn llsgrau. Caerdydd 36, Llst 27, Pen 12, Pen 16, Pen 314, iv. Ynglŷn â thestun Pen 16, sylwer mai ar 6^r, nid 9^r, fel y dywedir yn RMWL, 1, 337, y mae'r traethawd yn diweddu. Camsyniwyd fel hyn trwy beidio â sylweddoli y dilynir ef ar 6^r gan y traethawd a briodolir i Huw.

[5] Credai Saunders Lewis fod y traethawd mewn rhan yn gyfieithiad ac mewn rhan yn gyfaddasiad rhydd o rannau o bedair pennod gyntaf 'De Quinque Septenis seu Septenariis Opusculum' a briodolir i Huw o St-Victor, gw. Saunders Lewis, 'Pwyll y Pader o Ddull Hu Sant', B, 2 (1923–5), 286–7. Diau, fodd bynnag, fod Idris Foster yn iawn yn dal mai cyfieithiad ydyw, yn hytrach, o adran o bennod 7 'Speculum de Mysteriis Ecclesiae' y Pseudo-Huw, gw. Idris Foster, 'The Book of the Anchorite', PBA, 36 (1950), 204–5. Ar awduriaeth y traethawd a briodolir i St Awstin, gw. J. E. Caerwyn Williams, 'Rhyddiaith Grefyddol Cymraeg Canol', yn *Y Traddodiad Rhyddiaith yn yr Oesau Canol*, gol. Geraint Bowen (Llandysul, 1974), 385–6.

[6] Ceir, yn ddiweddarach, gywyddau lle y mydryddir geiriau'r Weddi, gw., er enghraifft, *Gwaith Siôn Cent*, gol. T. Matthews (Llanuwchllyn, 1914), cerdd XXI; GEO 105; ond ni ddyfynnir y Lladin yn y rhain nac esbonio'r cynnwys ac y maent yn fwy poblogaidd eu naws.

[7] RMWL, 2, 1–29; Gifford Charles-Edwards, 'The Scribes of the Red Book of Hergest', CLlGC, 21 (1979–80), 256; uchod, t. 7.

[8] RMWL, 2, 395–408; *Handlist of Manuscripts in the National Library of Wales* (Aberystwyth, 1943–), 2, 104; GP, xv.

[9] Rhiannon Francis Roberts, 'A List of Manuscripts from the Collection of Iolo Morganwg among the Family Papers Presented by Mr Iolo Aneurin Williams and Miss H. Ursula Williams, 1953–54' (cyfrol anghyhoeddedig, Llyfrgell Genedlaethol Cymru, Aberystwyth, 1978), 1.

[10] Dymunaf ddiolch i Mr Daniel Huws, Aberystwyth, am yr wybodaeth hon.

[11] RMWL, 1, 718–25.

[12] RMWL, 2, 721–5.

[13] Gw. llsgr. Llst 145, 193, *Jolo Goch tebig, os amgen ni wn i pwy. Jaco. D.*

[14] *Medieval Popular Religion, 1000–1500: A Reader*, gol. John Shinners (London, 1997), 4.

[15] Saunders Lewis, 'Sangiad, *Tropus* a Chywydd', *Trivium*, 1 (1966), 3–4. Yn anffodus, nid ymddengys fod neb wedi dilyn na datblygu'r syniad hwn.

[16] Gw. GSRh 12.25–52. Dygir ar gof hefyd awdl Ieuan ap Rhydderch i'r Forwyn lle y cydblethir darnau helaeth o Ladin a Chymraeg, ond helaethach ynddynt yw'r Lladin na'r Gymraeg.

[17] GDG cerdd 2.

[18] Lewis, 'Sangiad', 4.

[19] Ni chynhwysir llau. 1–2 gan eu bod yn anghyflawn.

[20] Ar y beirdd amatur, gw. Dafydd Johnston, *'Canu ar ei Fwyd ei Hun': Golwg ar y Bardd Amatur yng Nghymru'r Oesoedd Canol* (Abertawe, 1997).

[21] Col. 1367–9. Nis golygwyd eto.

[22] GEO 104.

[23] GC 8–10.

[24] IGE² cerdd LXXX.

[25] Ni wnaed hyn, fodd bynnag, yn achos llau. 1–2 gan fod lle i gredu eu bod yn ddiffygiol, gw. ymhellach y nodyn.

10

Cyfuniadau hydref ddail *ym Marddoniaeth Beirdd y Tywysogion**

ANN PARRY OWEN

Ystrydeb yw honni bod gan Feirdd y Tywysogion feistrolaeth lwyr ar yr iaith Gymraeg: y mae'n rhaid rhyfeddu at eu geirfa gyfoethog, eu gallu i greu cyfansoddeiriau gwreiddiol a thrawiadol, yn ogystal ag at eu gallu i drin cystrawen yr iaith, gan fanteisio i'r eithaf ar bob hyblygrwydd y mae'n ei gynnig. Gall y gystrawen amrywio o'r syml a'r uniongyrchol, cystrawen hollol ddealladwy i Gymro heddiw, i gystrawen hynod astrus a dieithr y mae'n rhaid galw ar gliwiau o bob math i'w dehongli, megis treigladau, aceniad llinell a chynghanedd, patrymau hysbys ac ati.

Bwriad y bennod hon yw edrych yn fanylach ar un gystrawen sy'n hollol sylfaenol i'n dealltwriaeth o gystrawen y beirdd hyn, sef cystrawen 'hydref ddail', a defnyddio'r cyfuniad a ddewisodd John Morris-Jones yn bennawd i'w erthygl yn trafod hanfodion y gystrawen hon yn *Y Beirniad* yn 1911.[1] Yn ei hanfod, cyfuniad o ddau enw ydyw, lle y mae'r ail enw yn y cyfuniad yn brif elfen a'r enw sy'n ei ragflaenu yn y cyflwr genidol ac yn dweud rhywbeth am y brif elfen – er enghraifft, nodi meddiant, perthynas neu berchenogaeth, neu ei ddiffinio fel petai'n ansoddair. Gellir galw cyfuniad o'r fath yn gyfansoddair gan fod y ddau air gyda'i gilydd yn cyfleu un uned syniadol; at hynny, y mae'n gyfansoddair 'rhywiog' gan fod y brif elfen yn dod yn ail. Yn y cyfuniad *hydref ddail, dail* yw'r brif elfen neu'r testun, ac y mae *hydref* yn dweud rhywbeth am y dail hynny: y maent yn perthyn i'r hydref. Gellid dweud hefyd fod yr enw *hydref* yn gweithredu fel ansoddair yma: 'dail yr hydref'/'dail hydrefol' ydynt.[2] Pan fo cyfansoddair fel hwn ynghlwm ac yn cael ei acennu fel un gair, gelwir ef yn gyfansoddair rhywiog clwm – *hydrefddail*; pan fo'r cyfuniad yn ddau air o ran ei acennu, fe'i gelwir yn gyfansoddair rhywiog llac – *hydref ddail*. Nodwedd arbennig ar y cyfansoddeiriau hyn, yn llac neu ynghlwm, yw'r ffaith fod yr ail elfen, sef y brif elfen, yn treiglo'n feddal fel arfer.[3]

Canolbwyntir yma ar gyfansoddeiriau rhywiog llac, lle y mae'r ddwy elfen yn enw neu'n enwol; ar ôl trafod yn fyr hanfodion y gystrawen, eir ymlaen i ddangos enghreifftiau ohoni ar waith ym marddoniaeth Beirdd y Tywysogion. Disgrifio arfer y beirdd a thynnu sylw at rai problemau wrth ddehongli'r gystrawen yw'r nod, yn hytrach na chynnig damcaniaeth ynglŷn â'i tharddiad.

Wrth drafod perthynas y ddwy elfen hyn â'i gilydd, defnyddiais y term 'genidol'. Wrth gwrs, nid oes cyflwr genidol ffurfiol yn yr iaith Gymraeg, ond fel yr esboniodd Eurys Rowlands:

> iaith analytig yw'r Gymraeg i gryn raddau, ac yn sicr felly cyn belled ag y mae cyflyrau yn y cwestiwn . . . Gellir dal wrth gwrs mai afreal felly sôn am y genidol yn Gymraeg; ond pan fo greddf ieithyddol yn peri i siaradwr deimlo fod un enw yn dibynnu ar enw arall cydosodedig, ac nad mater o gyfosod ydyw, yna y mae'r term genidol yn ddefnyddiol, ac y mae'n debyg o fod yn gywir hefyd yn yr ystyr fod y gair dibynnol wedi bod yn y cyflwr genidol ffurfdroadol yn y cyfnod Brythonig.[4]

Wrth sôn am berthynas geiriau â'i gilydd mewn cystrawen, felly, gall y term 'genidol' fod yn gwbl ddilys. Term arall hwylus i'w ddefnyddio, fel y dywed Mr Rowlands, yw'r gair 'dibynnu', ac fe'i defnyddiodd ef wrth roi inni'r diffiniad canlynol o'r genidol yn y Gymraeg: 'gellir dal mai ystyr enw genidol wrth drafod gramadeg Cymraeg yw enw yn *dibynnu* ar enw arall.'[5] Felly, wrth drafod y cyfuniad *hydref ddail*, *dail* yw'r brif elfen, a *hydref* yw'r enw genidol sy'n dibynnu arni. Fel y dywedodd John Morris-Jones ymhellach am y math hwn o gyfuniad: 'The first element is subordinated to the second, which contains the principal idea.'[6]

O safbwynt dynodi perthynas enidol rhwng enw ac enw arall, y drefn arferol yn y Gymraeg ar hyd ei chyfnodau yw gosod y brif elfen yn gyntaf a'r elfen ddibynnol yn ail: *dail hydref, gwraig tŷ, canolfan ymchwil*, ac ati. Os yw'r ail enw yn gweithredu fel ansoddair ac yn dynodi ansawdd yn hytrach na meddiant, perthynas, neu berchenogaeth etc. (hynny yw, yn 'attributive' yn hytrach nag yn 'determinative'), tueddu i dreiglo ar ôl enw benywaidd unigol:[7] ar y naill law ceir *siop fara*, lle y mae *bara* yn disgrifio sut fath o siop ydyw, siop yn gwerthu bara; ac ar y llall ceir *siop dynes glên* gyda'r elfen enidol yn nodi meddiant, yn dweud i bwy y mae'r siop yn perthyn. Datblygodd a sefydlogodd y drefn hon yn gynnar yn hanes ein hiaith, fel bod y terfyniad genidol a fyddai i'r ail enw yn yr iaith Frythoneg yn ddiangen ac nad oedd unrhyw amwysedd yn codi o'i golli. Ond yn y Gymraeg, o'r cyfnod cynharaf, caniateir inni drawsleoli'r genidol mewn cyfuniadau fel hyn, gan roi'r elfen enidol yn gyntaf a'r brif elfen yn ail ar lun geiriau cyfansawdd. Yn gyffredinol y mae'n rhywbeth a wnawn heddiw mewn cywair llenyddol yn unig, yn arbennig felly mewn barddoniaeth, ac yn wir cyfeiriodd T. J. Morgan at y gystrawen hon fel 'un o ddyfeisiau cyffredin yr hen feirdd', gan ychwanegu, 'Cafodd Williams a'r emynwyr eraill afael ynddi a gwnaethant ddefnydd mawr ohoni',[8] ac y mae cyfuniadau megis *daear lawr, uffern dân* ac ati yn frith yn eu hemynau. Yn yr un modd gwelir y trawsleoli hwn yn fwyaf cyffredin ym marddoniaeth Cymraeg Canol yn hytrach nag yn ei rhyddiaith, ac y mae rhai o Feirdd y Tywysogion, megis Cynddelw Brydydd Mawr a Phrydydd y Moch, yn ogystal â rhai o'r Gogynfeirdd diweddar a'u holynai, megis Casnodyn a Gruffudd ap Maredudd yn arbennig, yn manteisio i'r eithaf ar y gystrawen dro hon ac yn wir yn ei hestyn i'r eithaf, fel y cawn weld yn y man. Y mae ei phrinder cymharol ym marddoniaeth y Cywyddwyr yn ategu'r dyb mai cystrawen yn perthyn i ieithwedd hynafol y Gogynfeirdd ydyw'n bennaf: yn sicr y mae llinellau cymharol hir prif fesurau eu hawdlau hwy yn cynnig mwy o le i'r beirdd archwilio ei phosibiliadau nag y gwna llinellau seithsill y cywydd.

Os yw trefn sefydlog rhyddiaith Gymraeg yr Oesoedd Canol yn golygu nad oes llawer o amwysedd wrth ei dehongli, nid yw pethau mor eglur pan ddown at farddoniaeth Beirdd y Tywysogion, sy'n aml iawn yn ymwadu â chystrawen ffurfiol. Ar ôl canmol rhyddiaith Cymraeg Canol am ei heglurder a'i symlrwydd datblygedig o'i chymharu â rhyddiaith Hen Saesneg, Hen Uwch-Almaeneg ac ati, dywed Vendryes am iaith Beirdd y Tywysogion:

La poésie consiste essentiellement en la juxtaposition de noms isolés dépourvus de flexion. Le rapport entre ces noms résulte de leur place respective; mais comme une certaine liberté règne dans la construction syntactique, un jeu subtil de mutations initiales précise le rapport des noms entre eux. Toutefois, la mutation ne peut indiquer qu'un vague rapport de dépendance ou d'accord. C'est à l'auditeur à sentir ou imaginer le rapport exact que la langue n'exprime pas.[9]

(Yr hyn a geir yn sylfaenol yn y farddoniaeth yw cyfosod enwau sydd wedi eu lleoli ar wahân a heb unrhyw ffurfdro. Y mae'r berthynas rhwng yr enwau hyn yn deillio o'u lleoliad arbennig; ond yn yr un modd ag y mae rhyw ryddid i'w ganfod yn y strwythur cystrawennol, y mae cyfnewidiadau seinegol cynnil ar ddechrau geiriau yn awgrymu beth yw'r berthynas rhwng y geiriau a'i gilydd. Fodd bynnag, ni all treiglad ond cyfleu perthynas amhendant o ddibyniaeth neu o gytundeb. Y mae'n rhaid i'r gwrandawr deimlo neu ddychmygu beth yw'r union berthynas rhwng y geiriau, perthynas nad yw'r iaith ei hun yn ei chyfleu.)

Yn lle dweud rhywbeth â berf, goddrych, gwrthrych, traethiad, arddodiaid, cysyllteiriau ac ati, ceir yn aml gan y beirdd hyn gyfres o gyfuniadau neu epithetau enwol mewn cyfosodiad, sy'n creu argraff gynyddol inni o'r hyn a ddisgrifir. O symud o'r naill gyfuniad i'r llall y daw'r 'ystyr' yn amlwg. Mewn geiriau eraill, felly, y mae'n rhaid ymdrin â'u hieithwedd yn wahanol iawn i ieithwedd rhyddiaith Cymraeg Canol a rhoi heibio ein hawydd i ganfod trefn resymegol i'w cystrawen ym mhob achos. Wrth drafod natur astrus ieithwedd y beirdd hyn, a chyfeirio'n benodol at un o englynion Cynddelw Brydydd Mawr, meddai Saunders Lewis:

> er esbonio ohonom y geiriau unigol yn yr englyn, erys y cwbl ynghyd bron mor anodd â chynt. Gellir dychmygu amdanom yn cwyno wrth Gynddelw: Wele ni'n deall ystyr pob gair, ond beth yw ystyr yr englyn? P'le mae'r ferf, y cysyllteiriau a'r arddodiaid?[10]

Y cystrawennu astrus hwn, neu'r diffyg cystrawennu yn aml, yw'r prif faen tramgwydd rhyngom ni a'r farddoniaeth hon. Gall ystyr pob gair mewn llinell fod yn hysbys o'i siecio mewn geiriadur, ond eto cawn drafferth i ddehongli perthynas y geiriau hynny â'i gilydd a gweld sut y cyfrannant tuag at yr hyn y mae'r bardd yn ceisio'i gyfleu. Er hynny, byddai'n anodd gennyf dderbyn awgrym pellach Saunders Lewis mai 'iaith ddigystrawen oedd iaith ddelfrydol cerdd dafod'[11] yn y cyfnod hwn, oherwydd ceir gan y beirdd mwyaf astrus, megis Cynddelw Brydydd Mawr a Phrydydd y Moch, linellau y mae eu cystrawen yn hollol eglur a chlir. 'Amrywiaeth' yw'r gair allweddol wrth ddisgrifio eu cystrawen, a'r amrywiaeth hwnnw yn deillio o'u meistrolaeth lwyr ar eu cyfrwng. O edrych ymhellach ar berthynas yr amrywiol fathau o arddull â'r cynnwys ei hun, a'r modd y defnyddia'r beirdd aml agweddau ar arddull i greu effaith arbennig,[12] dwyseir ein gwerthfawrogiad o'u crefft.

Fel yr awgrymodd Vendryes uchod, anodd yn aml yw diffinio union berthynas geiriau â'i gilydd mewn llinellau lle y cyfosodir un enw ar ôl y llall, a phenderfynu pa eiriau sy'n perthyn i ba gyfuniadau, a beth yw perthynas y cyfuniadau hynny â'i gilydd. Yn aml y mae sawl ffordd o ddehongli'r un llinellau, ond go brin y byddent mor amwys i gynulleidfa llysoedd y tywysogion, oherwydd byddai'r beirdd neu'r datgeiniaid yn defnyddio'u llais i amlygu perthynas geiriau â'i gilydd, gan roi pwyslais ar y geiriau allweddol, megis y brif elfen mewn cyfuniad genidol. Fodd bynnag, y mae'n rhaid i olygydd heddiw ddefnyddio cliwiau eraill. Fel y dywed Vendryes eto, gall y treigladau fod yn gymorth ond, ar wahân i'r ffaith nad yw'r rhan fwyaf o lythrennau'r Gymraeg yn treiglo, y mae problem ychwanegol gan na ddangosir treiglad rhai llythrennau megis *d* a *rh* yn orgraff Cymraeg Canol: er enghraifft, gallai *ked rotyad* yn orgraff prif law Llawysgrif Hendregadredd gynrychioli *ced rhoddiad* ('anrheg y rhoddwr') neu *ced roddiad* ('rhoddwr anrheg'). Problem arall yw'r ffaith fod nifer o lythrennau yn caledu neu'n cadw eu ffurfiau cysefin ar ôl rhai llythrennau: er enghraifft, yn aml ni threiglir *ll-* neu *rh-* ac weithiau *d-* ar ôl gair yn diweddu ag *-n,* ac y mae'r gytsain *s* yn aml yn caledu *d* ac *g.* Yn ogystal â'r treigladau neu'r diffyg treigladau, y mae tystiolaeth y mydr neu'r gynghanedd hefyd yn bwysig, oherwydd disgwylid i'r geiriau allweddol gael eu hamlygu gan aceniad y llinell. Mewn cynghanedd sain, er enghraifft, rhoddir y pwyslais yn naturiol ar y geiriau dan yr odl a, chan hynny, naturiol yn y llinell ganlynol yw rhoi'r coma ar ôl *greulawn* neu *hwyrgrawn,* yn hytrach nag ar ôl *hael,* er y ceid cystal synnwyr yn ramadegol o wneud hynny:

> Hawl greulawn, hael hwyrgrawn, hirgryg   (IV 5.157)

> (Un gwaedlyd [ei] hawlio, gŵr hael hwyrfrydig i gronni [cyfoeth], tal a chroch [ei lais])

yn hytrach na

> Hawl greulawn hael, hwyrgrawn hirgryg

> (Gŵr hael creulon [ei] hawlio, un hwyrfrydig i gronni [cyfoeth] tal a chroch [ei lais])

lle y mae'r ystyr yn milwrio yn erbyn y gynghanedd.

Edrychir yn awr yn fanylach ar rai o batrymau mwyaf cyffredin y cyfuniadau enwol sy'n seiliedig ar batrwm 'hydref ddail' yng ngwaith Beirdd y Tywysogion. Edrychir i ddechrau ar gyfuniadau lle y mae'r brif elfen yn enw neu'n ansoddair, ac yna ar gyfuniadau lle y mae'r brif elfen yn ferfenw.

1. Cyfuniadau lle y mae'r brif elfen yn enw neu'n ansoddair

Y cyfuniad sylfaenol o safbwynt y drafodaeth hon yw dau enw, gyda'r cyntaf yn enidol a'r ail yn brif elfen y cyfuniad (dynodir y brif elfen â theip trwm):

1. Present **benadur** 'Pennaeth y byd' (CBT I, 6.4)[13]
2. Arthur **gedernyd** 'cadernid Arthur' (I, 6.8)
3. Meirïau **drabludd** 'Cynnwrf/Cynhyrfwr stiwardiaid' (I, 6.10)
4. Teÿrnas **ddinas** 'Amddiffynnwr teyrnas' (IV, 8.31)
5. Elyf **ddraig** 'Arglwydd goludoedd' (IV, 9.143)

6. miloedd **naf** 'arglwydd miloedd' (V, 10.7)
7. torfoedd **friwennig** 'un cythruddol byddinoedd' (IV, 4.165)
8. cedeirn **arddrusig** 'un cythruddol/cythruddwr milwyr cadarn' (IV, 4.176)
9. Prydyddion **ddioheb** 'Un diwarafun prydyddion' (V, 13.10)
10. draig **wron** 'tywysog o arwr' (I, 3.38)
11. môr **ddylyed** '[a'i] haeddiant [fel] y môr' (I, 3.164)

Yn 1–9 y mae'r genidol, yn ôl pob tebyg, yn cyfleu perthynas neu feddiant (gyda'r brif elfen yn 7–9 yn ansoddair â grym enwol); yn 10–11 ymddengys fod yr elfen enidol yn diffinio, yn nodi ansawdd yn hytrach na pherthynas fel y cyfryw: hynny yw, y mae'r *gwron* ('arwr') yn 10 yn cael ei ddiffinio fel *draig* ('tywysog, pennaeth'). Y mae'r dehongliad yn un cwbl oddrychol yn aml, a gellid dadlau ynghylch 11, er enghraifft, mai 'haeddiant y môr' yn llythrennol yw'r ystyr yn hytrach na bod haeddiant y noddwr yn eang fel y môr. Weithiau gall penderfyniadau golygyddol fel y rhain fod yn arwyddocaol: gellid dehongli cyfuniad megis *Gwynedd ddraig*, er enghraifft, i olygu 'pennaeth ar Wynedd' neu ynteu 'pennaeth o Wynedd', gwahaniaeth nid dibwys o safbwynt yr hanesydd.

Ceir ambell enghraifft yn y canu o ragflaenu gradd gyfartal ansoddair gan enw genidol sy'n dynodi gwrthrych y gymhariaeth:

12. wyth prifwyth **gymaint** 'cymesur â'r wyth prif lid' (CBT III, 3.72)
13. gweilch **ogyfred** '[Meirch . . .] cyn gyflymed â gweilch' (III, 21.153)
14. Gwyddfiled **gyfred** '[Meirch . . .] cyn gyflymed ag anifeiliaid gwyllt' (III, 24.128)
15. Ffraeth leision, leisiaid **gynhebig** 'Meirch glas bywiog, tebyg i leisiaid' (IV, 4.169)
16. Gwenlloer **gynhebig** '[Merch . . .] debyg i leuad olau' (VI, 22.3)

Yn 14 y mae meirch Rhirid Flaidd, yn ôl Cynddelw, mor gyflym (*cyfred*) ag anifeiliaid gwyllt, a rhai Owain Gwynedd, medd yr un bardd yn 15, yn debyg (*cynhebig*) i *leisiaid*; ac yn 16 honnir bod Mararet, gwrthrych moliant Goronwy Foel, yn debyg (*cynhebig*) i *wenlloer*.

Estynnir y cyfuniadau hyn pan oleddfir yr enw genidol neu'r brif elfen gan ansoddair. Rhagflaenir yr enw genidol gan ansoddair yn 17–21 a'i ddilyn gan ansoddair yn 22; ac yn 23 ceir ansoddair yn goleddfu'r brif elfen yn ogystal â'r elfen enidol:

17. Marth gofiau **gyfysgar** 'Gwahaniad o gofion poenus' (CBT, I 7.58)
18. Diachor wosgordd **wosgryniad** 'Gwthiwr gosgordd diysgog' (III, 16.36)

19. gloyw gyngad **gyngwydd** 'cwymp blaen byddin ddisglair' (IV, 4.53)
20. Cadr ddragon **gyfundab** 'Undod rhyfelwyr hardd' (V, 17.14)
21. Cadarn gad **drusiad** 'Cyffröwr byddin nerthol' (V, 17.47)
22. parch diludd – **berchen** 'perchennog ac iddo barch diatal' (III, 26.43)
23. Trin drablwng **drablawdd udd** 'Arglwydd tra chyffrous brwydr dra llidiog' (IV, 6.6)

Yn 18 disgrifir Owain Cyfeiliog gan Gynddelw fel gwthiwr (*gwosgryniad*) byddin neu osgordd diysgog, ac yn 19 disgrifir Owain Gwynedd gan yr un bardd fel achoswr cwymp (*cyngwydd*) byddin ddisglair (*gloyw gyngad*). Yn yr enghreifftiau hyn gwelir bod yr elfen enidol yn dynodi perthynas neu feddiant, ond yn yr enghreifftiau canlynol y mae i'r cyfuniadau o enw ac ansoddair swyddogaeth ddiffiniol, a chan hynny gellid eu galw'n ansoddeiriau cyfansawdd llac yn goleddfu'r brif elfen:[14]

24. Moes fraisg **frëyr** 'Uchelwr yr arfer grymus'/'Uchelwr grymus ei arfer' (CBT I, 2.21)
25. hawl ddiachor – **ddraig** 'tywysog di-ildio ei hawl' (IV, 2.1)
26. Berth nerth **nêr** 'Brenin gwych ei rym' (IV, 4.175)
27. Grudd fuddig **wledig** 'Pennaeth buddugol ei anrhydedd' (IV, 6.25)
28. awen barawd **awdl** 'awdl barod ei hawen' (IV, 8.8)
29. Cerdd weddawl **gedawl** 'Un haelionus cymwys ei gerdd' (IV, 8.24)
30. Cadarn flaidd **fleiniad** 'Ymladdwr blaen sydd [megis] blaidd nerthol' (IV, 8.25)
31. aur gedawl – **Ddafydd** 'Dafydd hael â'i aur' (V, 3.18)
32. draig hirlwys – **filwr** 'ymladdwr sy'n filwr tal a hardd' (V, 17.37)
33. pur fonedd – **synnwyr** 'doethineb sydd o linach bur' (V, 26.3)
34. Gorphlyg rawd **wenyg** 'Tonnau crymfawr eu cwrs' (VII, 30.36)
35. brad fynych – **gywyd** 'natur aml ei brad' (VII, 33.7)
36. **Gruffudd** ged ddiludd 'Gruffudd diatal ei rodd' (VII, 25.59)
37. Ef **Nudd** ced ddiludd 'Ef yw Nudd diatal ei rodd' (VI, 8.21)
38. Brwysg rwysg **rwyf trydar** 'Arweinydd brwydr chwyrn ei ruthr' (IV, 6.280)

Nid yw'n hawdd diffinio union swyddogaeth y cyfuniadau hyn o enw ac ansoddair:[15] er enghraifft, yn 28 gellid cymryd bod *parawd* yn ansoddair syml yn goleddfu *awen* (sy'n enw benywaidd), yn hytrach na bod *awen* yn ddibynnol arno: 'awdl yr awen rwydd' yn hytrach nag 'awdl rwydd ei hawen'; felly hefyd yn achos 24 y gallwn ei aralleirio 'Uchelwr grymus ei arfer' yn ogystal ag 'Uchelwr yr arfer grymus' fel y ffafriwyd yn y golygiad. Amhosibl yw torri'r ddadl fel arfer, a phrin fod y gwahaniaeth yn un arwyddocaol o ran ystyr; fodd bynnag, yn 35, oni ddeellir *brad* yn enw benywaidd,[16] y mae'n rhaid dehongli'r cyfuniad *brad fynych* yn gyfansoddair rhywiog. (Yn yr un modd gellid hefyd ddadlau dros ddehongli 22 fel *parch ddiludd berchen* 'perchennog diatal ei barch' a chymryd *parch ddiludd* yn ansoddair cyfansawdd.) Yn 36–7 y mae'r cyfuniadau o enw ac ansoddair yn dilyn y brif elfen yn hytrach na'i rhagflaenu, ac yn y golygiadau cymerir eu bod yn llunio ansoddeiriau cyfansawdd: er enghraifft, yn 36 cymerir bod *ced ddiludd* 'diatal ei rodd' yn goleddfu *Gruffudd*, ac felly'n treiglo ar ôl enw priod (er nad yw'r treiglad hwn yn un rheolaidd fel y gwelir o bosibl yn 37); fodd bynnag, gellid dadlau dros ddeall *ced ddiludd* yn syml fel 'rhodd ddiatal' (gan mai enw benywaidd yw *ced*), a'i gymryd yn brif elfen gyda *Gruffudd* yn ei ragflaenu yn y genidol: 'rhodd ddiatal Gruffudd'.

Cyffredin hefyd yw cyfuniadau lle y rhagflaenir y brif elfen (sy'n enw neu'n ansoddair â grym enwol) gan isgyfuniad lle y mae enw yn cael ci ragflaenu gan enw sy'n ddibynnol arno:

39. Milioedd wawr **wasgawd** 'Amddiffyniad arglwydd miloedd' (CBT II, 25.28)
40. glyw ganllaw **gunllaith** 'dinistriwr sy'n gynheiliad byddin' (III, 13.16)
41. cad wrygiant **wrŷs** 'ffyrnigrwydd [ynghanol] cynddaredd brwydr' (III, 15.4)
42. Hwrdd fleiniad **feiddiad** 'Anturiwr sy'n ymladdwr blaen' (IV, 1.2)
43. Aer fawrwr **fawrfar** 'Un mawr ei ddicter sy'n arwr mawr mewn brwydr' (IV, 2.3)
44. aer fawrfudd **fawrfalch** 'un aruchel a balch sy'n lles mawr mewn brwydr' (IV, 2.4)
45. [B]eirdd worsedd **wersyllig** 'Un sy'n cynnal preswylfod i feirdd'/ 'Cynheiliad sy'n breswylfod i feirdd' (IV, 4.180)
46. Cadair bair **beryf** 'Arglwydd sy'n bennaeth gorsedd' (IV, 6.1)
47. Graid gyfred **gyfrawdd** '[A'i] air cyn ebrwydded â['i] filwriaeth' (IV, 6.158)
48. cad neirthiad **nêr** 'pennaeth sy'n gynhaliwr byddin' (IV, 8.25)
49. Cyreifiaint gymaint **gymedrolaeth** 'llywodraeth [sy'n] gymaint o faddeuant' (IV, 17.92, am y nef)
50. Cerdd orllwydd **arglwydd** 'Arglwydd sy'n gynnydd i gerdd' (V, 1.37)
51. Lleisiawn berchen **ben** 'Pennaeth ar berchennog gwŷr Lles'/'Pennaeth sy'n berchennog gwŷr Lles' (V, 10.57)
52. cad fleiniad **flawdd** 'dychryn blaenwr byddin' (VII, 6.3)
53. beirdd fudd **fytged** 'anrhegwr byd sy'n lles beirdd' (VII, 25.1)
54. cad lofrudd – **arglwydd** 'arglwydd sy'n lladdwr mewn brwydr' (VII, 25.39)

Y mae'r isgyfuniad yn y mwyafrif o'r enghreifftiau hyn yn ansoddol, yn diffinio'r brif elfen: er enghraifft, yn 40 *cunllaith* 'dinistr' neu 'ddinistriwr' yw prif elfen y cyfuniad cyfan, ac yn dibynnu arno ceir yr isgyfuniad *glyw ganllaw* 'canllaw glyw' neu 'arweinydd byddin', gyda *ganllaw* yn brif elfen. O roi'r cyfan at ei gilydd cymerir bod yr isgyfuniad enwol hwn yn diffinio *cunllaith*, 'dinistriwr sy'n gynheiliad byddin'; ond gellid hefyd aralleirio 'dinistriwr cynheiliad byddin' (o ddeall *glyw ganllaw* yn gyfeiriad at bennaeth y gelyn); gellid dadlau ymhellach dros gymryd mai *ganllaw gunllaith* 'dinistriwr cynheiliad' yw prif elfen y cyfuniad a bod *glyw* yn y genidol, 'dinistriwr cynheiliad byddin/brwydr'. Y mae'r math hwn o amwysedd cystrawennol yn codi fwyfwy po hwyaf y cyfuniadau.

O ychwanegu ansoddair estynnir y cyfuniadau cymhleth hyn ymhellach, a cheir patrymau megis:

55. Cadarn farn feirniaid **westifiaint** 'Gwesteiwr beirniaid ac iddynt farn gadarn' (CBT IV, 4.45)

Gwestifiaint yw prif elfen y cyfuniad hwn, ac fe'i rhagflaenir gan yr isgyfuniad rhywiog *cadarn farn feirniaid*, gydag elfen enidol yn yr isgyfuniad, sef *barn*, yn cael ei goleddfu gan ansoddair, *cadarn*. (I bob pwrpas y mae *cadarn farn* yn ansoddair cyfansawdd yn goleddfu *beirniaid*.) Er mwyn aralleirio'r llinell gellid ei darllen o chwith: 'Gwesteiwr beirniaid [a chanddynt] farn gadarn'. Posibilrwydd arall fyddai cymryd mai'r cyfuniad rhywiog *feirniaid westifiaint* yw'r brif elfen yn cael ei goleddfu gan *cadarn farn*: 'Gwesteiwr beirniaid [a chanddo] farn gadarn'. Penderfyniad goddrychol ar ran y golygydd fu cymryd mai canmol y beirdd (sef *beirniaid*) am eu barn gadarn a wnaeth y bardd, yn hytrach na'r gwesteiwr, a hynny ar sail cyfuniad megis CBT IV, 16.151 *barn beirniaid;* ond ceir enghraifft bellach o gyfuniad lle y mae'r brif elfen ei hun yn gyfuniad enwol a ragflaenir gan isgyfuniad cyffelyb sy'n ddibynnol arno gan Brydydd y Moch:

56. cad gannerth **gyd gynnor** 'pennaeth cwmni sy'n gynhorthwy i fyddin' (CBT V, 28.21)

Amrywiad pellach ar y patrwm yw cyfuniadau lle y mae'r brif elfen (sy'n enw, neu'n ansoddair gyda grym enwol) yn cael ei rhagflaenu gan isgyfuniad sy'n cynnwys berfenw a ragflaenir gan ei wrthrych (fel yn 2.1–8 isod):

57. bro gadwyd **gedawl** 'un haelionus sy'n amddiffyn bro' (CBT I, 22.4)
58. Lloegr ddilain **ddilaith** 'lleiddiad sy'n llwyr ddinistrio Lloegr' (III, 13.5)
59. Praidd wasgar **dreisfar** 'Un treisgar ei lid yn gwasgaru ysbail' (III, 13.11)
60. aer gynnig – **rebydd** 'pennaeth sy'n bygwth llu' (IV, 4.153)

61. cad arllaw – **aerllew** 'arwr brwydr yn gweinyddu byddin' (IV, 6.78)
62. cerdd ganmawl **ganmwyn** 'y mawr ei drysor sy'n canmol cerdd' (IV, 9.87)
63. Anaw gwynaw **gerddorion** 'Beirdd sy'n gofidio ar ôl cyfoeth' (V, 11.47)
64. Trydar wasgar **wisg ermyd** '[Un a chanddo] arfwisg glodfawr yn gwasgaru [mewn] brwydr' (V, 28.11)
65. Lloegr ddistryw **ddistrawch** 'Un diatal sy'n dinistrio gwŷr Lloegr' (V, 14.14)
66. gwlad amgyffred – **naf** 'arglwydd sy'n llywodraethu gwlad' (VII, 25.7)

Swyddogaeth ddiffiniol sydd i'r isgyfuniad gan amlaf: er enghraifft, yn 58 disgrifir Owain ap Madog gan Gynddelw fel lladdwr (*dilaith*) sy'n llwyr ddinistrio Lloegr (*Lloegr ddilain*) ac yn 63 y mae'r beirdd (*cerddorion*) a ddisgrifir gan Brydydd y Moch yn rhai sy'n cwyno am eu cyfoeth (*anaw gwynaw*) oherwydd marwolaeth Gruffudd ap Cynan. Yn 64 y cyfuniad *wisg ermyd* yw'r brif elfen (yn llythrennol 'gwisg glodfawr') sy'n rhagenwol am yr arglwydd sy'n 'gwasgaru [mewn] brwydr'.

Yn yr enghreifftiau canlynol y mae'r brif elfen ei hun yn gyfuniad enwol yn cynnwys enw a ragflaenir gan enw genidol, sy'n cael ei ragflaenu gan isgyfuniad yn cynnwys berfenw a ragflaenir gan ei wrthrych:

67. Trais gymryd **lewgryd lofrudd** 'Llofrudd [mewn] brwydr ffyrnig sy'n meddiannu [trwy] drais' (CBT V, 13.19)
68. Eryri gedwi **gad olystaf** 'yr un disgleiriaf ei fyddin sy'n gwarchod Eryri' (II 2.53)

O ran eu defnydd yn y farddoniaeth, digwydd y mathau o gyfuniadau enwol a drafodwyd hyd yn hyn gan amlaf mewn cyfosodiad â'r gwrthrych a drafodir, yn aml mewn cyfres o epithetau sy'n ychwanegu at ddarlun o'r sawl y cenir iddo, fel yn 69, lle y lleolir y cyfuniad *rhëi rywasgarawg* mewn cyfosodiad â *Nerth Rhodri*; ond digwyddant hefyd yn rhan o gystrawen fwy ffurfiol, er enghraifft fel gwrthrych berfenw (70–2), goddrych neu wrthrych berf (73–5), neu dan reolaeth arddodiad (76).

69. Nerth Rhodri, *rhëi rywasgarawg* '[Un o] gadernid Rhodri, mawr wasgarwr cyfoeth' (CBT I, 3.70)
70. I foli *cedwesti wastad* 'I foli un cyson ei haelioni' (V, 1.4)
71. Yn moli *milwr faranres* 'Yn moli cynddaredd milwr' (V, 5.18)
72. O foli *Rhodri ryodres* 'O foli ysblander Rhodri' (V, 5.70)
73. Ef gogel *gogan gymhwyllaid* 'Y mae ef yn osgoi'r traethwyr dychan' (V 6.25)
74. Molaf *filioedd naf* 'Molaf arglwydd miloedd' (V, 11.13)

75. *Gŵyth baith **bwyth*** bu eiddudd 'Tâl o gyflafan lidiog a fu'n eiddo iddynt' (IV, 6.16)
76. Hud wyf fardd i *feirdd **gynghallen*** 'Felly yr wyf yn fardd i amddiffynnwr beirdd' (IV, 6.30)

O edrych yn fanylach ar y modd y mae'r beirdd yn cyfosod epithetau mewn llinellau, daw patrymau cyffredin i'r amlwg. Diddorol, er enghraifft, yw'r nifer uchel o linellau yn cynnwys y patrwm gEEg neu EggE (E = prif elfen, g = enw genidol) ym marddoniaeth Cynddelw Brydydd Mawr yn arbennig, gydag ail hanner y llinell yn adlewyrchiad mewn drych, megis, o'r hanner cyntaf: gwelir y naill batrwm, sef gEEg, yn

77. Llydw amnawdd, oesgawdd ysgarant 'Amddiffynnwr llu, hir alar i elynion' (CBT IV, 4.6)
78. Cyrdd forach, cyfeddach carant 'Llawenydd i finteioedd, [darparwr] cyfeddach i gyfeillion' (IV, 4.46)
79. Gwladoedd bair, cadair cadfaon 'Tywysog gwledydd, pennaeth rhyfelwyr' (IV, 4.223)
80. Eurgor ddôr, ddinas cerddorion 'Amddiffynnwr llys ysblennydd, noddfa cerddorion' (IV, 4.234)
81. Owain arwyrain, aur wron – Cymry 'Moliant i Owain, arwr gwych gwŷr Cymru' (IV, 5.1)

a'r llall, sef EggE, yn

82. Câr cerddau, cerddorion ramant 'Anwylyd cerddi, rhyfeddod y beirdd' (IV, 4.44)
83. Cynwan torf, terfysg ymorchwydd 'Trywanwr blaen [mewn] llu, cynddaredd [mewn] terfysg' (IV, 4.55)
84. Llawch Gwyndyd, gwendud ehangrwydd 'Amddiffynnwr gwŷr Gwynedd, haelioni gwlad fendigaid' (IV, 4.70)
85. Gwystl bedydd, byd eilig 'Gwarant y byd Cristnogol, disgleirdeb y ddaear' (IV, 4.154)
86. Hil haelon, Heilyn ddychymig '[Un o] linach gwŷr hael, meddylfryd Heilyn' (IV, 4.156)
87. Aerllew tarf, torfoedd friwennig 'Arwr [mewn] cythrwfl, un cythruddol byddinoedd' (IV, 4.165)
88. Baran llew, Lloegrwys ofal 'Llid llew, pryder i wŷr Lloegr' (IV, 5.131)
89. Traul dragon, Saeson sen 'Dinistr arwyr, cerydd y Saeson' (IV, 6.36)
90. Gwallofiad alaf, gollewin eryr 'Rhannwr cyyfoeth, arwr y gorllewin' (IV, 6.106)

Cymharol brin, ar y llaw arall, yw'r llinellau lle y mae'r naill hanner a'r llall yn ddrych union o'i gilydd: er enghraifft, ceir y patrwm EgEg yn

247

91. Dôr ysgor, ysgwyd eliffant 'Amddiffynnwr caer [yn cludo] tarian ifori' (CBT IV, 4.39)
92. Eurllyw llwyth, lleithig prydyddion 'Arweinydd rhagorol ar genedl, cynhaliwr prydyddion' (IV, 4.231)
93. Pryffwn gawr, priodawn preiddwal 'Arglwydd blaenllaw [mewn] brwydr, gwir berchennog ystordy ysbail' (IV, 6.135)

2. *Cyfuniadau lle y mae'r brif elfen yn ferfenw*

Edrychir yn awr ar gyfuniadau lle y mae'r brif elfen yn ferfenw sy'n cael ei ragflaenu gan ei wrthrych uniongyrchol, sy'n ddibynnol arno:

1. anaw **dreuliaw** 'gwario cyfoeth' (CBT II, 27.7)
2. arglwyddi **orchrain** 'darostwng arglwyddi' (IV, 4.81)
3. Cardd **wrthryn** 'Bwrw allan warth' (IV, 6.80)
4. haelon **ddadfer** 'dyfarnu pendefigion' (IV, 8.34)
5. [c]edyrn **gosbi** 'cosbi gwŷr cadarn' (V, 2.31)
6. cad **weini** 'trefnu byddin' (VII, 23.14)
7. Lloegr **breiddiaw** 'ysbeilio Lloegr' (VII, 24.136)
8. [c]ad **gynyddu** 'amlhau byddin' (VII, 45.10)

a cheir enghreifftiau lle yr estynnir y cyfuniad gan ansoddair sy'n goleddfu'r enw genidol:

9. Terfysg ffysg **ffestiniaw** 'Prysuro dymchweliad chwyrn' (CBT IV, 6.87)

Y mae'r cyfuniadau hyn yn gyffredin iawn yng ngwaith y mwyafrif o Feirdd y Tywysogion, a hefyd ym marddoniaeth Gruffudd ap Maredudd a rhai eraill o'r Gogynfeirdd diweddar yn y bedwaredd ganrif ar ddeg; ond nid ydynt mor gyffredin yng ngwaith y Cywyddwyr, a dichon fod y beirdd hynny yn eu hystyried yn hynafol, ac yn rhywbeth i'w ddefnyddio er mwyn creu effaith arbennig yn unig.

Ceir anhawster yn aml wrth geisio diffinio union ystyr y cyfuniadau hyn yn y canu. Fe'u deellir gan amlaf yng ngolygiadau Cyfres Beirdd y Tywysogion yn rhangymeriadau, a phriodolir iddynt swyddogaeth ansoddeiriol fel yn yr enghreifftiau canlynol:

10. Eryr huysgwr *ysgwyd arwain* 'Arwr nerthol sy'n cludo tarian' (CBT IV, 1.36)
11. llofrudd *Lloegr ddilyn* 'un gwaedlyd ei law sy'n erlid gwŷr Lloegr' (IV, 9.221)

12. lloer fan *llwrw* **fynegi** 'lloer uchel sy'n dangos y ffordd' (V, 2.2)
13. Milwr *milwyr* **gynyddu** 'Milwr yn peri llwyddo milwyr' (V, 12.47)

Yn 10, er enghraifft, cymerir bod y cyfuniad *ysgwyd arwain* 'tarian gludo, yn cludo tarian' yn disgrifio *Eryr huysgwr*; ac yn 12 cymerir bod y cyfuniad *llwrw fynegi* yn disgrifio *lloer fan*.

Ond fel pob ansoddair, gall fod i gyfuniadau fel hyn rym enw weithiau, a dadleuodd D. Myrddin Lloyd fod i gyfuniadau o'r fath yng ngwaith Cynddelw Brydydd Mawr, yn arbennig, rym rhagenwol: er enghraifft, byddai'n dadlau y gellid dehongli cyfuniad fel *ced roddi* 'rhoi rhodd' i olygu 'rhoddwr rhodd'.[17] Prin, fodd bynnag, yw'r enghreifftiau lle y mae'n rhaid dehongli yn y modd hwn, er bod yr aralleiriad yn aml yn darllen yn well o wneud hynny. Ymddengys mai dyna'r ffordd fwyaf tebygol i ddehongli'r cyfuniadau canlynol:

14. Gŵr oedd *feirdd* **arfoll** 'Gŵr oedd yn groesawr beirdd' (CBT, III 24.47)
15. *Cardd* **wahardd** a wahan folwch 'Un sy'n gwrthod gwarth a folwch yn arbennig' (V, 1.59)
16. Cenir it, *cenhedloedd* **gadwyd** 'Cenir i ti, [yr un sydd] yn gwarchod pobloedd' (IV, 6.212)

Yn 14 ymddengys mai cymryd *beirdd arfoll* yn rhagenwol am Ririd Flaidd, yn draethiad y ferf, sydd orau; yn 15, deellir *cardd wahardd* ('un sy'n bwrw allan warth') yn rhagenwol am Ddafydd ab Owain Gwynedd, yn rhag-flaenydd y cymal perthynol ac yn wrthrych y ferf *gwahan folwch*; ac yn 16 ymddengys mai drwy ddeall *cenhedloedd gadwyd* yn rhagenwol am Hywel ab Owain Gwynedd ('un sy'n amddiffyn cenhedloedd') y ceir yr ystyr orau.

Ceir cyfuniadau mwy cymhleth pan fo'r berfenw sy'n brif elfen yn cael ei ragflaenu gan ei wrthrych genidol sy'n gyfuniad enwol rhywiog (17–18) neu afrywiog (19–21):

17. câr gyfarbar **gyferbyniaw** 'cyfarfod ag amcan cyfaill' (CBT II, 24.10)
18. Teÿrnon dud **amnoddi** 'amddiffyn bro Teyrnon' (V, 2.23)
19. byrdd cyrdd **gadw** 'cynnal byrddau minteioedd' (III, 13.37)
20. terfyn tir **gadw** 'yn gwarchod terfyn ei diriogaeth' (V, 3.17)
21. Dinas esbyd **gydgyrchu** 'cydgyrchu cadarnle estroniaid' (VII, 45.11)

Dywed Prydydd y Moch am Ddafydd ab Owain Gwynedd yn 18 ei fod yn un sy'n amddiffyn (*amnoddi*) bro Teyrnon (*Teÿrnon dud*), a molir Owain ap Madog gan Gynddelw yn 19 fel un sy'n cynnal (*cadw*) byrddau gwleddoedd ar gyfer minteioedd (*byrdd cyrdd*). Yn yr enghraifft ganlynol estynnir yr isgyfuniad ymhellach drwy roi ansoddair i oleddfu'r elfen enidol:

22. Cadarn gad drusiad **dreisiaw** 'Gorchfygu cyffröwr byddin nerthol' (CBT V, 17.47)

Yn yr enghraifft ganlynol *dyludaw* yw'r brif elfen a ragflaenir gan wrthrych cymhleth sy'n gyfuniad ar lun 19–21 uchod, lle y mae'r berfenw *dilyn* yn brif elfen y cyfuniad sy'n cael ei ragflaenu gan ei wrthrych:

23. Tarw byddin ddilyn **ddyludaw** '[Un sy'n] dygnu ar erlid pennaeth byddin' (CBT IV, 6.85)

*   *   *

O edrych felly ar y cyfuniadau enwol ym marddoniaeth Beirdd y Tywysogion gwelir cymaint meistri yw'r beirdd hyn ar eu cyfrwng, wrth iddynt greu amrywiaeth dihysbydd o batrymau gan eu gwau i mewn yn gelfydd i'w cerddi. Yn sicr y mae'r cyfuniadau hyn yn fwy rhan o ieithwedd rhai beirdd nag eraill: er enghraifft, y maent yn gymharol brin yng ngwaith Meilyr Brydydd, ond yn llawer mwy cyffredin ym marddoniaeth ei fab Gwalchmai, ac y mae barddoniaeth Cynddelw Brydydd Mawr yn gloddfa ddihysbydd, ac nid yn unig oherwydd fod cymaint mwy o'i waith wedi goroesi nag o waith yr un bardd arall o'r cyfnod. O edrych ar gerddi unigol beirdd fel Cynddelw, gwelwyd bod y cyfuniadau hyn yn fwyaf cyffredin lle y mae'r arddull epithetaidd yn gryf, lle y ceir y pwyslais ar ddisgrifio, yn hytrach nag mewn llinellau lle y mae gan y bardd bwynt mwy penodol i'w wneud a lle y mae'r gystrawen yn fwy ffurfiol.

Nodiadau

* Y mae'r bennod hon yn seiliedig ar bapur byr a draddodais yn y Gyngres Geltaidd, Corcaigh, Gorffennaf 1999. Elwais yn fawr iawn ar drafod y pwnc gyda'r Athro Caerwyn Williams, a phan ddangosais ddrafft o'r papur iddo ychydig wythnosau cyn ei farwolaeth dywedodd yn ei ffordd ddihafal ei fod yn fwy diddorol nag yr oedd wedi ofni! Yr wyf yn colli yn fawr ei farn onest, ei gefnogaeth ddiflino a'i gyfeillgarwch diamod.

[1] J. Morris-Jones, 'Hydref Ddail', *Y Beirniad*, 1 (1911), 209–11. Elwais yn fawr o erthygl nodweddiadol dreiddgar Eurys Rowlands yn trafod y gystrawen enidol yn Gymraeg: 'Y Genidol Diffiniol yn Gymraeg', SC, 12/13 (1977–8), 291–320 a hefyd o sylwadau J. Morris-Jones yn WS 159–64 a T. J. Morgan yn ei bennod 'Treigladau'r Cystrawennau Genidol' yn TC 68–95.

[2] Cymh. sylwadau E. C. Woodcock ar y genidol mewn Lladin (dyfynnir o Rowlands, 'Genidol', 291): 'The chief function of the genitive in Latin is to qualify

nouns. The word or words in the genitive define, describe, or classify the thing (or person) denoted by the noun qualified. The genitive inflexion thus turns a noun or pronoun into a sort of indeclinable adjective, which is sometimes interchangeable with an adjective: compare, for example, *fratris mors* with *fraterna mors* "a brother's death"; *domus regis* with *domus regia* "the king's house".'

[3] Gw. Morris-Jones, 'Hydref Ddail', 209, lle yr esbonnir mai stem neu gyff gair a ddefnyddid ar gyfer yr elfen gyntaf mewn cyfansoddeiriau yn y Frythoneg (fel mewn rhai eraill o hen ieithoedd Ewrop), a chan fod y stem yn gorffen â llafariad 'fe feddalwyd cydsain flaen yr ail elfen, gan fod pob cydsain rhwng llafariaid cyntefig yn meddalu', a chan hynny, medd, '*meddalheir cydsain flaen yr ail elfen mewn gair cyfansawdd yn Gymraeg*' (ei italeiddio ef).

[4] Rowlands, 'Genidol', 292.

[5] Rowlands, 'Genidol', 292.

[6] WS 26.

[7] Rowlands, 'Genidol', 295–6.

[8] TC 32.

[9] J. Vendryes, *La poésie gallois des xiie–xiiie siècles dans ses rapports avec la langue*, The Zaharoff Lecture (Oxford, 1930), 8.

[10] BHLlG 17.

[11] BHLlG 16–19.

[12] Am enghreifftiau o ddefnyddio gwahanol gymeriadau yn y canu er mwyn creu effaith arbennig, gw. Ann Parry Owen, 'Cymeriad yn Awdlau Beirdd y Tywysogion – Rhai Sylwadau', *Dwned*, 4 (1998), 47–56.

[13] Dyfynnir o Gyfres Beirdd y Tywysogion, ond nid yw'r aralleiriadau yn cytuno'n union ym mhob achos.

[14] Trafodwyd cyfuniadau ansoddeiriol fel hyn gan Nicolas Jacobs yn 'Adjectival Collocations in the Early Cywyddwyr: A Preliminary Survey', CMCS, 31 (Summer 1996), 55–70, lle y mae'n tynnu sylw at yr anhawster sy'n codi'n aml wrth geisio diffinio union swyddogaeth y cyfuniadau ansoddeiriol hyn mewn cystrawen.

[15] Arfer golygyddion Cyfres Beirdd y Tywysogion oedd dilyn arweiniad y llawysgrifau o safbwynt dynodi'r cyfansoddeiriau hyn ynghlwm neu'n llac, ond mewn gwirionedd y mae'n anodd gwybod pa mor ddiogel fu'r arweiniad hwnnw gan ei bod yn bur anodd penderfynu ar brydiau a oes bwlch ai peidio rhwng geiriau mewn llawysgrif megis y Llyfr Coch o Hergest neu Lawysgrif Hendregadredd, ond hefyd gan ei bod yn ddigon rhesymol tybio, os oedd copïwr canoloesol yn ymwybodol fod dwy elfen mewn gair cyfansawdd, y gallai'n hawdd gofnodi'r geiriau hynny ar wahân, er mai fel un gair, o bosibl, yr acennid hwy. Wrth gwrs, os yw'r ail elfen yn lluosillafog, nid oes gwahaniaeth o ran yr acennu a yw'r cyfuniad yn cael ei ysgrifennu ynghlwm neu'n llac, fel yn achos *ced ddiludd* ac *aur gedawl* uchod.

[16] Ymddengys mai e.g. yw *brad* ym mhob achos ym marddoniaeth Beirdd y Tywysogion ac eithrio, o bosibl, CBT VI, 18.21.

[17] D. Myrddin Lloyd, 'Defnydd Cynddelw Brydydd Mawr o'r Berfenw', B, 7 (1933–5), 16–22.

11

(GWNAETH): Newidyn Arddulliol yn y Cyfnod Canol

PETER WYNN THOMAS

Cyflwyniad

Gwyddai ysgrifenwyr Cymraeg yr Oesoedd Canol a'u darllenwyr fod i *gwneuthur* ddwy gyfres o ffurfiau Gorffennol. Ar y bôn *goruc-* y seiliwyd y naill; o *gwnaeth-* y lluniwyd y llall. Ac anwybyddu ambell amrywiad prin,[1] y ffurfiau nodweddiadol oedd:

	A	B
U1	gorugum	gwneuthum
2	gorugost	gwnaethost
3	goruc	gwnaeth
Ll1	gorugam	gwnaetham
2	gorugawch	gwnaethawch
3	gorugant	gwnaethant
Amhers	gorucpwyt	gwnaethpwyt

Yn y drafodaeth sy'n dilyn bydd GORUG yn cyfeirio at ffurfiau set A, GWNAETH yn crynhoi aelodaeth set B, a (GWNAETH) yn dynodi amrywio rhwng GORUG a GWNAETH. Pan fydd angen cyfeirio'n benodol at ffurfiau amrywiol un person gwneir hynny drwy ychwanegu'r rhif a'r person ar ôl (GWNAETH); bydd (GWNAETH)-U1, er enghraifft, yn cyfeirio at amrywio rhwng *gorugum* a *gwneuthum*.

Cael ei disodli gan GWNAETH fu tynged GORUG, eithr nid proses sydyn fu'r trawsnewid. Yn hytrach, mae llenyddiaeth yr Oesoedd Canol yn frith o aelodau'r ddwy set, a'r amrywio'n para dros sawl canrif. Mae barddoniaeth Llyfr Du Caerfyrddin,[2] er enghraifft, yn cynnwys pedair enghraifft o *goruc* a phump o *gwnaeth*, heb fod unrhyw wahaniaeth amlwg arwyddocaol yn yr ystyr (sef 'creodd, cyflawnodd'):

Ffurf	Enghreifftiau
⟨goruc⟩	Ar gnyuer. edeinauc
	a oruc kyuoethauc. (5.10)
	Duu an goruc. (11.3)
	Goruc clod heilin benffic awirtul. (35.5)
	mi a'e goruc. (40.28)
⟨gunaeth⟩	issi Duu y hun.
	a unaeth maurth a llun. (10.33)
⟨gvnaeth⟩	Gvnaeth duv trvgar gardaud. (12.35)
⟨gwnaeth⟩	Arduireau e dev . . .
	a wnaeth fruith a freu (10.21)
	Ac eil guirth. a wnaeth ehalaeth argluit (12.53)
⟨guneth⟩	Arduyreau e. vn . . .
	a uneth tuim ac oer (10.37)

Mae dau destun rhyddiaith cynharaf y cyfnod canol – sef fersiynau Peniarth 44 a Llanstephan 1 o 'Brut y Brenhinedd' – yn cyflwyno dimensiwn pellach i natur yr amrywio. Yn ogystal â bod yn ferfau geiregol llawn, fel yn yr enghreifftiau uchod o Lyfr Du Caerfyrddin, gall *goruc* a *gwnaeth* fod yn ferfau cynorthwyol[3] yn y 'Brut'; er enghraifft, yn fersiwn Pen 44, ceir:

gohyrya6 y gyt ac wynt a or6c (1.32)

annel6 b6a a gwnaeth br6t6s (1.21)

Gall *goruc* a *gwnaeth* ddigwydd hefyd yn y gystrawen hollt *sef a* ___ *Goddrych [Adferfol] berfenw*, dyfais arddulliol sydd yn gohirio'r berfenw. Yn Pen 44, er enghraifft, ceir:

sef a or6c emreys ena chwerthyn (136.26)

sef a gwnaeth ente6 gal6 y 6ra6t atta6 (5.18)

Yr un ysgrifydd – dienw ond cymharol ofalus[4] – a gynhyrchodd Pen 44 a Llst 1.[5] Ond nid yr un yw amlygrwydd *goruc* a *gwnaeth* ynddynt. Yn hytrach, bydd defnyddio'r naill ffurf neu'r llall yn dibynnu ar y testun penodol ac ar swyddogaeth a chyd-destun y ferf:

Amlygrwydd *gwnaeth* mewn dwy fersiwn o 'Brut y Brenhinedd' (%)

Testun	Berf lawn	Berf gynorthwyol	*Sef a* ___
Pen 44	95.65	72.99	98.25
Llst 1	72.22	27.41	15.79

Rhaid mai adlewyrchu amrywio yn y cynseiliau y mae'r ddau broffil cyferbyniol hyn; o gofio mai cynnyrch cyfieithwyr annibynnol yw'r fersiynau o 'Brut y Brenhinedd' a ddiogelwyd yn y ddwy lawysgrif,[6] y mae'n bosibl mai datgelu gwedd ar ieithwedd y ddau gyfieithydd y mae'r canrannau. Os felly, y mae'r ymbatrymu'n tystio bod o leiaf ddau draddodiad i (GWNAETH) yn gyfredol cyn llunio Pen 44 a Llst 1, sef, mae'n debyg, yn hanner cyntaf y drydedd ganrif ar ddeg; fel y ceir gweld, dyma sefyllfa a barhaodd tan o leiaf ail hanner y bymthegfed ganrif. Ond pa ddimensiynau a adlewyrchir yn y traddodiadau hynny? Daearyddol, amseryddol, cymdeithasol, neu arddulliol?

Nid yw'n cyfnod ninnau heb brofi elfen o amrywio i ffurfiau Gorffennol *gwneud*. Ochr yn ochr â'r ffurfiau safonol (er enghraifft U1 ffurfiol *gwneuthum* ac anffurfiol *gwnes*) mae nifer o amrywion yn y tafodieithoedd (cf. U1 /gnɛːs, gnɛsɪm, gnɛθo, gnɛlo/) ac mae gan yr iaith safonol ddwy ffurf ar y berfenw: y *gwneud* arddulliol niwtral a'r *gwneuthur* tra ffurfiol onid hynafol. Ond er gwaethaf statws *gwneuthur* yn yr iaith safonol, ni ddiflannodd o'r tafodieithoedd: mewn ffurfiau fel /gniθɪr/ a /nɪθɪr/ fe fu'n ddigon amlwg ar lafar ym Morgannwg tan yn gymharol ddiweddar, ac nid yw eto wedi llwyr ddarfod o'r tir. Gallai ystyriaethau arddulliol a thafodieithol tebyg fod wedi cyfrannu at gynnal GWNAETH a GORUG yn yr Oesoedd Canol oherwydd y mae'n annhebygol iawn y byddai'r ddwy set wedi dal eu tir cyhyd pe na bai rhyw fath o ysgogiad swyddogaethol neu gymdeithasol i hynny.

Data'r astudiaeth hon

Er mwyn cael archwilio'r broblem uchod fe godwyd data o 90 o destunau, sef cynnwys cyfran dda o'r llawysgrifau rhyddiaith a oroesodd rhwng oddeutu 1250 a 1400, a rhai o ail hanner y bymthegfed ganrif.[7] Cyfrifwyd 7,953 o ffurfiau (GWNAETH). O ystyried y berfau hyn fesul person, yr argraff gyffredinol a geir yw eu bod yn enghreifftio cyfnewid a oedd yn ymledu drwy'r paradim (Ffigur 1). Yn ôl y dadansoddiad yn ffigur 1, mae'r personau'n bras ymrannu'n dair carfan: U2, Ll2 a'r Amhersonol sydd yn amlygu rhwng 90 a 100 y cant o ffurfiau'r cyfnod diweddar; U1, y dewisir y ffurf ddiweddar mewn dwy ran o dair o'r dangosynnau; ac U3, Ll1 a Ll3, sydd yn amrywio'n ddigyfeiriad rhwng 41 a 52 y cant. Ond

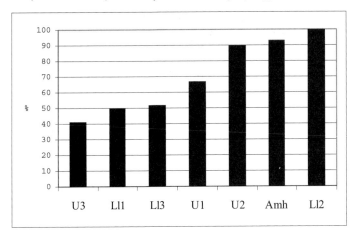

Ffigur 1: Amlygrwydd *gwnaeth* yn y corpws cyfan fesul person

darlun twyllodrus o gyffredinol yw hwn. Gellir disgwyl nad ar hap y bydd data o'r fath yn amrywio; wedi'r cyfan, y maent yn rhychwantu sawl canrif a sawl *genre*. Lawn mor bwysig â hynny yw bod nifer yr enghreifftiau o'r gwahanol bersonau hefyd yn amrywio'n sylweddol iawn:

Person	Nifer
Ll2	12
Ll1	18
U2	59
U1	42
Amhers	340
Ll3	1,605
U3	5,877
Cyfanswm	7,953

Elfen gyffredin i arddull y testunau rhyddiaith dan sylw yw bod ffurfiau'r personau cyntaf ac ail wedi eu cyfyngu i araith union, sy'n gymharol brin.[8] Am nad yw'r enghreifftiau o araith union nac ychwaith o'r Amhersonol yn ddigon lluosog i ganiatáu manylu fe'u trafodir ar wahân yn Atodiadau I a II. Ffurfiau'r trydydd person yw'r mwyaf niferus ac arnynt hwy y manylir isod.

Ffurfiau'r trydydd person

Er gwaethaf cyfoeth cymharol ffurfiau'r trydydd person, cyfyngir yn llym ar natur y dadansoddi sy'n bosibl o safbwynt meintiol. Yn wir, os dymunir cymharu amlygrwydd *gwnaeth* a *gwnaethant*, y mae nifer y dangosynnau mewn testunau unigol yn ein gorfodi i ymgyfyngu yn y lle cyntaf (a) i'r naratif, (b) i ddeuddeg o'r testunau hwyaf, ac (c) i'r pedwar cyd-destun canlynol:

1. berf lawn U3
2. *sef a* ___ U3
3. berf gynorthwyol U3
4. berf gynorthwyol Ll3

Rhydd hyn inni'r data sylfaenol canlynol:

Testun[9]	(U3 llawn)	% *sef a* (U3)	(U3 cyn)	(Ll3 cyn)
P8.i Siarlymaen	0.00	0.00	0.00	0.00
Pen 21 BBren	0.00	0.00	2.68	5.75
Pen 7 Peredur	0.00	0.00	4.92	11.76
Pen 7 Siarlymaen	8.33	0.00	2.34	12.50
Llst 1 BBren	72.22	15.79	27.41	56.25
Pen 44 BBren	95.65	98.28	72.92	87.50
Cott BSaes	96.43	50.00	3.80	2.86
Pen 11 YSG	100.00	50.00	17.59	25.93
J 111 BBren[10]	100.00	73.68	59.31	94.12
BDing	100.00	98.31	78.44	95.51
Pen 4 YBH (1–41)[11]	100.00	100.00	95.45	100.00
J 111 RhO	100.00	100.00	96.15	95.45

Er mwyn dosbarthu'r data hyn yn ddiduedd fe'u cyflwynwyd i raglen ddadansoddi clymau. Ar ôl safoni'r sgorau cyfrifiannwyd y pellter Ewclid sgwaredig rhwng y deuddeg testun a chan ddefnyddio dull Cynyddu Swm y Sgwariau fe gynhyrchwyd y dendrogram yn ffigur 2.

Fel y byddid wedi darogan o graffu ar y data, y mae'r dadansoddiad wedi amlygu tri chlwm tyn. Mae cymharu cymedrau'r tri ar gyfer y pedwar newidyn yn crynhoi eu tueddiadau'n huawdl:

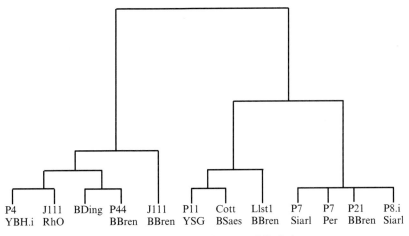

```
P4      J111   BDing  P44    J111   P11    Cott   Llst1  P7    P7    P21    P8.i
YBH.i   RhO           BBren  BBren  YSG    BSaes  BBren  Siarl Per   BBren  Siarl
```

Ffigur 2: Datrysiad y dadansoddiad clymau

	Cymedrau'r tri chlwm sylfaenol ar gyfer y pedwar newidyn (%)			
Clwm	**(U3 llawn)**	*sef a* **(U3)**	**(U3 cyn)**	**(Ll3 cyn)**
BDing	99.13	94.05	80.45	94.52
YSG	89.55	38.60	16.27	28.35
Pen 7 Per	2.08	0.00	2.49	7.50

Mae gennym yma ddwy duedd begynol gwbl groes i'w gilydd: clwm 'Brut Dingestow' yn cynnwys canrannau uchel o *gwnaeth* a *gwnaethant* heb ddim ond enghreifftiau achlysurol o *goruc* a *gorugant*, a chlwm 'Peredur' Pen 7 yn cynnwys cyfrannedd isel iawn o *gwnaeth* a *gwnaethant* ac yn ffafrio *goruc* a *gorugant*. Rhwng y ddau eithaf daw clwm YSG. Mae *gwnaeth* yn amlwg iawn yn y testunau hyn pan fydd yn ferf lawn, a cheir rhwng 16 a 39 y cant ohoni yn y tri chyd-destun arall. Ond *goruc* a ffefrir yn ferf gynorthwyol ac yn y cyd-destun *sef a* (U3); yn yr un modd, *gorugant* yw'r ddewis ferf gynorthwyol luosog.

Nodwedd ieithyddol arwyddocaol o ran tueddiadau *sef a* (U3) yn y tri chlwm yw ei fod yn ymbatrymu'n debyg i (U3 cyn), ffenomen sy'n adlewyrchu perthynas y gystrawen hollt ag eiddo'r ferf gynorthwyol. O safbwynt sosioieithyddol, efallai mai neges bwysicaf y dadansoddiad hwn yw bod ysgrifenwyr yr Oesoedd Canol wedi cynhyrchu tri model a bod y copïwyr wedi atgynhyrchu'r tri. Ond ai sefyllfa statig oedd hon?

Fel y gwelsom, y deuddeg testun a ystyriwyd hyd yn hyn yw'r unig rai sy'n cynnig data ar gyfer y pedwar newidyn. O graffu ar natur y cyd-berthnasau rhwng y micro-newidynnau, fodd bynnag, fe welir na raid wrth set gyflawn o ddata er mwyn cael dosbarthu testun. Oherwydd:

1. bydd canran isel iawn (llai nag 8 y cant) o unrhyw newidyn yn ymhlygu canran isel iawn o *gwnaeth* ym mhob cyd-destun;
2. bydd canran uchel iawn (dros 80 y cant) o unrhyw newidyn ac eithrio (U3 llawn) yn ymhlygu canran uchel iawn o *gwnaeth* ym mhob cyd-destun;
3. bydd *sef a* (U3) yn tueddu i ymbatrymu'n debyg i (U3 cyn);
4. bydd (Ll3 cyn) yn cyson sgorio ychydig yn uwch na (U3 cyn): dim ond 5 y cant o ran clwm 'Peredur' Pen 7, a rhyw 12 neu 14 y cant yn achos y ddau glwm arall.

Er mwyn cael dosbarthu testun, felly, nid rhaid i'w broffil (GWNAETH) gynnwys canrannau ar gyfer pob un o'r pedwar newidyn uchod.

Y mae'r rhan fwyaf o destunau'r corpws yn ddiffygiol eu data ar gyfer o leiaf un o'r pedwar newidyn sylfaenol.[12] Hyd y testun yw'r newidyn cyflyrol fel rheol, eithr gall testun beidio â chynnwys data ar gyfer *sef a* (U3) am nad oedd ei awdur yn arddel y gystrawen.

Cyflwynwyd proffiliau rhannol ar gyfer 43 testun pellach i drefn ddosbarthu'r rhaglen ddadansoddi clymau CLUSTAN a chael gan y rhaglen gyfrifiannu'r pellteroedd rhwng y testunau diffygiol eu data a phob un o'r tri chlwm yn y model sylfaenol. Er mwyn cael profi dilysrwydd y model sylfaenol, cyflwynwyd y data gwreiddiol i'w dosbarthu hefyd. Mae'r canlyniadau'n tystio i gadernid y model:

Testun	Clwm 1	Clwm 2	Clwm 3
BDing	0.00	1.72	4.35
Pen 44 BBren	0.02	1.47	3.94
Pen 4 YBH (1–41)	0.05	2.23	4.97
J 111 RhO	0.05	2.16	4.88
J 111 BBren	0.13	1.07	3.35
Pen 11 YSG	1.54	0.03	1.50
Cott BSaes	2.36	0.14	1.35
Llst 1 BBren	1.53	0.23	1.02
Pen 7 Peredur	4.14	1.17	0.00
Pen 21 BBren	4.33	1.21	0.00
Pen 7 Siarlymaen	4.00	1.01	0.01
Pen 8.i Siarlymaen	4.55	1.26	0.01

Dosbarthwyd 13 o'r testunau diffygiol eu data yn ddiamwys i Glwm 1:

Testun	Clwm 1	Clwm 2	Clwm 3
Pen 4 Math	0.01	2.28	4.31
J 111 Math	0.02	2.15	4.13
J 111 BMaxen	0.02	2.53	4.06
J 111 Branwen	0.04	2.53	4.63
J 111 Dares	0.07	2.34	4.93
Pen 4 Branwen	0.10	2.85	5.00
J 111 KAA	0.10	1.80	3.12
Pen 4 Manawydan	0.12	1.65	3.32
J 111 Pwyll	0.12	1.39	3.08
J 111 Manawydan	0.14	1.56	3.20
Pen 4 Pwyll	0.17	1.23	2.86
Pen 4 Peredur.ii[13]	0.24	1.08	2.58
J 111 Peredur.ii	0.33	0.92	2.35

Aeth pymtheg i Glwm 2:

Testun	Clwm 1	Clwm 2	Clwm 3
J 111 Owein	2.68	0.05	0.25
Pen 20 BY	0.88	0.07	2.42
Pen 17 HGVK	2.50	0.09	0.91
Pen 14 Prol	2.13	0.11	2.20
J119 BBeuno	1.93	0.12	1.18
J 111 CrT	2.64	0.14	0.74
J 111 BRon	2.25	0.15	0.50
NLW 7006 BSaes	2.64	0.17	1.50
Pen 4 Peredur.i	2.63	0.18	0.33
J 111 ChSD	0.58	0.19	2.62
Llst 27 BDewi	2.65	0.23	0.68
Pen 18 BTyw	0.74	0.31	2.12
J 119 BDewi	2.85	0.33	0.53
Most 88 BMart	0.64	0.38	2.36
Most 116 BTyw	0.86	0.62	1.35

Ac ymunodd pedwar ar bymtheg â Chlwm 3:

Testun	Clwm 1	Clwm 2	Clwm 3
J 111 CRo	3.93	0.16	0.00
J 111 Gereint	4.08	0.32	0.00
Pen 4 Gereint	4.09	0.32	0.00
Pen 14 Peredur	4.16	0.43	0.00
Pen 7 Y Groglith	4.40	0.47	0.00
Pen 8.ii Siarlymaen	4.56	0.46	0.01
Pen 6.iv Gereint	3.95	0.32	0.01
Pen 5 TAsp	3.88	0.14	0.01
Pen 4 Owein	4.42	0.28	0.02
Pen 4 KO	3.85	0.14	0.02
J 111 KO	3.51	0.09	0.02
J 111 CrT (B)	4.37	0.27	0.02
J 111 Peredur.i	4.39	0.27	0.02
Pen 4 YBH (42–67)	3.50	0.83	0.05
Pen 14 GWV	4.00	0.94	0.06
J 111 PSiarl	3.48	0.74	0.09
Pen 14 MIG	3.35	0.13	0.10
Llst 4 ChO	2.76	1.11	0.14
Pen 5 EfNic	2.48	0.36	0.35

O blith yr uchod, nid oes ond tri thestun – 'Brut y Tywysogion' Most 116, a'r 'Mabinogi Iesu Grist' a'r 'Efengyl Nicodemus' cymharol brin eu data – sydd yn ansad. Aelod ymylol o'r ail glwm yw 'Brut y Tywysogion' Most 116 a dim ond o drwch blewyn y rhoddir 'Mabinogi Iesu Grist' ac 'Efengyl Nicodemus' yn y trydydd clwm yn hytrach nag yn yr ail. Ni chynhwysir y tri hyn, felly, yn y drafodaeth isod. Rhaid trafod aelodaeth rhai o'r testunau eraill yn ofalus hefyd am fod cryn bellter rhyngddynt a'r clwm y maent wedi ymuno ag ef. Oherwydd hynny, y canolrif, mesur nad effeithir arno gan eithafion, a ddefnyddir isod i grynhoi tueddiadau'r clymau.

Gallwn bellach harneisio'r wybodaeth a gynigir gan y testunau diffygiol eu data at eiddo'r deuddeg sylfaenol er mwyn cael cynhyrchu'r dadansoddiad praffaf a ganiateir gan y data bylchog hyn. Amlygrwydd *gwnaeth* a *gwnaethant* pan fyddant yn eiregol ac yn gynorthwyol sy'n ymgynnig i'w hystyried. Mae niferoedd (Ll3 llawn), fodd bynnag, yn fach iawn. Os ydym i grynhoi tueddiadau'r newidyn hwn, felly, rhaid anghofio am annibyniaeth y testun unigol ac ystyried, yn hytrach, yr holl ddata a gynigir gan y clymau unigol.

Clwm BDing

Mae'r clwm cyntaf hwn bellach yn cynnwys deunaw o destunau. Dim ond ar gyfer y berfau cynorthwyol Ll3 y ceir data ar gyfer pob testun; mae'r sefyllfa'n fwy simsan ar gyfer y berfau geiregol: o ran U3 nid oes gennym wybodaeth ond ar gyfer wyth testun, a'r nifer fwyaf o enghreifftiau o Ll3 mewn testun unigol yw chwech. O gyfrif holl ddangosynnau testunau'r clwm gyda'i gilydd, fodd bynnag, cawn 29 enghraifft; *gwnaethant* yw pob un o'r rheini, sy'n llwyr gytuno ag ymbatrymu (U3 llawn). Mae'r ystadegau crynhoawl yn cadarnhau'r argraff a rydd y model sylfaenol, sef mai clwm sy'n ffafrio GWNAETH yw hwn.

Testun	(U3 cyn)	(Ll3 cyn)	(U3 llawn)	(Ll3 llawn) *gwnaethant*	N
*BDing[14]	78.44	95.51	100	3	3
*Pen 44 BBren	73.73	87.50	95.65	6	6
*Pen 4 YBH.i	95.45	100	100	3	3
*J 111 BBren	59.31	94.12	100	3	3
*J 111 RhO	96.15	95.45	100	4	4
Pen 4 Branwen	100	88.89		2	2
Pen 4 Manawydan	83.33	73.33		0	0
Pen 4 Math	77.50	100		0	0
Pen 4 Peredur.ii	66.33	64.29		0	0
Pen 4 Pwyll	56.75	80.00		1	1
J 111 BMax		75.00	100	1	1
J 111 Branwen		90.91	88.89	2	2
J 111 Dares	98.65	96.30	100	2	2
J 111 KAA	62.90	91.30		1	1
J 111 Manawydan	81.82	70.59		0	0
J 111 Math	73.17	100		0	0
J 111 Peredur.ii	61.05	60.00		0	0
J 111 Pwyll	59.46	85.71		1	1
CANOLRIF	**75.61**	**89.90**	**100**	**N 29**	**29**

Clwm YSG

Mae nifer aelodau'r ail glwm yntau wedi cynyddu, o dri i ddeunaw. Mae sgorau annodweddiadol 'Buchedd Martin' a 'Brut y Tywysogion' ar gyfer (Ll3 cyn) yn adlewyrchu aelodaeth ffiniol y ddau destun hyn o'r clwm hwn. Gan nad yw'r rhain yn effeithio ar y canolrif mae'r tueddiadau cyffredinol a gyfleir gan y mesurau crynhoawl yn adleisio eiddo'r model sylfaenol, sef bod gennym yma destunau sy'n ffafrio GORUG yn ferf gynorthwyol ond GWNAETH yn ferf lawn.

Testun	(U3 cyn)	(Ll3 cyn)	(U3 llawn)	(Ll3 llawn) gwnaethant	N
*Cott BSaes	3.80	2.86	96.43	5	7
*Llst1 BBren	27.41	56.25	72.22	7	10
*Pen 11 YSG	17.59	25.93	100	14	16
Pen 17 HGVK	0.00	20.00	77.78	2	2
Pen 14 Prol	0.00		100	0	0
Pen 20 BY	28.57		100	0	0
Pen 18 BTyw	28.13	67.33	95.24	1	1
Pen 4 Peredur.i	34.48	8.33		0	0
J119 BBeuno	0.00		80.00	1	1
J119 BDewi	0.00		60.00		
J 111 BRon	8.33	50.00	100	0	0
J 111 ChSD	38.46		100	1	1
J 111 CrT	6.52	9.09	71.43	1	2
J 111 Owein	6.57	37.50		1	1
Llst 27 BDewi	0.00		66.67	0	0
NLW 7006 BSaes	12.50	0.00	100	1	1
Most 88 BMartin	31.03	70.00	100	2	2
Most 116 BTyw	57.14	44.44			
CANOLRIF	**10.42**	**31.72**	**96.43**	**N 36**	**44**

Clwm Peredur Peniarth 7

Mae aelodaeth y clwm hwn wedi cynyddu o bedwar i un ar hugain. Er ychwanegu'n sylweddol at nifer y dangosynnau, mae yma awgrymiadau y gallai testunau unigol fod yn gwyrdroi'r duedd gyffredinol ar gyfer (Ll3 llawn).[15] Oherwydd hynny ni thrafodir y newidyn hwn ymhellach ar gyfer y clwm hwn. Ar wahân i'r (Ll3 llawn) anodd ei ddehongli, yr un tueddiadau a gyfleir gan y canolrifau isod â chan gymedrau'r model sylfaenol, sef mai testunau sy'n ffafrio GORUG yw'r rhain.

Testun	(U3 cyn)	(Ll3 cyn)	(U3 llawn)	(Ll3 llawn) gwnaethant	N
*Pen 21 BBren	2.68	5.75	0.00	3	6
*Pen 7 Peredur	4.92	11.76	0.00	0	0
*Pen 7 Siarl	2.34	12.50	8.33	1	2
*Pen 8.i Siarl	0.00	0.00	0.00	0	3
Pen 4 GWV	0.00	0.00	20.00	1	1
Pen 8.ii Siarl	0.00	0.00		0	3
Pen 7 Groglith	0.00			0	1
Pen 6.iv Gereint	4.24	14.82		0	1
Pen 14 Peredur	4.76			0	0

Testun	(U3 cyn)	(Ll3 cyn)	(U3 llawn)	(Ll3 llawn) gwnaethant	N
Pen 4 Gereint	1.40	9.09		1	2
Pen 4 KO	0.00	15.00		1	1
Pen 4 Owein	2.70	0.00		2	3
Pen 4 YBH.ii	6.83	8.16	20.00	4	4
Pen 5 TAsp	0.00	14.29		2	2
J 111 CRo	5.00	7.69		1	1
J 111 CrT (B)	3.70	0.00		0	0
J 111 Gereint	1.39	9.09		1	2
J 111 KO	10.00	11.54		2	3
J 111 Peredur.i	3.45	0.00		0	0
J 111 PSiarl	0.00	12.50	25.00	1	2
Llst 4 ChO	17.02		20.00	3	4
CANOLRIF	**2.68**	**8.63**	**14.17**	**N 23**	**41**

Mae ffigur 3 yn crynhoi tueddiadau'r tri chlwm ar gyfer y pedwar newidyn.

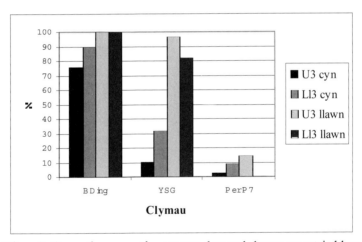

Ffigur 3: Gwnaeth a *gwnaethant* mewn dau gyd-destun yn y tri chlwm

Dehongli'r tueddiadau

Mae'r dadansoddiad wedi amlygu tri chlwm digon gwahanol eu tueddiadau:

1. BDing, sy'n tueddu i ddefnyddio *gwnaeth* a *gwnaethant* ym mhob cyd-destun;

2. YSG, sy'n ffafrio *gwnaeth* a *gwnaethant* yn ferfau llawn ond *goruc* a *gorugant* yn ferfau cynorthwyol;

3. Peredur Pen 7, sydd fel rheol yn dewis *goruc* a *gorugant* ym mhob cyd-destun.

O gofio bod testunau rhyddiaith yr Oesoedd Canol yn tueddu i arddangos nodweddion taleithiol, y mae'r wedd ddaearyddol yn amlwg ymgynnig yn ysgogiad posibl i ymbatrymu (GWNAETH). Newidyn grymus ar gyfer archwilio hynny yw (-th-), sy'n crynhoi amlygrwydd yr elfen fôn-ffurfiol /θ/ (a gynrychiolir fel rheol gan ⟨th⟩) yn ffurfiau trydydd person *gan* a *rwng* (mewn cyfresi fel *ganthaw, gantaw*; a *ryngthaw, ryngtaw, rydaw*).[16] Dyma sgorau (-th-) ar gyfer pum testun ym mhob un o'r tri chlwm (gan gynnwys yr aelodau sylfaenol):

Clwm	Testun	% (-th-)	N
BDing	BBren Pen 44	100	167
	BDing[17]	92.70	233
	YBH.i	80.95	21
	BBren J 111	0.00	86
	RhO	0.00	26
YSG	YSG	99.42	172
	BBren Llst 1	97.62	168
	BSaes Cott	90.12	81
	BRon	16.67	12
	BTyw P18	0.00	97
Per Pen7	BBren P21	100	50
	Peredur Pen 7	100	9
	Siarlymaen Pen 7	100	7
	Siarlymaen Pen 8.i	100	54
	Gereint Pen 6.iv	34.62	26

Yn ôl y dystiolaeth hon ceir testunau gogleddol a deheuol ym mhob un o'r tri chlwm. Os bu ysgogiad daearyddol i (GWNAETH), felly, nid yw (-th-) yn amlygu hynny.

Un o hynodion clwm BDing yw bod amrediad amseryddol ei aelodau'n ymestyn o un o'r testunau rhyddiaith estynedig hynaf ar glawr, sef 'Brut y Brenhinedd' Pen 44, a ysgrifennwyd tua 1250, hyd at 'Pedair Cainc' Llyfr Coch Hergest, a gopïwyd tua 1400.[18] Bu ysgrifennu testunau a oedd bron yn amddifad o GORUG, felly, yn dderbyniol ers dechrau'r traddodiad rhyddiaith. Ac fe barhaodd i fod yn dderbyniol drwy gydol yr Oesoedd Canol. Gadawyd inni ambell awgrym nad damweiniol oedd bod rhai o gopïwyr clwm BDing yn ymwrthod â GORUG. Er enghraifft, mewn un man fe ysgrifennodd copïwr 'Brut Dingestow' *a wnaeth a oruc* ac yna ddileu *a oruc*.[19] Ni allwn, wrth gwrs, wybod yr union ysgogiad i'r olyniad hwn, ond y tebygolrwydd yw ei bod yn fwriad gan yr ysgrifydd droi *goruc* ei gynsail yn *gwnaeth* ond iddo yma gopïo *a oruc* ar ôl diweddaru. Os felly, dyma dystiolaeth o'r drydedd ganrif ar ddeg y gallai ffafrio *goruc* neu *gwnaeth* fod yn ddewis bwriadus ac mai newidyn yr oeddid yn llwyr ymwybodol ohono oedd (GWNAETH).

Mae Pen 44 yn ymgorffori cliwiau cynilach sy'n awgrymu bod rhywun yn yr olyniaeth gopïo wedi tueddu i ffafrio *gwnaeth* fwyfwy wrth iddo fynd i'r afael â'i dasg: mae'r 66.67 y cant o (U3 cyn) yn y chwarter cyntaf o'r enghreifftiau yn cynyddu i 81.08 yn y chwarter olaf;[20] y mae fel pe baem yn cael cipolwg ar ymgynefino â diweddaru. Rhydd 'Rhamant Otuel' inni awgrym am wedd arall ar berfformiad y copïwr. Tua dechrau a diwedd y chwedl – sef tua dechrau'r dasg gopïo, pan fyddai'r ysgrifydd yn debygol o fod yn fwy gofalus, a diwedd y daith, pan fyddai wedi ymlacio – y daw'r unig ddwy enghraifft o *goruc* yn ferf gynorthwyol yn 'Rhamant Otuel', testun y bernir iddo gael ei drosi i'r Gymraeg ryw ganrif yn ddiweddarach na chopïo 'Brut Dingestow'.[21]

Rhyngddynt y mae Pen 44, 'Brut Dingestow' a 'Rhamant Otuel' yn tystio bod dros ganrif a hanner o ymgiprys rhwng *goruc* a *gwnaeth* yn y cyfrwng ysgrifenedig a bod carfan o gopïwyr wedi ffafrio *gwnaeth*. Dieithrio GORUG yn sgil ei cholli mewn arddulliau anffurfiol yn y gymdeithas yr oedd y copïwr yn rhan ohoni yw'r ysgogiad mwyaf tebygol i'r amrywio hwn.

Er gwaethaf parhad traddodiad GWNAETH, y mae clwm Per Pen 7 yn tystio bod ail draddodiad yn cyd-ffynnu ag ef, un a ddyrchafai GORUG. Amserwyd cyfieithu un o'r chwedlau yn y clwm hwn – 'Cronicl Turpin', yr hynaf o gylch Siarlymaen – i 'rywbryd cyn 1282', [22] sef oddeutu cyfnod llunio Pen 7, sy'n diogelu'r fersiwn hynaf o 'Peredur'; mae'r rhannau o Pen 14 sy'n cynnwys cyfieithiadau rywfaint yn hŷn na hynny. Yn ystod ail hanner y bedwaredd ganrif ar ddeg, fodd bynnag, pan aeth 'Peredur' drwy ddwylo sawl copïwr arall ar ei thaith i'r Llyfrau Gwyn a Choch,[23] cafodd cryn gyfran o'r enghreifftiau o GORUG fynd yn GWNAETH; cymharer:

Testun	(U3 cyn)	(Ll3 cyn)
Pen 7	4.92	11.76
Pen 14	4.76	–
J 111 (rhan i)	3.45	0.00
Pen 4 (rhan i)	34.48	8.33
J 111 (rhan ii)	61.05	60.00
Pen 4 (rhan ii)	66.33	64.29

O ganlyniad i'r diweddaru, mae ymbatrymu (GWNAETH) yn yr ail ran i 'Peredur' yn y Llyfrau Gwyn a Choch yn ymdebygu mwy i eiddo'r 'Pedair Cainc' a 'Breuddwyd Macsen'. Ond nid effeithiwyd ar 'Gereint' a 'Culhwch ac Olwen' yn yr un modd: diogelu'r patrwm cynharach y mae'r rhain, sy'n awgrymu nad ar hyd yr un llwybrau y trosglwyddwyd hwy.[24] Cymharer fersiynau'r Llyfr Coch:

Testun	(U3 cyn)	(Ll3 cyn)
Branwen	100	88.89
Manawydan	81.82	70.59
Math	73.17	100
Pwyll	59.46	85.71
Breuddwyd Macsen	–	75.00
Gereint	1.39	9.09
Culhwch ac Olwen	10.00	11.54

Ymddengys ar brydiau y gallai ystyriaethau arddulliol fod wedi cyflyru'r dewis rhwng *goruc* neu *gwnaeth* yn 'Culhwch ac Olwen'. Ystyrier y dyfyniad canlynol, lle y gellir tybied mai strategaeth fwriadol yw dewis *gwnaeth* a *goruc* ar yn ail (ac enghraifft o araith union y gallai ei *gwnaeth* fod yn adlewyrchu llafar y cyfnod yn rhagflaenu'r ffurf olaf):

Gyrru a **wnaeth** arthur gwrhyr gwalstawt ieithoedd. y geissaw ymadrawd ac ef. Mynet a **oruc** gwrhyr yn rith ederyn. A disgynnv a **wnaeth** vch benn y wal ef ae seithlydyn moch. A gouyn a **oruc** gwrhyr gwalstawt ieithoed idaw. Yr y gwr ath wnaeth ar y dclw honn. or gellwch dywedut. y harchaf dyuot un ohonawch y ymdidan ac arthur. Gwrtheb a **wnaeth** grugyn gwrych ereint.[25]

Ond nid yw olyniadau o'r fath yn gyffredin.

Gallai derbynioldeb GORUG mewn ysgrifen fod wedi ei gyflyru gan barhad y paradim (neu rannau ohono) ar lafar mewn rhai ardaloedd. Os felly, mae bod clwm Per Pen 7 yn cynnwys testunau deheuol a gogleddol yn awgrymu naill ai mai cilio i leiniau creiriol digyswllt a wnaeth GORUG, datblygiad cwbl bosibl,[26] neu nad oedd copïwyr a addasai ieithwedd eu cynseiliau yn ymglywed â throi GORUG yn GWNAETH. Os nad ffactorau tafodieithol a gyflyrai ddefnyddio a derbyn GORUG, rhaid mai ystyriaethau arddulliol a oedd ar waith: prinder neu hynafedd GORUG yn ysgogi dyrchafu'r paradim i'w ddefnyddio mewn rhyddiaith ffurfiol. Pe gellid profi hynny, fe ymhlygid bod rhai o ysgrifenwyr rhyddiaith y cyfnod wedi ychwanegu GORUG at eu harfogaeth ieithyddol wrth iddynt ymglywed – fel y gwnâi'r beirdd – ag angen am ieithwedd uwch-dafod-ieithol. Bid a fo am hynny, mae'n eglur nad oedd GORUG yn annerbyniol gan bawb yn y drydedd ganrif ar ddeg. Erbyn tua 1350, fodd bynnag, rhaid bod rhai yn ystyried bod y ffurfiau hyn mor hynafol fel na allent ond defnyddio GWNAETH yn eu lle. Gan hynny, ac fel yr ysgolheigion y bu ganddynt ran yng nghynhyrchu 'Brut y Brenhinedd' Pen 44 ryw ganrif a hanner ynghynt, GWNAETH oedd dewis y copïwyr rhyddfrydol hynny a fu'n copïo 'Peredur' yn ystod y bedwaredd ganrif ar ddeg.

Sut, felly, y mae rhoi cyfrif am ymbatrymu clwm YSG? O ran y cofnodion ysgrifenedig, gydag un o'r llawysgrifau hynaf – Llanstephan 1 – y mae traddodiad y clwm hwn yn dechrau. Yr un ysgrifydd a gopïodd Peniarth 44, eithr fel y gwelsom, nid copïo dwy fersiwn o 'Brut y Brenhinedd' oedd unig hynodrwydd yr ysgrifydd dienw hwn: fe atgynhyrchodd hefyd ddau o batrymau (GWNAETH). Ar ôl ei gyfnod ef fe sicrhaodd sawl cenhedlaeth o gopïwyr fod y ddau draddodiad yn cael parhau'n gyfochrog hyd at y Llyfr Coch, sy'n cynnwys enghreifftiau o'r tri thraddodiad. Ymhlith yr aelodau o glwm YSG fe geir y chwedlau brodorol 'Owain' a 'Breuddwyd Rhonabwy':

Testun	(U3 cyn)	(Ll3 cyn)
Owain	6.57	37.50
Breuddwyd Rhonabwy	8.33	50.00

Eithriadau mewn clwm o gyfieithiadau yw'r chwedlau brodorol hyn ac mae'n bosibl mai prinder data sy'n gyfrifol am eu cynnwys yma yn hytrach nag yn yr ail glwm. Er hynny, y mae safle 'Owain' (ac efallai hefyd 'Breuddwyd Rhonabwy') yng nghasgliad chwedlau brodorol y Llyfr Coch yn awgrymu bod iddo draddodiad annibynnol.[27]

Ar wahân i gynnwys canrannau uwch o GWNAETH nag a geir yng nghlwm Peredur Pen 7, prif hynodrwydd ieithyddol (GWNAETH) yng nghlwm YSG yw mai GWNAETH a ffefrir yn ferf lawn ond GORUG yn ferf gynorthwyol. Gallai gwahaniaethu swyddogaethol o'r fath ddeillio naill ai o gyfnod cynharach na thestunau 'Peredur' Pen 7, neu o ardal wahanol. Os bu'r ddwy ferf yn cystadlu â'i gilydd am gyfnod mewn arddulliau llafar, dichon mai fesul cyd-destun neu swyddogaeth y byddai GORUG wedi cilio. Os felly, nid annisgwyl fyddai cael mai'r ystyr eiregol a âi gyntaf ond i'r swyddogaeth gynorthwyol gael ei chadw'n hwy.[28] Gallai GORUG, felly, fod wedi colli ei hystyr eiregol (a ddaethai i orymylu ag eiddo GWNAETH) a throi'n ddyfais ramadegol a gyfleai'r amser gorffennol, rhif a pherson.[29] Tystir i lwyr wacáu'r ystyr gan olyniadau megis:

gwneithur a oruc gwylva yn y svlgwyn[30]

gwneuthur gwregis sidan a oruc hi[31]

Maes o law, gyda cholli GORUG yn llwyr yn y tafodieithoedd, byddai defnyddio'r paradim mewn cyd-destun fel *anoc rei oe lu a oruc y losgi Bangor*[32] nid yn unig yn ychwanegu at flas hynafol y gystrawen ond hefyd yn elfen bellach yn ei ddiffinio yn olyniad ffurfiol, uwch-dafodieithol.

Os bu colli ei hystyr semantaidd wreiddiol yn rhan o ddatblygiad GORUG, ni rwystrai hynny iddi fagu ystyr gymdeithasol. Tystir i'r datblygiad hwnnw gan glymau Peredur Pen 7 ac YSG, sy'n dangos, yng nghyd-destun clwm BDing, sut y parhaodd GORUG i fod yn nod ar arddulliau ysgrifenedig ffurfiol tan oddeutu 1350 yn y chwedlau brodorol, pryd y gwelir GORUG yn ildio i GWNAETH. Mater astrus na ddechreuir ei drafod yma yw'r seiliau llafar ac ysgrifenedig i'r fersiynau o'r chwedlau brodorol a gadwyd inni, eithr nid oes amheuaeth nad arddull ysgrifenedig carfan o gyfieithwyr (wedi ei thempru gan gopïwyr) a adlewyrchir yn y Brutiau. O ran 'Brut Dingestow', barn yr Athro Henry Lewis am y cyfieithydd oedd '[nad] ymboenai hwn i ddilyn y testun Lladin yn fanwl, ac nid ymdrafferthai i gyfieithu'n foel'.[33] Os nad nodwedd daleithiol oedd GORUG iddo ef, nod posibl arall ar grefft y cyfieithydd rhydd hwn oedd ymwrthod â'r hynafoli a gyflwynid gan GORUG a ffafrio, yn hytrach, y GWNAETH mwy uniongyrchol. Gallai cyfieithydd cydwybodol fersiwn Llst 1, ar y llaw arall, fod yn *'pedestrian'*.[34] Tybed ai elfen yng nghynhysgaeth ieithyddol y math hwn o lenor oedd mynnu cadw safon hynafol a wahaniaethai'n geidwadol rhwng swyddogaethau gwahanol i GWNAETH a GORUG? Ynteu a oedd sail dafodieithol i'r didoli?[35]

Casgliadau

Swyddogaethau'r cyfnod diweddar a adlewyrchir yn ymbatrymu GWNAETH yng nghlwm BDing a gallai rhaniad swyddogaethol YSG adlewyrchu camau yn natblygiad y berthynas rhwng GORUG a GWNAETH. Os tarddu o ddefnydd lleol a wnaeth patrwm Peredur Pen 7 hefyd, y mae'n bosibl mai GORUG a ffefrid ym mhob cyd-destun mewn rhyw ardal neu ardaloedd penodol. Eithr os felly, ni ellir eto adnabod yr ardaloedd hynny.

Os nad nodwedd leol oedd GORUG pan luniwyd rhai o'n testunau rhyddiaith, ni allai ei dyrchafu ar draul GWNAETH yn y cyfrwng ysgrifenedig ddeillio ond o ymwybod byw ag arwyddocâd arddulliol y ddau rediad ac o fwriad penodol i greu ieithwedd aruchel a ymgorfforai elfennau hynafol. Gwaddol i'r symudiad hwnnw fyddai clymau Peredur

Pen 7 ac YSG, y naill yn defnyddio GORUG ym mhob cyd-destun, a'r llall heb ddyrchafu GORUG ond pan fyddai'n ferf gynorthwyol. Ond yr oedd hefyd garfan o lenorion na fynnent arddel GORUG ac a ffafriai, yn hytrach, y GWNAETH a arferent, mae'n debyg, yn eu llafar beunyddiol.

Yn ei babandod y mae tafodieitheg hanesyddol y Gymraeg fel na allwn ond damcaniaethu am hynt GORUG yn y gymdeithas. Rhyngddynt, fodd bynnag, y mae'r tair carfan o destunau a uniaethwyd uchod yn ein harwain i dybied y gallai llenorion y cyfnod canol fod wedi meithrin barn ac athroniaeth am rai o'r elfennau ieithyddol amrywiol yn eu profiad ieithyddol. Os felly, arwydd o aeddfedrwydd arddulliol y cyfnod yw bod yr ymagweddu hwnnw wedi arwain nid yn unig at sefydlu tair safon ond hefyd at oddef a chynnal y safonau hynny.

ATODIAD I: Ffurfiau Amhersonol, U1, U2, Ll1 a Ll2

Awgrymwyd uchod y gallai'r gwahaniaeth rhwng ymbatrymu (GWNAETH) yng nghlymau YSG a Peredur Pen 7 fod wedi adlewyrchu hynt GWNAETH wrth iddi ymledu o gyd-destun i gyd-destun. Mae data'n brin ar gyfer cymharu ymbatrymu'r ffurfiau Amhersonol eithr, o'u hystyried fesul carfan, fe geir mai *gwnaethpwyt* a ddefnyddir fel rheol yn y tair. Y mae yma awgrym, felly, y gallai *gwnaethpwyt* fod wedi ymledu ynghynt na *gwnaeth*.

Berf eiregol			
Clwm	*gwnaethpwyt*	**N**	*% gwnaethpwyt*
BDing	49	49	100
YSG	80	84	95.24
Per Pen 7	20	22	90.91

Berf gynorthwyol			
Clwm	*gwnaethpwyt*	**N**	*% gwnaethpwyt*
BDing	46	48	95.83
YSG	20	26	76.92
Per Pen 7	31	40	77.50

Nid oes yr un testun sy'n cynnig enghreifftiau o *gorugawch*, a gallai absenoldeb y ffurf hon fod yn ganlyniad i'r prinder enghreifftiau: nid oes ond 13 o ddangosynnau o (GWNAETH)-Ll2 yn y corpws cyfan, a *gwnaethawch* yw pob un o'r rheini. Mae ffurfiau U1, U2 a Ll1 hwythau'n brin, fel na ellir sylwi ond ar dueddiadau. Dim ond naw testun sy'n cynnwys *gorugum, gorugost* neu *gorugam*:

Testun	*gorugum*	*gorugost*	*gorugam*	Clwm
Pen 5 EfNic		1		——
Pen 8.i Siarl		1		Per Pen 7
Pen 4 Owein	8	1	3	Per Pen 7
Pen 4 Gereint			1	Per Pen 7
J 111 KO		1		Per Pen 7
J 111 Gereint			1	Per Pen 7
J 111 BRon	1			YSG
J 111 Owein	5	1	4	YSG
Pen11 YSG		1		YSG

Nodwedd amlycaf y tabl uchod, efallai, yw na cheir *gorugum, gorugost* na *gorugam* yng nghlwm BDing er bod hwnnw'n cynnwys digon o enghreifftiau o *gwneuthum, gwnaethost* a *gwnaetham* (gw. y tabl isod). Hynodi clymau ceidwadol Peredur Pen 7 ac YSG, sef y ddau y mae *goruc* a *gorugant* yn amlwg ynddynt, felly, y mae *gorugum, gorugost* a *gorugam*. Yn ogystal â'r crebachu i'w ddosbarthiad, arwydd bellach o broses colli *gorugam* yw mai berf gynorthwyol ydyw ym mhob un o'r naw enghraifft.

Dosbarthiad gwneuthum, gwnaethost, gwnaetham a gwnaethawch

Testun	gwneuthum	gwnaethost	gwnaetham	gwnaethawch	Clwm
Pen 3 CyngCat		2			——
J 111 Lludd		1			——
Llst 27 PPad		1			——
Pen 3.ii GwPawl		1		2	——
Pen 5 EfNic		2		1	——
Pen 5 PPadrig		1			——
Pen 5 YAdda	1	2		1	——
BDing	2	2		1	BDing
J 111 KAA		1	1		BDing
J 111 Math		1		1	BDing
J 111 Peredur.ii		1			BDing
J 111 Pwyll		1	1		BDing
J 111 CRo				1	
J 111 RhO		6		2	BDing
Pen 4 Math		1		1	BDing
Pen 4 Pwyll		1	1		BDing
Pen 4 YBH.i		2			BDing
Pen 44 BBren			2		BDing
J 111 CrT (B)		1			Per Pen 7

(*GWNAETH*): *Newidyn Arddulliol yn y Cyfnod Canol*

Testun	gwneuthum	gwnaethost	gwnaetham	gwnaethawch	Clwm
J 111 Gereint	3				Per Pen 7
Pen 14 GWV	1	1			Per Pen 7
Pen 4 Gereint	3				Per Pen 7
Pen 4 Owein		1			Per Pen 7
Pen 4 YBH.ii	2				Per Pen 7
Pen 7 Siarl		1			Per Pen 7
Pen 8.i Siarl	1	2			Per Pen 7
Pen 8.ii Siarl	1	1			Per Pen 7
J 111 Owein		1			YSG
J 119 BBeuno	1				YSG
Llst 1 BBren	3	2	3		YSG
Most 88 BMartin	1			1	YSG
Pen 11 YSG	9	16	1	1	YSG
Pen 14 Prol		1			YSG
CYFANSWM	28	53	9	12	

ATODIAD II: Cymharu naratif ac araith union

Swyddogaeth berf lawn sydd i (GWNAETH)-U3 a -Ll3 fel rheol mewn araith union. Mae'r niferoedd ym mhob clwm yn fach fel na ellir tynnu casgliadau pendant. Er hynny, nid yw'r tueddiadau yn annhebyg i'r hyn sydd yn y naratif:

Clwm	ARAITH UNION			NARATIF
	gwnaeth	N	*% gwnaeth*	*% gwnaeth* (Cn)
BDing	35	38	92.11	100
YSG	29	33	87.88	83.84
Per Pen 7	18	50	36.00	14.17

Clwm	ARAITH UNION			NARATIF
	gwnaethant	N	*% gwnaethant*	*% gwnaethant* ($\bar{x}$)
BDing	7	9	77.78	100
YSG	5	6	83.33	81.82
Per Pen 7	2	6	33.33	56.10

ATODIAD III: Niferoedd y dangosynnau

Cynhwysir yma y deunyddiau crai nas dyfynnwyd eisoes. Os na fydd testun yn cynnwys yr un enghraifft o'r ffurf dan sylw nis cynhwysir yn y tablau hyn.

Y NARATIF
U3

Clwm BDing

Testun	BERF EIREGOL		BERF GYNORTHWYOL		SEF A ___	
	gwnaeth	N	*gwnaeth*	N	*gwnaeth*	N
*BDing	20	20	353	450	116	118
*Pen 44 BBren	22	23	273	374	56	57
*Pen 4 YBH.i	5	5	84	88	70	70
*J 111 BBren	9	9	86	145	14	19
*J 111 RhO	6	6	50	52	16	16
Pen 4 Branwen	1	1	11	11	4	4
Pen 4 Manawydan	0	0	20	24	8	10
Pen 4 Math	0	0	31	40	16	17
Pen 4 Peredur.ii	1	2	65	98	4	5
Pen 4 Pwyll	3	3	21	37	6	7
J 111 BMaxen	0	1	6	8	1	1
J 111 Branwen	1	1	10	11	4	4
J 111 Dares	6	6	73	74	2	2
J 111 KAA	1	1	46	69	1	1
J 111 Manawydan	0	0	18	22	8	10
J 111 Math	0	0	30	41	13	14
J 111 Peredur.ii	3	3	58	95	4	5
J 111 Pwyll	3	3	22	37	6	7

Clwm YSG

Testun	BERF EIREGOL		BERF GYNORTHWYOL		SEF A ___	
	gwnaeth	N	*gwnaeth*	N	*gwnaeth*	N
*Cott BSaes	27	28	3	79	2	4
*Llst 1 BBren	13	18	74	270	3	19
*Pen 11 YSG	15	15	35	199	3	6
Pen 17 HGVK	7	9	0	16	0	0
Pen 14 Prol	3	3	0	9	0	0
Pen 20 BY	10	10	4	14	0	0
Pen 18 BTyw	20	21	63	224	0	0
Pen 4 Peredur.i	0	0	10	29	1	4
J 119 BBeuno	4	5	0	14	4	9
J 111 BRon	0	1	2	24	1	2
J 111 ChSD	4	4	15	24	2	3
J 111 CrT	5	7	3	46	0	0
J 111 Owein	1	2	9	137	0	3
Llst 27 BDewi	4	6	0	10	3	20
NLW 7006 BSaes	13	13	4	32	0	0
Most 88 BMartin	8	8	9	29	0	0

Clwm Peredur Pen 7

	BERF EIREGOL		BERF GYNORTHWYOL		SEF A ___	
Testun	*gwnaeth*	N	*gwnaeth*	N	*gwnaeth*	N
*Pen 21 BBren	0	13	6	224	0	41
*Pen 7 Peredur	0	5	3	61	0	17
*Pen 7 Siarl	1	12	3	128	0	4
*Pen 8.i Siarl	0	13	0	161	0	4
Pen 14 GWV	1	5	0	52	0	2
Pen 8.ii Siarl	0	2	0	55	0	3
Pen 7 Groglith	0	0	0	14	0	3
Pen 6.iv Gereint	1	2	5	118	0	16
Pen 14 Peredur	0	0	1	21	0	4
Pen 4 Gereint	0	2	2	143	1	25
Pen 4 KO	1	2	0	28	1	2
Pen 4 Owein	1	1	1	44	0	3
Pen 4 YBH.ii	1	5	8	117	0	2
Pen 5 TAsp	1	1	0	8	0	0
J 111 CRo	0	1	2	40	0	1
J 111 CrT (B)	1	2	1	27	0	1
J 111 Gereint	1	3	2	144	1	24
J 111 KO	2	3	9	91	1	4
J 111 Peredur.i	0	1	1	29	0	3
J 111 PSiarl	1	4	0	25	0	0
Llst 4 ChO	1	5	8	47	1	3

Ll3: Berfau cynorthwyol

Clwm BDing

Testun	*gwnaethant*	N
*BDing	85	89
*Pen 44 BBren	91	104
*Pen 4 YBH.i	15	15
*J 111 BBren	32	34
*J 111 RhO	21	22
Pen 4 Branwen	8	9
Pen 4 Manawydan	11	15
Pen 4 Math	13	13
Pen 4 Peredur.ii	9	14
Pen 4 Pwyll	16	20
J 111 BMaxen	4	4
J 111 Branwen	8	9
J 111 Dares	26	27

Testun	*gwnaethant*	N
J 111 KAA	21	23
J 111 Manawydan	12	17
J 111 Math	13	13
J 111 Peredur.ii	9	15
J 111 Pwyll	18	21

Clwm YSG

Testun	*gwnaethant*	N
*Cott BSaes	1	35
*Llst 1 BBren	45	80
*Pen 11 YSG	28	108
Pen 17 HGVK	1	5
Pen 14 Prol	1	2
Pen 18 BTyw	68	101
Pen 4 Peredur.i	1	12
J 119 BBeuno	2	2
J 111 BRon	5	5
J 111 ChSD	1	1
J 111 CrT	0	4
J 111 Owein	9	24
Llst 27 BDewi	1	2
NLW 7006 BSaes	0	18
Most 88 BMartin	7	10

Clwm Peredur Pen 7

Testun	*gwnaethant*	N
*Pen 21 BBren	5	87
*Pen 7 Peredur	2	17
*Pen 7 Siarl	1	8
*Pen 8.i Siarl	0	39
Pen 14 GWV	0	8
Pen 8.ii Siarl	0	13
Pen 7 Groglith	0	4
Pen 6.iv Gereint	4	27
Pen 14 Peredur	0	2
Pen 4 Gereint	4	44
Pen 4 KO	3	12

(GWNAETH): Newidyn Arddulliol yn y Cyfnod Canol

Testun	*gwnaethant*	N
Pen 4 Owein	0	7
Pen 4 YBH.ii	4	49
Pen 5 TAsp	1	7
J 111 CRo	1	12
J 111 CrT (B)	0	4
J 111 Gereint	4	44
J 111 KO	3	26
J 111 Peredur.i	0	15
J 111 PSiarl	1	8
Llst 4 ChO	1	1

Amhersonol

Clwm BDing

Testun	BERF LAWN		BERF GYNORTHWYOL	
	gwnaethpwyt	N	*gwnaethpwyt*	N
*BDing	13	13	15	15
*Pen 44 BBren	12	12	10	12
*Pen 4 YBH.i	4	4	0	0
*J 111 BBren	4	4	6	6
Pen 4 Branwen	3	3	2	2
Pen 4 Math	0	0	1	1
Pen 4 Peredur.ii	0	0	1	1
Pen 4 Pwyll	2	2	2	2
J 111 BMax	3	3	0	0
J 111 Branwen	1	1	2	2
J 111 Dares	3	3	1	1
J 111 KAA	2	2	2	2
J 111 Math	0	0	1	1
J 111 Peredur.ii	0	0	1	1
J 111 Pwyll	2	2	2	2
CYFANSWM	**49**	**49**	**46**	**48**

Clwm YSG

Testun	BERF LAWN		BERF GYNORTHWYOL	
	gwnaethpwyt	N	*gwnaethpwyt*	N
*Cott BSaes	35	35	2	2
*Llst 1 BBren	6	6	3	5
*Pen 11 YSG	8	12	5	9
Pen 17 HGVK	1	1	1	1
Pen 14 Prol	1	1	0	0
Pen 20 BY	10	10	0	0
Pen 18 BTyw	6	6	3	3
J 111 ChSD	0	0	1	1
J 111 CrT	1	1	0	0
J 111 Owein	0	0	5	5
Llst 27 BDewi	2	2	0	0
NLW 7006 BSaes	8	8	0	0
Most 88 BMartin	2	2	0	0
CYFANSWM	**80**	**84**	**20**	**26**

Clwm Peredur Pen 7

Testun	BERF LAWN		BERF GYNORTHWYOL	
	gwnaethpwyt	N	*gwnaethpwyt*	N
*Pen 21 BBren	3	3	5	5
*Pen 7 Siarl	0	0	1	1
*Pen 8.i Siarl	2	3	0	0
Pen 14 GWV	5	5	1	1
Pen 7 Groglith	0	0	1	1
Pen 6.iv Gereint	1	1	2	2
Pen 14 Peredur	0	0	2	2
Pen 4 Gereint	1	1	3	3
Pen 4 KO	0	1	1	6
Pen 4 Owein	0	0	2	2
Pen 4 YBH.ii	1	1	0	2
J 111 CRo	1	1	0	0
J 111 CrT (B)	0	0	1	1
J 111 Gereint	2	2	4	4
J 111 KO	2	2	6	8
J 111 Peredur.i	0	0	1	1
J 111 PSiarl	1	1	0	0
Llst 4 ChO	1	1	1	1
CYFANSWM	**20**	**22**	**31**	**40**

ATODIAD IV: Y testunau cyhoeddedig[36]

BYRFODD	TESTUN
BDing	Henry Lewis, *Brut Dingestow* (Caerdydd, 1942).
Cott BSaes	Thomas Jones, *Brenhinedd y Saesson* (Cardiff, 1971).
J 111 BBren	John Rhŷs and J. Gwenogvryn Evans, *The Text of the Bruts from the Red Book of Hergest* (Oxford, 1890), 40–92.
J 111 BMax	Ifor Williams, *Breuddwyd Maxen* (Bangor, 1920).
J 111 Branwen	John Rhŷs and J. Gwenogvryn Evans, *The Text of the Mabinogion . . . from the Red Book of Hergest* (Oxford, 1887), 26–43.
J 111 BRon	Melville Richards, *Breudwyt Ronabwy* (Caerdydd, 1948).
J 111 ChSD	Henry Lewis, *Chwedleu Seith Doethon Rufein* (Caerdydd, 1925).
J 111 CRo	Stephen J. Williams, *Ystorya de Carolo Magno* (Caerdydd, 1968), 113–53.
J 111 CrT	Stephen J. Williams, *Ystorya de Carolo Magno* (Caerdydd, 1968), 1–41.
J 111 CrT (B)	Stephen J. Williams, *Ystorya de Carolo Magno* (Caerdydd, 1968), 155–78.
J 111 Dares	John Rhŷs and J. Gwenogvryn Evans, *The Text of the Bruts from the Red Book of Hergest* (Oxford, 1890), 1–39.
J 111 Gereint	John Rhŷs and J. Gwenogvryn Evans, *The Text of the Mabinogion . . . from the Red Book of Hergest* (Oxford, 1887), 244–95.
J 111 KAA	Patricia Williams, *Kedymdeithyas Amlyn ac Amic* (Caerdydd, 1982).
J 111 KO	John Rhŷs and J. Gwenogvryn Evans, *The Text of the Mabinogion . . . from the Red Book of Hergest* (Oxford, 1887), 100–43.
J 111 Manawydan	John Rhŷs and J. Gwenogvryn Evans, *The Text of the Mabinogion . . . from the Red Book of Hergest* (Oxford, 1887), 44–58.
J 111 Math	John Rhŷs and J. Gwenogvryn Evans, *The Text of the Mabinogion . . . from the Red Book of Hergest* (Oxford, 1887), 59–81.
J 111 Owein	John Rhŷs and J. Gwenogvryn Evans, *The Text of the Mabinogion . . . from the Red Book of Hergest* (Oxford, 1887), 162–92.
J 111 Peredur	John Rhŷs and J. Gwenogvryn Evans, *The Text of the Mabinogion . . . from the Red Book of Hergest* (Oxford, 1887), 193–243.
J 111 PSiarl	Stephen J. Williams, *Ystorya de Carolo Magno* (Caerdydd, 1968), 179–204.
J 111 Pwyll	John Rhŷs and J. Gwenogvryn Evans, *The Text of the*

	Mabinogion . . . from the Red Book of Hergest (Oxford, 1887), 1–25.
J 111 RhO	Stephen J. Williams, *Ystorya de Carolo Magno* (Caerdydd, 1968), 43–111.
J 119 BBeuno	John Morris Jones and John Rhŷs, *The Elucidarium and Other Tracts in Welsh from Llyvyr Agkyr Llandewivrevi* (Oxford, 1894), 119–27.
J 119 BDewi	D. Simon Evans, *The Welsh Life of St David* (Cardiff, 1988).
NLW 7006 BSaes	Thomas Jones, *Brenhinedd y Saesson* (Cardiff, 1971).
Llst 27 BDewi	D. Simon Evans, *Buched Dewi* (Caerdydd, 1965).
Llst 4 ChO	Ifor Williams, *Chwedlau Odo* (Wrecsam, 1926).
Most 116 BTyw	Thomas Jones, *Brut y Tywysogyon* (Cardiff, 1955).
Most 88 BMartin	Evan John Jones, *Buchedd Sant Martin* (Caerdydd, 1945).
Pen 11 YSG	Thomas Jones, *Ystoryaeu Seint Greal* (Caerdydd, 1992).
Pen 14 Per	J. Gwenogvryn Evans, *The White Book Mabinogion* (Pwllheli, 1907), 286–90.
Pen 17 HGVK	D. Simon Evans, *Historia Gruffud vab Kenan* (Caerdydd, 1977).
Pen 18 BTyw	Thomas Jones, *Brut y Tywysogyon* (Cardiff, 1955).
Pen 20 BY	Thomas Jones, *Y Bibyl Ynghymraec* (Caerdydd, 1940).
Pen 4 Branwen	Ifor Williams, *Pedeir Keinc y Mabinogi* (Caerdydd, 1951), 29–48.
Pen 4 Gereint	J. Gwenogvryn Evans, *The White Book Mabinogion* (Pwllheli, 1907), 193–226.
Pen 4 GWV	Gwenan Jones, 'Gwyrthyeu y Wynvydedic Veir', B, 9 (1939), 144–8, 334–41; 10 (1941), 21–33.
Pen 4 KO	J. Gwenogvryn Evans, *The White Book Mabinogion* (Pwllheli, 1907), 226–54.
Pen 4 Manawydan	Ifor Williams, *Pedeir Keinc y Mabinogi* (Caerdydd, 1951), 49–65.
Pen 4 Math	Ifor Williams, *Pedeir Keinc y Mabinogi* (Caerdydd, 1951), 67–92.
Pen 4 Owein	J. Gwenogvryn Evans, *The White Book Mabinogion* (Pwllheli, 1907), 112–31.
Pen 4 Peredur	J. Gwenogvryn Evans, *The White Book Mabinogion* (Pwllheli, 1907), 59–89.
Pen 4 Pwyll	Ifor Williams, *Pedeir Keinc y Mabinogi* (Caerdydd, 1951), 1–27.
Pen 4 YBH	Morgan Watkin, *Ystorya Bown de Hamtwn* (Caerdydd, 1958).
Pen 5 TAsp	J. E. Caerwyn Williams, 'Ystorya Titus Aspassianus', B, 9 (1939), 221–30.
Pen 7 Peredur	J. Gwenogvryn Evans, *The White Book Mabinogion* (Pwllheli, 1907), 291–312.

Nodiadau

[1] Ceir rhestr lawnach yn GMW 130, §141. Amrywion nas nodir yno yw U2 ⟨gwneithost⟩ 'Pererindod Siarlymaen' Pen 8.i 34.12, 62.3; PerSiarl Pen 8.ii, 31.23; a ⟨gwnaethyost⟩, er enghraifft YSG llau. 844, 883, 1401, 2117, a Llst 3 ⟨gwnaethyant⟩, er enghraifft YSG llau. 31, 56, 59, sy'n gynnyrch gor-ffurfioli.

[2] O olygiad Jarman (LlDC), y daw'r dyfyniadau.

[3] Nid yw'n fwriad yn y bennod hon ystyried semanteg y gystrawen nac ychwaith y berthynas rhyngddi hi a berfau Gorffennol syml.

[4] Casgliad Brynley F. Roberts, *Brut y Brenhinedd* (Dublin, 1971), xxxvii, yw bod yr ysgrifydd wedi cywiro ei waith drwy ei gymharu â'i gynsail a bod y camgymeriadau a erys yn profi nad ef oedd y cyfieithydd.

[5] MWM 58.

[6] Roberts, *Brut y Brenhinedd*, xxix.

[7] Testunau a drawsgrifiwyd ar gyfer prosiect Hanes Datblygiad yr Iaith y Bwrdd Gwybodau Celtaidd yw rhai o'r rhain. 'Rwy'n dra diolchgar i Patrick Sims-Williams, cadeirydd y panel llywio, am ganiatáu imi ddefnyddio'r ffynhonnell hon ac i Mark Smith am ei hynawsedd yn darparu copïau. Dylid nodi nad yw'r testunau hyn wedi eu golygu'n derfynol a'i bod yn bosibl gan hynny na chodwyd pob enghraifft ohonynt. Ond, os felly, y mae'n annhebygol iawn y byddai ychwanegu enghraifft neu ddwy at y cyfanswm yn gwyrdroi canlyniadau'r dadansoddi.

[8] Mae 'Ffordd y Brawd Odrig' yn eithriad i'r patrwm arferol am mai yn y person cyntaf unigol y'i hysgrifennwyd. Oherwydd hynny, nis cynhwyswyd yn y dadansoddiad hwn.

[9] Cofnodir ffynonellau'r testunau hyn a'r rhai eraill isod yn Atodiad IV (tt. 277–8).

[10] Nid ystyriwyd ond dechrau'r testun hwn, sef RBB 40–92.

[11] Nid yw'r rhaniad hwn yn gwyro ond y mymryn lleiaf oddi wrth yr hyn a welodd Morgan Watkin, YBH cxxviii.

[12] Ymhlith y testunau nad ydynt yn cynnig digon o ddata i'w dosbarthu y mae'r llyfrau cyfraith. At ei gilydd, y mae'r rhain yn ddigon anhynod o ran (GWNAETH), ond nid dibwys, efallai, yw mai *gwnaeth* a geir ym mron iawn pob enghraifft, awgrym fod diweddaru i'w hieithwedd yn ogystal ag i'w cynnwys. Ond y mae un eithriad: mae rhan o Lyfr Cynog yn cynnwys tair enghraifft o *goruc*, ateg ieithyddol i farn y golygydd y gallai'r sawl a luniodd y llawysgrif fod wedi ymgorffori copi o Lyfr Cynghawsedd yn y testun; gw. Aled Rhys Wiliam, *Llyfr Cynog* (Aberystwyth, 1990), xii.

[13] Dangoswyd yn Peter Wynn Thomas, 'Cydberthynas y Pedair Fersiwn Ganoloesol', yn Sioned Davies a Peter Wynn Thomas, *Canhwyll Marchogyon: Cyd-destunoli 'Peredur'* (Caerdydd, 2000), 10–43, fod 'Peredur' yn ymrannu'n ieithyddol yn ddwy ran. Ateg i'r casgliad hwnnw yw bod yr ail rannau o'r chwedl yn fersiynau'r Llyfrau Gwyn a Choch wedi eu dosbarthu i'r un clwm yn y dadansoddiad presennol. Nid annisgwyl ychwaith yw bod y rhannau cyntaf yn cael mynd i glymau gwahanol: y rhan gyntaf o fersiwn y Llyfr Gwyn i'r ail glwm a'r rhan gyfatebol o fersiwn y Llyfr Coch i'r trydydd (gweler isod).

[14] Arwyddo aelodau gwreiddiol y clwm y mae * yma ac isod.

[15] Yn fwyaf penodol, ceir tair enghraifft o *gorugant* yn y naill a'r llall o'r fersiynau cynnar o Chwedlau Siarlymaen, ond pedair enghraifft o *gwnaethant* yn yr ail ran i 'Ystorya Bown de Hamtwn'.

[16] Trafodir y newidyn hwn yn Peter Wynn Thomas, 'Middle Welsh Dialects, Problems and Perspectives', B, 40 (1993), 17–50.

[17] Rhag cymhlethu'r drafodaeth fe gynhwysir yma bob enghraifft o (-th-) er y gallai ⟨t⟩ rhai o'r dangosynnau gynrychioli /θ/; gw. Henry Lewis, *Brut Dingestow* (Caerdydd, 1942), xxxiv, a Paul Russell, 'What Did Medieval Welsh Scribes Do? The Scribe of the Dingestow Court Manuscript', CMCS, 37 (Summer, 1999), 79–96.

[18] Y dyddiadau a gynigir gan Daniel Huws, MWM, a ddyfynnir yma ac isod.

[19] Lewis, *Brut Dingestow*, 141, ll. 4 a n.1.

[20] Mae'r canrannau'n cynrychioli 74 o'r 111 enghraifft gyntaf, a 90 o'r 111 olaf heb ystyried swyddogaeth na chyd-destun y berfau.

[21] Ar ôl 1282 (pan gyfieithwyd 'Cân Rolant') a chyn 1336 y troswyd 'Rhamant Otuel', ym marn Stephen J. Williams, YCM xxxi, xxxiv.

[22] YCM xxxi.

[23] Thomas, 'Middle Welsh Dialects'.

[24] Cf. Peter Wynn Thomas, *Peredur: Golygiad Lleiafol* (Caerdydd, 2000), 2. Yn wahanol i 'Peredur', prin y bu newid i (GWNAETH) yn 'Gereint': mae'r proffil rhannol ar gyfer fersiwn Pen 6.iv (o hanner cyntaf y bedwaredd ganrif ar ddeg) yn cynnwys (U3 cyn): 4.24 y cant; (Ll3 cyn): 14.82 y cant. Mae ymbatrymu (GWNAETH) yn 'Owein' hefyd yn awgrymog. Gan mai cyfran isel o GORUG sydd yn fersiwn y Llyfr Gwyn, y mae'n clymu â 'Gereint' (sydd yn ei ragflaenu yn y llawysgrif). Oherwydd natur y data, rhaid trafod fersiwn y Llyfr Coch yn fwy gofalus ond parodd amlygrwydd cymharol GWNAETH ynddo mai â'r ail glwm yr ymunodd hwn.

[25] RM 137. Mae hefyd sawl enghraifft yn 'Brut Dingestow' o *goruc* a *gwnaeth* yn digwydd ar yn ail, er enghraifft 3.12–13, 5.15–16, 50.24–6.

[26] Cymharer cilio *chwyd* i ddwyrain Morgannwg a Cheredigion, ac ynysu *iorwg*, sy'n gyffredin yn y De, i gyffiniau dyffryn Conwy yn y Gogledd; gweler Alan R. Thomas, *A Linguistic Geography of Wales* (Cardiff, 1973), Fig. 88, 108.

[27] Thomas, *Peredur*, 2.

[28] Cf. Anna Giacalone Ramat, 'On Some Grammaticalization Patterns for Auxiliaries', yn John Charles Smith and Delia Bentley (eds), *Historical Linguistics 1995, Volume 1: General Issues and Non-Germanic Languages* (Amsterdam, 1998), 125–54.

[29] Os bu GORUG ar lafar drwy Gymru benbaladr, nid annisgwyl fyddai cael na chiliodd y paradim yn yr un modd ym mhob ardal. At hynny, nid rhaid mai mewn unrhyw ardal benodol y cododd y gystrawen gwmpasog dan sylw. Erbyn y cyfnod diweddar, gall olyniadau fel *gwnaeth Ieuan ganu* ddigwydd yn llafar pob ardal.

[30] BBren, Pen 21, ff. 17r, ll. 23.

[31] YBH llau. 1042–3.

[32] BTyw 190.33.

[33] Lewis, *Brut Dingestow*, xxiv.

[34] Roberts, *Brut y Brenhinedd*, xxxii.

[35] Mynnai William Owen [Pughe], 'Letter from Mr Owen . . .', Appendix 1, 405–10, yn William Coxe, *An Historical Tour in Monmouthshire* (London, 1801), 407, mai ffurf y Wenhwyseg oedd ⟨a orug⟩, a'i bod yn cyferbynnu ag ⟨a wnaeth⟩ y Wyndodeg. Ategwyd y farn hon, efallai dan ddylanwad Pughe, gan John Hughes, *An Essay on the Ancient and Present State of the Welsh Language . . .* (London, 1822), 37, a nododd mai ffurf 'Sil[urian]' oedd ⟨oryg⟩. Os oedd sail i'r honiadau hyn, gellid disgwyl y byddai Iolo Morganwg – a gopïodd lythyr Pughe (Richard Crowe, 'Diddordebau Ieithyddol Iolo Morganwg', Traethawd Ph.D. Prifysgol Cymru, Aberystwyth, 1988, 199) – wedi crybwyll y mater hefyd. Ond os gwnaeth, ni chyfeirir at hynny gan Crowe.

[36] Testunau a drawsgrifiwyd ar gyfer prosiect Hanes Datblygiad yr Iaith y Bwrdd Gwybodau Celtaidd yw'r rhai nas cynhwysir yn y rhestr hon.

12

Rhai Fformiwlâu Cypladol at Enwi Pobl

PROINSIAS MAC CANA

Fy mwriad wrth lunio'r cyfraniad bach hwn i goffadwriaeth yr Athro Caerwyn Williams ydyw sylwi yn bennaf ar frawddegau cypladol lle y ceir enw priod yn draethiad ac yn arbennig ar y rheini sydd â rhagenw person cyntaf neu ail yn oddrych. Mae'n wir fod hyn yn golygu ymgyfyngu i rychwant go gul o gystrawen gyffredinol y cyplad mewn Hen Gymraeg a Chymraeg Canol, ond er hynny mae'n cynnwys amryw weddau diddorol ar y pwnc sydd o bosibl yn haeddu ychydig sylw ar wahân. Fel y gellid disgwyl o gofio'r berthynas agos rhwng y Gymraeg a'r Wyddeleg, ceir ffurfiannau cyffelyb i rai ohonynt yn nefnydd y cyplad yn yr Wyddeleg hefyd, a gellid meddwl y byddai'n ddefnyddiol ystyried y rhain ochr yn ochr â'r dystiolaeth Gymraeg. Wrth ddewis, felly, gallaf apelio at esiampl Caerwyn Williams ei hun a arferai'r dull cymharol gyda llwyddiant nodedig drwy gydol ei yrfa ysgolheigaidd.

Mae'r mwyafrif o'r enghreifftau a ddyfynnir yma yn digwydd mewn cyd-destunau naratif lle y mae cymeriadau dieithr i'w gilydd yn cyfarfod ac yn cyfarch y naill a'r llall; ceir eraill mewn ymgomiau cydgyfarch rhwng cymeriadau rhai o'r hen gerddi telynegol neu ynteu yma a thraw yng ngherddi mawl y Gogynfeirdd a'r Cywyddwyr. Mae eu swyddogaeth yn syml iawn: sef datgan pwy yw'r goddrych (rhagenwol) drwy roi ei enw priod yn draethiad. Wrth gwrs mae'r ffordd y mae pobl yn ymddatgelu i eraill yn gallu amrywio dipyn yn ôl cyd-destun yr achlysur a lefel gymdeithasol y gyfathrach sydd yn gyffredin i'r cymeriadau, a'r tebyg yw i hyn fod yr un mor wir yn yr Oesoedd Canol ag ydyw heddiw. Ond â'r corpws llenyddol y mae a wnelom yma ac yno y mae'n weddol glir fod y geiriau a arferai'r cymeriadau wrth gyfarfod a chyfarch ei gilydd yn tueddu i fod nid yn unig yn ffurfiol ond hefyd yn fformiwläig. Yn ddigon mynych wrth gwrs, mewn naratif canoloesol fel ym mywyd beunyddiol ein hoes ni, yr ateb a gaiff y cwestiwn pwy yw rhywun yw'r enw personol heb ddim cyd-destun cypladol, fel a geir pan ofyn Arthur i Gulhwch pwy ydyw:

(1) *'Dywet pwy wyt.' 'Dywedaf. Kulhwch mab Kilyd mab Kyledon Wledic o Oleudyt merch Anlawd Wleddic, uy mam.'* CO 167–9.

(2) *'Eneit,'* heb hi, *' pwy wyt titheu?' 'Peredur vab Efrawc o'r Gogled.'* HPE 28.7–8.

Eithr i ddiben y llith hwn unig ffocws ein diddordeb fydd yr enghreifftiau lle y mae'r goddrych a'r traethiad wedi eu cydio wrth y cyplad, boed hwnnw wedi ei fynegi neu beidio. Mae'r enghreifftiau a ddyfynnir yma wedi eu dosbarthu yn fras yn ôl lleoliad y cyplad:

(3) *Kyndelw wyf, kynhelwaf o vreint* CBT III, 3.80. Diweddariad golygyddol: 'Cynddelw wyf, hawliaf [nawdd] trwy fraint . . .'[1]

(4) *Taliessin viw inhev* 'I am Taliesin' EWSP 464 §9, 508.

Wrth reswm ni ellid disgwyl cymaint â hynny o enghreifftiau perthnasol mewn testunau barddol, a'r gwir yw mai yn y testunau rhyddiaith, ac yn enwedig mewn testunau naratif, y digwydd trwch yr enghreifftiau sydd gennyf:

(5) *'Custenhin Amhynwyedic vyf i'* (v.l. *Custennin yn gelwir uab dyfnedic* (RM)) CO 435.

(6) *'Ac a dywedy ymi pwy wyt?' 'Dywedaf, Arglwyd,'* heb hi. *'Riannon, uerch Heueyd Hen, wyf i.'* PKM 12.23.

(7) *'Dioer,'* heb hi, *'Lunet wyf i.'* Owein 685.

(8) *Ac ynteu a dywawt mae Lawnslot oed, a mab y vrenin Bann o Vannot* YSG 1366. Sylwer mai traethiad amhendant a geir yn ail gymal y frawddeg hon, sydd wrth gwrs yn gydradd â'r cyntaf. Yn y cyd-destun ystyr y cymal cyntaf yw, 'And he said that he was Lancelot', ond o safbwynt y gystrawen gallai hefyd olygu 'And he said that he [also] was a Lancelot'.

(9) *'Panyt Lawnslot wyt ti?'* YSG 2583.

(10) *'Ac yr Duw dywet ym pa un wyt . . .' 'Lawnslot dy Lac,'* heb ef, *'wyf i.'* YSG 5083–4.

Nid yw trefn y geiriau yn y fath frawddegau – traethiad + cyplad – yn gwahaniaethu rhwng traethiadau pendant ac amhendant, er enghraifft rhwng

(11) *'Arawn urenhin Annwuyn wyf i'*, PKM 2.26. 'I am Arawn king of Annwn', a

(12) *'Brenhin corunawc wyf i'*, PKM 2.23. 'I am a crowned king'.[2] Arferir y drefn hon yn gyffredin iawn mewn Cymraeg Canol mewn brawddegau cypladol gydag enw priod yn draethiad, ond nid yn ddieithriad o bell ffordd, ac mae'n glir fod dau ddull amrywiol yn cydfodoli i fynegi pwy yw rhywun o dan ei enw priod. Bydd ychydig enghreifftiau o 'Ystorya Gereint uab Erbin' yn help i egluro'r pwynt:

(13) *'Och, Ereint,'* heb ef, *'ae tidi yssyd yma?' 'Nac wyf Ereint i,'* heb ef YGE 1171–2. '"Alas, Geraint," said he, "is it you who are here?" "I am not Geraint," said he.' Yma mae cystrawen y cymal atebol yn amhendant (mewn

cyferbyniad â *'Na, nit mi [yw] Gereint'*, ateb a fyddai'n cyd-fynd â'r cwes-
tiwn). Mewn enghraifft arall mae'r drefn yn y cwestiwn ac yn yr ateb yn cyfleu
pwys semantig, ond bod y naill a'r llall yn anghyson â'i gilydd yn hyn o beth:

(14) *A gouyn a oruc idaw, 'Ae Edern uab Nud vyt ti?' 'Mi, arglwyd,' heb
ynteu* YGE 471–2.

Defnyddir y cyplad gofynnol *ae* i ragosod *Edern uab Nud* fel traethiad,
ac y mae hyn yn rhagdybied yr ateb cadarnhaol *'Ie, arglwyd'*, ond yn lle
hynny yr hyn a gawn yn ateb adleisiol yw'r rhagenw person cyntaf *Mi*.
Buasai hyn wrth gwrs yn ateb rheolaidd i'r cwestiwn *Ae tidi (yw) Edern
uab Nud?* Mae'r un fath o amrywiad cystrawennol i'w weld mewn dwy
enghraifft arall eithaf tebyg i'w gilydd:

(15) *'Paham y gwdosti, wrach, **mae Peredur wyf i**'* HPE 30.5 (nid *mae fi
yw Peredur*). 'How do you know, old woman, that I am Peredur?'

(16) *'mi a gredwn ac a dywedwn **y taw ti oed Bown.**' 'Na vi,' heb ynteu.*
YBH, 24.1541–3. ' "I would believe and say that you were Bown." "No,"
said he.'

Mae'r amrywiaeth hwn fel petai yn adlewyrchu rhyw elfen o ansicrwydd
ynglŷn â pha un yw ffurf gystrawennol gywir brawddegau cyduniol yn
cynnwys enwau priod. Mae trefn bendant yr ateb adleisiol yn (16) i'w
gweld eto yn 'Gereint':

(17) *'A phwy vyt titheu?' heb ef. '**Mi Ereint uab Erbin**; a manac ditheu pwy
vyt.' '**Mi Edern uab Nud**'* YGE 337–9. '. . . "Fi yw Geraint fab Erbin; a
dywed tithau pwy wyt." "Fi yw Edern fab Nudd." '

(18) *'Och, Dyw,' heb ynteu, 'ae Gereint yw ef?' 'Ie, y rof a Dyw. A ffwy vyt
titheu?' '**Mi y Brenin Bychan**,' heb ynteu* YGE 1324–6. ' "Alas, God," he
replied, "is this Geraint?" "Yes, between me and God. And who are you?"
"I am the Little King," he said.' Sylwer ar y tebygrwydd rhwng (17) a (18):
ceir traethiadau pendant yn atebion y ddau, un ag enw priod, a'r llall ag
enw cyffredin pendant.

Gwelir fersiwn llawn y ffurf bendant ar gwestiwn ac ateb yn yr *englynion*
yn ymwneud â'r cymeriad chwedlonol o'r enw Ysgolan:

(19) *. . . ae ti yscolan./ Mi iscolan yscolheic* EWSP 465 §§1 a 2. '. . . are
you Ysgolan?'/ 'I am Ysgolan the clerk'.

Digwydd yr un gystrawen, er nad ydyw yn rhith cwestiwn ac ateb, yn yr
ymgom rhwng Gwyn ap Nudd a Gwyddno Garanhir:

(20) *Canis ti guin gur kiwir.*

Racod ny ry imgelir.

Minnev guitnev garanhir. EWSP 461 §7. 'Since you, Gwyn, are a true
warrior,/ I will not conceal myself from you:/ I am Gwyddno Garanhir'
(cyfieithiad y golygydd).

Mae yna enghraifft glir o'r drefn bendant rhagenw + enw priod yn y
drydedd linell a byddwn yn tueddu i'w gweld yn y llinell gyntaf hefyd a'i

chyfieithu fel 'Since you are Gwyn, a true warrior'; o ran y gystrawen mae'n cydweddu â'r llinell a briodolir i Daliesin yn y Llyfr Du:

(21) *Can ys mi myrtin guydi. Taliessin* 'Since I am Myrddin after (/in the mode of) Taliesin'.[3] Byddai deall y testun fel hyn yn osgoi problem cysoni'r cyfieithiad golygyddol â chystrawen y llinell fel y saif. Byddai hefyd yn dod ag elfen o wrthgyferbyniad i mewn a gyfiawnhâi ddefnydd y rhagenw cysylltiol *minnev* yn y drydedd linell. Yn hanfodol yr un ydyw â'r strwythur cypladol yn y llinell enwog o'r 'Gododdin':

(22) *mi na vi Aneirin . . .* CA 348. 'I am Aneirin and yet I am not', a daw i'r golwg eto ar wedd fwy uniongyrchol mewn llinellau o waith Llywarch ap Llywelyn a Meilyr Brydydd:

(23) *Mi Lywarch, titheu Lywelyn* CBT V, 19.12.

(24) *Mi Veilyr Brydyt, beryerin i Bedyr* CBT I, 4.25.

Y drefn bendant sydd gan y ddau fardd yn y fan yma, tra mai'r amrywiad amhenodol a ddewisodd Cynddelw yn (3), *Kyndelw wyf.* Mae'n wir fod golygyddion y gerdd wedi rhoi coma ar ôl *Mi* yn (24) a'u bod yn diweddaru'r llinell fel 'Myfi, Meilyr Brydydd, pererin i Bedr', efallai oherwydd treiglad yr enw *Meilyr*, ond, fel y dengys (17), gellid treiglo'r traethiad mewn ymadroddion o'r fath.[4] Mae'r un drefn bendant i'w gweld yn y glosau, gyda'r cyplad *is* a'r cyplad ø:

(25) *Is mi Christus* Glosau Juvencus,[5] yn glosio *Quem; nobis . . . que.*

(26) *mi philologia* Glosau Martianus Capella,[6] yn glosio *voco.*

Os derbynnir bod y detholiad o eitemau a ddyfynnwyd hyd yn hyn yn ddigon i ddangos bod dwy ffurf wahanol i'r frawddeg gyduniol gypladol gydag enw priod yn y cyfnod canol heb fawr o wahaniaeth semantegol rhyngddynt yn ôl pob golwg, mae'n werth nodi yr un pryd nad ffenomen mohoni sydd yn neilltuol i'r Gymraeg. Yn wir nid yw ond un achos ymysg llu lle y mae cystrawennau cytras y Gymraeg a'r Wyddeleg wedi cynhyrchu ffurfiannau tra chyffelyb. Mewn Gwyddeleg Diweddar gwelir gwahaniaethu rhwng y teip a elwir yn frawddeg ddosbarthiadol weithiau, er enghraifft:

(27) *Is fear mé* 'dyn ydwyf' (cyplad + traethiad + goddrych rhagenwol), a'r teip cyduniol, er enghraifft:

(28) *Is mé (/mise) Seán Ó Domhnaill* (cyplad + rhagenw + enw priod), air am air 'fi (yw) Seán Ó Domhnaill';
y naill (28) gyda'r rhagenw yn union ar ôl cyplad onid cyplad ø ydyw, y llall (27) gyda'r rhagenw yn olaf i gyd. Mewn Gwyddeleg Canol ar y llaw arall defnyddir y ddwy gystrawen fel ei gilydd mewn brawddegau cyduniol gydag enwau priod yn draethiad. Mae teip (28) i'w weld yn eithaf cyffredin mewn brawddegau uniaethol:

(29) *'Coich thussa?' ol íat. '***Messe Óengus mac Áeda Abrat***', ol sé* (gyda chyplad ø) *Serglige Con Culainn,* 119.[7] ' "Who are you?" ' they said. "I am Óengus son of Áed Abrat," said he.'

(30) *'da madh missi Mac Endge is amlaidh rorinnfaind'* *Ériu* 5 (1911), 72. 'If I were Mac Endge, it is thus I should engrave.'

(31) *inn í Brigit buadach?* LL 38805 (*Bórama*). 'Will it be (/is it) victorious Brigit?' (*inn* y geiryn gofynnol + cyplad).

Ymddengys, sut bynnag, fod y teip â'r rhagenw yn y safle flaen yn llawer llai cyffredin na'r drefn arall. Er enghraifft y testun Gwyddeleg sydd yn cynnig y ffynhonnell gyfoethocaf o frawddegau cyduniol yn cynnwys enwau priod yw'r ffrâm-chwedl gynhwysfawr *Acallam na Senórach* 'Ymddiddan yr Hynafgwyr' a ddyddir tua diwedd y ddeuddegfed ganrif, ac yn sicr fe welwn yno nifer o enghreifftiau o'r drefn 'bendant':

(32) *Ocus do fiarfaig iarsin cuich in macaemh. 'As misi Finn mac Cumaill',* *ar in macaemh* Acall. 1686–8. 'Ac yna gofynnodd pwy oedd yr arwr, "I am Finn mac Cumhaill," said the warrior".'

(33) *'Andar lemsa . . . is tu Cailti mac Ronain' . . . 's fír cora mé'* Acall. 4208. ' "I believe that you are Caílte mac Rónáin" . . . "Indeed I am" ' (yn llythrennol 'it is true that it is me (who is C. mac R)').

Ond lleiafrif yw'r cyfryw enghreifftiau ac nid oes dim amheuaeth nad yw'r mwyafrif mawr o'r brawddegau cyduniol yn y testun yn dangos y drefn amhendant â'r rhagenw ar y diwedd, er enghraifft:

(34) *'Cia thusa, a ingen,'* ar Patraic. *'Edain foiltfinn ingen Baedain misi'* ar si Acall. 3705–6. ' "Who are you, young woman?" said Patrick. "I am fair-haired Édaín daughter of Baedán," she said.'

(35) *'Bran mac Derg mhisi',* ar in t-óglach Acall. 877. ' "I am Bran son of Derg," said the warrior.'

(36) *'Aillenn Ilchrothach missi',* ar in ingen Acall. 6369. ' "I am Aillenn Ilchrothach," said the girl.'

Ond er mor gyffredin oedd y teip gyda rhagenw terfynol yn *Acallam na Senórach* ac mewn testunau Gwyddeleg Canol eraill, mae lle i gredu mai datblygiad diweddarach ydyw yn yr iaith. Mewn brawddeg yn cynnwys goddrych rhagenwol ac enw amhendant neu ansoddair yn draethiad, y ffurf a arferid mewn Hen Wyddeleg oedd cyplad personol + traethiad:

(37) *at fechem dom* Wb. 32a21. 'dyledwr wyt imi'.

(38) *is cele dæ in fer hisin* Ml. 30c3. 'mae'r dyn hwnnw yn was i Dduw'.

(39) *am senóir 7 am lobur* Tripartite Life of Patrick.[8] 'rwyf yn hen ac yn eiddil'.

(40) *ammi irlaim* Wb. 4b21. 'yr ydym yn barod'.

Yr oedd y trydydd person wedi mynd yn amhersonol, felly *is fer* 'it is a man', ond gellid ei bersonoli drwy ychwanegu'r ôl-ddodiad pwysleisiol: *is fer-som* 'he is a man'. Gwelir ffurfiant newydd erbyn y ddegfed ganrif fodd bynnag. Yn y testun mydryddol hir *Saltair na Rann* 'Sallwyr y Penillion' ceir ymadroddion fel:

(41) *bráthir sinn* 3493 'brodyr ydym/ 'rydym yn frodyr' (am Hen Wyddeleg *ammi bráthir*), a

(42) *ecoitchinn eat* 5517 'y maent yn dueddol i . . . ' (am Hen Wyddeleg *it écoitchinn (-seom)* sydd â'r drefn (cyplad) + enw amhendant neu ansoddair yn draethiad + goddrych rhagenwol).[9] Yr awgrym yw bod y teip hwn wedi ei lunio ar batrwm ymadroddion fel

(43) *is fer Fland* 'gŵr yw Fland'

drwy ddefnyddio rhagenw personol cyfaddas yn lle'r enw ar y diwedd.[10] Felly troir *is fer-som* 'he is a man' yn *is fer é*. Arwyddocâd hyn i gyd yn y cyd-destun presennol ydyw bod y teip o frawddeg gyduniol a gynrychiolir gan (34)–(36), (cyplad) + enw priod + rhagenw personol, wedi ei batrymu ar frawddegau tebyg i *(is) bráthir mé/messe* 'brawd ydwyf' (fel (41) lle y mae enw amhendant yn draethiad).

Ond yn achos rhagenwau person cyntaf ac ail, rhaid nodi na ddefnyddir y drefn 'newydd' yma, hyd y gwelaf i, ond gyda thraethiadau amhendant. Lle bo'r traethiad yn enw pendant ar y llaw arall, dilyn y goddrych yn syth ar ôl y cyplad (neu ynteu fe ddaw yn y safle flaen gyda chyplad ø):

(44) '. . . *7 missi in fer sin', ar Cailte* Acall. 7613. 'a myfi yw'r dyn hwnnw', meddai Caílte.

(45) *'is sissi ind idbart'* Wb. 23c32. 'chwithau yw'r aberth'.

(46) *'is tú láech na cernd'* LU 8135.[11] 'ti yw arwr y campau'.

(47) *'Is tú rí síde n-Érenn'* Aisling Óenguso §5.[12] 'ti yw brenin *síde* Iwerddon'.

(48) *'tú mo chocne cride/ tú m'aiccme, tú mf'ine'* LL Táin 3006–7. 'You were my loved comrade, my kin and kindred'.

(49) *'cia tú?'* . . . *'mise cenn Duinn Bó'* Cath Almaine 148–9.[13] ' "who are you?" . . . "I am the head of Donn Bó." '

(50) *'is mé a cnú chridi'* Fled Bricrenn §24.[14] 'I am their heart's core.'

(51) *'Dáig is mi . . . ársid imdegla Ulad'* LL Táin 1445–6. 'Oherwydd fi yw ceimiad amddiffyn Wlster.'

(52) *Messe do máthair ol si* LU 1680. ' "I am your mother," said she.'

Er bod fy arolwg o'r dystiolaeth berthnasol Gymraeg heb fod mor gyflawn eto ag yr hoffwn, ymddengys i mi fod yr arfer yn y Gymraeg wedi bod yn bur gyson â'r Wyddeleg ar y cyfan. Dechreuaf â dwy enghraifft adnabyddus gyda rhagenw yn y trydydd person o'r glosau Hen Gymraeg:

(53) *em ir cisemic* Juvencus glosses,[15] 'he was the first' yn glosio *Qui primus*, ac *issem i anw* Glosses on Martianus Capella,[16] 'it is his name' yn glosio *Genius*.

(54) *Mi yw y benkerd* CBT VI, 35.79 (Dafydd Benfras). 'I am his *pencerdd*'; cymherwch hyn â geiriau Cynddelw:

(55) *Pen cor, penkert wyf itaw* CBT III, 17.8, lle y mae'r traethiad yn amhendant.

(56) *Mi yw'r dyn a'r môr danaw* GLM 72.11.

(57) *Ti o'r sir yw'r tors euraid* GLGC 99.31.

(58) *Ti sy gnot dysg a natur,/ **Tithau yw'r poet, athro pur*** GTA 43.27–8.[17]

(59) *Ti goreu rieu rutwisc ar lled . . . Ti ureiscaf mab dyn o dir Cred – a wn* CBT VII, 25.17, 19 (Llygad Gŵr). Diweddariad: 'Ti yw ['r] arglwydd rhagoraf [gyda'i] fantell ysgarlad ar led . . . Ti yw['r] dyn byw cadarnaf o dir y byd Cristnogol yr wyf yn ei adnabod.'

(60) *Ef oreu rieu rygread . . . ef goreu a wu o uab tad* CBT V, 1.45, 53 (Llywarch ap Llywelyn). 'Ef yw'r brenin gorau sydd wedi ei greu . . . Ef yw'r gorau a fu'n fab i dad.' Mae cryn nifer o ymadroddion tebyg yng ngherddi'r Gogynfeirdd. Rhaid nodi hefyd, bid siŵr, fod nifer o enghreifftiau sydd yn dechrau yr un fath ond lle y mae'r elfen enwol yn amhendant, er enghraifft:

(61) *Ef anant kyuolwch* 'Ef yw testun mawl beirdd', a

(62) *Ef yn wyl, yn olud rotyad, / Ef yn daer, yn aer yn anllad* CBT V, 1.47–8, 68. 'Y mae ef yn wylaidd, yn rhoddwr golud. Y mae'n daer, yn danbaid mewn brwydr.'

Mae gwahaniaeth eithaf pwysig rhwng y ddau deip serch hynny. Nid oes gennyf o'r teip 'amhendant' ond enghreifftiau gyda rhagenw trydydd person, ac yn bwysicach fyth, ni cheir ymadroddion cyffelyb mewn rhydd-iaith, tra bo'r teip 'pendant' ar gael mewn rhyddiaith a barddoniaeth fel ei gilydd. Yn hyn o beth mae peth ansicrwydd ynglŷn â statws cystrawennol ymadroddion fel *Ef yn wyl*. Ni all mai cyplad ø sydd yno fel yn (59) a (60), gan na ellid defnyddio *yn* i ddynodi traethiad ar ôl y cyplad. Os ffurfiant eliptig ydyw, bydd rhaid derbyn nad y cyplad sydd yn ddealledig ond y ferf *bod* bodolaeth.

Amwysedd Semantig-gystrawennol Enwau Priod

Gwelsom fod y drefn eiriau amwys neu amhendant yn dra chyffredin yn y categori o frawddegau Cymraeg Canol yr ydym wedi bod yn eu hystyried; ar amcan dywedwn mai dyna'r amlaf o dipyn o'r ddau ddewis, yn enwedig mewn testunau rhyddiaith. Yn wir ymddengys fod y patrwm hwn wedi parhau ar arfer hyd heddiw, fel y tystia'r eitemau nesaf hyn:

(63) *'Lewis,' Ailadrodd yr enw er mwyn ei flasu. Ac ychwanegu, 'A Miriam dw i.'*[18] 'Lewis' yw'r ateb a ddyry'r dyn ifanc y mae Miriam newydd gwrdd ag ef pan grybwylla hi nad yw'n gwybod ei enw.

(64) *'Hia! Frank ydw i.'*[19]

Yn nhermau y patrymau Cymraeg Canol yr ydym wedi bod yn eu trafod y dewis yn (63) ydyw naill ai *A Miriam dw i* neu ynteu *Fi yw Miriam*, a hawdd yw gweld pam mai'r cyntaf a ddewisir. Mae'r ail yn aml iawn yn cyfleu'r syniad o wrthgyferbyniad detholus, er enghraifft petai rhywun heb fod yn siŵr p'un o ddwy neu ragor o ferched/chwiorydd yw Miriam a bod hithau yn hysbysu mai hi yw Miriam (*'Fi yw Miriam'*), ond wrth gwrs nid dyna'r bwriad yn y testun hwn. Ar ôl i Miriam ei brocio mae'r llanc yn rhoi ei enw ei hun ac felly yn ei hateb hithau mae'n hollol naturiol fod yr wybodaeth newydd a ddyry hi, sef ei henw, yn cael ei rhagosod i'w thopicaleiddio. Fel y mae'r cyd-destun yn dangos, mater syml o gyfnewid enwau bedydd sydd yma. Mae'r llanc yn cynnig ei enw heb unrhyw fformiwla gyflwyniadol ac mae hyn yn ei dro yn penderfynu trefn y geiriau yn yr ateb adleisiol. Wrth gwrs gallai'r ferch fod wedi cyfleu yr un wybodaeth – yn fwy manwl efallai – petai'n dweud:

(65) *Miriam yw f'enw i.*

Yn y ffurfiau Gwyddeleg Diweddar sydd yn cyfateb i (65) – *Miriam is ainm domsa*/*Miriam atá ormsa* – byddai'r enw priod yn ramadegol amhendant, a'r tebyg yw bod hyn yr un mor wir am (63) a (65). Gall hyn fod yn berthnasol i'r defnydd cystrawennol 'amhendant' a geir mewn Cymraeg Canol a Gwyddeleg Canol os ydyw'n wir, fel mae'r dystiolaeth yn awgrymu, fod ymadroddion fel 'Pwy wyt ti?'/'Pwy dy enw di?' ac 'X wyf i/ 'X yw fy enw' yn digwydd fwy neu lai mewn amrywiad diamod (gw. isod).

Yn gyffredinol yr arfer gramadegol ydyw dosbarthu enwau priod fel enwau pendant neu 'definite nouns' (ynghyd ag enwau cyffredin a oleddfir yn eu cyd-destun gan y fannod neu gan amryw ffurfiau dangosol), gan gydnabod yr un pryd fod modd defnyddio enw priod fel enw cyffredin at ambell bwrpas arbennig.[20] Yn yr ieithoedd Celtaidd ynysol, fodd bynnag, mae'n eithaf posibl ddarfod effeithio i ryw raddau ar statws yr enw priod yn hyn o beth gan ddatblygiad cystrawen y frawddeg gypladol. Hwyrach mai'r Wyddeleg sydd yn dangos y broses hon gliriaf yn y cyfnod cynnar. Dengys tystiolaeth Gwyddeleg cynnar fod y cyplad yn broclitig i'w draethiad, boed enw, ansoddair neu ragenw, a bod y trydydd person wedi ei ddibersonoli. Erbyn cyfnod Hen Wyddeleg, fel y nododd David Greene, gellid dweud:

(66) *am rí, at rí* 'I am/you are a king',

a gellid personoli'r trydydd unigol *is* drwy ychwanegu rhagenw ôl:

(67) *is rí-seom* 'he is a king',

ond nid oedd bellach yn bosibl defnyddio'r ffurfiau gwan *am, at, is* o flaen enwau pendant (**am in rí*). Yn eu lle defnyddid patrwm yn cynnwys trydydd person y cyplad a ffurf acennog y rhagenw addas:

(68) *is mé/messe in rí, is tú/tussu in rí*, sef yn llythrennol 'it's me, the king' – cydwedd i'r strwythur *reprise* Ffrangeg a gynrychiolir gan y dictum *l'état c'est moi.*

Daeth i fod, mae'n debyg, drwy integreiddio'r *nominativus pendens*, a elwir fel arall 'left/right dislocation'.[21] Crybwyllodd Greene hefyd na ddefnyddid y ffurfiau *am, at* mewn brawddegau uniaethol, 'where we find [instead] the verb *ad-cumaing*, as in

(69) *Setanta atomchomnaicc* 'I am Setanta'.

Y ffaith amdani serch hynny yw bod nifer yr enghreifftiau o'r ferf hon yn gweithredu fel lled-gyplad yn fychan dros ben. Yn y defnydd hwn mae *ad-cumaing* (*in-com-icc*) 'taro, digwydd' yn cynnwys rhagenw mewnol sydd, er ei fod yn wrthrych gramadegol, eto yn dynodi goddrych rhesymegol y datganiad, fel yn yr enghraifft hon yn gyntaf o losau Würzburg:

(70) *'Cindas persine attotchomnicc* Wb. 6b13. 'Pa fath o berson wyt?', yn glosio *Tu quis es . . .?* Petai rheidrwydd cael cyfieithiad llythrennol neu etymolegol rhywbeth fel hyn fyddai: 'Pa fath o berson a ddigwydd iti [fod]?'

(71) *'Cia th'ainm-seo?' ol Conchobar, 'Sétanta mac Súaltaim atomcho-mnaic-se 7 mac Dechtere do phethar-su.'* ' "Beth yw dy enw?" meddai Conchobor. "Sétanta fab Súaltam a mab Dechter(e) dy chwaer wyf i".' Yn y fersiwn diweddarach o *Táin Bó Cuailnge* yn Llyfr Leinster ceir yn lle hynny:

(72) *'Ced ón, ci tussu?', for Conchobor. 'Sétanta bec missi mac Súaltaim, mac-sa Dechtiri do derbsethar-ṡu.'* LL Táin 795–6. ' "Pwy wyt ti ynteu?" meddai Conchobor. "Sétanta bach fab Súaltam, mab Dechter(e) dy chwaer wyf i".' Yma mae'r hen *cliché* gydag *ad-cumaing* wedi ei ddisodli gan y fformiwla uniaethol eilradd (cyplad) + enw priod yn draethiad + rhagenw personol yn oddrych.

Fe'i defnyddir ambell waith mewn testunau Gwyddeleg Canol eraill, fel ffurf hynafaidd gellid meddwl, ac mewn rhai enghreifftiau nid yw ond ffordd afrosgo ac ymhongar o gyflawni swydd rhagenw personol. Beth bynnag, prin y gellir ystyried y ffurf hon, ar sail y dystiolaeth, yn ddull normal neu gyffredin o fynegi uniaethu cypladol. Ar y llaw arall, gwelsom o'r detholiad o enghreifftiau a ddyfynnwyd eisoes fod y patrwm (cyplad) + rhagenw goddrychol + X (enw priod/enw pendant), er enghraifft:

(73) Gwydd. *is mélmesse in rí/Conchobor*, Cym. **is mi ir brenin/mirtin*, yn cael ei arfer yn ôl pob golwg mewn Hen Gymraeg a Hen Wyddeleg. Ond mewn Cymraeg Canol adlewyrcha'r gystrawen ledaeniad y cyplad canol *yw* sydd yn nodwedd mor amlwg o ddatblygiad y frawddeg gypladol yn y cyfnod hwnnw, fel yn (60) *mi yw* y benkerd (Dafydd Benfras):

(74) *Miui yw Llwyt uab Kil Coet* PKM 64.5 ac, yn ddiweddarach,

(75) *Yna y dywedodd Nathan wrth Ddafydd, ti yw y gŵr* 2 Sam xii. 7.

Yr amrywiad arwyddocaol nesaf ydyw bod y cyplad yn cael ei bersonoli (neu ei adbersonoli) yn y safle canol ac o'r herwydd fod rhagenwau person cyntaf a'r ail yn mynd yn ddiangen ac yn cael eu hepgor, gyda'r canlyniad fod *ys mi Cynddelw* yn ildio i *Cynddelw wyf i*, trefn geiriau na wahaniaetha rhwng enwau traethiadol pendant ac amhendant. Fel mae'n digwydd, gwelir datblygiad go debyg tua'r un cyfnod yn yr Wyddeleg gyda *is mélmesse Conchobor mac Nessa* 'I am Conchobor son of Ness' yn cael ei ddisodli gan *(is) Conchobor mac Nessa mélmesse* a chan drefn geiriau nad ydyw'n gwahaniaethu rhwng traethiadau pendant ac amhendant. Fodd bynnag, mae'n werth nodi na ddigwydd yr ail drefn hon, hyd y cofiaf, gydag enw pendant yn draethiad mewn cyferbyniad ag enw priod. Ni cheir **is rí inna na hÉrenn mélmesse* 'I am the king of Ireland' na **is in láech is ferr mélmesse* 'I am the best hero'. Mewn geiriau eraill mae'n ymddangos bod gan enwau priod, rywfodd, statws amwys mewn perthynas â'r categorïau 'pendant' ac 'amhendant'.

Hyd yn hyn yr ydym wedi bod yn canolbwyntio ar enghreifftiau lle y cyflewyd y cydunio drwy gyswllt cyplad ac enw priod. Ond yr oedd wrth gwrs bosibiliadau eraill. Gellid er enghraifft ddefnyddio'r ymadrodd *dodi enw ar* 'put, place, give a name upon' i nodi'r broses o enwi, neu fedyddio, rhywun:

(76) *Sef enw a dodet arnaw, Gwri Wallt Euryn* PKM 23.16.

(77) *'Gwri Wallt Eurin a dodyssom ni arnaw ef.' 'Pryderi,' heb Pendaran Dyuet, 'uyd y enw ef.'* PKM 26.15.

(78) *Ac y bedydyaw o'r bedyd a wneynt yna, a dodi Blodeued arnei* PKM 83.26, ac wrth gwrs gall gyfeirio at leoedd yn ogystal ag at bersonau:

(79) *ac o achaws hynny y dodet Seith Marchawc ar y dref* PKM 38.27. Cyfleir fwy neu lai yr un ystyr gan *rodi ar/i, gyrru ar*:

(80) *A bedydyaw y mab a orucpwyt, a gyrru Kulhwch arnaw* CO 9–10;

(81) *Ac o hynny y gyrrwyt arnaf ynneu Idawc Cord Brydein* BRh 5.10;

(82) *Dauyd a rodet yn enw arnaw* BD 3.5;

(83) *'Arglwydi,' heb hitheu, 'minneu a rodaf henw idaw.'* YSG 4575;

a hefyd gan *galw*, un o'r berfau mwyaf cyffredin yn y defnydd hwn; yma y person neu'r peth a enwir yw gwrthrych y ferf:

(84) *Ac am hynny y gelwit hi Olwen* CO 498. 'and it was for that reason she was called Olwen';

(85) *O hynny allan y gelwit Goreu vab Custenhin* CO 810–11. 'And from then on he was called Goreu fab Custennin';

(86) *ac am hynny y gelwir Kaer Paris* CO 277–8. 'and it is for that reason it is called the City of Paris';

(87) *ac o achaws i drigiant ef y ulwydyn honno yn Annwuyn . . . y diffygwys y enw ef ar Pwyll, Pendeuic Dyuet, ac y gelwit Pwyll Penn Annwuyn o hynny allan* PKM 8.21–5. 'And because of his stay in Annwn during that year Pwyll's name fell into disuse and he was called Pwyll Head of Annwn from that time on.'

Yr oedd goddefol *galw* bron â bod yn gydgyfnewidiol â'r patrwm cypladol; fel y gwelsom yn barod, (5), *Custenhin yn gelwir uab dyfnedic* sydd gan RM yn cyfateb i *Custenhin Amhynwydic vyf i* yn WM (CO 435) a gellid meddwl iddo ddangos peth o'r un amwysedd ynglŷn â 'pendant' ac 'amhendant' a nodwedda'r defnydd cypladol, er nad ydyw o reidrwydd *pari passu* ag ef mewn amser. Fel y sylwodd T. J. Morgan, mae angen y geiryn *yn* fel arfer o flaen enw cyffredin ond nid o flaen enw priod.[22] Yn yr enghreifftiau yr wyf wedi eu dyfynnu – ac nid oes lle i amau nad ydynt yn cynrychioli'r arfer cyffredinol – ymddengys fod i'r enw priod traethiadol heb y geiryn yr un statws cystrawennol ag enw pendant megis *yr ynys dywell* yng ngherdd Iolo Goch:

(88) *Yr ynys dywell, cell cerdd,*
 Y gelwid Môn wegilwerdd GIG 6.43–4.

Yr unig eithriad yr wyf wedi sylwi arno, os hynny ydyw, yw'r darn lle y datgan Gwydion y bydd Blodeuwedd yn cael ei hadnabod am byth wrth ei henw tylluanaidd:

(89) *'Ac na chollych dy enw, namyn dy alw uyth yn Blodeuwed'*, . . . *ac ef a elwir etwa y dylluan yn blodeuwed* PKM 91.14–17. ' "And you are not to lose your name but will always be called Blodeuwedd" . . . and the owl is still called *blodeuwedd*.' Cymharer hyn â darn arall lle y mae'r is-draethiad yn enw cyffredin:

(90) *'A thitheu,'* heb ef, *'yr hwnn yd wyt ti, ac auar arnat am na'th elwir y uorwyn, ni'th elwir bellach yn uorwyn* PKM 79.6–8. ' "And you," he said, "vexed you are that you are not called a virgin, from this time forth you will never be called a virgin." ' Yn (89), fodd bynnag, mae WM fel petai yn adlewyrchu yr amwysedd sydd yn rhan o'r ystyr: wrth gyfosod *blodeuwedd* fel enw priod ac fel enw cyffredin – enw'r fenyw ac enw'r dylluan – mae ein golygydd ym mherson Gwydion yn tanlinellu'r cymhwysiad drwy ddefnyddio'r geiryn *yn* gyda hwy ill dau, ond wrth wneud felly gwyrdroa'r gwahaniaeth cystrawennol normal rhwng pendant ac amhendant. Gellid tybio mai'r drysu semantig hwn a barodd i'n hawdur anwybyddu'r treiglad meddal a achosir fel arfer gan y geiryn traethiadol (mae'n rhyfedd nad ydyw Syr Ifor Williams yn cyfeirio at yr anomali hwn yn ei nodiadau testunol).[23] Ond mae hyn yn codi pwynt diddorol arall. Fe ddyfynnais (89) fel y'i ceir yn WM ac fel y'i derbynnir gan Syr Ifor yn ei argraffiad, ac eto cynigia RM ddarlleniad cywirach o ran yr anghysonderau yr wyf wedi eu crybwyll:

(91) *ac na chollych dy enw,* **namyn dy alw vyth Blodeuwed** . . . *ac ef a elwir ettwa y tylluan* **yn vlodeuwed** RM 80.4–5, 7–8.

A oes raid inni dderbyn bod RM wedi adolygu a chywiro'r testun sydd gan WM, neu ynteu fod ganddo well testun?

Ar y llaw arall, os ydyw geiriad WM yn edrych yn afreolaidd yn nhermau cystrawen Gymraeg gyfoes Cymraeg Canol, eto mae'n rhag-ddarlunio newid a welir mewn Cymraeg Diweddar ac a all fod dipyn yn hŷn. Daw'r ddwy enghraifft nesaf o lenyddiaeth gyfoes:

(92) *'A gaf i ddechrau drwy'ch galw chi'n Monica?'*, Saunders Lewis,[24]

(93) *. . . hefo un o gymeriadau y Llan, un **a elwid yn Del Clwt***, Simon Jones,[25]

er bod amrywiad i'w gael ar y priod-ddull lle y mae'r enw yn wrthrych uniongyrchol i *galw* a'r person a enwir felly yn cael ei nodi gan yr arddodiad *ar*:

(94) *'Cofia di siglo llaw â Mrs Jones, a pheidio **galw Sara Elen arni hi***, W. J. Gruffydd;[26] mewn lle arall mae gan yr un awdur eiriad sydd â naws braidd yn feiblaidd a thawtolegol:

(95) *'ni chawsant drafferth i ddod o hyd i enw [i'r plentyn], a galwasant ei enw ef, Bilco'.*

Yn bur fynych ar lafar topicaleiddir yr wybodaeth newydd, sef yr enw, drwy ei flaenori:

(96) *. . . y bachgen ienga – Dafydd 'r oen 'nhw yn 'alw e*, D. J. Williams.[27]

Mae'n bosibl fod y defnydd o *yn* traethiadol yn (89) yn gysylltiedig â'r ffaith fod enwau priod yn cael eu trin o safbwynt cystrawen fel enwau amhendant mewn rhai cyd-destunau lle y cydunir personau (gw. fy sylwadau ar (63) a (64)). Os ystyrir enw priod yn label neu fynegrif, mae'n eithaf naturiol iddo gael ei drin yn gonstitwent amhendant; hefyd, a barnu wrth (89), (92) a (93) a digon o enghreifftiau eraill, gall yr enw priod wrthsefyll y treiglad a berir fel arfer gan y cyfuniad *galw X yn*.[28] Ond y ffaith yw bod y defnydd o *yn* traethiadol yn hynod o gyffredin mewn Cymraeg Diweddar o flaen pob math o draethiadau pendant, gan gynnwys enwau priod, ac, fel y dengys y detholiad byr a ddilyn, fe'u ceir weithiau yn y lleoedd mwyaf annisgwyl o safbwynt cystrawen hanesyddol:

(97) *fe'm galwyd i **yn Twm o'r Nant**, ac yntau **yn Domas Williams***, Twm o'r Nant (1738–1810).[29]

(98) Austin Seven *oedd y car cyntaf . . . Cafodd ei fedyddio **yn 'Mair'***, John Gwilym Jones.[30]

(99) *ond gallai gofio'r diwrnod fel petai'n ddoe*, Eigra Lewis Roberts.[31]

(100) *'Faswn-i ddim yn ponsio gneud hynny 'taswn i'n chwi, syr'*, T. Glynne Davies.[32]

(101) *Roedd y cynllun agored yn bod . . . ymhell cyn ei enwi **yn hynny***, J. G. Jones.[33]

Yn (99), (100) ac yn arbennig (101) gyda'i ragenw dangosol mae'r traethiad yn benodol a phendant ac felly mae'r fath enghreifftiau yn groes i'r ffordd yr arferid *yn* traethiadol yn y cyfnod canol. Mae'n bur debyg bod a wnelo'r estyniad hwn o ddefnydd y geiryn *yn* â datblygiad cystrawen y frawddeg gypladol drwy gydol hanes y Gymraeg a'r angen a ganfyddir mewn rhai cyd-destunau i ddefnyddio *yn* i amlygu mai traethiad sydd yn dilyn, boed yn bendant neu yn amhendant. Gobeithiaf ddychwelyd at y pwnc hwn maes o law.[34]

Cym. *Enw, Cystlwn, Ystlynedd:* Gwydd. *Ainm, Comainm, Slondud*

Yn negawdau cynnar yr ugeinfed ganrif trafododd y Tad Gerald O'Nolan y gwahaniaeth mwyaf cyfarwydd a gweladwy rhwng y defnydd pendant ac amhendant o enwau priod fel y'u realeiddir mewn Gwyddeleg Diweddar. Yn y bôn y pwynt ydyw gwahanu dau deip o ddatganiad oddi wrth ei gilydd: yn y naill dynodir enw priod fel un a ddygir gan ryw unigolyn (neu le neu beth), ac yn y llall uniaethir hwn-a-hwn fel yr un a adnabyddir wrth yr enw neilltuol. Dyfynna dair enghraifft lle y mae'r enw personol yn ramadegol ac felly yn gystrawennol amhendant:

(102) *(Is) Éamon a athair,* 'His father is Éamonn'/ 'Éamonn yw ei dad', hynny yw 'Gelwir Éamonn ei dad hefyd';

(103) *(Is) Éamonn is ainm dó,* 'His name is Éamonn', yn llythrennol 'It is Éamonn that is name to him';

(104) *Sé ainm a bhí air ná Éamonn,* 'His name was Éamonn', yn llythrennol 'It is [the] name that was on him, hynny yw Éamonn';

a phedwaredd enghraifft lle y mae'r enw priod yn draethiad pendant:

(105) *Is é Éamonn fé ndear é,* 'It is Éamonn who is/was responsible (for it)'; yn syml, Éamonn yw'r unigolyn o'r enw hwn sy'n hysbys i'r siaradwr ac i'r person y siaredir ag ef.[35]

Sylwer bod y tair cyntaf o'r enghreifftiau hyn, y rhai sydd â'r enw priod yn draethiad amhendant, yn defnyddio'r term *ainm* 'enw'. Mae fel petai gwahaniaeth yn cael ei nodi rhwng datgan enw rhywun a datgan ei unigolyddiaeth, er y gwyddys nad yw'r mater mor syml â hynny chwaith. Anodd gwybod faint y mae a wnelo'r ddeuoliaeth hanfodol hon yn swyddogaeth yr enw priod â'r ffordd amwys yr ydys yn trin y fformiwlâu cyduniol cypladol yn y Gymraeg a'r Wyddeleg yn yr Oesoedd Canol.Yn sicr mae'n ffaith fod llawer o'r enghreifftiau o'r dulliau cyduniol yn y ddwy iaith yn cynnwys y termau *enw* ac *ainm*, neu eu synonymau agos. Wele ddyrnaid o esiamplau Cymraeg Canol:

(106) *'**Pwy dy henw di**?' heb ynteu. 'Ef a'm gelwir Lawnslot dy Lac,' heb y gwas* YSG 2477–8.

(107) *'Arglwydi,' heb hi, 'a wdawch chwi **pwy henw y cledyf hwnn**?' 'A unbennes,' heb wynteu, 'nys gwdam ni, namyn, med y llythyr, tydi bieu roi henw idaw ef.' 'Arglwydi,' heb hitheu, 'minneu a rodaf henw idaw: y Cledyf a'r Gwregis Estronawl.'* YSG 4572–6.

Pan ddaeth y gŵr ifanc â newyddion i Arthur ddydd Mawrth y Sulgwyn cyfnewidiasant gyfarchion â'i gilydd, ac yna pan grybwyllodd yr ymerawdwr nad adnabu ei ymwelydd dyma'r gwas yn ateb fel hyn:

(108) *'Ryued yw genyf nu na'm atwaynost; a forestwr i ti, arglwyd, vyf i yn forest y Dena. **A Madauc yw uy enw, uab Twrgadarn**.'* YGE 35–7. 'I am

surprised that you do not know me, for I am a forester of yours, lord, in the forest of Dean, and Madawg is my name, son of Twrgadarn.'

Pan ddynesodd Gwalchmai at y marchog heb adnabod mai Peredur ydoedd, fel hyn y siaradasant â'i gilydd:

(109) *Sef a wnaeth Gwalchmei . . . dynessau attaw a mynet dwylaw mynwgyl idaw, a gofyn **pwy oed y enw**. 'Peredur vab Efrawc **y'm gelwir i**,' heb ef. 'A thitheu, pwy wyt?' 'Gwalchmei **y'm gelwir i**,' heb ynteu* HPE 34.15–21. 'And he drew near to him and embraced him and asked him what was his name. "I am called Peredur son of Efrawg," he said, "and who are you?" "I am called Gwalchmei," he replied.'

Dengys (108) a (109) ledaeniad y cyplad canol yn *Madauc yw fy enw* yn lle'r ffurf hŷn *(Ys) Madauc fy enw* a *pwy oed y enw* yn lle *pwy y enw*, ond mae'n amlwg fod cyfnod y testunau Cymraeg Canol dan sylw yn un cyfryngol yn natblygiad y gystrawen gypladol. Felly y cawn yn (106) a (107) enghreifftiau o'r patrwm sydd yn deipolegol gynharach, ac fe'i gwelir yn o gyffredin hefyd yng nghymalau *'pwy?'* nad ydynt yn cynnwys y gair *enw*:

(110) *'Idawc . . . pwy y marchawc gynneu?'* . . . *'Pwy oed y gwr a drewis y farch ynteu?'* BRh, 8.14–18. 'Iddawg . . . who was the rider just now?' . . . 'and who was the man who struck his horse?'

(111) *'pwy oed y trywyr kyntaf a deuth at Owein . . .'* *'Pwy,'* heb y Ronabwy, *'y trywyr diwethaf a deuthant att Arthur.'* BRh 18.26. ' "who were the first three men who came to Owein?". . . "Who," asked Rhonabwy, "were the last three men who came to Arthur?" '

Yn y ddau ddarn hyn adleisir y cwestiwn cyntaf gan yr ail, ond gydag amrywiadau ffurfiannol. Yn (110) daw'r ail gwestiwn â'r cyplad canol i mewn cr nad oedd ei angen yn wreiddiol gyda *pwy*; sut bynnag, yn y fan hon yn ymyl berf orffennol nid oes hyd yn oed ei angen i nodi amser y digwyddiad. Ceir y patrwm adleisiol hefyd yn (111), unwaith eto gydag amrywiad. Yma y cwestiwn cyntaf sydd yn defnyddio'r cyplad canol a'r ail yn ei hepgor.[36] Mae'n bosibl wrth gwrs mai mater o ddewis arddull ar ran yr awdur yw'r amrywiadau hyn.

(112) *'Pwy y vydin burwenn racco'* BRh 9.20–1. 'What is the pure white troop yonder?'[37]

(113) *'Pwy y gwr gwineu?'* BRh 20.6–7. 'Who is the auburn-haired man?' Diddordol sylwi bod cyfran mor helaeth o'r cwestiynau gyda *pwy* yn *Breudwyt Ronabwy* sydd wedi cadw'r gystrawen heb y cyplad canol.

(114) *'Pwy ef hwnnw?',* heb y wreic. *'Kulhwch mab Kilid mab Kelydon'* CO 452. ' "Who is that?" said the woman.' Mae'r enghraifft hon yn arbennig o ddiddorol am y rheswm fod *pwy* yn cael ei ddilyn yn syth gan y rhagenw personol cymwys, patrwm y gellir ei gymharu â'r defnydd Gwyddeleg:

(115) *Cia hé?* Ml. 46ᶜ17, 'Who is it/he?'; *Ce hé roscríb* Glosau St Gall

197[a]19,[38] 'who is it that has written?'; *'Cia tusu?' or in mac. 'Misi in Flaithius,' or si* RC, 24 (1903) §15. ' "Who are you?" said the youth. "I am the sovereignty," she answered.' Gellid meddwl o bosibl fod y defnydd gyda rhagenw a chyplad ø wedi parhau yn hwy pan oedd yn rhagenw trydydd person; cyferbynner er enghraifft â *pwy ywch?* CO 437, lle y ceir ail berson lluosog y cyplad. Tybed felly a ellid ychwanegu cystrawen (114) at y rhestr o nodweddion ieithyddol go gynnar sydd wedi eu nodi o'r blaen yn *Culhwch ac Olwen,* ynteu a ddylem dderbyn mai gwall testunol ydyw? Mae Arwyn Watkins wedi awgrymu imi y posibilrwydd mai copïydd WM a greodd y cymal hwn drwy gamddeall: diweddarodd *eu* (= y cyplad *yw*) yn ei gynsail (*Puy eu hunnu*) fel y rhagenw *ef*. Diweddariad RM sydd yn gywir felly. Mae'r esboniad hwn yn hollol argyhoeddiadol.

Yn yr Wyddeleg ymddengys y gair *ainm*, cytras *enw*, yn ddigon cyffredin mewn brawddegau cyduniol. Er enghraifft, pan drawa Cú Chulainn ar gerbydwr yn torri coed ar gyfer siafft cerbyd, gofyn iddo ar unwaith pwy ydyw:

(116) *'Can duit?' ol Cú Chulaind. 'Ara Órláim meic Ailella₇ Medba,' or sé. 'Ocus tussu?' ol in t-ara. 'Cú Chulaind mo ainm-se,' ol sé.* TBC I 889–91. ' "Where are you from?" asked Cú Chulainn. "I am the charioteer of Órlám, son of Ailill and Medb," said he. "And you?" "My name is Cú Chulainn," he replied.' Bydd yn glir oddi wrth hyn fod elfen o hyblygrwydd yn y ffordd y defnyddir y fformiwlâu, gan adlewyrchu'r iaith lafar mae'n bur debyg, fel y gellir defnyddio amrywiol ffurfiau i gyfleu fwy neu lai yr un neges. Cyfieitha'r golygydd *Can duit?* i'r Saesneg fel 'Who are you?', yn ddigon cywir yn y cyd-destun, er mai'r ystyr lythrennol yw 'Whence are you?', mewn geiriau eraill 'I bwy (neu i ba le) yr wyt yn perthyn?', ac wrth gwrs i'r cyfryw gwestiwn mae'r ateb a ddyry'r cerbydwr yn gwbl addas. Ond pan ofyn yntau yr un cwestiwn i Cú Chulainn, am nad yw'n adnabod pwy ydyw, mae ei ateb ef fel petai yn rhagdybio'r cwestiwn 'Who are you?'/'What is your name?' Mae cynodiadau neu oblygiadau'r cwestiwn *'Can duit?'* i'w gweld yn eithaf clir yn y sen a deflir yn erbyn y bachgen Mael Dúin gan un o'i gymdeithion:

(117) *Tussu ol se nád fess **can cland ná cenel duit*** LU 1673. 'You whose family and kindred are unknown'. Yn ôl pob golwg defnyddid y cytras Cymraeg yn yr un modd, fel yn yr ymgyfarfyddiad hwn rhwng yr ymherawdwr a'r fforestwr:

(118) *'Vy ffrynd, ny wddost di pan wyf j.' 'Na wnn, yn wir,' hebe'r fforestwr, 'kans ny wnn j i mi ych gweled chwi er joed, ond mi a debygwn ych bod chwi yn wr bonheddig.'*[39] (Ac ar hynny esboniodd yr ymerawdwr pwy ydoedd.) Neu, yn gliriach fyth, yng ngeiriau Gwyddno Garanhir wrth Gwyn ap Nudd:

(119) *pebir gur **pan iv** dy echen* EWSP 461.5c, 506. 'staunch battler, what is your descent?'

Defnyddir y gofynnol *Can duit?* yn yr un modd mewn testunau storïol eraill, yn *Acallam na Sénórach* er enghraifft, lle y mae'r doreth o enghreifftiau yn dangos ei fod i bob pwrpas yn gyfystyr â *Cia thusa?* 'Who are you?', *Ca h'ainm thusa?* 'What is your name?', *Cia comainm túltusa?* 'What is your (full) name' (yn llythrennol 'enw cyfunol, enw ar y cyd' ond yn cael ei arfer yn aml yn gyfystyr â'r ffurf seml *ainm*), ac, yn llai aml, *Cóich (/cúich) thusa?* 'Who/whose are you?' Yn ymarferol, yr hyn a ysgogir yn ateb i'r amryw gwestiynau hyn yw datganiad o enw a tharddiad y person arall. Nid yw hyn yn syndod o gofio pa mor bwysig oedd hi yng nghymdeithas Wyddelig y Canol Oesoedd cynnar wybod o ble yr oedd rhywun yn hanu ac i bwy yr oedd yn perthyn. Hyd yn oed yn ein hoes ni, yn ardaloedd y Gaeltacht, petai rhywun yn cyfarfod â phlentyn nad oedd yn ei adnabod, y cwestiwn a ofynnai yn hwyr neu yn hwyrach fyddai *Cé leis thú?*, yn llythrennol 'Pwy biau ti?'; ac, fel y nododd Tomás Ó Máille flynyddoedd maith yn ôl, pe cyfarfyddech â rhywun mewn oed a oedd yn ddiarth ichwi ar yr heol, y cwestiwn a ofynnech fyddai *Cé'r díobh thú?* 'I bwy yr ydych chwi'n perthyn?', neu air am air 'Of/from whom are you?'[40]

Ystyr y rhagenw genidol *cóich* oedd 'whose?' yn y lle cyntaf, ond erbyn cyfnod Gwyddeleg Canol daeth yn gyfystyr fel rheol â *pwy* 'who?', a gellid awgrymu o bosibl fod a wnelo'r newid semantig hwn â'r ffordd y mae *cóich* yn cael ei arfer yn y math o fformiwlâu cyduniol yr ydym yn eu trafod yma. Fel y crybwyllwyd yn barod, defnyddir y ffurf gyfansawdd *comainm* a'r ffurf seml *enw* heb fawr o wahaniaeth semantig yn amlach na pheidio yn y chwedlau canoloesol, ond mae'r cyntaf weithiau yn cyfeirio at enw ychwancgol neu *cognomen* a gellid ei ddeall hwyrach fel 'enw cyflawn, estynedig'. I gymryd enghraifft bur syml, un sydd heb dadenw, pan gyferfydd Medb â'r broffwydes Fedelm ar ddechrau stori *Táin Bó Cuailnge*, gofyn iddi pwy yw hi:

(120) '*Cia **do chomainm-siu**? ol Medb frisin n-ingin. 'Fedelm banfili do Chonnachtaib **mo ainm-sea**,' or ind ingen* TBC I 41. ' "What is your name?" Medb asked the young woman. "I am Fedelm, the/a poetess of/from Connacht," said the young woman.' Dyna drosiad eithaf cywir o sylwedd geiriau Fedelm, ond o'i gyfieithu air am air yr ystyr yw 'My **name** is Fedelm the/a poetess of/from Connacht', gyda *comainm/ainm* yn cwmpasu yr enw a'r tarddiad ill dau.

Nid oes gymaint o dystiolaeth fod cytras Cymraeg *comainm*, hynny yw *cyfenw*, yn cael ei arfer yn y fath fodd er iddo ddigwydd gyda'r ystyr enw neu gyduniad:

(121) *Pwy heb y brenhin yw dy gyvenw di? Ef am gelwir i Gwalchmei*;[41]
ond mae gair arall, sef *cystlwn* 'carennydd, perthynas, ymrwymiad drwy

briodas', sydd yn meddu ar gynodiadau ehangach nag enw'r person yn unig:

(122) *'Ny chelaf vyg kystlwn ragot, Etlym Gledyf Coch y'm gelwir, iarll o ystlys y dwyrein'* HPE 50.1–2. 'I will not hide my identity from you, Edlym Red-sword I am called, from the eastern side of the world.' Yn gyffelyb i'r gair *ainml/comainm* yn araith Fedelm, mae *cystlwn* yng ngenau Edlym yn cynnwys enw a tharddiad gyda'i gilydd. Mae cymal agoriadol ei ateb yn cael ei adleisio – onid ef sydd yn adleisio – gan yr ateb a ddyry dieithryn arall pan ofyn Rhonabwy iddo *pwy wyt?* Yr hyn a ddywed yw:

(123) *'Ny chelaf ragot vyg kystlwn. Idawc uab Mynyo. Ac nyt o'm henw y'm clywir yn vwyaf, namyn o'm llysenw.' 'A dywedy di ynni pwy dy lyssenw?' 'Dywedaf. Idawc Cord Prydein y'm gelwir.'* BRh 4.22–5.11. '"I will not hide my identity from you: Iddawg son of Mynio. But for the most part it is not by my name that I am spoken of, but by my nickname." "Will you tell me what your nickname is?" "I will. I am called Iddawg the trouble-maker of Britain"'; ac â yn ei flaen i esbonio sut y cafodd ei lysenw.

Mae gan yr enw eilradd *cystlynedd* fwy neu lai yr un rhychwant semantig, tra bo'r ferf *cystlynu/cystlwn* yn cwmpasu'r ystyron 'perthyn, arddel/honni perthynas, uno trwy briodas, cynghreirio':

(124) *Dyuot a orugant attaw ac ymgystlwn ac ef eu hanvot or vn genedl* BB 10. 'They came to him and allied themselves to him [because of] their descent from the same nation.' Dyna gyfieithiad y golygydd sydd yn dibynnu ar dylino'r testun ryw gymaint, yr hyn y gellid ei osgoi ond i ni ei gyfieithu '. . . and they agreed (/acknowledged) together that they were descended from the same people'. Cyplysa Cynddelw yr enw a'r ferf yn ei farwnad i Gadwallon ap Madog ab Idnerth:

(125) *Yd gystlynei pawb o'e gystlyned*
    Yd oleithid gwr gwrt y weled . . . CBT III, 21.166. 'Arddelai pawb ei berthynas,/ osgoid gŵr gwych ei weld.' Mae gan *cystlwn/cystlyned* gytras Gwyddeleg, *comślonnad*, sydd fwy neu lai yn gyfystyr ag ef – 'cyfenw, cydlinach, perthynas' – ond mae'n digwydd dipyn yn anamlach na'i *simplex* y berfenw *slond/slondud* a'r ferf *sluindid* 'crybwyll, enwi, disgrifio (ei hun); tadenw, enw teuluol, llinach', a hefyd, fel *cyfenw* yn Gymraeg, 'surname', er enghraifft:

(126) *'dogén mo ślonnadh duit-si, or is mé airchinnech na cille'*[42] *Anecdota from Irish Manuscripts*, I, 78. 'I shall give you an account of myself, for I am the "erenagh" of this church.'

Yr hyn sydd yn glir oddi wrth y detholiad byr hwn o ddyfyniadau ydyw bod yr amryw eiriadau a ddefnyddir i holi am gyduniaeth rhywun ac i ateb yn briodol y fath gwestiwn i'w cael at ei gilydd yn y Gymraeg fel yn yr Wyddeleg a'u bod felly, siŵr o fod, yn adlewyrchu dulliau traddodiadol ar fynegiant. I raddau helaeth maent yn gydgyfnewidiol ac â llinach a tharddiad y dieithryn y mae a wnelo'r wybodaeth y gofynnir amdani. Cyfeiria'r rhan fwyaf o'r darnau a ddyfynnais at gyfarfyddiad dau berson a lleferir felly yn y person cyntaf neu'r ail. Mae cystrawen y frawddeg (trefn y geiriau) i ddatgan cyduniaeth person yn dibynnu ar statws yr enw priod, pa un a welir ef yn bendant neu yn amhendant: *(ys) mi (yw) X* o'i gymharu â *X wyf i*. Mae digon o dystiolaeth i'r cyntaf, yn enwedig mewn Hen Gymraeg a Chymraeg Canol, ond yr ail yw'r defnydd lluosocaf drwy'r cyfnod canoloesol ac, fel y gwelsom, fe'i ceir o hyd mewn Cymraeg cyfoes. Ymddengys fod patrwm rywbeth yn debyg yn yr Wyddeleg: mae'r drefn bendant *(is) mélmesse X* yn eithaf cyffredin mewn ffynonellau cynnar, fe ildia dir i *(is) X messe* mewn Gwyddeleg Canol, ond, yn wahanol i'r drefn Gymraeg gyfatebol, mae hi yn dal yn norm hyd heddiw. Rhaid, wrth reswm, nodi *caveat* bach fan hyn fel mewn sawl achos arall yn ymwneud â chystrawen hanesyddol. Er bod y newidiadau yr ydym yn sôn amdanynt i'w gweld yn weddol glir yn y casgliad o destunau sydd gennym o hyd ar glawr, gallwn fod yn sicr nad yw'r corpws hwn yn adlewyrchiad cywir a chyflawn o'r realiti ieithyddol, yn enwedig lle y mae a wnelom â dulliau mynegiant sydd braidd yn fformiwläig: yn un peth, wrth bwyso'r dystiolaeth a ddyfynnais o Hen Gymraeg ar gyfer y drefn bendant yn y frawddeg gyduniol rhaid cofio bod y testunau yn brin iawn ac yn fydryddol bron i gyd. Ond serch hynny gellir dal bod modd olrhain yn fras y prif weddau ar ddatblygiad y gystrawen gypladol mewn cymalau enwi, o leiaf yn yr iaith lenyddol.

Yng Nghymraeg y cyfnod canol mae'r ffurfiau *X wyf i*, *X y'm gelwir* ac *(ys) X (yw) fy enw* bron â bod yn gyfwerth eu heffaith semantig, ac (fel mewn cymalau enwi yn yr Wyddeleg) mae'r enw priod ei hun yn gystrawennol amhendant. Dewis arall sydd mor gyffredin mewn testunau Cymraeg Canol ag ydyw yn iaith lafar ein dyddiau ni yw ateb y cwestiwn drwy roi eich enw heb unrhyw gyd-destun cypladol (fel yn (1) a (2)). Mae hyn yn peri'r un effaith o dopicaleiddio'r enw priod ag a geir drwy ragosod yn y tair fformiwla arall; y gwahaniaeth ydyw wrth gwrs ei fod yn sefyll ar wahân i'r cyd-destun cystrawennol (cymharer fel y rhagosodir yr enw yn (14) a (15)).

Gall yn wir fod a wnelo'r broses hon o ragosod â'r duedd i ddefnyddio'r drefn gypladol amhendant yn y fformiwla enwi. Os rhagosodir y rhagenw personol fel yn y teip *(ys) mi X*, gall hyn, yn ôl y cyd-destun, gyfleu pwyslais detholiadol/cyferbyniol, fel o bosibl yn (23) *Mi Lywarch, titheu Lywelyn* (cymharer fy sylwadau ar (63) a (64)), er na fyddai gan amlaf ddim angen tanlinellu'r rhagenw at y pwrpas hwn. At hynny mae ffactor arall a ymddengys fwy neu lai yn gyfoes â'r symudiad o'r drefn bendant i'r drefn amhendant ac a allasai fod yn gyfrwng i ysgogi ac i gadarnhau'r

298

datblygiad, a hynny yw'r lledaeniad enfawr ar ddefnydd y cyplad mewnol a welir o gyfnod Hen Gymraeg ymlaen. Effaith tyfiant y cyplad mewnol ar yr hen drefn bendant fuasai amlygu fwy byth y ffaith fod y rhagenw wedi ei ragosod yn barod ac felly gryfhau ei statws nodol yn y frawddeg, gyda'r canlyniad y câi ei gyfyngu fwy neu lai i'r swyddogaeth ddetholiadol/ gyferbyniol. Yn yr Wyddeleg ar y llaw arall ni ddaeth unrhyw newid cyfatebol yn nhrefn y frawddeg gypladol, a'r tebyg yw, felly, nad oedd yr un ysgogiad yno tuag at y drefn amhendant; o ganlyniad mewn Gwyddeleg Diweddar y drefn bendant yw'r norm mewn cymalau enwi a dangosir y gwahaniaeth rhwng y defnydd niwtral a'r defnydd detholiadol, lle y bydd angen hynny, drwy gyfrwng aceniad a goslef.

Y Perthynol Genidol Gyda Chyplad Ø

Mewn erthygl a gyhoeddwyd yn y 1960au trafodais y dull ymadrodd a gynrychiolir gan y priod-ddull *dyn mawr ei glod* 'a man of great fame', air am air 'a man great his fame', gan geisio dangos mai hen gymal perthynol ydoedd yn cynnwys cyplad ø + ansoddair + rhagenw meddiannol + enw, a'r cyfan yn goleddfu enw blaenorol.[43] Erbyn cyfnod Cymraeg Canol ac eisoes yng nghyfnod Hen Gymraeg yn ôl pob tebyg yr oedd yr ansoddair traethiadol ar ôl y cyplad ø yn cael ei dynnu yn raddol tuag at yr enw o'i flaen i wneud cytgord ag ef o ran rhif a chenedl; o ganlyniad fe droes y cymal perthynol yn atribiwt cymhleth i'r enw hwnnw. Serch hynny mae'n glir fod rhai o'r Gogynfeirdd yn dra chyfarwydd â hen statws cypladol y patrwm ac yn fedrus wrth wneud defnydd ohono. Mewn sawl man, gwaetha'r modd, ni all y testunau ysgrifenedig, o achos eu hamwysedd orgraffyddol a morffolegol, farcio yn eglur y cytgord rhwng ansoddair ac enw sydd yn profi mai brawddeg berthynol gypladol yw'r holl gymal yn y bôn. Er hynny, fe erys digon ohonynt lle y mae'r dystiolaeth y tu hwnt i bob amheuaeth, fel yn y llinellau hyn gan Fleddyn Fardd mewn moliant i Ddafydd ap Gruffudd ab Owain:

(127) *Gwr **bwlch y eurgled** yn arueddyt*
       *Gwr **bolch y daryan**, dewr wryt – Betwyr,*
       *Gwr **beilch e wilwyr**, eryr ayrwryt* CBT VII, 55.18–20. 'Gwron drylliog ei gleddyf gwych o fwriad,/ Gwron drylliog ei darian, [o] wrhydri dewr Bedwyr,/ Gwron cadarn ei filwyr, arwr a'i fryd ar ryfel.'

Yn y llinell gyntaf mae'r goddrych *eurgled* yn wrywaidd ac felly hefyd ei ansoddair traethiadol *bwlch*; yn yr ail mae *taryan* yn fenywaidd a hefyd yr ansoddair traethiadol *bolch*; yn y drydedd mae *e wilwyr* yn lluosog a hefyd yr ansoddair *beilch* (tra bo'r rhagflaenydd yn enw unigol, *gŵr*). Mae'n glir, er hynny, fod dull y Gogynfeirdd o ddelio â'r fath gymalau yn bur eclectig a phryd bynnag y byddai yn taro iddynt ni phetrusent ddewis y ffurfiant diweddarach yn lle'r hen berthynol i ateb gofynion mydryddol ac arddulliol, neu hyd yn oed i gyplysu'r hen a'r newydd fel yn y llinell hon gan Gwynfardd Brycheiniog:

(128) *O'r daw llyghes drom drwm y geiryeu* CBT II, 26.218. 'Os daw llynges drom, frawychus ei chyfarchion'.

Gwelir fel y mae'r bardd yn chwarae ar ailadrodd yr ansoddair *trwm*, yn gyntaf fel atribiwtif benywaidd ac yn ail fel traethiad gwrywaidd (sydd er hynny yn cael ei gysylltu â'r enw benywaidd *llyghes* drwy ei dreiglo'n feddal).

Yn yr enghreifftiau yr wyf wedi eu dyfynnu hyd yn hyn mae'r traethiad yn ansoddair, ond fel y ceisiais ddangos yn fy erthygl gynharach ceir yr un hen gystrawen enidol-berthynol mewn Gwyddeleg a Chymraeg gydag enw yn draethiad yn lle'r ansoddair, er enghraifft:

(129) *Arglwyddes **eiry** ei gloywddaint* GDG 37.5. Mewn Hen Wyddeleg a Gwyddeleg Canol mae'n debyg fod y patrwm hwn yn fwy cyfarwydd fel ffomiwla enwi o'r teip:

(130) *Boí rí amrae for Laignib,* **Mac Dathó a ainm** *Scéla Mucce Meic Dathó* §1.1.[44] 'There was a wondrous king over Leinster whose name was Mac Dathó.' Yr oedd ganddo ei gymar Cymraeg, er nad yw, hwyrach, yn cael ei gydnabod fel y cyfryw:

(131) *Ac yna y kanhatwyt y Chyarlys bot yn Ager gawr,* **Ffarracut y enw**, *o genedyl Goliath* YCM 25.12–13. 'And then it was reported to Charlemagne (*nuntiatum est*) that there was a giant in Nagera who was called Ferracutus, of the race of Goliath.'

(132) *ef a gemyrth gureic,* **angharat y henw**, *merch y ewein vab edwin* HGK 21.

Fe ddigwydd hefyd yn eithaf cyffredin yn y ffurf eilradd â chyplad canol, hynny yw rhagflaenydd enwol + enw priod + rhag. meddiannol + *enw*, fel yn:

(133) *Ac yna y llas arall o'e voch,* **Gwys oed y enw** CO 1147–8. Mae Jones a Jones yn cyfieithu'r ail ran fel cymal annibynnol: 'And then another of his pigs was slain, Gwys was his name,'[45] sydd yn hollol gywir ar un olwg, ond tybed na fuasai'r cyfieithwyr wedi ei geirio yn wahanol pe baent yn ymwybodol o hanes cystrawen ail gymal y dywediad.

(134) *A diwethaf ki a ellygvyd arnaw annwyl gi Arthur,* **Cauall oed y enw** YGE 399–400. 'And the last dog that was loosed upon it was Arthur's favourite dog, called Cafall.'

(135) *Gynt yd oed brenhin,* **Tiries oed y henw** B, 9 (1937–9), 46.

Mewn enghreifftiau fel y rhain mae modd inni edrych ar y gystrawen wreiddiol yn cael ei gwyrdroi gan ymwthiad y cyplad canol am fod y ddwy ffurf yn cydfodoli yn nhestunau Cymraeg Canol. Yr hyn sydd yn arbennig o ddiddorol felly, fel y nodais o'r blaen, ydyw'r ffaith fod yr hen fformiwla enwi yn rhith cymal perthynol a welir yn rhyddiaith storïol yr Oesoedd Canol yn y Gymraeg a'r Wyddeleg wedi parhau yn ddigyfnewid tan ein hoes ni mewn Llydaweg, fel yn yr ymadrodd *eur pôtr yaouank, Per e hano*, er enghraifft.[46] Mae hyn yn tanlinellu hynafiaeth y priod-ddull ac yn cadarnhau ei fod ar un adeg yn gyffredin i Gelteg ynysol yn ei chyfanrwydd.

Nodiadau

[1] Wrth gyflwyno enghreifftiau o CBT 'rwy'n dyfynnu o bryd i'w gilydd y diweddariadau golygyddol er hwylustod i'r darllenydd. Yn ogystal, gan mai'r drefn gypladol, ac amrywiadau arni, yw hanfod fy nghyfraniad, 'rwyf wedi cynnig cyfieithiad Saesneg o nifer o'r enghreifftiau yn lle rhoi diweddariadau Cymraeg a fuasai fwy na thebyg yn tywyllu cyngor am eu bod hwy eu hunain yn ymgorffori rhai o'r amrywiadau cystrawennol sydd yn bwnc i'r drafodaeth.

[2] Fel trydedd enghraifft gallwn fod wedi ychwanegu *Prydyt wyf y'm rhwyf, rywawc – Lywelyn* CBT V, 24.15 sydd yn cynnwys amwysedd cynhenid. Yn gystrawennol gallai olygu, mewn cyd-destun cyfaddas, fod Llywarch yn fardd i Lywelyn, gan gynnwys y posibilrwydd fod mwy nag un ohonynt, ond yn ei gyd-destun presennol mae'n amlwg mai'r hyn a gyfleai Llywarch oedd mai ef oedd priod fardd Llywelyn; mewn geiriau eraill mae *prydyt* yn gweithredu fel traethiad pendant.

[3] LlDC 1.37.

[4] TC 284–5; GMW 140.

[5] Whitley Stokes, 'Cambrica 1. The Welsh glosses . . .', *Transactions of the Philological Society* 1860–1, 204–28 (t. 208).

[6] Whitley Stokes, 'The Old-Welsh Glosses on Martianus Capella', *Kuhns Beiträge zur vergleichende Sprachforschung*, 7 (1873), 385–416 (t. 400).

[7] *Serglige Con Culainn*, gol. Myles Dillon (Dublin, 1953), 119.

[8] *Bethu Phátraic: The Tripartite Life of Patrick*, gol. Kathleen Mulchrone (Dublin, 1939), 2045.

[9] *Saltair na Rann*, gol. Whitley Stokes (Oxford, 1883).

[10] David Greene, 'The Analytic Forms of the Verb in Irish', *Ériu*, 18 (1958), 108–10.

[11] *Fled Bricrenn. The Feast of Bricriu*, gol. George Henderson (London, 1889), §10

[12] *The Dream of Óengus: Aislinge Óenguso*, gol. Francis Shaw (Dublin, 1934), §5.

[13] *Cath Almaine*, gol. Pádraig Ó Riain (Dublin, 1978), 148–9.

[14] Henderson, *Fled Bricrenn*, §24.

[15] Stokes, 'Cambrica 1. The Welsh glosses', 221.

[16] Stokes, 'The Old-Welsh Glosses on Martianus Capella', 400.

[17] Fel y gellid disgwyl, mae enghreifftiau i'w cael lle y mae'r gwahaniaeth rhwng traethiadau pendant ac amhendant heb fod yr un mor glir, yn enwedig mewn barddoniaeth lle y gall ystyriaethau mydryddol ddylanwadu ar ddewis y geiriau, yn y llinell hon gan Iorwerth Fynglwyd er enghraifft: *mi yw saer llawn mesurau* (*Gwaith Iorwerth Fynglwyd*, gol. Howell Ll. Jones ac E. I. Rowlands (Caerdydd, 1975), 40.4). Mae'n ymddangos bod hyn yn golygu'r un peth â phetai'r bardd wedi dweud *mi yw'r saer llawn mesurau*. Mae llinell Tudur Aled, 43.28 (58) yn ddiddorol yn y cyswllt hwn. Mae'n dewis, yn ymwybodol, ddefnyddio ffurfiannau amrywiol yn y pâr o gymalau cypladol; tebyg felly mai ei fwriad oedd gwneud gwahaniaeth semantegol: 'You are a bond of learning and nature, you are the poet and perfect teacher.'

[18] Jane Edwards, *Miriam* (Llandysul, 1990), 91.

[19] William Owen Roberts, *Hunangofiant (1973–87)* (Bangor, 1990), 16.

[20] Gw. enghraifft Randolph Quirk *et al.*, *A Grammar of Contemporary English* (London, 1972), 4.2, 4.40–7; Rodney Huddlestone, *English Grammar: An Outline* (Cambridge, 1988), 90–2.

[21] Greene, 'The Analytic Forms of the Verb', 108–9.

[22] TC 250–1.

[23] Nac ychwaith T. J. Morgan, hyd y gwelaf, yn TC. Pan ysgrifennais y sylwadau hyn ar (89) nid oeddwn wedi sylweddoli bod yr Athro T. Arwyn Watkins wedi nodi'r un nam ar ddarlleniad WM yn ei erthygl 'The *sef* [. . .] Realization of the Welsh Identificatory Copular Sentence' yn *Dán do Oide: Essays in Memory of Conn R. Ó Cléirigh 1927–1995*, gol. Anders Ahlqvist a Vera Čapkova (Dublin, 1997), 579–91 (t. 585). Mae'n siŵr ei fod yn iawn wrth briodoli'r gwall i esgeulustra copïydd WM.

[24] Saunders Lewis, *Monica* (Llandysul, 1930), 24.

[25] Simon Jones, *Straeon Cwm Cynllwyd* (Capel Garmon, 1989), 75.

[26] W. J. Gruffydd, *Tomos a Marged Eto* (Llandysul, 1973), 93.

[27] D.J. Williams, *Storïau'r Tir* (Llandysul, 1966), 42.

[28] O berspectif mytholegol mae sôn am enw personol amhendant yn gallu ymddangos braidd yn baradocsaidd. Mae hen ddigon o dystiolaeth o gymdeithasau a systemau crefyddol ar draws y byd i ddangos y credid gynt fod cysylltiad gwir agos rhwng enw a bodolaeth, fel nad ystyrid person neu beth neu le yn wir ran o'r byd go iawn hyd nes y câi ei enw penodol ei hun yn sêl ar ei realiti unigolyddol; ac eto, rhaid y bu erioed yn amlwg y gallai'r un person ddwyn amryw enwau, y gallai sawl person ddwyn yr un enw, y gallai rhywun newid ei enw yn unol â'i oedran neu ei statws cymdeithasol, ac, yn anad dim, y gellid rhannu enwau personol yn rhai seciwlar a rhai cysegredig. Mae'n bosibl fod rhyw ymwybod empirig o'r fath ymhlith y ffactorau sydd yn cyfrif am yr amrywiaeth a welir yn y ffordd o drin enwau priod yn yr ieithoedd Celtaidd ynysol.

[29] *Hunangofiant a Llythyrau Twm o'r Nant*, gol. G. M. Ashton (Caerdydd, 1948), 28.

[30] John Gwilym Jones, *Ar Draws ac ar Hyd* (Caernarfon, 1986), 81.

[31] Eigra Lewis Roberts, *Llygad am Lygad* (Llandysul, 1990), 48.

[32] T. Glynne Davies, *Marged* (Llandysul, 1974), 207.

[33] John Gwilym Jones, *Ar Draws ac ar Hyd*, 46. 'Rwyf yn ddyledus i'r Athro Watkins am rai o'r enghreifftiau hyn. Yn unol â'r duedd mewn Cymraeg Diweddar i ddefnyddio *yn* traethiadol o flaen enwau (a rhagenwau) pendant, fe'i ceir hefyd o flaen y clymiad (bannod ø) + enw + enw pendant (gw. GMW §28 (*d*)), er enghraifft . . . *yn sbort yr ardal*, W. J. Gruffydd, *Tomos a Marged Eto*, 43, ond wrth gwrs ni ddefnyddir mohono o flaen enw pendant yn cynnwys bannod + enw am y byddai hynny'n drysu'r gwahaniaeth rhwng y geiryn *yn* a'r arddodiad *yn*.

[34] Dylid nodi hwyrach y ceir ambell enghraifft mewn Cymraeg Canol o *yn* o flaen y radd eithaf *goreu*, er enghraifft *Ac yn oreu dyn Duw ry kreas* CBT I, 8.81, 'Ac yn orau dyn y mae Duw wedi ei greu'. Mewn achosion o'r fath mae'n anodd gwybod pa un ai 'ardderchog' neu 'gorau oll' yw'r ystyr.

[35] Revd Gerald O'Nolan (Gearóid Ó Nualláin), *The New Ireland Grammar of Modern Irish* (Dublin and Cork, 1934), §§229, 261; 'Gadelica Minora I', *The Irish Ecclesiastical Record* 30 (Gorffennaf–Rhagfyr, 1911), 35–41. Gw. hefyd y gramadeg Gwyddeleg, *Graiméar Gaeilge na mBráthar Críostaí* (Baile Átha Cliath, 1960), §164.

[36] Yn eu cyfieithiad o (111) ceisia Gwyn Jones a Thomas Jones ddangos arwyddocâd diffyg y cyplad *oed* yn y cwestiwn *Pwy . . . y trywyr diwethaf a deuthant*: 'Who . . . **are** the last three men who came?' Ond nid oes rheswm ieithyddol dros ddefnyddio'r amser presennol.

[37] Mae brawddeg debyg iawn i hon yn gynharach yn y testun, ond gydag amrywiad cystrawennol diddorol: *'Idawc,' . . . heb y Ronabwy, 'pieu y vydin racko?'* B Rh 7.10–11. Amrywio arddull, ynteu ailddehongli y rhagenw gofynnol *pwy* (gyda chyplad ø)?

[38] *Thesaurus Palaeohibernicus* II, gol. Whitley Stokes a John Strachan (Cambridge, 1901, adargraffiad Dublin, 1975).

[39] RhG 123.

[40] Tomás Ó Máille, *An Béal Beo* (Baile Átha Cliath, 1937), 12.

[41] R. Williams, gol., *Selections from the Hengwrt Manuscripts*, I (London,1876), 244.

[42] *Anecdota from Irish Manuscripts* I, gol. Kuno Meyer (Halle, 1907), 78.

[43] Proinsias Mac Cana, 'An Old Nominative Relative Sentence in Welsh', *Celtica*, 7 (1966), 91–115; gweler hefyd nodyn Rhian M. Andrews, LlC, 24 (2001), 159–60.

[44] Gol. Rudolf Thurneysen (Dublin, 1935).

[45] Gwyn Jones a Thomas Jones, *The Mabinogion* (London, 1949, argraffiad diwygiedig 1989), 133.

[46] Ar Moal, *Pipi Gonto* (Kemper, 1925), 47.

13

Golwg ar Ddatblygiad Semantaidd y Rhagenwau Cyfarch yn Gymraeg

PATRICIA WILLIAMS

Mewn llyfrau gramadeg defnyddir y labelau 'ail berson unigol' ac 'ail berson lluosog' ar gyfer y rhagenwau syml 'ti' a 'chwi', ond y mae'r termau hyn yn gamarweiniol gan fod modd defnyddio'r rhagenw ail berson lluosog i gyfarch unigolion hefyd mewn rhai sefyllfaoedd ac o dan amodau arbennig. Serch hynny, o ran hwylustod, cyfeirir yma at y rhagenwau hyn fel yr U2 a'r Ll2, gan gofio mai yn ôl eu ffurf yn hytrach nag yn ôl eu swyddogaeth y labelir hwy felly. Credir bod datblygiad dau ragenw cyfarch unigol yn Ewrop i'w olrhain i'r Lladin *tu* a *vos*. Mewn Lladin Clasurol defnyddid *tu*, y ffurf U2 yn unig, wrth gyfarch unigolion, a *vos*, y ffurf Ll2 wrth gyfarch mwy nag un, ond erbyn y bedwaredd ganrif OC defnyddid *vos* hefyd wrth gyfarch yr ymherodr a oedd erbyn hyn wedi ysgwyddo llawer o'r dyletswyddau a berthynai gynt i'r gonswliaeth.[1] Wrth i'r ymherodr ei ystyried ei hun yn ymgorfforiad o swyddogaethau'r ddau gonswl, dechreuodd ddefnyddio'r person cyntaf lluosog i gyfeirio ato ef ei hun. Felly pan ddaethpwyd i ystyried yr ymherodr yn ymgorfforiad o'r ddau gonswl, naturiol fyddai i'w ddeiliaid ymateb i'r teitl *serenitas nostra* (*Ein* Grasusol Uchelder) â'r teitl cyfatebol *serenitas vestra* (*Eich* Grasusol Uchelder).[2] Wedi i'r dull cyfarch hwn ymsefydlu ym meddylfryd y bobl, cam bychan iawn oedd i'r arfer o ddefnyddio'r Ll2 wrth gyfarch yr ymherodr ymledu i gyfarch pobl eraill a chanddynt awdurdod, megis uchelwyr, tirfeddianwyr ac uchel swyddogion y fyddin. Gan mai haenau uchaf cymdeithas yn unig a gâi gyfathrach uniongyrchol â'r ymherodr, tybir mai hwy a ddefnyddiai'r Ll2 fel rhagenw unigol i ddechrau ac iddynt wedyn ei ddefnyddio ymysg ei gilydd, gan ddynwared arfer y llys ymerodrol. Yna ymledodd yr arfer i rai o wledydd eraill cyfandir Ewrop a ddaeth o dan awdurdod yr ymerodraeth Rufeinig, yn arbennig Ffrainc.[3]

Er mor atyniadol yw damcaniaeth dylanwad y lluosog ymerodrol Rhufeinig ar yr arfer gynyddol o ddefnyddio'r Ll2 mewn ieithoedd diweddarach, rhaid gochel rhag anwybyddu ffynonellau posibl eraill. Ceir y ffurf luosog yn dynodi gwrthrych unigol yn y Beibl; yn hanes y creu dywed Duw: 'Gwnawn ddyn ar ein delw, yn ôl ein llun ni.'[4] Yn y Beibl Hebraeg y lluosog *Elohim* yw'r enw a gyfetyb i 'Dduw' y cyfieithiadau, ac y mae hyn wedi ysgogi trafodaeth ymysg diwinyddion ynglŷn ag arwyddocâd y rhagenw lluosog yn y cyswllt hwn. Un esboniad yw bod *Elohim* yn cynnwys Duw a'r trigolion nefol, syniad a geir mewn mannau eraill yn y Beibl, er enghraifft, 'Yna clywais yr Arglwydd yn dweud, "Pwy a anfonaf? Pwy a â *drosom ni?*" ' (Eseia 6:8).[5] Os yw hwn yn gyfeiriad at Dduw a holl lu'r nefoedd, nid yw'r lluosog yn anghyffredin, ond dehongliad arall yw mai'r Ll2 brenhinol unigol sydd yma, ac fe'i cymherir ag Esra 4:18, lle y dywed y brenin: 'Darllenwyd yn eglur yn fy ngŵydd y llythyr a anfonasoch *atom.*'[6] Os yw'r esboniad hwn yn gywir, dengys fod egwyddor defnyddio'r ffurf luosog am yr unigol gan rai ac awdurdod ganddynt yn digwydd yn yr iaith Hebraeg rai canrifoedd yn gynharach na'r defnydd ymerodrol ohoni yn yr iaith Ladin. Beth bynnag fo tarddiad y ffurf luosog gwrtais, pan sefydlir egwyddor defnyddio ffurf forffolegol luosog i gyfeirio at unigolyn, gellir ei harfer wedyn i gyfleu pob math o arlliwiau ar ymddiddan; ond nis sefydlwyd fel cyfarchiad arferol am ganrifoedd lawer yn Ewrop, a cheid cryn dipyn o wamalu, a ymddangosai'n anesboniadwy weithiau, rhwng yr U2 a'r Ll2 yn y canrifoedd cynnar mewn Hen Ffrangeg[7] ac mewn Saesneg Canol hyd at gyfnod Saesneg Diweddar Cynnar[8] yn ogystal ag yn y Gymraeg, fel y ceisir dangos yn y bennod hon.

Yn Lloegr yn yr unfed ganrif ar bymtheg defnyddid teitl yn aml wrth gyfarch unigolyn,[9] a gellid sarhau derbynnydd yr ymddiddan trwy ei gyfarch â theitl anaddas i'w statws.[10] Yr oedd teitlau cyfarch yn bwysig yng Nghymru'r Oesoedd Canol hefyd.[11] Yn chwedl 'Pwyll Pendefig Dyfed', pan geryddir Pwyll gan Arawn brenin Annwfn am anfon ei gŵn ei hun i fwydo ar y carw a laddesid gan ei gŵn yntau, ymddiheura Pwyll gan ddweud: ' "A unbenn," hep ef, "o gwneuthum gam, mi a brynaf dy gerennyd." '[12] Sylwer mai 'unbenn', sef cyfarchiad cwrtais rhwng cyd-raddolion, yw'r teitl a ddewisir gan Bwyll i gyfarch Arawn, cyn iddo sylweddoli beth yw gwir statws y gŵr y mae'n siarad ag ef, ond cyn gynted ag y sylweddola mai 'brenhin corunawc' yw Arawn, newidia'r teitl i 'Arglwydd', gan gydnabod ei statws. Â theitl ei swydd y mae Pwyll yn cyfarch ei was,[13] ac â theitl a ddynoda ei statws tybiedig y mae'n cyfarch Rhiannon i ddechrau: 'Ha uorwyn,' meddai,[14] ond ar ôl iddi ymddiddan ag ef, y mae'n ei chyfarch â'r teitl 'Arglwyddes', sy'n awgrymu bod rhywbeth yn ei hymarweddiad a wna iddo sylweddoli ei bod o dras uchel. Ceir sefyllfa debyg yn ddiweddarach yn y chwedl: pan â Teyrnon i lys Pwyll ac y cynigia Rhiannon ei gludo ar ei chefn i'r llys yn ôl amodau ei chosb, y mae'n ei chyfarch â'r teitl 'wreicda',[15] sydd yn sarhad ar ei statws brenhinol, ond pan brofir nad yw'n euog o ladd ei mab, y mae'n ei chyfarch â'r teitl 'Arglwyddes'.[16] Yn wrthwyneb i hyn, defnyddir y teitl 'Arglwyddes' i gyfarch Branwen pan ddiraddir hi a'i gyrru o ystafell Matholwch i bobi yn y llys, anomaledd y sylwa Branwen arno'n syth: 'Kyn ni bwyf Arglwyddes, mi wnn beth yw hynny,' meddai hi yn ateb i'r cwestiwn a ofynnwyd iddi gan weision Matholwch.[17] Gwelir, felly, fod defnyddio'r teitl amhriodol neu annisgwyl yn peri anesmwythyd ac yn mynegi'n huawdl, heb ymhelaethu geiriol, faint y sarhad a wnaethpwyd i'r ddwy frenhines. Er gwaethaf eu statws aruchel, nid oes hawl ganddynt ar deitl cymesur â'u gradd gymdeithasol nes eu profi'n ddieuog a'u hadfer i'w priod le.

Yng Nghymru'r Oesoedd Canol yr oedd y 'lle' a benodid i rywun wrth fwrdd y neuadd yn ffordd o ddangos ei statws hefyd. Yn y cyfreith-iau penodir eisteddle arbennig i brif swyddogion y llys;[18] sonnir yn 'Brut Dingestow' am 'ossod pavb y eisted yn herwyd eu anryded'[19] a cheir cyf-eiriad at yr arfer yn rhai o'r chwedlau hefyd.[20] Mewn cymdeithas lle yr oedd pawb yn gwybod ei 'le' a lle y cyferchid pobl â theitl i ddynodi eu statws cymdeithasol, byddai rhagenw parch yn ddianghenraid, ond fel y lleihâi amlder defnydd y teitlau a ddynodai statws y siaradwr neu'i berthynas â'i gydymddiddanydd, cynyddai pwysigrwydd y rhagenwau cyfarch U2 a Ll2 fel ffordd o fynegi statws cymdeithasol a pherthynas siaradwyr â'i gilydd. Pan fo dau siaradwr yn cyfarch ei gilydd â'r un rhagenw, boed yr U2 neu'r Ll2, dywedir i'r rhagenw gael ei ddefnyddio'n gilyddol, ond pan gyferchir siaradwr â'r U2 a derbyn y Ll2 yn ateb, dywedir i'r rhagenw gael ei ddefnyddio'n anghilyddol.[21]

Damcaniaethau allweddol ynglŷn â datblygiad semantaidd y rhagenwau cyfarch

Yn 1960 ymddangosodd erthygl ddylanwadol iawn gan ddau ysgolhaig Saesneg, R. Brown ac A. Gilman,[22] erthygl a ailgyhoeddwyd ddwywaith yn 1972.[23] Yn nhyb Brown a Gilman, y ddau ffactor sy'n llywio dewis pa ragenw cyfarch a ddefnyddir yw pŵer a'r hyn a elwir ganddynt yn *solidarity*, sef perthynas sy'n rhwymo pobl o'r un anian â'i gilydd.[24] Nid oes rhaid i'r rhai hyn fod yn aelodau o'r un teulu neu ysgol neu glwb, nac ychwaith yn gymdeithasol gyfartal, ond rhaid iddynt fod o feddylfryd tebyg. I bwrpas yr erthygl hon, defnyddir y termau 'semanteg pŵer' a 'semanteg cydsafiad' i gyfleu'r hyn y cais Brown a Gilman ei gyfleu â *power semantic* a *solidarity semantic*. Os pŵer yw sylfaen y berthynas sydd yn bod rhwng siaradwr a'i gyd-siaradwr, ni all y berthynas fod yn gyfartal neu'n gilyddol, gan na all dau berson feddiannu awdurdod dros yr un maes ar yr un pryd. Pŵer sydd wrth wraidd perthynas unigolion â'i gilydd mewn sefydliadau megis y wladwriaeth, y fyddin, yr eglwys, y llysoedd, y gweithle yn gyffredinol a hyd yn oed o fewn y teulu; hynny yw, byddai'r pennaeth yn defnyddio'r U2 wrth gyfarch y rhai a gyfloga neu a ddibynna arno, a'r rhai is eu gradd yn ateb â'r Ll2 er mwyn cydnabod ei awdurdod a'i statws uwchraddol. Daethpwyd, felly, i ystyried y rhagenw Ll2 yn arwydd o syberwyd a statws uchel yng ngwledydd cyfandir Ewrop ac yn ffordd o ddangos parch gan israddolion wrth gyfarch uwchraddolion. Dywed Brown a Gilman fod cyfatebiaeth rhwng semanteg pŵer a strwythur cymdeithasol hierarchaidd, ond nid yw'r sefyllfa mor syml â hynny; nid oedd y strwythur cymdeithasol mor anhyblyg fel y penodid statws unigryw i bob unigolyn ynghyd â dull cyfarch yr oedd yn rhaid ei arfer ar gyfer pob un. Rhaid cofio bod ystyriaethau seicolegol yn llywio'r dewis hefyd.

Erbyn diwedd y bedwaredd ganrif ar ddeg defnyddid yr U2 yn y Saesneg mewn ffordd nad oedd yn gwbl gydnaws ag agwedd nawddogol ond y gellid ei hesbonio yn nhermau emosiwn neu yn ôl graddau agosrwydd perthynas.[25] Sylfaenid hyn ar semanteg cydsafiad, sydd, yn nhyb Brown a Gilman, yn ddiweddarach o ran datblygiad na semanteg pŵer. Os yw'r berthynas wedi ei seilio ar bŵer, defnyddir y Ll2 anghilyddol gan israddolion wrth gyfarch uwchraddolion, y Ll2 cilyddol rhwng pobl o ddosbarth uchaf cymdeithas a'r U2 cilyddol rhwng rhai is eu tras wrth siarad â'i gilydd, ond mewn perthynas rhwng pobl o'r un anian defnyddir yr U2 a'r Ll2 yn gilyddol hyd yn oed rhwng pobl o haenau cymdeithasol anghydradd o ran statws a chyfoeth ac awdurdod. Y mae'n werth sylwi bod y rhagenw cyfarch Ll2 wedi disodli'r U2 bron yn gyfan gwbl mewn Saesneg safonol, yn wahanol i arfer y Gymraeg a rhai o ieithoedd cyfandir Ewrop, sy'n defnyddio'r ddau yn ôl eu swyddogaeth gymdeithasol neu seicolegol.

Beirniada Kathleen Wales ddamcaniaeth Brown a Gilman am fod yn anfanwl ac yn anghydnaws â'r hyn a wyddys am y system ragenwol mewn Saesneg Diweddar Cynnar.[26] Gwêl wrthdaro rhwng semanteg pŵer a semanteg cydsafiad, oherwydd anhawster penderfynu weithiau a ddefnyddid yr U2 fel arwydd o awdurdod neu o anwyldeb.[27] Ceir gwamalu rhwng dwy ffurf y rhagenw yn Gymraeg hefyd, ond nid yw'r newid o'r naill i'r llall mor fympwyol ag yr ymddengys ar yr olwg gyntaf. Saif y cyfnewid fel arwyddbost i ddangos bod gwahaniaeth yng nghywair y llefaru, boed ar lefel perthynas y siaradwyr â'i gilydd neu ar lefel testunol. Awgryma Wales hefyd y gall ffactor ieithyddol yn hytrach na chymdeithasol fod yn rhannol gyfrifol am dranc yr U2 yn Saesneg. Gan fod yn rhaid wrth derfyniad i'r ferf redadwy gyda'r rhagenw *thou*,[28] gwna hyn i'r ffurf honno fod yn fwy cymhleth i'w defnyddio na ffurf ferfol y Ll2, nad oes angen ychwanegu terfyniad ati. Ategir y ddamcaniaeth hon gan y ffaith fod ieithoedd yn symleiddio drwy golli terfyniadau berfol neu gyflyrau traws mewn enwau, fel y gwelir wrth gymharu'r iaith Ladin â'r

cyfieithoedd a ddatblygodd ohoni ac wrth gymharu Eingl-Sacsoneg â
Saesneg Diweddar, neu'r Frythoneg â'r Gymraeg. Ymddengys, felly, mai'r
ffactor sy'n bennaf cyfrifol am dranc yr U2 yn Saesneg yw egwyddor dilyn
y llwybr rhwyddaf.

Serch hynny, yn yr unfed ganrif ar bymtheg ceid cryn wamalu rhwng y
ddau ragenw yn Lloegr. Ceisiwyd egluro'r diffyg sefydlogrwydd hwn gan
McIntosh drwy benderfynu pa ragenw oedd yr un arferol disgwyliedig a
pha un oedd yr amrywiad.[29] Ond gan nad oedd y defnydd bob amser
yn dilyn y patrwm disgwyliedig, ni ellir derbyn esboniad McIntosh yn
ei grynswth.[30] Cynigia Clara Calvo ddwy ddamcaniaeth arall i geisio
esbonio'r gwamalu rhwng dwy ffurf y rhagenw.[31] Gwêl y rhagenwau fel
social markers ac fel *discourse markers*, hynny yw, fel ffordd o gyfleu pa
fath o berthynas sydd yn bod rhwng siaradwyr a'i gilydd ac fel arwydd o
newid pwnc neu natur yr ymddiddan, neu hyd yn oed newid gramadegol
o'r person cyntaf a'r ail i'r trydydd. Os nad yw'r ymddiddanwyr yn gytûn
ar natur eu perthynas, ceir gwrthdaro wrth ddewis rhagenw, y naill yn
defnyddio'r U2 i ddangos agosrwydd a'r hyn a elwir yn gwrteisi
cadarnhaol, a'r llall yn defnyddio'r Ll2 i ddangos pellter a chwrteisi
negyddol.[32]

Y Rhagenwau Cyfarch yn Gymraeg

Nid yw defnydd y rhagenwau cyfarch yn Gymraeg wedi dilyn yr un patrwm
ag yn yr iaith Saesneg. Nid yw *chwi* wedi disodli *ti* yn gyfan gwbl fel dull o
gyfarch unigolion, ond defnyddir y ddau yn ôl eu swyddogaeth fel yn
ieithoedd y Cyfandir. Amcan y bennod hon, felly, yw ceisio olrhain
datblygiad y Ll2 fel rhagenw unigol yn yr iaith Gymraeg a thrafod y
ffactorau sydd wedi dylanwadu ar ddewis y rhagenw cyfarch a ddefnyddir.
Yn absenoldeb unrhyw dystiolaeth lafar ynglŷn â swyddogaeth y rhagenwau
cyfarch yn y cyfnodau cynnar, rhaid dibynnu ar destunau ysgrifenedig.
Problem fawr dibynnu ar destunau ysgrifenedig, yn enwedig wrth bender-
fynu ar ddyddiad newidiadau semantaidd y rhagenwau, yw bod llawer o'r
testunau yn hŷn na'r llawysgrifau y cedwir hwy ynddynt; er enghraifft, barn
y rhan fwyaf o ysgolheigion yw bod 'Pedair Cainc y Mabinogi' yn perthyn i
hanner olaf yr unfed ganrif ar ddeg, ond cedwir y chwedlau mewn
llawysgrifau sy'n perthyn i'r drydedd ganrif ar ddeg a'r ganrif ddilynol. Ni
wyddys faint yr ymyrrwyd wrth drawsgrifio testunau o'r naill femrwn i'r
llall. Gall ysgrifwr ddiweddaru'r iaith a'r orgraff neu hyd yn oed
ailysgrifennu'r testun yn gyfan gwbl, gan gyfleu synnwyr y gwreiddiol yn
unig.[33] Ni wyddys yn aml ychwaith pwy oedd yr ysgrifwyr, a hyd yn oed pan
fo enw'r ysgrifwr yn adnabyddus, ni ellir bod yn sicr i ba raddau y mae wedi
ymyrryd â'r gwreiddiol; er enghraifft, y mae Llywelyn Siôn yn enwog iawn

fel copïwr dibynadwy, ond hyd yn oed ar ôl cydnabod hynny, ni wyddys i sicrwydd i ba raddau y mae wedi ymyrryd â'r testun gwreiddiol.[34]

Yn ddelfrydol, dylid astudio dramâu, gan mai yn y cyfrwng llenyddol hwn y ceir ymddiddan, ond pan ddigwydd y Ll2 unigol, ni wyddys a yw hyn yn adlewyrchu iaith cyfnod y cyfansoddiad gwreiddiol ynteu a yw'r trawsgrifwr wedi ei gynnwys bron yn ddiarwybod, yn unol â'i arfer ieithyddol ei hun. Gan fod gennym gyn lleied o ddramâu canoloesol,[35] rhaid chwilio am dystiolaeth mewn testunau y ceir ymddiddan ynddynt; felly dadansoddwyd ystod eang o weithiau rhyddiaith â'u cynsail yn yr unfed ganrif ar ddeg, er mai mewn llawysgrifau diweddarach y cedwid hwy, yn ogystal â thestunau a berthyn i'r ail ganrif ar bymtheg, gan gynnwys anerchiadau i'r darllenydd.[36] Mantais edrych am enghreifftiau yn yr anerchiadau yw eu bod yn gynnyrch eu cyfnod, ac wedi cael eu cyfansoddi gan awdur adnabyddus yn hytrach na'u copïo'n wallus neu eu haddasu i gydymffurfio â ffasiwn lenyddol neu gymdeithasol yr oes.

Enghraifft arall o ryddiaith gyfarchiadol yw'r cyfieithiad Cymraeg o 'Bestiare d'amour' Richart de Fornival.[37] Mae'r testun hwn ar ffurf llythyr oddi wrth ddyn at ei gariadferch; dadansodda natur ei serch tuag ati a thrafod perthynas gŵr a gwraig yng ngoleuni'r hyn a wyddys am natur anifeiliaid. Ym mrawddeg agoriadol testun B[38] a thestun C[39] y mae'r awdur yn cyfarch ei 'geredikaf gedymddeithes', gan ddweud, 'ydd wyf i yn anvon anerch a chariad *atochi*'; yna yn nhestun B, yn ddisymwth a heb reswm amlwg, try i'r U2: 'a bid hyssbys *genyd* vod gennyf gyvle aniwed *arnad* rac mor drugaroc *vvost* wrthyf tra vvm yn menegi *yt* vyngovid.'[40] Un enghraifft arall a geir o'r Ll2 unigol yn nhestun B: 'y ddav beth hynny yn vn ydd wyf i yn i [h]anvon iti am nad oes ym ras kael kyvlwr yn ddiogan i ymddiddan a *chwi*.'[41] Yn nhestun C digwydd y gwrthwyneb a cheir '*gennych*' yn lle '*genyd*' ac 'ymddiddan a *thi*' yn lle 'ymddiddan a *chwi*'.[42] Y mae'n anodd egluro'r gwamalu hwn rhwng dwy ffurf y rhagenw. Y Ll2 ffurfiol a ddefnyddir yn gyson yn y testun Ffrangeg[43] ac efallai fod hynny wedi dylanwadu ar y cyfieithydd wrth iddo drosi'r cyfarchiad agoriadol i'r Gymraeg ond ei fod wedi llithro'n ôl i'w arfer naturiol wrth fynd yn ei flaen.

Ac eithrio'r dramâu mydryddol, ni chynhwysir barddoniaeth yn yr astudiaeth hon, am fod iaith y beirdd yn tueddu i fod yn artiffisial a chan nad yw'n cynrychioli iaith ymddiddan, ond yn sicr dylid mynd ati mewn astudiaeth arall i ddadansoddi barddoniaeth ac yn arbennig i edrych i ba raddau y mae'r gynghanedd wedi dylanwadu ar ffurf y rhagenw a ddewiswyd.

Defnydd cilyddol y rhagenwau cyfarch

Defnyddir yr U2 yn gilyddol wrth gyfarch unigolion, ni waeth beth fo eu statws mewn cymdeithas, a'r Ll2 yn ei swyddogaeth luosog wrth gyfarch mwy nag un person ym mhob un o'r testunau canlynol, a gynhwysir mewn llawysgrifau o'r drydedd ganrif ar ddeg i'r bymthegfed: 'Breuddwyd Macsen', 'Breuddwyd Rhonabwy', 'Brut Dingestow', 'Buchedd Dewi', 'Cymdeithas Amlyn ac Amig', 'Culhwch ac Olwen', 'Chwedlau Odo', 'Chwedlau Saith Doethion Rhufain', 'Ffordd y Brawd Odrig', 'Historia Gruffudd fab Cynan', 'Owain', 'Pedair Cainc y Mabinogi', 'Ymborth yr Enaid', 'Ystoria Gereint fab Erbin'. Er hynny, ceir ambell enghraifft o'r Ll2 anghilyddol mewn testunau y mae eu cynseiliau yn gynharach na'r bymthegfed ganrif, er gwaethaf datganiad Syr John Morris-Jones mai yn y ganrif honno yr ymddangosodd y rhagenw Ll2 ffurfiol yn y Gymraeg.[44] Yr U2 cilyddol a geir yn 'Ystoriâu Saint Greal' ac eithrio'r enghreifftiau yn y rhan 'Anturiaethau y Tri Chydymaith'.[45] Serch hynny, gwall yw'r ddwy enghraifft yn llinellau 4551 a 4557 am 'ni', am fod y cyfieithydd wedi camddarllen y Ffrangeg *nos* am *vos*[46] yn y testun y trosai ohono. Amwys hefyd yw'r enghreifftiau ar dudalennau 136 a 138 gan y gallent gyfeirio at fwy nag un person neu gael eu defnyddio fel rhagenwau amhersonol. Digwydd un enghraifft yn unig o'r Ll2 unigol yn 'Historia Peredur fab Efrog'. Pan rydd chwaer faeth Peredur y bai arno ef am farwolaeth gynamserol ei fam, oherwydd iddo ei gadael er mwyn cyrchu llys Arthur, ac yna ei rybuddio i gadw draw oddi wrth y marchog a laddodd ei gŵr, etyb Peredur: ' "Kam, vy chwaer," heb ef, "yd *wyt* y'm kerydu. Ac am vy mot y gyt a *chwi* yn gyhyt ac y bum, abreit vyd im y oruot . . ." '[47] Ceir enghraifft gynnar arall o'r Ll2 unigol yn 'Cyfranc Lludd a Llefelys', a gedwir fel chwedl annibynnol yn y Llyfr Gwyn a'r Llyfr Coch ond a oedd yn hysbys yng Nghymru mor gynnar â'r drydedd ganrif ar ddeg gan iddi gael ei chynnwys yn Llanstephan 1, llawysgrif a berthyn i'r ganrif honno.[48] Pan eglura Llefelys ystyr yr ail o'r tair gormes, dywed:

'Yr eil ormes', heb ef, 'yssyt y'*th* gyuoeth *di*, dreic yw honno, a dreic estrawn genedyl arall yn ymlad a hi ac yn keissaw y goresgynn. Ac wrth hynny, 'heb [ef], 'y dyt *ych* dreic *chwi* diaspat engiryawl.'[49]

Er bod Llefelys yn cyfarch ei frawd yn uniongyrchol, y mae'n bosibl ei fod yn golygu Lludd a'i holl genedl.

Gwelir dwy enghraifft gynnar arall o'r Ll2 unigol yn 'Ystoria Bown de Hamtwn' (diwedd y drydedd ganrif ar ddeg) hefyd; digwydd y gyntaf yn yr ymryson rhwng y cawr Copart ac Amonstius: '*Ymhoel* drathkeuyn, lwtwn. Ny rodwn i *yrochwi* nac yr *ych* ffyd egroessen. Ac onyt ymhoely, mi a rodaf *it* dyrnawt.'[50] Ac eto mewn sgwrs rhwng yr ymherodr a Bown:

'Pwy dy enw *di*,' heb yr amherawdyr. 'Girat,[51] Arlwydd,' heb ynteu. 'Ae ryuelwyr *ywchi* ac a gymero da yr rywelu? Ac os ef, mi ae rodaf *ywch* wrth *uch* ewyllus yr ryuelu o *honawchi* ar y bilein, a Sebawt yw y enw.'[52]

ond nid yw'r ail enghraifft mor 'ddiamwys a dibetrus'[53] â'r un gyntaf, gan ei bod yn bosibl fod yr ymherodr yn anelu ei eiriau at Bown a'i ryfelwyr i gyd, ac nid at Bown yn unig.

Yn chwedlau cylch Siarlymaen, sef 'Cronicl Turpin', 'Rhamant Otuel' a 'Cân Rolant', a gyfieithesid o'r Ffrangeg i'r Gymraeg erbyn 1336,[54] ynghyd â 'Pererindod Siarlymaen',[55] yr U2 cilyddol a ddefnyddir gan amlaf, ond ceir ychydig enghreifftiau o'r Ll2 unigol na ellir yn hawdd eu hesbonio; er enghraifft, pan ofynnodd Siarlymaen i Otuel ei atgoffa o'r achlysur pan laddodd bennau 'mil o Ffreinc', dywed Otuel, 'Mi a'e dywedaf *ywch* yn llawen,'[56] ond newidia'n ddisymwth i'r U2 yn y frawddeg ddilynol. Gan fod Rolant yn bresennol, efallai fod Otuel yn cynnwys Rolant yn yr ymddiddan hefyd ar y dechrau. Testunau sy'n perthyn i'r bedwaredd ganrif ar ddeg yw'r rhain; *ti* yw'r ffurf fwyaf cyffredin ar y rhagenw cilyddol, a'r enghreifftiau prin o *chwi* yn digwydd yn fympwyol. Y mae hyn yn wahanol i'r defnydd o'r rhagenwau cyfarch mewn cyfnodau diweddarach, lle y gwelir cynnydd sylweddol yn nifer enghreifftiau y Ll2 a phatrwm yn datblygu fel y gellir mentro cynnig eglurhad dros ddefnyddio *chwi* yn gilyddol rhwng cydraddolion. Yn y ddrama 'Y Tri Brenin o Gwlen' yr U2 yw'r rhagenw a ddefnyddir gan israddolion ymysg ei gilydd ond newidiant i'r Ll2 wrth gyfarch Herod. Gwelir datblygiad tebyg yn 'Y Dioddefaint', lle y defnyddir yr U2 cilyddol rhwng israddolion a'i gilydd ond y Ll2 cilyddol rhwng uwchraddolion megis Peilat, Caiaphas ac Annas, er mai *ti* a ddywed Peilat wrth Joseph o Arimathea a Nicodemws. Gellid dehongli cyfarchiad ffurfiol cilyddol Peilat i Gaiaphas ac Annas, swyddogion y Sanhedrin, fel dyfais i ddynodi eu bod i gyd ar yr ochr a reolai, a'i gyfarchiad anffurfiol i Joseph o Arimathea a Nicodemws fel arwydd eu bod hwy, fel cefnogwyr Crist, yn perthyn i'r ochr arall ac nid i gylch cyfyngedig y llywodraethwyr. Yn wir, yn y ddrama hon cyferchir Peilat gan naw o'r cymeriadau â'r Ll2, ond ni wyddys pa gyfarchiad a dderbynient gan Beilat ei hun. Yn y ddrama 'Troelus a Chresyd' (*c.*1600) ceir amlder uchel i *chwi*, a ddefnyddir yn gilyddol rhwng uwchraddolion, hyd yn oed pan fo'r rhai hynny'n frodyr[57] neu'n perthyn o ran gwaed, megis Priaf a'i feibion[58] a Chresyd a'i hewythr Pandar.[59] Awgryma hyn fod y Ll2 wedi datblygu nid yn unig fel rhagenw ffurfiol a ddefnyddid gan israddolion i gydnabod statws ond yn rhagenw cilyddol a ddefnyddid gan bobl mewn awdurdod ymysg ei gilydd erbyn yr unfed ganrif ar bymtheg.

Defnydd anghilyddol y rhagenwau cyfarch

Yn fersiwn Llyfr Coch Hergest o 'Chwedlau Saith Doethion Rhufain' (14g.), ni ddigwydd yr un enghraifft o'r rhagenw Ll2 unigol, ond mewn fersiwn diweddarach o'r chwedlau, a gopïwyd gan Lywelyn Siôn *c.*1590 ac a gedwir yn llsgr. NLW 13075B (= Llanofer B 17),[60] ceir dau ymddiddan lle y defnyddir y Ll2 gan ŵr ifanc wrth gyfarch perthynas hŷn, er mai'r U2 a geir yn y fersiwn cynharach cyfatebol. Yn yr ymddiddan cyntaf y mae nai yn siarad â'i ewythr:

Jesus 111 (Llyfr Coch Hergest)
A gwedy eu dyuot y le disathyr dirgeledic, dywedut wrth y nai: 'Mi a glywaf,' heb ef, 'arogleu llysseu da.' 'Minneu a'e clywaf,' heb y mab, 'a'e *mynny di* wyntwy?' 'Mynnaf, 'heb ef.[61]

NLW 13075B
Ag yna i dywad Ipogras wrth i nai, 'Mi a glywaf aroglav llysav da.' 'Mi a'u gwelaf hwynt,' heb i nai, 'a'u *mynwchwi* hwynt?' 'Mynnaf,' hebe Ipogras, '*arwain* vi ywch i pen hwynt.'[62]

Yn yr ail enghraifft y mae mab yn cyfarch ei dad:

Jesus 111 (Llyfr Coch Hergest)
Megis hynny, arglwyd dat, val y bu y mab hwnnw ufud a darestyngediv y dat, velly y *keffy ditheu* vyvi yn uvud *ytt* yr meint vo vyg gallu yn y byt hwnn. Ac yr Duw na *chret ti* geissaw ohonaf i treissaw *dy* wreic.[63]

NLW 13075B
'Ac velly, vy arglwydd dad, mor yvydd ag i bv y mab hwnnw ydd y dad i byddaf innav i *chwithav*. Ag er dolwyn, vy arglwydd dad, na *thebygwch* i mi gaiso na meddwl traiso yr amherodres, ond yddi hi ymgynnig i mi, y peth nid oedd dailwng.'[64]

Er mai'r ymherodr yn unig a gyferchid â'r Ll2 anghilyddol yn wreiddiol, drwy rym semanteg pŵer, lledodd yr arfer nes bod israddolion yn defnyddio'r Ll2 i gyfarch uwchraddolion yn gyffredinol, a gallai'r rhai hyn fod o haen gymdeithasol uwch neu mewn awdurdod yn y gweithle, o oedran hŷn neu'n rhai sy'n ennyn clod oherwydd eu doniau arbennig. Yn raddol, felly, datblygodd y Ll2 unigol o fod yn symbol o awdurdod i fod yn arwydd o barch, a'r enghraifft fwyaf amlwg ohono yw'r Ll2 anghilyddol a ddefnyddir gan rai plant wrth gyfarch eu rhieni, datblygiad gwahanol i'r arfer cyfandirol o ddefnyddio'r U2 cilyddol rhwng plant a'u rhieni. Estyniad o semanteg pŵer yw'r arfer hon mewn gwirionedd, a gellid ystyried y rhieni fel ffigurau ymerodrol, awdurdodol. Ceir enghreifftiau yn y 'Gesta Romanorum' o blant yr ymherodr yn ei gyfarch â'r Ll2, sef ei ferch yn Ystori 14 a'i fab yn Ystori 24. Yn 'Ystori Alexander a Lodwig', testun arall o'r unfed ganrif ar bymtheg, y mae Alexander yn cyfarch ei rieni â'r Ll2 ffurfiol ac yn derbyn yr U2 ganddynt hwy yn ateb. Yn ffurfiol hefyd y mae Iesu yn cyfarch ei fam yn y ddrama 'Y Dioddefaint', gan dderbyn 'ti' yn ateb ganddi hi. Ymddengys hyn fel ymgais i bortreadu Mair fel meidrolyn, oherwydd, pan erfynir arni fel dwyfolyn, 'Ti' a ddefnyddir, gan ddilyn yr arfer gyffredinol wrth gyfarch Duw ac Iesu.

Semanteg pŵer yw'r ffactor a bair ddefnyddio'r Ll2 anghilyddol rhwng israddolion ac uwchraddolion yn y ddrama 'Tri Brenin o Gwlen', sy'n ymwneud â thaith y doethion neu'r sêr-ddewiniaid o'r dwyrain a aeth ag anrhegion i'r baban Iesu.[65] Yn y ddrama hon defnyddia pawb, hyd yn oed y frenhines, y Ll2 i gyfarch Herod, ond etyb hwnnw â'r U2. Serch hynny, ceir un enghraifft o ddefnyddio'r U2 gan y gennad i Herod, na ellir ei hesbonio gan na gofynion odl na mydr nac emosiwn:

> Arglwydd vrenin mi af yno
> mahownt amen am katwo
> ac a ddawa hwyp ar vrys
> *ith* lys kyn gorffwyso.[66]

Gwelir yr un arfer yn y ddrama 'Y Dioddefaint', sef hanes croeshoelio Iesu Grist. Cyferchir Peilad, fel symbol o awdurdod, â'r Ll2 gan bawb, ond ceir un enghraifft o'r Iddewon yn ei gyfarch â'r U2: 'Peilad *krogaist* ladron chwyrn.'[67] Fe all mai gofynion y mydr yw'r esboniad am ddefnyddio'r U2 yn y cyswllt hwn, gan y byddai 'krogasoch' yn rhoi un sillaf yn ormod, ond ar y llaw arall, fe all nad oedd system defnyddio *chwi* fel arwydd o barch wrth gyfarch rhai mewn awdurdod wedi datblygu'n gyflawn yn y cyfnod hwnnw gan fod enghreifftiau eraill o ddefnyddio'r rhagenwau cyfarch yn fympwyol i'w cael yn y ddrama hon; er enghraifft nid oes eglurhad paham y try'r Ail Farchog i'r U2 wrth gyfarch Peilad yn y llinellau dilynol:

> Os *gorchmynwch* y nyni
> ni a wnawn drichant y drengi
> nac vn dyrnod nid a yn Rad
> ssyr peilad, i'*th* foli.[68]

Yn y cyflwyniadau a'r rhagymadroddion llenyddol a archwiliwyd ac mewn anerchiadau gan awduron i'r darllenydd neu i ryw noddwr neu gyfaill, ni ellir gwybod ai defnydd cilyddol neu anghilyddol o'r rhagenw a geir, gan nad yw ymateb y derbynyddion yn hysbys, ond y mae'n ddiddorol nodi pa ffurf ar y rhagenw a ddewisir gan yr awduron. O'r 23 rhagymadrodd a olygwyd gan Garfield Hughes, anelir 8 at fwy nag un person, ac o'r herwydd ni ellir gwybod beth fyddai arfer yr awdur wrth gyfarch ei gyd-wladwyr fel unigolion. O'r 15 arall, anerchir y darllenydd mewn 10 ohonynt â'r U2, ond yn rhagymadrodd Richard Davies i'r Testament Newydd 1567, cyferchir y 'Cymbro glan' â'r U2 i ddechrau,

313

eithr gan newid i'r Ll2 yn ddiweddarach.[69] Gwelir newid tebyg yn y rhagenwau gan William Salesbury yn ei gyflwyniad i *Y Diarhebion Camberaec*. Ymddengys fod Salesbury yn cyfarch unigolion â'r U2, gan gadw'r Ll2 ar gyfer mwy nag un, ond yn achos Master Jenkyn Gwyn, er iddo gychwyn ei gyfarch â'r U2, gwelir newid sydyn i'r Ll2 heb unrhyw reswm amlwg:

> A chan hyny, ag am i mi glyvot dywedyt ddyvot ar *dy* law *di* venthig y Llyver Goch [*sic*] o Hergest (yr hwn a welais i dair blynedd i Wyl Vichael aeth heibio yn Llvdlow gid a Syr Harry Sydney, Arglwydd President, ag val i *gwyddoch* Arglwydd Depvti'r Werddon heddyw . . .[70]

Esboniad posibl yw bod yr ymadrodd 'val i gwyddoch' wedi'i garegu a'i wthio i mewn, megis sangiad. Y Ll2 a ddefnyddia Salesbury eto wrth annerch y darllenydd yn ei ragymadrodd i *A Dictionary in Englyshe and Welshe* (1547) ac *Oll Synnwyr Pen Kembero Ygyd* (1547),[71] ond y mae'n bosibl fod y teitlau 'darlleawdr' a 'darlleydd' yn cael eu defnyddio fel enwau torfol a gynrychiolai'r darllenwyr i gyd, ac felly'n llythrennol luosog, fel yn rhagymadrodd Syr John Prys i *Yny llyvyr hwnn . . .* (1547).[72] Gellid cynnig yr un eglurhad dros newid o'r U2 i'r Ll2 yn rhagymadrodd Gruffydd Robert i *Dosbarth Byrr Ar y Rhan Gyntaf i Ramadeg Cymraeg* (1567).[73] Yn yr anerchiad i'r 'hygar ddarlleydd', a gyflwynir fel petai'n cael ei lefaru o enau'r iaith Gymraeg, defnyddir ffurf yr U2 yn gyson ar y dechrau, ond troir wedyn i'r Ll2: 'Canys *chwi* a *gewch* rai . . . a ddechreuant ollwng i cymraeg tros gof, ai doedyd yn fawr i llediaith.'[74] Ar y llaw arall, fe all nad yw Gruffydd Robert yn siarad yn uniongyrchol â'r darllenydd yn y fan hon, ond yn defnyddio'r ail berson amhendant neu amhersonol, gan gyfleu'r ystyr 'fe geir'. Gwelir defnydd tebyg mewn testun cynharach, sef 'Historia o Fuchedd Dewi', ond yr U2 amhersonol a geir yn y fan honno. Yn dilyn darogan yr angel am farwolaeth Dewi, dywed awdur yr hanes: 'Yna y *gwelut ti* gyfuredec gann seint yr ynys honn a seint Iwerdonn, o bop parth yn dyvot y ymwelet a Dewi sant.'[75] Y mae 'gwelut ti' yn gyfystyr â 'gwelid' yma. Er bod terfyniad personol yn y ffurf ferfol, cyffredinoli yw swyddogaeth y rhagenw yma, yn hytrach na chyfeirio at berson arbennig.[76] Ceir enghraifft arall o natur amwys y rhagenw yn Ystori 10 o'r 'Gesta Romanorum'. Dywed y marchog call wrth ei gyfaill ffôl: 'O *gwnav di* velly, erdolwyn i ni gael kadw kyvaillach.'[77] Am eu bod yn ceisio penderfynu ar gynllun a effeithia ar y ddau, disgwylid, 'O *gwnawn ni* velly', ond y mae'r U2 amhersonol yn cynnwys y ddau ac unrhyw un arall a fyddai'n dilyn yr un llwybr. Ni ellir penderfynu'n derfynol ar sail yr enghreifftiau uchod beth yn union oedd yr arfer wrth gyfarch yn yr unfed ganrif ar bymtheg a dechrau'r ail ganrif ar bymtheg gan fod yr anerchiadau'n unochrog ac ni wyddys sut y byddai derbynnydd yr anerchiad yn ateb, ond ymddengys mai'r U2 a ddefnyddid yn bennaf wrth gyfarch cydraddolion. Serch hynny, wrth astudio'r cyflwyniadau a olygodd Henry Lewis yn y gyfrol *Hen Gyflwyniadau*, gwelir amlder digwyddiad uwch i'r Ll2. Fe all mai'r rheswm am hyn yw'r ffaith fod yr awdur yn annerch nid y darllenydd cyffredin ond rhai a ystyria yn uwchraddol iddo, fel Gruffydd Robert yn ei gyflwyniad i 'William Harbart, Iarll o Benfro ac Arglwydd o Gaerdydd',[78] Robert Llwyd yn ei gyflwyniad yntau i'r Gwir Barchedig John, Arglwydd Esgob Llanelwy,[79] a Rowland Vaughan wrth annerch Margred, unig etifeddes Syr John Lloyd, Marchog Sesiant o'r Gyfraith a chywely John o Riwaedog, Esqr.,[80] heb enwi ond ychydig. Yr hyn sy'n ddiddorol yw i'r Ll2 ffurfiol gael ei ddefnyddio i gyfarch perthnasau, megis yng nghyflwyniadau Daniel Powel i'w ewythr, y gwir urddasol barchedig Edward Eyton o Riwabon,[81] a Maurice Kyffin i'w 'gâr annwyl' William Meredydd.[82] Ymddengys felly fod y Ll2 fel arwydd o barch ac o gydnabod awdurdod, hyd yn oed o fewn cyffiniau'r teulu, wedi ymsefydlu yn yr iaith Gymraeg erbyn diwedd yr unfed ganrif ar bymtheg.

Ffactorau eraill a all lywio dewis y rhagenw

Nid semanteg pŵer a semanteg cydsafiad yn unig sy'n penderfynu pa ffurf ar y rhagenw cyfarch a ddewisir; dylanwedir hefyd ar y dewis gan ystyriaethau cymdeithasol, emosiynol, seicolegol a gramadegol. Arwain y ffactorau hyn at gryn wamalu rhwng dwy ffurf y rhagenw cyfarch, hyd yn oed wrth ymddiddan â'r un person, yn enwedig wrth roi gorchymyn neu wrth ymbilio. Ceir enghraifft gynnar o newid i'r Ll2 yn 'Cân Rolant', testun a amserir gan Stephen J. Williams yn y bedwaredd ganrif ar ddeg.[83] Mewn ymddiddan rhwng Gwenwlyd a Marsli cyfeirch y ddau ei gilydd yn y dechrau â'r U2, ond pan fyn Gwenwlyd berswadio Marsli na all ei 'bedwar can mil o baganyeit' drechu Siarlymaen, try i'r Ll2 er mwyn ei annog i ddefnyddio ystryw yn hytrach na nerth arfau i'w orchfygu:

Ny allei *awch* anffydlonyon *chwi* ymerbynyeit a'r geniuer ffydlawn yssyd yno. Ac wrth hynny *keisswch chwi* goruot o gallder y lle ny *alloch* oruot o'*ch* nerthoed. *Rodwch* i Chyarlys wystlon oc *awch* meibon, a *rodwch* lawer o da, ual na aller y gywerthyddyaw, ac ef a ymchoel drachefyn y Ffreinc.[84]

Dychwel i'r U2 yn ddiweddarach yn yr ymddiddan, ond pan rydd orchymyn, try'n ddisymwth i'r Ll2: 'Bid ual y *dywedy*', heb y Gwenwlyd, 'a minneu a baraf y uot ef [hynny yw, Rolant] ar ol. A *chwplewch chwitheu awch* edewit.'[85] Bid a fo am hynny, prin yw'r defnydd o'r Ll2 unigol yn y testun hwn, ac nid yw'n hawdd dyfarnu a yw rhai o'r ffurfiau yn cael eu defnyddio i gyfarch unigolion yn unig neu a ddefnyddir hwy i annerch mwy nag un person. Digwydd enghreifftiau eraill o droi i'r Ll2 wrth roi gorchymyn yn rhai o destunau'r bymthegfed ganrif.[86] Digwydd newid yn y modd gorchmynnol yn 'Ystori Alexander a Lodwig' hefyd, ond i'r gwrthwyneb. Â'r Ll2 anghiliyddol y cyfeirch Phlorenti, merch yr ymherodr, ac Alexander ei gilydd fel arfer, ond pan geryddir Alexander gan Phlorenti am ei hargymell i dderbyn Lodwig yn garwr, try i'r U2, wrth orchymyn iddo fynd o'i golwg: 'Ag am hynny *does* [*sic*] ymaith o'm golwg j ac na *ddywaid* wrthyn j drysto ef mwy.'[87] Ymddengys fod newid person y rhagenw yn ffordd o ddatgan ei dicter at Alexander yn y cyswllt hwn, oherwydd dychwel i'r Ll2 yn ddiweddarach pan fyn gymodi.[88]

Gellid cynnig esboniad gramadegol ar y newidiadau disymwth o naill berson y rhagenw i'r llall. Ymddengys fod y rhagenwau yn yr enghreifftiau uchod yn cyflawni yr un swyddogaeth ag atodolion agwedd a ffocws (*aspect and focus tags*),[89] sef ymadroddion neu elfennau adferfol, an-nibynnol ar gystrawen y frawddeg, sydd yn cyfleu safbwynt y siaradwr, ymadroddion megis 'a dweud y gwir', 'heb os nac oni bai', 'hyd y gwn i' ac yn y blaen, neu sydd yn cyfeirio sylw'r gwrandawr at elfen benodol yn y sgwrs, er enghraifft 'gan amlaf', 'hyd yn oed', 'yn arbennig'. Y mae'r newidiadau sydyn yn ffurf y rhagenw yn yr enghreifftiau uchod mor effeithiol â phetai'r siaradwr wedi defnyddio ymadroddion megis 'wel', 'nawr te', 'gwranda', 'gyda llaw', naill ai i rybuddio derbynnydd y sgwrs i hidio'r hyn a ddywedir neu i dynnu ei sylw at ddifrifoldeb y sefyllfa. Defnyddia Phlorenti yr U2 fel atodolyn ffocws i gadarnhau ei gorchymyn iddo fynd o'i gŵydd a dychwel i'r Ll2 i ddangos bod ei hagwedd wedi newid.

Ambell waith adlewyrchir newid teimlad gan y newid yn y rhagenw. Defnyddia'r ymherodr y Ll2 wrth ddyrchafu Lodwig i statws uwch: 'Mi a wnaethym Alexander yn gyf[f]er i mi, a *chwithau* a *gewch* ddwyn fy ffiol j.'[90] Ond try i'r U2 wrth ei geryddu am 'salwhae' ei ferch, 'Beth a glywaf j *am danad ti*, gorff drwg anghywir?'[91] Ceir sefyllfa debyg yn Ystori 18 o'r 'Gesta Romanorum'. Penoda'r ymherodr ei hoff ystiward i warchod ei unig ferch, tra bo yntau'n ymweld â'r 'tir bendigaid', ac ymetyb yr ystiward â'r geiriau hyn, 'Arglwydd, mi a gyflanwaf *dy* wllys *di* i nesaf ag i gallwyf.'[92] Yn fuan wedi ymadawiad yr ymherodr, treisia'r ystiward ei ferch a'i hel o'r llys, ond pan glyw fod yr ymherodr yn dychwelyd i'w deyrnas, penderfyna ymddiried yn nhrugaredd ei arglwydd a chyffesu ei gamweddau. Defnyddia'r Ll2 i ddatgan ei edifeirwch, ond pan ymbilia am drugaredd, dychwel at yr U2 arferol: 'O arglwydd grasol, *trigarha* wrthyf j . . .'[93] Y mae'n bosibl mai fformiwla'r litwrgi, a lechai yn y cof, sydd wedi dylanwadu ar ddewis yr U2 ar ddechrau'r erfyniad a bod yr awdur wedi parhau â'r un rhagenw hyd at ddiwedd yr ymddiddan.

Digwydd ymherodr Rhufain, boed hanesyddol neu ffug, ym mhob un o chwedlau'r 'Gesta Romanorum'. Cyferchir ef â'r U2 ac â'r Ll2, ond nid yw'r ymherodr yn ateb â'r rhagenw ffurfiol ac eithrio i'w ystiwart yn Ystori 41, pan goelia fod hwnnw wedi rhoi cyngor da iddo. Gweithreda'r rhagenw cyfarch annisgwyl gan uwchraddolyn i israddolyn fel atodolyn agweddol i ddangos bod yr ymherodr yn teimlo'n ddiolchgar i'r ystiwart. Ceir gwamalu rhwng dwy ffurf y rhagenw cyfarch eto yn y chwedl hon gan Ffwlgensiws, nai'r ymherodr. Cais yr ymherodr gael gwared â'i nai, am iddo gredu'r camgyhuddiad a ddygwyd yn erbyn hwnnw gan yr ystiwart twyllodrus. Y mae'n anfon Ffwlgensiws ar neges angheuol, yn ddiarwybod iddo yntau: 'Mi a gyflanwaf *dy* orchymyn *di*,' meddai, 'pei gorfyddai arnaf j vyned kyn bellled ag y mae tir.' ⁹⁴ Ond pan sylweddola Ffwlgensiws y buasai cyflawni gorchymyn yr ymherodr wedi sicrhau ei farwolaeth, try i'r Ll2: 'Ny allaf j ond ryveddv pam idd *oeddychwi* gwedy ordaino i mi y vath angav hynny. Kans *chwi* a *wddoch* yn dda vy mod j yn nai, vab brawd i *chwi*.'⁹⁵ Yr oedd y berthynas rhwng ewythr a nai yn agos iawn yn y cyfnodau cynnar, a dengys y newid i'r rhagenw ffurfiol gymaint y teimla Ffwlgensiws ei fod wedi ymddieithrio oddi wrth ei ewythr.

Yn wir, newidir person y rhagenw yn aml yn y modd gorchmynnol, fel petai'r newid yn pwysleisio pwysigrwydd neu natur hanfodol y cais a wneir. Yn Ystori 16 o'r 'Gesta', â'r U2 y mae Atalanta, y ferch chwim ei throed, yn cyfarch y taeog a'i heriodd i redeg ras yn ei erbyn, ond pan rydd orchymyn iddo, try i'r Ll2: '*Aroswch* syrre, ny weddai i vab *dy* dad *ti* fy nghael i yn wraig yddo.'⁹⁶ Efallai fod mwy o rym awdurdod yn nherfyniad y Ll2 gorchmynnol nag yn yr U2, ond ni ddylid anwybyddu'r posibilrwydd y gallai fod cymysgedd rhwng terfyniad yr U2 presennol dibynnol '-ych' a therfyniadau Ll2 amserau eraill y ferf, sef '-wch', '-och', '-ech', wedi pylu'r gwahaniaeth rhwng yr unigol a'r lluosog. Cymerer yr enghraifft ddilynol: '. . . rhaid *iti*, (ddarlleydd howddgar) pan *welych* . . .',⁹⁷ lle na ddilynir y ferf gan ragenw atodol, a gellir gweld sut y gallai dryswch rhwng y terfyniadau berfol ddigwydd. Beth bynnag yw'r eglurhad ar ddefnyddio ffurf y Ll2 yn yr enghraifft a ddyfynnwyd o stori Atalanta, y mae gwneud i ferch yr ymherodr gyfarch taeog â'r Ll2, ac yntau'n ei chyfarch hithau â'r U2, yn gwyrdroi confensiwn ac yn peri anesmwythyd i'r darllenydd oherwydd yr awgrym cynnil fod yr enillydd tybiedig yn mynd i golli'r ras.

Gwelir cryn wamalu rhwng ffurf U2 a Ll2 y rhagenw cyfarch yn 'Ystori Alexander a Lodwig',⁹⁸ a hynny yn aml oherwydd ystyriaethau cym-deithasol a seicolegol yn ogystal â dylanwad semanteg pŵer a semanteg cydsafiad. Gan fod cymaint o'r sgyrsiau rhwng yr un dau gymeriad a chan nad oes amwyster ynglŷn â derbynnydd y sgwrs, bydd yn fuddiol astudio rhai o'r ymddiddanion hyn, er mwyn ceisio deall paham y mae'r rhagenwau'n ymgyfnewid. Gan amlaf bydd israddolion yn defnyddio'r Ll2 anghilyddol wrth gyfarch uwchraddolion, eithr yn derbyn yr U2 fel ateb, yn unol â semanteg pŵer. Ond, yn achlysurol, cyferchir israddolion â'r Ll2 ffurfiol gan uwchraddolion; er enghraifft, â'r 'ti' anffurfiol y cyferchir Alexander gan frenin Egip pan gyferfydd ag ef am y tro cyntaf,[99] ond pan ofyn Alexander ei ganiatâd i fynd i ymweld â'r ymherodr yn Rhufain, try'r brenin i'r Ll2 a chynnig ei ferch yn briod iddo cyn ymadael.[100] Y mae'n bosibl fod y newid yn y rhagenw cyfarch yn yr achos hwn yn datgan i Alexander fod y berthynas rhyngddynt wedi newid a bod y brenin yn ystyried Alexander bellach yn gyfartal ag ef o ran statws, ond nid yw pob newid mor hawdd ei esbonio.

Yn yr olygfa pan yw Alexander yn darganfod bod Lodwig yn glaf o serch at Phlorenti, ac yn cynnig helpu ei gyfaill i'w hennill, defnyddia'r U2: '*Kymer* gynffwrt gwrol, mi a'*th* helpa *di* yn orav ag i gallwyf.'[101] Ni chofnodir â pha ragenw y mae Lodwig yn ateb, ond disgwylid yr U2 cilyddol rhwng cyfeillion mynwesol fel hwy. Serch hynny, y Ll2 cilyddol a geir yn eu hymddiddan wrth ffarwelio pan ymedy Alexander am ei wlad ei hun i dderbyn ei frenhiniaeth ar farwolaeth ei dad: 'O Lodwig, vy annwyl ffrynd,' heb ef, 'mi a'*ch* rybüddiaf *chwi* o blegid y peth a sydd *ryngochwi* a'r arglwyddes yma, i *chwi* i gadw ef yn ddirgela ag y *gallochwi*.'[102] Ymateb Lodwig yw: 'O Alexander', heb ef, 'mi a'ü kadwaf ef yn ddirgela ag i gallwyf. Eithr beth a wnaf pan gollwyf *ych* kwmpaniaeth *chwi*?'[103] Y mae'r rhagenw cyfarch yn wrthwyneb i'r hyn a ddisgwylid ac yn anodd ei esbonio. Efallai fod y Ll2 o enau Alexander yn cael ei ddefnyddio fel atodolyn ffocws i danlinellu pwysigrwydd ei rybudd, ac ymateb Lodwig yn gweithredu fel atodolyn agwedd i ddangos newid yn ei berthynas â'i gyfaill neu i ddangos parch i statws newydd Alexander, a ddyrchafwyd yn frenin.

Ceir cryn wamalu rhwng dwy ffurf y rhagenw cyfarch yn ymddiddan y ddau gyfaill, pan gyfeddyf Lodwig iddo fethu â chadw'r berthynas rhyngddo ef a Phlorenti'n gudd, iddo gael ei fradychu i'r brenin gan ei gydymaith newydd Gwido ac iddo gael gorchymyn gan y brenin i ymladd â Gwido mewn gornest er mwyn profi ei ddiniweidrwydd yn unol â'r dyb ganoloesol y byddai'r cyhuddedig yn colli'r frwydr pe byddai'n euog.[104] Y mae'n anodd esbonio'r ymgyfnewid disymwth rhwng y ddau ragenw cyfarch ond ymddengys mai ystyriaethau emosiynol sy'n llywio'r dewis. Cyferchir Alexander gan Lodwig â'r U2, fel y disgwylid gan gyfaill agos, ond pan erfynia am gymorth, y Ll2 a ddefnyddir, fel petai'n cywilyddio oherwydd ei ymddygiad ffôl ac yn teimlo'n annheilwng. Etyb Alexander â'r U2, sydd yn awgrymu nad ydyw ef yn teimlo bod eu perthynas wedi newid; mewn geiriau eraill, semanteg cydsafiad sy'n llywio dewis y rhagenw anffurfiol, ond pan droir i'r Ll2, gwelir ffactor arall ar waith. Y tro hwn gweithreda'r rhagenw fel arwydd terfyn i ddangos bod newid wedi digwydd yn nhestun y sgwrs; hynny yw, wedi iddo gyfleu natur ddigyfnewid eu perthynas drwy gyfrwng yr U2, newidia i'r Ll2 i esbonio'r cynllun sydd wedi dod i'w feddwl ac yna parhau â'r ffurf orchmynnol luosog, er mwyn sicrhau gwrandawiad.

Yn eu hymddiddan olaf pan ddatgela Alexander, dan bwys gorchymyn Lodwig, fod angel wedi darogan y câi wellhad pe golchid ef yng ngwaed meibion Lodwig, y mae'r Ll2 cilyddol wedi ymsefydlu fel y rhagenw cyfarch arferol rhyngddynt, sydd yn awgrymu bod y tensiwn wedi eu dieithrio ac wedi peri newid yn eu hymagweddiad. Yn yr ymddiddan hwn defnyddia Lodwig yr U2 ar ddau achlysur, yn gyntaf i roi gorchymyn i Alexander ddatgelu neges yr angel, ac yn ail i ddatgan ei lawenydd pan iacheir ei gyfaill: 'O Alexander, yr owron i gwelaf *di* val y gwelais j *di* gynt.'[105] Yna try'n ddisymwth i'r Ll2, 'Bendigedig yw Düw, yr hwnn a ddanfonawdd i mi y maibon hynn y'*ch* jachae *chwi*.'[106] Ymddengys fod y rhagenw'n gweithredu fel arwydd terfyn amser – o atgof am y gorffennol gwych hyd at lawenydd y presennol gogoneddus – ac fel arwydd newid *deixis* o'r ail i'r trydydd person, hynny yw, troi y ffocws oddi wrthynt eu hunain at Dduw, sydd wedi cyflawni'r wyrth.

Casgliad

Tybir gan rai ysgolheigion mai o ddosbarth uchelwrol Ffrainc y treiddiodd gwahaniaethau semantaidd rhwng yr U2 a'r Ll2 i wledydd Prydain.[107] Maentumiai Watkin fod yr iaith Ffrangeg wedi dylanwadu'n fawr ar yr iaith Gymraeg o chwarter olaf yr unfed ganrif ar ddeg hyd at gyfnod Dafydd ap Gwilym, a bod dylanwad Hen Ffrangeg ar arferion orgraffyddol yr ysgrifwyr Cymraeg yn yr Oesoedd Canol yn uniongyrchol ac yn annibynnol.[108]

Bu llawer o gyfathrach rhwng y Normaniaid a Chymry'r Gororau mor gynnar â'r unfed ganrif ar ddeg a'r ddeuddegfed,[109] a bu raid wrth ladmeryddion swyddogol i'w helpu i gyfeillachu ac i ymwneud â'i gilydd.[110] Y cyntaf ac efallai yr enwocaf o'r lladmeryddion hyn oedd Bledri ap Cedifor a flodeuai yn gynnar yn y ddeuddegfed ganrif, a thybir mai ef yn anad neb a ledaenodd y chwedlau Cymraeg i'r Normaniaid ac i lenyddiaeth Ewrop. Erbyn diwedd y bedwaredd ganrif ar ddeg cawsid nifer o gyfieithiadau i'r Gymraeg,[111] gan gynnwys chwedlau o Gylch Arthur[112] ac o Gylch Siarlymaen, ynghyd â chwedlau unigol megis 'Cymdeithas Amlyn ac Amig' ac 'Ystoria Bown de Hamtwn', a gyfieithwyd mor gynnar â'r drydedd ganrif ar ddeg.[113] Er nad cyfieithiadau uniongyrchol mohonynt, gwelir dylanwad y Ffrangeg ar 'Y Tair Rhamant' Cymraeg hefyd. Dywedir am un o'r cymeriadau yn 'Ystoria Gereint fab Erbin', 'Gwiffret

Petit y geilw y Freinc a'r Saesson ef, a'r Brenhin Bychan y geilw y Kymry ef',[114] sydd yn awgrymu nad oedd trosi o'r naill iaith i'r llall yn syniad dieithr i'r rhai a adroddai neu a wrandawai ar y chwedlau hyn. Hyd yn oed mewn chwedl mor gynnar â 'Culhwch ac Olwen', cynhwysir 'Fferis brenhin Freinc' a 'Gwilenhen brenhin Freinc',[115] sef Gwilym Goncwerwr ei hun, ymysg dynion Arthur. Er nad ffeithiau hanesyddol mo'r rhain, fe ddichon fod awduron yn adlewyrchu nodweddion eu cyfnod, a gellid dyfalu, o weld gorchfygwr Prydain yn cael ei arddel yn un o ddynion Arthur, nad peth dieithr oedd cael tramorwr yn llysoedd tywysogion Cymru. Un arall a enwir yn y rhestr hon yw Gwrhyr Gwalstawd Ieithoedd, lladmerydd Arthur, sy'n dangos bod y syniad o gyfieithu'n broffesiynol mewn bri mor gynnar â'r unfed ganrif ar ddeg. Sonnir am *yeithyd* 'ieithydd' yn dehongli geiriau Rhonwen i Wrtheyrn yn 'Brut Dingestow'[116] hefyd, sy'n dangos nad oedd Cymry'r Oesoedd Canol mor ynysig ag y tybir ac nad oedd trosi o'r naill iaith i'r llall yn anghyffredin.

Ar wahân i gysylltiadau diwylliannol ac ysgolheigaidd, bu llawer o gyfathrach rhwng Cymru a Ffrainc ar lefel gwleidyddol a milwrol hefyd o'r drydedd ganrif ar ddeg ymlaen, fel y dangosodd Michael Siddons ar ôl archwilio'r Archives Nationales de France ym Mharis.[117] Yno cedwir llythyr a anfonodd Llywelyn ap Iorwerth at Philippe Auguste, Brenin Frainc, *c*.1212, a'r enwog lythyr Pennal a anfonodd Owain Glyndŵr at Siarl VI o Ffrainc yn 1406. Yn ogystal â'r llythyrau hyn, cedwir yn yr Archives Nationales restr o'r dynion a fu yng ngwasanaeth Ffrainc rhwng 1360 a 1408/9.[118] Hefyd bu milwyr Cymru yn brwydro dros Goron Lloegr yn Ffrainc er cwymp Llywelyn[119] ac y mae'n sicr nad Elis Gruffudd oedd yr unig Gymro a wyddai'r iaith Ffrangeg.

Tystiolaethir i ddylanwad yr iaith Ffrangeg ar y Gymraeg yn ystod yr Oesoedd Canol gan nifer y benthyciadau geiriol a welir mewn testunau Cymraeg Canol, hyd yn oed mor gynnar â 'Culhwch ac Olwen'[120] a'r 'Pedair Cainc'.[121] Lluosogir yr enghreifftiau mewn testunau diweddarach megis 'Breuddwyd Rhonabwy',[122] 'Y Tair Rhamant'[123] ac 'Ystoria Bown de Hamtwn'.[124] Ni wyddys yn bendant a ddaeth y benthyciadau hyn yn uniongyrchol o'r Ffrangeg i'r Gymraeg neu drwy'r Saesneg. Wrth drafod y geiriau o darddiad Ffrangeg a geir yn *Historia Gruffud vab Kenan*,[125] dywed D. Simon Evans fod tua 230 o eiriau a fenthyciwyd o'r Ffrangeg yn digwydd gyntaf yn Saesneg, rhyw 107 lle y mae'r Gymraeg yn bendant yn gynharach na'r Saesneg a bod rhyw 11 gair yn y Gymraeg nad oes gymheiriad iddynt o gwbl yn y Saesneg. Rhaid bod yn wyliadrus wrth ddehongli'r amlderau hyn gan fod dyddiadau'r enghreifftiau cynharaf yn y ddwy iaith yn agos i'w gilydd ac am fod dyddiad benthyg gair i iaith yn gallu bod yn gynharach na'r enghraifft destunol gyntaf ohono,[126] ond y mae'n arwyddocaol fod nifer o eiriau benthyg yn 'Y Seint Greal' nad ydynt yn y testun Ffrangeg, sydd yn awgrymu 'fod geirfa naturiol y cyfieithydd eisoes yn frith o eiriau benthyg o'r fath'.[127] Serch hynny, bu cynnydd sylweddol yn y benthyciadau o'r Ffrangeg o chwarter olaf y drydedd ganrif ar ddeg ymlaen a pharhâi'r cysylltiadau â Ffrainc ac â chyfandir Ewrop hyd ganrifoedd diweddarach, yn enwedig drwy ddyneiddwyr yr unfed ganrif ar bymtheg.

Y mae'n bosibl felly fod cyfathrach â Ffrancwyr wedi dylanwadu rywfaint ar ddatblygiad y rhagenw ffurfiol mewn testunau Cymraeg o'r drydedd ganrif ar ddeg hyd at y bymthegfed, ond ymddengys mai drwy gyswllt cynyddol â'r iaith Saesneg yn yr unfed ganrif ar bymtheg y daeth y Ll2 ffurfiol yn fwy arferol yn y Gymraeg, yn enwedig o ystyried y newidiadau yn hanes yr iaith Gymraeg a ddigwyddodd yn y ganrif honno.[128] Nid oedd trigolion Cymru'r unfed ganrif ar bymtheg yn ddall i'r argyfwng ieithyddol ychwaith. Datgenir y broblem yn glir ac yn ddiamwys gan Gruffydd Robert yn ei ragymadrodd i *Dosbarth Byrr Ar Y Rhan Gyntaf i Ramadeg*. Dywed fod yr iaith Gymraeg yn cael ei dibrisio'n llwyr fel iaith dysg a gwêl fai ar y rhai hynny sydd yn mynd i Loegr ac yn anghofio'u Cymraeg.[129] Nid gorddweud mo hyn, oherwydd gwelir dylanwad y Saesneg ar weithiau rhyddiaith yr unfed ganrif ar bymtheg yn nifer y benthyciadau geiriol;[130] yn wir, ymddiheura awdur 'Y Drych Cristnogol' am ddefnyddio cynifer o eiriau Saesneg, a'r rheswm am hyn, meddai, yw esgeulustod y Cymry yn ymgeleddu'u hiaith eu hunain.[131]

I grynhoi, bu llawer o ddamcaniaethau ynglŷn â tharddiad swyddogaeth y rhagenwau cyfarch, ac esboniadau ynghylch anghysondeb ymddangosiadol y defnydd a wneir ohonynt. Gellid eu defnyddio'n gilyddol i ddangos cydsafiad, neu'n anghilyddol, drwy rym semanteg pŵer, i gydnabod statws ac awdurdod neu i ddangos parch neu sarhad; gellid gwyro o'r naill i'r llall i fynegi serch neu ddicter at dderbynnydd yr ymddiddan, i ofyn cymwynas neu faddeuant, i ymbilio neu i arwyddo natur y berthynas rhwng siaradwr a'i gyd-ymddiddanydd. Y mae i'r rhagenwau swyddogaeth ramadegol hefyd; gweithredant fel arwyddion disgŵrs naill ai i dynnu sylw at elfen o bwys arbennig neu i ddangos bod yr ymddiddan wedi newid cywair o'r llon i'r lleddf neu i'r gwrthwyneb, i arwyddo bod newid *deixis* a'r ffocws ar berson arall yn hytrach nag ar dderbynnydd yr ymddiddan, neu'n syml i amlygu bod y sgwrs wedi symud ymlaen i drafod rhyw bwnc newydd.

Dengys y cipolwg hwn ar ddatblygiad semantaidd y rhagenwau cyfarch yn Gymraeg fod angen llawer mwy o waith astudio arnynt yn ddeiacronig ac yn syncronig, yn gymdeithasol ac yn ôl eu lleoliad daearyddol. Y cwbl y gellir ei ddweud yn bendant, ar ôl archwilio'r testunau rhyddiaith a drafodwyd uchod, yw bod nifer o ffactorau gwahanol yn llywio'r dewis rhwng y ddau ragenw cyfarch mewn sefyllfaoedd gwahanol ac o dan amodau arbennig. O gofio bod geiriau ac ymadroddion ffurfiol a chwrtais yn digwydd mewn ymddiddan mewn llawer o ieithoedd ar draws y byd,[132] fe all mai drwy *polygenesis* y daethpwyd i ddefnyddio'r rhagenw cyfarch ffurfiol yn y Gymraeg yn wreiddiol, ond ni ddylid diystyru dylanwad yr iaith Ffrangeg. Serch hynny, ymddengys mai cyswllt cynyddol â'r iaith Saesneg a boblogeiddiodd y Ll2 anghilyddol yn Gymraeg o'r unfed ganrif ar bymtheg ymlaen, ond awgryma'r ffaith nad yw'r system ragenwol wedi dilyn yr un patrwm â'r Saesneg nac wedi cadw at swyddogaeth wreiddiol ffurfiau U2 a Ll2 y rhagenwau fod rhyw ddylanwadau eraill ar waith hefyd. Yn olaf, efallai y gellir esbonio'r ffenomen heb edrych yn bellach nag ar forffoleg yr iaith Gymraeg ei hun; defnyddid y modd dibynnol yn amlach o lawer mewn Cymraeg Canol nag mewn Cymraeg Diweddar ac y mae'n bosibl mai drwy gymysgu'r terfyniad U2 presennol dibynnol '-ych' â therfyniadau Ll2 amserau eraill o'r ferf y daethpwyd i ddefnyddio ffurf luosog y rhagenw i gyfarch unigolion.

Nodiadau

[1] M. Cary, *A History of Rome down to the Age of Constantine* (London, 1949), 739–41.

[2] Cary, *History of Rome*, 742.

[3] Russell Osborne Stidston, *The Use of Ye in the Function of Thou in Middle English Literature from MS. Auchinleck to MS. Vernon* (California, 1917), 20–1.

[4] Gen 1:26.

[5] Gerhard von Rad, *Genesis* (London, 1972), 59.

[6] Claus Westermann, *Genesis* BK (Neukirchen, 1974), 200.

[7] YBH cliv.

[8] A. McIntosh, '"As you like it": a Grammatical Clue to Character', *Review of English Literature*, 4 (1963), 68–81 (t. 68).

[9] Dick Leith, *A Social History of English* (London and New York, 1992), 82.

[10] Leith, *Social History*, 83.

[11] T. M. Charles-Edwards, 'Honour and Status in some Prose Tales', *Ériu*, 29 (1978), 123–41 (tt. 125–30).

[12] PKM 2.

[13] PKM 11.

[14] PKM 12.

[15] PKM 25.

[16] PKM 26.

[17] PKM 40.

[18] LlB 4.

[19] BDing 160.

[20] YGE 13, 'Sef ual yd eistedassant: o'r neill tu y Ereint yd eistedawd y iarll ieuanc, ac odyna Ynywl iarll: o'r tu arall y Ereint yd oed y uorwyn a'e mam: a gvedy hyny pawb ual y raculaynei y anrydet'; Stephen J. Williams, 'Pererindod Siarlymaen', B, 5 (1929–31), 212, 'A phan oed barawt pob peth y kudywyt y byrdeu ac eu llieinyeu ar daruot ymolchi. Brenhin Ffreinc o'r neill tu y'r neuad, a'e niuer o bop tu idaw, val y deissyuei eu hanryded.'

[21] Peter Wynn Thomas, *Gramadeg y Gymraeg* (Caerdydd, 1996), 244.

[22] R. Brown ac A. Gilman, 'The Pronouns of Power and Solidarity', yn *Style in Language*, gol. T. ac A. Sebeok (New York, 1960), 253–76.

[23] Yn *Language and Social Context*, gol. Pier Paolo Giglioli (Harmondsworth, 1972),

252–82, ac yn *Communication in Face to Face Interaction*, gol. John Laver a Sandy Hutchinson (Harmondsworth, 1972), 128–45.

[24] Giglioli, *Language*, 255.

[25] Kathleen M.Wales, '*Thou* and *you* in early Modern English: Brown and Gilman Re-appraised', *Studia Linguistica*, 37 (1983), 107–25 (t. 109).

[26] Wales, '*Thou* and *you*', 109.

[27] Wales, '*Thou* and *you*', 109–10. Bellach y mae Brown a Gilman yn cydnabod nad yw semanteg pŵer a semanteg cydsafiad yn gallu egluro'n foddhaol bob defnydd o'r rhagenwau cyfarch, gw. R. Brown and A. Gilman, 'Politeness Theory and Shakespeare's Four Major Tragedies, yn *Language and Society*, 18 (1989), 159–212 (t. 178).

[28] Wales, '*Thou* and *you*', 122. Ceir awgrym cyffelyb gan Brown a Gilman yn Giglioli, *Language*, 268.

[29] McIntosh, ' "As you like it" ', 72.

[30] Clara Calvo, 'Pronouns of Address and Social Negotiation in *As you like it*', yn *Language and Literature Journal of the Poetry and Linguistics Journal*, 1 (1992), 9–11.

[31] Calvo, 'Pronouns', 16–26.

[32] Calvo, 'Pronouns', 19.

[33] Paul Russel, 'What Did Medieval Welsh Scribes Do?', yn CMCS, 37 (Summer 1999), 79–96 (t. 83). Gweler hefyd Peter Wynn Thomas, 'Middle Welsh Dialects: Problems and Perspectives', B, 40 (1993), 17–50 (tt. 18–22).

[34] GR xxxiii–xxxv.

[35] Goroesodd dwy ddrama firagl, 'Y Tri Brenin o Gwlen' ac 'Y Dioddefaint a'r Atgyfodiad' ynghyd â drama arall, 'Ymddiddan y Corff a'r Enaid', gw. *A Study of Three Welsh Religious Plays*, gol. Gwennan Jones (Bala, 1939). Y ddrama lenyddol gynharaf a geir yn Gymraeg yw 'Troelus a Chresyd' a gynhwysir yn Pen 106, addasiad o 'Troylus and Creseyde' gan Chaucer a 'Testament of Cresseid' gan Henryson.

[36] BM; BRh; BB; BDing; KAA; CO; CllLl; ChO; ChSDR; DOC; FfBO; GR; HG; HGK; HPE; Henry Lewis, 'Modern Welsh Versions of the Seven Wise Men of Rome', RC, 46 (1929), 50–88; Owein; PKM; 'Pererindod Siarlymaen', yn Williams, 'Pererindod', 203–26; Rhagymadroddion; RhG; TCh; WBL; WLSD; YE; 'Ystori Alexander a Lodwig', yn Thomas Jones a J. E. Caerwyn Williams, 'Ystori Alexander a Lodwig', SC, 10–11 (1975–6), 261–304; YBH; YCM; YGE; YSG.

[37] WBL.

[38] Sef Pen 51 yn llaw Gwilym Tew o Forgannwg, 194–209.

[39] Sef NLW 13075B (= Llanofer B 17), 98ᵛ–104.

[40] WBL 1.

[41] WBL 1.

[42] WBL 11.

[43] WBL 27–39.

[44] WG 270.

[45] YSG 129–40.

[46] YSG 273.

[47] HPE 21.

[48] CLlLl xv.

[49] CLlLl 4.

[50] YBH 33. Y mae'r atalnodi'n olygyddol, gan mai testun diplomatig yw eiddo Watkin.

[51] Sef enw ar Bown; gw. YBH 246.

[52] YBH 36.

[53] YBH cliii.

[54] YCM xxxviii.

[55] Digwydd ar ôl 'Cân Rolant' a 'Rhamant Otuel' yn nhrefn amser yn Williams, 'Pererindod', 205.

[56] YCM 45.

[57] TCh 57–8.
[58] TCh 48–9.
[59] TCh 69–76.
[60] Lewis, 'Seven Wise Men', 82–3.
[61] ChSDR 51.
[62] Lewis, 'Seven Wise Men', 60.
[63] ChSDR 80–1.
[64] Lewis, 'Seven Wise Men', 82
[65] Gw. Math 2:1.
[66] *Study*, 140.
[67] *Study*, 188.
[68] *Study*, 208.
[69] Rhagymadroddion 17–43.
[70] RhG 70, a gw. uchod, t. 25.
[71] Rhagymadroddion 5–16.
[72] Rhagymadroddion 3–4.
[73] Rhagymadroddion 46–8.
[74] Rhagymadroddion 47.
[75] WLSD 12.
[76] Mynegir yr un broblem yn Katie Wales, *Personal Pronouns in Present-day English* (Cambridge, 1996), 79. Gweler hefyd M. Fludenik, 'Second Person Fiction: Narrative *you* as Addressee and/or Protagonist', yn *Arbeiten aus Anglistik und Amerikanistik*, 18 (1993), 217–47.
[77] GR 10.
[78] HG 1.
[79] HG 14.
[80] HG 17.
[81] HG 12.
[82] HG 7.
[83] YCM xxxi–xxxviii.
[84] YCM 128–9.
[85] YCM 129.
[86] RhG 8 a 49.
[87] Jones a Williams, 'Alexander a Lodwig', 280.
[88] Jones a Williams, 'Alexander a Lodwig', 281.
[89] Gw. Thomas, *Gramadeg y Gymraeg*, 451–7.
[90] Jones a Williams, 'Alexander a Lodwig', 279.
[91] Jones a Williams, 'Alexander a Lodwig', 282.
[92] GR 32.
[93] GR 33.
[94] GR 101.
[95] GR 102.
[96] GR 28.
[97] Rhagymadroddion 46.
[98] Golygwyd y chwedl hon gan yr Athro J. E. Caerwyn Williams ei hun.
[99] Jones a Williams, 'Alexander a Lodwig', 279.
[100] Jones a Williams, 'Alexander a Lodwig', 279.
[101] Jones a Williams, 'Alexander a Lodwig', 280.
[102] Jones a Williams, 'Alexander a Lodwig', 281.
[103] Jones a Williams, 'Alexander a Lodwig', 281.
[104] KAA xxi–xxii.
[105] Jones a Williams, 'Alexander a Lodwig', 287.
[106] Jones a Williams, 'Alexander a Lodwig', 287.
[107] Charles-James Bailey and Karl Maroldt, 'The French Lineage of English', yn *Languages in Contact*, gol. Jürgen M. Meisel (Tübingen, 1977), 48; R. Brown and

A. Gilman, 'The Pronouns of Power and Solidarity', yn *Style in Language*, gol. T. and A. Sebeok (New York, 1960), 253–76; YBH cliv.

[108] Morgan Watkin, 'The French Linguistic Influence in Mediaeval Wales', THSC (1918–19), 146–222 (tt. 148–54 a 162).

[109] HGK xli–lvii; HPE xxi–xxii.

[110] Constance Bullock-Davies, *Professional Interpreters and the Matter of Britain* (Cardiff, 1966), 8.

[111] Stephen J. Williams, 'Cyfieithwyr Cynnar', LlC, 8 (1929), 226–31; 'Rhai Cyf-ieithiadau', yn *Y Traddodiad Rhyddiaith yn yr Oesau Canol*, gol. Geraint Bowen (Llandysul, 1974), 303–11; Ceridwen Lloyd-Morgan, 'Rhai Agweddau ar Gyfieithu yng Nghymru yn yr Oesoedd Canol', YB, 13 (1985), 226–45.

[112] Cyfeirir yn YSG xxii at yr anawsterau y dywedodd y cyfieithydd ei hun ei fod yn eu cael wrth geisio addasu ei ddeunydd ar gyfer cynulleidfa Gymraeg ei hiaith.

[113] YBH lix.

[114] YGE 39.

[115] CO 10, 11.

[116] BDing 95.

[117] Michael Siddons, 'Welsh Seals in Paris', B, 29 (1980–2), 531–44 (t. 531).

[118] Michael Siddons, 'Welshmen in the Service of France', B, 36 (1989), 161–84.

[119] Siddons, 'Welsh Seals', 531.

[120] CO 53; hefyd HGK ccciv.

[121] PKM xxx–xxxiv.

[122] BRh xi.

[123] HGK ccciv.

[124] YBH xiii–xvii; gweler hefyd Morgan Watkin, 'The French Linguistic Influence', 146–222.

[125] HGK ccciii.

[126] HGK ccciii.

[127] YSG xxv.

[128] Robert Owen Jones, *'Hir Oes i'r Iaith': Agweddau ar Hanes y Gymraeg a'r Gymdeithas* (Llandysul, 1997), 132–9.

[129] Rhagymadroddion 46–7.

[130] GR xlvi–xlvii.

[131] DK 8.

[132] David Crystal, *The Cambridge Encyclopedia of Language* (Cambridge, 1995), 99.

14

O Gaer Llion i Benybenglog: Testun Llanstephan 58 o 'Iarlles y Ffynnon'

SIONED DAVIES

Mae 'Iarlles y Ffynnon' yn unigryw ymhlith chwedlau'r Mabinogion am fod cynifer o destunau ohoni wedi goroesi o'r cyfnod modern. Ceir y testun yn gyfan yn Llyfr Coch Hergest (J 111), ac yn rhannol yn Llyfr Gwyn Rhydderch (Peniarth 4) a llawysgrif Coleg Iesu 20 (J 20);[1] ceir hefyd ddarnau o'r chwedl mewn chwe llawysgrif ddiweddarach – Peniarth 120, Llanstephan 148, Panton 68, Llanstephan 171 (1574), Llanofer B 17 (1585–90), Cwrtmawr 20 (c.1750) – a chopi cyflawn yn Llanstephan 58, a ddyddir i ddechrau'r ail ganrif ar bymtheg.[2] Gellid cytuno yn gyffredinol fod y tair llawysgrif gynharaf yn annibynnol ar ei gilydd, bod Pen 120 yn gopi o J 20, Llst 148 yn gopi o J 111, a Panton 68 yn gopi o ran o Llst 171. Yn nhyb R. M. Jones, mae Llst 171, Cwrtmawr 20 a Llanofer B 17 yn annibynnol ar y llawysgrifau canoloesol, ond bod y tair yn dod o'r un cynsail.[3] Un peth sydd yn amlwg, fodd bynnag, yw bod Llst 58 yn annibynnol ar bob dosbarth a llawysgrif arall. Yn wir, dyma yw apêl y testun arbennig hwn. Fel y sylwodd R. M. Jones yn 1951, 'fe all (Llst 58) gynnwys hynafiaeth nas ceir mewn un o'r llawysgrifau eraill',[4] tra bo Thomson yntau, wrth drafod orgraff y testun, yn sylweddoli'r potensial:

> all suggests, despite the general appearance that the text has of being late and rather mangled by imperfect oral transmission, that nevertheless it does represent, however imperfectly, a version written in the medieval orthography, and that we may have here traces of a slightly variant version comparable with those that exist side by side with the main texts of *Gereint* and especially of *Peredur*. A careful reading of this text side by side with the old versions in the White and the Red Books will show, beside a good deal of omission and compression, a small amount of additional matter, some trivial, some possibly significant.[5]

Ymateb i'r her uchod yw nod y drafodaeth a ddilyn.

Er mwyn cymharu testun Llst 58 o 'Iarlles y Ffynnon' â'r testunau canoloesol, rhoddir sylw i bedair agwedd yn arbennig, sef teitl y chwedl, adeiladwaith, iaith ac orgraff, ac arddull. Y gobaith yw dod i ddeall yn well natur Llst 58, a natur y trosglwyddo o'r cyfnod canol i'r cyfnod modern yn gyffredinol.

Teitl y chwedl

Mae dechrau a diwedd testun Pen 4 ar goll, ac ni cheir teitl i'r darn agoriadol o'r chwedl a gofnodwyd yn J 20. Mae ysgrifydd J 111, ar y llaw arall, yn nodi'n hollol ddiamwys mewn coloffon ar ddiwedd ei destun: 'A'r chwedyl hwn a elwir Chwedyl Iarlles y Ffynnawn' (Owein 30). Ceir amrywiaeth yn nheitlau'r llawysgrifau diweddarach:

Llst 171	llyma ystori owain ab urien . . .
	Ag felly v terfyna ystori owain ab irien
Cwrtmawr 20	Lyma Ystori Owain ap Urien Reged . . .
	Ac velly y tervyna Ystori Owain ar Iarlles y ffynon yn lle gwir
Llanofer B 17	Ag velly i terfynna[6]
Llst 58	Yn ol hyn y canlyn Ystori: ymmha vn y dangosir trafaelion rhai o Filwyr a marchogion Bwrdd gron Arthur ag yn benna gwroldeb Owain ab Eirien, Iarll y Kawg . . .
	Terfyn o drafaelion Owain ap Eirien Iarll y Cawg.
	(Llst 58, 37 a 58)

Sylwer mai'r term generig 'ystori' a ddefnyddir yn gyson i ddisgrifio'r testun yn y pedair llawysgrif uchod. Yn y llawysgrifau canoloesol, cyfeirir at 'Peredur' ac at 'Gereint' fel 'ystoria', ond 'chwedl' yw 'Iarlles y Ffynnon'. Awgrymodd Brynley F. Roberts fod gan y gair 'ystoria' gysylltiadau â ffynonellau ysgrifenedig, yn hytrach nag â rhai llafar.[7] Efallai'n wir, eithr awgryma'r enghreifftiau uchod fod y term wedi colli unrhyw arwyddocâd erbyn y cyfnod modern cynnar, gan fagu'r ystyr gyffredinol o 'naratif' neu 'chwedl'. Sylwer mai'r teitl yn Llst 58 yw'r mwyaf blodeuog, ac y rhoddir sylw arbennig i Owain fel 'Iarll y Cawg', term a ddefnyddir hefyd gan rai o'r Cywyddwyr, ac yn arbennig Tudur Aled. Er enghraifft, mewn cerdd i un o ddisgynyddion honedig Urien Rheged, Syr Rhys ap Tomas (1449–1525), dywed y bardd:

> Owain oedd, ni a wyddym,
> Â chawg a llêch a gwayw llym;
> Ych henw, modd yr ŷch hynaf,
> Iarll y Cawg arall y caf;
> Iarll yr Iâ a'r Llew a'r Ôg,
> Iarll Rheged, aur llurugog.[8]

Sylwer hefyd mai tair brân, sef yr adar a gysylltir ag Owain fab Urien, a oedd ar arfbais Syr Rhys. Pam, tybed, mai yn Llst 58 yn unig y defnyddir y term 'Iarll y Cawg'? Ai ychwanegiad ydoedd gan yr ysgrifydd yn sgil poblogrwydd y teitl? Yn sicr, gellid dadlau mai dylanwad y chwedlau cyfandirol, ac yn arbennig 'Y Seint Greal' efallai,[9] sydd yn cyfrif am y lle amlwg a roddir i farchogion 'bwrdd gron' Arthur yn y teitl.

Adeiladwaith

Yr un naratif yn union a draddodir yn y fersiynau canoloesol o 'Iarlles y Ffynnon' ag yn Llst 58. Ceir nid yn unig ffrâm i'r chwedl gyfan, ond hefyd i isadrannau o fewn y naratif.[10] Nodir yr isadrannau'n glir yn J 111 trwy ddefnyddio prif lythyren (ddwy- neu dair-llinell):[11]

1. *Rhagymadrodd + chwedl Cynon:*
   Yr amherawdyr arthur oed yg kaer llion ar wysc . . . (RM, col. 627)
2. *Anturiaethau Owein:* A phan welas ef y dyd drannoeth . . . (RM, col. 634)
3. *Taith Arthur:* Ac ual ydoed walchmei diwarnawt . . . (RM, col. 642)
4. *Anturiaethau pellach Owain:* Ac ual yd oed owein diwarnawt . . . (RM, col. 646)
5. *Epilog y Du Traws:* Ac yna y deuth ef fford y lys y du traws . . . (RM, col. 654)

Amhosibl gwybod beth fyddai trefn y priflythrennau bob tro yn nhestun y Llyfr Gwyn. Mae agoriad yr adran gyntaf ar goll, yr ail adran ar ei hyd, a'r adran olaf. Eithr ni cheir priflythyren nac awgrym o linell newydd yn nhestun y Llyfr Gwyn ar ddechrau Adran 4. Ni cheir unrhyw raniadau yn nhestun J 20 o'r chwedl. Paragraffau a ddefnyddir yn Llst 58 sydd yn rhannu'r testun fel a ganlyn:

1. a *Rhagymadrodd:* Megis ir oedd Arthur foreugwaith o haf . . . (37)
   b Vn mab mam a thad oeddwn i. . . (37)
   c *Ymateb Owein:* Ebr Owein ap Eirien ha wyr onyd oedd wych fyned y geisio . . . (42); areithiau Cai a Gwenhwyfar wedi eu mewnosod.
2. a *Anturiaethau Owein:* Ag ar hynny y deffroes r Amherodr . . . (42)
   b A myned y orig Elined ir ystafell at Owein a dwedyd wrtho r ymadrodd y fyasse rhyngthi ar Iarlles . . . (48)
3. a *Taith Arthur:* Ag val yroedd Gwalchmai yn gorymdaith ddyddgwaith . . . (49)
   b Ag felly parotti J hun y wnaeth Arthur y geisio Owain . . . (49)
4. a *Anturiaethau pellach Owain:* Ag felly fal yroedd Owain ddydd gwayth ynghaerlleon ar Wysg . . . (52)

    b *Cyfarfod y llew:* Ag val yroedd ef yn kerdded koydydd ef a glowe lef
        druan . . . (54)
5.   *Epilog y Du Traws:* Yn ol hyn am ben ennyd o amser yr aeth Owain
        y lus du Prydwas . . . (57)

Er bod ysgrifydd Llst 58 yn rhannu ei destun yn fwy o isadrannau, drwy
gyfrwng atalnodi, yr un yw'r chwedl a draddodir. Cyfanwaith taclus sydd
yma; yn wir, un o'r chwedlau mwyaf taclus a chytbwys – 'There are few
places in medieval literature where the modern reader can so easily get so
much pleasure in so little space, as from this well-proportioned and well-
told tale'.[12] Tybed ai dyma un rheswm pam yr oedd y chwedl ar gof a
chadw, yn ôl pob sôn, yn y bedwaredd ganrif ar bymtheg? Wrth draethu ar
'chwedloniaeth', honna Glasynys:

> Nid ydyw y Mabinogion a gyhoeddwyd gan yr Arglwyddes Siarlot Guest,
> na'r casgliad uchelgamp a elwir y Greal, yn ddim amgen na chwedlau
> traddodiadol wedi eu hel, a'u crynhöi, a'u gwneyd yn llyfr. Ceir rhai
> darnau o'r chwedlau, hyd yn oed yn awr, ar gael, ar lafar gwlad, a hyny
> yn yr encilion ym mysg pobl na fedrant air ar lyfr. Clywais fy hun 'Iarlles
> y Ffynnawn' yn cael ei hadrodd gan hen wraig oedd dros ei phedwar
> ugain oed. Dywedai mai ei thaid a glywsai yn ei hadrodd ar hirnos gauaf
> wrth danllwyth o dan mawn ar aelwyd gynncs yr Hendref.[13]

Mae'r dystiolaeth uchod, ynghyd â'r cyfeiriadau niferus at Owain a Luned
yng ngwaith y beirdd, yn arwain R. M. Jones i awgrymu 'y mae cymaint ag
a wyddom yn cadarnhau'n tyb fod y parhad llafar o *Owain a Luned* hyd y
ganrif ddiwethaf '.[14] Yn wir, wrth drafod Llst 58, mae'n dadlau 'fod y
chwedl wedi'i chadw ar lafar, ac wedi cael ei chofnodi o'r newydd, nid
hwyrach heb wybodaeth o'r testunau cywir'.[15] Rhaid gochel rhag gweld
ffin absoliwt rhwng y llafar a'r ysgrifenedig – mae'r naill gyfrwng yn
dylanwadu ar y llall, ac yn parhau i wneud hynny hyd heddiw. Yn sicr,
wrth droi at orgraff y testun diweddar, ceir argraff glir o waith a chanddo'i
wreiddiau yn nwfn yn yr Oesoedd Canol.

Iaith ac Orgraff Llanstephan 58[16]

Rhestrir prif nodweddion orgraff testun Llst 58 gan R. L. Thomson.[17]
Nodweddion cymysg a geir ar y cyfan:

1.   Cyfnewidir *i, u* ac *y*, yn aml (er enghraifft *dymyno, gilidd, ny, na*
     ellyr).
2.   Ceir defnydd cyson o *y* yn lle *a* fel rhagenw perthynol.

3. Ymddengys *dd* fel *d*, eithr wedi ei ddotio ambell waith (er enghraifft *gofynnod 38, rhagdo* 43, ond sylwer hefyd *rhagddo* 43);[18] ceir wyth enghraifft o *dh* gyda'i gilydd) – *dydh, gladhy, wisgodh, lluoedh, heolydh, gwragedh, dhayar, oedh* 46;[19] dwy enghraifft o *th* 57 – *llathas* ac *oeth*.

4. Yn y sillaf olaf agored gwelir *-au* ac *-ai* > *-e*.

5. Collir *-f* yn aml, a cheir enghreifftiau o orgywiro yn *o honof ef* 37.

6. Cedwir *-awg* yn *marchawg* (9 enghraifft rhwng 40 a 44, ond 11 enghraifft o *marchog* rhwng 41 a 50), *byl[ch]awg* 38, *goddefawg* 51; ceir nifer o ferfenwau yn *-aw* megis *esgyllaw* 38, *eillaw* 38, 47, *kyfrwyaw, ffrwynaw* 42, *goreuraw* 45, *beiddiaw* 47, *amneidiaw* 47, *keisiaw* 51 (ond *keis(i)o* ar 39, 53), a hefyd enwau – *elawr* (dwy enghraifft, ac un enghraifft o *elor* 46), *dyrnawd* (dwy enghraifft 44, ond *dyrnod* 51) – heblaw y tair ffurf orffennol *pebyllawdd, kennigawdd* 54, *gwahaddawdd* 56.

7. Cedwir rhai ffurfiau hynafol megis *onaddynt* 51, *enifer* 49, a cheir enghraifft o gamddarllen *na vyn* fel *namyn* 48.

Er bod y testun yn cynnwys llawer o nodweddion orgraffyddol a berthyn i'r cyfnod modern cynnar, eto i gyd ceir digon o dystiolaeth i ddangos mai testun a'i wreiddiau yn yr Oesoedd Canol ydyw. Atgyfnerthir hyn gan y defnydd o'r ferf *gorug/gwnaeth* fel berf gynorthwyol yn y testun:[20]

Ffurf	Nifer
orugant	1
orig	29
wnaeth	47
wnaethym	1
wnaethont	19
wnaethpwyd	2

Ni ddaw unrhyw batrwm arbennig i'r amlwg, eithr digwydd y ffurfiau ar hap drwy'r testun.

Ffurfiau 'ysgolheigaidd' sydd yn nodweddu'r iaith, ym marn R. M. Jones,[21] er enghraifft y rhagenw perthynol, y defnydd annaturiol o'r rhagenwau pwysleisiol (ceir *myfi* yn hytrach na *mi* deirgwaith ar 38), yr ansoddeiriau lluosog, ffurfiau megis *a chan drysted* 57, *a thyma* 58,[22] ansoddeiriau o flaen enwau (er enghraifft *amraefaelion enefeiliaid* 40 a *diffaith leoedd* 42).[23] Yn ei farn ef, y mae ôl ysgolheictod ar y llawysgrif hon yn anad yr un llawysgrif arall sy'n cynnwys y chwedl. Adlewyrchir hyn hefyd yn y mathau gwahanol o lawysgrifen a ddefnyddir: mae'r teitl mewn llaw eidalaidd eglur (37), a'r coloffon hefyd (58);[24] ceir llaw othig rhwng 37 a 46, eithr ar dudalen 46 (*Ag am hanner nos . . . y gwelai ef r Elawr*) ceir llythrennu mewn orgraff[25] ac inc gwahanol a symud yn raddol i law 'ysgrifennydd' ffurfiol. Wrth graffu'n fanylach ar ieithwedd testun Llst 58, gellir tynnu sylw at rai nodweddion taleithiol arwyddocaol.[26]

(-j-)

Llst 58	J 111	Pen 4	J 20
gweision gweis(s)on	gweissyon	gweissyon	
keisiaw	keisaw	keisaw	keisiaw
meibion	meibon		
golwython	golwython gol(h)wython[27]	gol(h)wython	golwythyon
ymgweirio	ymgyweiryaw	ymgyweiryaw	ymgyweraw
	ysweineit	ysgweineit	ysweinyeit
morwynion	mory(n)nyon	morynnyon	morynnyon
enefeiliaid	aniueileit	aniueileit	aniueilieit

Gwelir rhaniad clir uchod rhwng Llst 58 a J 20 ar y naill law, a J 111 a Pen 4 ar y llaw arall. Ffurfiau gogleddol sydd i'r ddwy lawysgrif gyntaf. Yr unig ffurf eithriadol yw *golwython* yn Llst 58, enw y mae'r ysgrifydd yn cynnig glos arno ('canys felly ei galwent hwy ei Brekfast'). Cymysgedd o ffurfiau a geir yn nhestunau'r Gwyn a'r Coch.

(-th-)

Yn ôl Thomas, ail newidyn ac iddo amrywion deheuol a gogleddol pendant yw (-th-). Wrth graffu ar ffurfiau trydydd person *gan* a *rhwng*, gwelir bod testun Llst 58, unwaith eto, yn gwbl ogleddol (ceir 18 enghraifft o *ganthynt*, *gantho*, ac un enghraifft o *rhyngthi*). Yn J 20, ar y llaw arall, un enghraifft yn unig a geir, sef y ffurf ddeheuol *gantaw*. Cymysgedd a geir unwaith eto yn y Llyfr Coch: pum enghraifft o'r ffurfiau deheuol *gantaw*, *gantunt*, *y ryngtaw*, chwe enghraifft o'r ffurfiau gogleddol *ganthaw*, *genthi*, *y ganthaw*, ac un enghraifft o *y rydaw* (ffurf dde-ddwyreiniol, mae'n debyg, yn ôl Thomas).[28] Yr unig wahaniaeth o safbwynt y testun cyfatebol yn Pen 4 yw bod *y rydaw* yn cyfateb i'r enghraifft o *y ryngtaw* yn y Llyfr Coch.

D(ae)th

Gallai bôn gorffennol *dyuot* gynnwys naill ai <oe> neu <eu>. Yn Llst 58 a J 20, ceir <eu> yn gyson. Yn y Llyfr Coch, ceir 11 enghraifft o'r ffurf yn <eu>, a 5 enghraifft yn <oe>. Dau wahaniaeth a geir yn y darnau cyfatebol o'r Llyfr Gwyn: yn Pen 4 ceir *dodhwyt* yn hytrach na *doethost*, a *doeth* yn hytrach na *deuth*. Yn wahanol i'r hyn a welwyd yn hanes Pen 4 a

J 111 o 'Peredur', ni chyfyngir y ddwy ffurf wahanol i flociau arbennig o'r testun.[29] Awgryma Thomas, er yn betrus, mai dosbarthiad gogleddol yw'r <oe> sydd yn cysylltu Llst 58, y tro hwn, ag ardaloedd y De.

Heb wneud ymchwil ieithyddol bellach, peryglus fyddai honni unrhyw beth i sicrwydd ynglŷn â tharddiad taleithiol testun Llst 58. Rhaid cofio mai cyfnod o drosi oedd yr ail ganrif ar bymtheg – trosi ar bob gwedd, gan gynnwys orgraff a morffoleg. Nid syndod, felly, yw gweld diogelu ffurfiau hynafol; yn wir, efallai mai ffug-hynafoli yw'r defnydd o *gorig* yn y testun. Rhaid cofio, hefyd, ddylanwad llyfrau printiedig ar unrhyw ysgrifydd o'r cyfnod hwn – y duedd oedd i ffurfiau gogleddol ddod yn safonol. Serch hynny, yn sgil y drafodaeth uchod, gellir cynnig mai gogleddol yw cynsail Llst 58, a bod y cynsail hwnnw yn perthyn i'r Oesoedd Canol.

Arddull

Wrth droi at arddull y gwahanol destunau o 'Iarlles y Ffynnon', y peth cyntaf a ddaw i'r amlwg yw bod testun J 111 (9,798 o eiriau) yn hwy na thestun Llst 58 (8,307 o eiriau).[30] Wrth gymharu'r ddau destun yn fanwl, gwelir bod J 111 a Pen 4 yn cryfhau'r mynegiant yn aml, a hynny trwy gynnwys mwy o ansoddeiriau, adferfau neu hyd yn oed gymalau cyfan ar adegau. Cymharer, er enghraifft, ddisgrifiad Cynon o forynion y llys:

Llst 58   ag om ffydd y dweda fod yn deckach r hackraf o honynt nar lana n ynys Brydain, ie n deckach no Gwenhwyfar r Amherodres . . . (38)

Owein   A hyn a dywedaf ytti, Gei, vot yn debic genhyf bot yn degach yr haccraf onadunt hwy no'r vorwyn deckaf a weleist eiroet yn Ynys Prydein; yr anhardaf onadunt, hardach oed no Gwenhwyfar gwreic Arthur pan uu hardaf eiryoet duw Nadolic ne duw Pasc wrth offeren. (3)

Ceir gorchest eiriol yn Pen 4/J 111, a'r disgrifio yn gyforiog o ansoddeiriau yn y radd eithaf. Mae saernïo ymwybodol o'r fath yn nodweddiadol o'r cymariaethau eraill hefyd, er enghraifft:

Llst 58   ag om ffydd y dwedaf ny welais i erioed wsaneth gystal a hwnnw. (38)

Owein   An bwyt a doeth yn, a diheu oed ytti, Gei, na weleis i eirmoet ac nas kigleu bwyt na llyn ny welwn yno y gyfryw, eithyr bot yn well kyweirdeb y bwyt a'r llyn a weleis i yno noc yn lle arall eiryoet. (4)

Llst 58 a diauoedd gan Owain na welse fe erioed vn rhiw o fwyd na bae yno r kyphelyb, a gwell coginiaeth ar fwyd nag y welse fe erioed, ag aml iawn oedd o fwydydd a llynn yno. (45)

***Owein* (J 111)** A diheu oed gan Owein na welsei eiryoet neb ryw vwyt ny welei yno digawn ohonaw, eithyr bot ynn well kyweirdeb y bwyt a welei yno noc yn lle arall eiryoet. Ac ny welas eiryoet lle kyn amlet anrec odidawc o vwyt a llynn ac yno. (13)

Llst 58 ag hoff iawn oedd gantho J gresso. (47)

***Owein* (J 111)** A diheu oed gan Owein na chafas eiryoet kinyaw kystal a honno na diwallach y wasanaeth. (15)[31]

Canolbwyntir ar y manylion yn y testunau canoloesol, ac o ganlyniad ceir disgrifiadau llawnach. Wrth i Iarlles y Llyn ddod ar draws Owain, er enghraifft, cyfeirir at y 'gwytheu yn llamu arnaw, ac ynteu yn kwynaw wrth yr heul' (*Owein* 21). Darlun llai dramatig a geir yn Llst 58: 'Ag yno roedd Owain heb allu dwedyd na cherdded, yn gwywo yngwyneb rhaul' (52).[32] Wedi iddo dderbyn yr eli gwerthfawr, syrth y blew oddi ar ei gorff 'yn toruenneu kennoc' yn y Llyfrau Gwyn a'r Coch (*Owein* 23), ac wrth iddo adael llys yr iarlles, rhoddir iddo 'gwascwyn du telediw, a chyfrwy fawyd arnaw' – ni cheir dim sy'n cyfateb yn Llst 58. Amlygir y gwahaniaeth yn y disgrifiadau o gymeriadau a lleoliadau. Yn Llst 58, wrth i Gynon ddisgrifio'r morynion yn llys y gŵr pengrych melyn, nodir yn syml:

Llst 58 Yno chwech o honynt a gymerth fy llydedig farch, ag ai kweiriassont, chwech eraill y gymerassont f-arfau oddiwrthyf, chwech eraill a wnaethont Dan, ar chwech eraill y wsnaethassont y Bwrdd. (38)

Yn J 111 a Pen 4 ar y llaw arall (*Owein* 3–4), manylir ar y dillad a roddir i Gynon, ar y clustogau a daenir o'i gwmpas, ar y ddefod o ymolchi, ar drefn yr eistedd wrth y bwrdd, ac ar y llestri a ddefnyddir i wasanaethu arno, hynny yw, defnyddir mwy o unedau fformiwläig wrth adeiladu'r disgrifiad.[33] Mewn mannau eraill, fodd bynnag, gwelir bod yr unedau yn weddol sefydlog, ond eto ceir rhai ychwanegiadau yn J 111 a Pen 4, fel y dengys yr enghraifft isod:

Owein (2)	Llst 58 (38)
kaer vawr llywychedic	ag ar y maes hwnnw y gwelwn Gaer fawr fylawg
a gweilgi yn cyfagos y'r gaer	
ac nachaf deu was Pengrych melyn	ag yno y gwelwn dau lank Pengrychion, Penfelynion
a ractal eur am Pen pob vn onadunt	
a ffeis o bali melyn am bop vn onadunt	a pheisiau o Bali melyn am danynt
a dwy wintas o gordwal newyd am traet pob vn	ag ysgydio o Gordwal brithion am ei traed,
a gwaegeu eur ar vynygleu eu traet yn eu kau	a gwagau o ariant yn ei kaued ar fynygle ei traed
a bwa o ascwrn eliffant yn llaw pob vn onadunt	ag yn ei dwylo fwae o esgyrn morfil
a llinyneu o ieu hyd arnadunt	a llinynnau o eiay Hudd
a saetheu ac eu peleidyr o askwrn morwil	a phelydr ei saethe o esgyrn Morfil
gwedy eu haskellu ac adaned paun	a chwedy hesgyllaw ag esgyll paunod
a ffenheu eur ar y peleidyr	a phene o aur ar y pelydr
a chyllell a llafneu eureit udunt	a chyllyll, a llafnay aur,
ac eu carneu o askwrn moruil	
gwr Pengrych melyn yn y dewred	fackwy Pengrych melyn
a'y waryf yn newyd eillaw	ai farf newydd eillaw
a ffeis a mantell o bali melyn ymdanaw	a phais, a mantell o Bali melyn am dano
ac ysnoden eurllin yn y vantell	
a dwy wintas o gordwal brith am y draet	a dwy windas o Gordwall am i draed
a deu gnap yn eu kau	a gwagau aur yn ei kaued

Ceir pedair uned uchod heb ddim i gyfateb iddynt yn Llst 58.[34] Wrth droi at y fformiwla ymladd, gwelir eto mai'r un camau cyffredinol a geir yn yr holl destunau, eithr manylyn ychwanegol o bryd i'w gilydd yn J 111:

Owein	Llst 58
A'e erbynnyeit a oruc Owein	ai erbynnaid y orig Owain
ac ymwan ac ef yn drut	ag ymwaan ag ef yn ddilesg
a thorri y deu baladyr a orugant	nes torri r gwewyr
a dispeilaw deu gledyf a wnaethant ac ymgyfogi	Wedy hynny tynny ei kleddyfau
Ac ar hynny Owein a drewis dyrnawt ar y marchawc trwy y helym a'r Pennffestin a'r Penngwch pwrqwin	ag yn ol hir ymffyst Owain y trawodd ddyrnawd mawr ar ben y marchawg drwy'r helm ar Penfreisgin
a thrwy y kroen a'r kig a'r asgwrn	a thrwy r croen ar cig
yny glwyfawd ar yr emennyd	ony glwyfodd yr emenydd

Yn y disgrifiad o'r ymladd rhwng Owain a Gwalchmai, fodd bynnag, sylwer na cheir dim oll yn Llst 58 i gyfateb â'r uned fformiwläig 'ac yny vyd pob un onadunt dros bedrein y varch y'r llawr' (*Owein* 10).[35]

Mae defnyddio cymariaethau hefyd yn strategaeth a ddefnyddir yn y testunau canoloesol i gyfoethogi'r mynegiant, nodwedd nas ceir i'r un graddau yn Llst 58. Yn Pen 4 a J 111, mae anifeiliaid y gŵr du 'gyn hamlet a'r ser ar yr awyr' (*Owein* 6),[36] a'r 'mygen burgoch' ar balffrai Cynon 'kyngochet a'r kenn' (*Owein* 9). Ceir chwarae ar eiriau hefyd yn y testunau canoloesol – wrth ddisgrifio'r gŵr du, mae mynegiant Llst 58 yn union-gyrchol: 'gwr hagar yw ef' (39), eithr yn J 111 a Pen 4, ceir chwarae ar eiriau: 'Ac nyt gwr anhygar efo: gwr hagyr yw ynteu' (t. 5).

Ceir sawl golygfa ar ei hyd lle gwelir mwy o ôl y llenor ymwybodol yn J 111 a Pen 4 nag yn Llst 58. Mae'r disgrifiad o Owain wedi ei gaethiwo rhwng y dorau yn dra dramatig yn J 111:[37]

Owein	Ac y porth y gaer y deuthant, ac ellwng y marchawc duawc a wnaethpwyt y mywn, ac ellwng dor dyrchauat a wnaethpwyt ar Owein. A honno a'e medrawd odis y pardwgyl y kyfrwy yny dorres y march yn deu hanner trwydaw, a throelleu yr ysparduneu gan y sodleu Owein, ac yny gerda y dor hyt y llawr, a throelleu yr ysparduneu a dryll y march y maes, ac Owein y rwng y dwy dor a'r dryll arall y'r march. A'r dor y mywn a gaewyt ual na allei Owein vynet odyno. Ac yg kyfyg gyghor yd oed Owein. (12)
Llst 58	ag hyd y porth y daethont, ar Marchog du y ellyngwyd y mewn ag ar Owain y gyllyngwyd dwy o ddore derchafedig fal y gorddiweddodd r olaf o honynt y tu ol i farch ef ag ai rhwygodd ag felly Owain y ddiangodd heb gaffel niwed er y fod yn gaeth rhwng y ddwy ddor, eithr y farch ef y laddwyd, korof ol y gyfrwy y dorrwyd a thrwyll ei ysbardyne ef hefyd y rwygodd y ddor. Ag fal ir oedd Owain felly yn gyfing y le rhwng y ddwy ddor . . . (44)

Gellir cytuno â Brynley F. Roberts mai olion traddodi'r cyfarwyddiaid a welir yn y bwrlwm geiriau hyn yn J 111 – dadleua fod y dyfyniad uchod 'yn cyfleu ar lafar gyffro ymlid a dihangfa gyfyng mewn modd na ellir mo'i wneud yn drwyadl effeithiol ond trwy gyfrwng ffilm'.[38] Eithr sylwer bod y darn yn Llst 58 yn fwy amrwd, a llai o ôl sglein y llenor arno. O gymharu'r ddau ddarn, mae yn J 111 fwy o ymdrech i greu cytbwysedd trwy ddef-nyddio'r cysylltair 'yny' ddwywaith, a'r gystrawen honno hefyd yn fodd i greu tensiwn wrth i'r gwrandawr aros yn eiddgar i glywed y rhestr o gan-lyniadau a ddaw yn sgil gollwng y portcwlis. Yn Llst 58 cyfeirir at y 'ddwy ddor' o'r dechrau, eithr yn J 111 oedir hyd at ddiwedd y disgrifad cyn crybwyll cau yr ail ddôr, a hynny'n uchafbwynt i'r cyfan. O ganlyniad, cyfyng ei le yw Owain yn Llst 58, eithr yn J 111 ceir chwarae ar y gair 'cyfyng' trwy ddefnyddio'r ansoddair i adlewyrchu cyflwr meddwl yr arwr. Dadansodda Roberts hefyd yr olygfa lle disgrifir marwolaeth y marchog du, gan ddadlau mai 'gŵr sy'n estyn terfynau'r traddodiad' yw awdur 'Owain' ac na ddylid meddwl amdano yn unig fel 'lladmerydd' y traddodiad llafar.[39] Defnyddir techneg y tri cham i olrhain yr hanes, eithr bellach mae un o dechnegau naratif y cyfarwydd wedi tyfu'n elfen yng ngwead y chwedl wrth i'r cynnydd rhethregol gyd-fynd â threfn gweinyddu sacramentau'r eglwys:

> ***Owein* (J 111)** Ac ar hynny nachaf y clywynt diaspedein yn y gaer, a gofyn a oruc Owein y'r uorwyn, 'Py weidi yw hwnn?' 'Dodi olew ar y gwrda bieu y gaer,' heb y uorwyn ... Ac am hanner nos y clywynt diaspedein girat. 'Py diaspedein yw hwnn weithon?' heb yr Owein. 'Y gwrda bieu y gaer yssyd uarw yr awr honn,' heb y vorwyn. Ac am rynnawd o'r dyd y clywynt diaspedein a gweidi anueitrawl eu meint, a gofyn a oruc Owein y'r uorwyn, 'Pa ystyr yssyd y'r gweidi hwnn?' 'Mynet a chorff y gwrda bieu y gaer y'r llann.' (13)

Sylwer nad yw arddull testun Llst 58 mor ddatblygedig:

> **Llst 58** Ag ynghylch y prud hyny or dydd y klowe fe lais creylon yn y gaer, a gofyn y orig Owain pa beth oedd hynny? Rhoi olew ebr hithe yn ydys ar y Marchog du r awrhon ... Ag am hanner nos y klywai ef y llefain tosta ny bud. Pa grio yw hwn ebr owain? Y gwr Du ysy farw ebr y vorwyn, a thrannoeth am ennyd or dydh y klowi ef ailwaith lefain tostur, a gofyn y wnaeth Owain pa grio ag achwyn yw hwn? Myned ar gwr ir ydys yw gladhy ebr vorwyn. (46)

Nid yw cwestiwn cyntaf Owain yn crcu cymaint o argraff mewn araith anunion; yn sicr, nid yw'r datblygiad o 'llais creylon' i 'llefain tosta ny bud' i 'llefain tostur' yn creu'r uchafbwynt a geir yn J 111 lle symudir yn gynyddol o 'diaspedein' i 'diaspedein girat' ac i 'diaspedein a gweidi anueitrawl eu meint'. Sylwer hefyd fod Luned yn cyfeirio at y marchog du yn gyson fel 'y gwrda bieu y gaer' sydd yn ein hatgoffa'n gynnil o'i statws a'i diriogaeth; 'Marchog du', 'gwr Du' ac yna 'gwr' yn syml ydyw yn Llst 58. Wrth weld yr Iarlles yn ei galar,[40] mae Owain yn cwympo mewn cariad â hi, ac yn gofyn i Luned pwy ydyw. Yn J 111, fel y dengys Roberts,[41] cynllunir yr ateb yn ofalus, gan godi gobeithion Owain ac yna ei lorio yn y cymal olaf:

> 'Duw a wyr,' heb y uorwyn, 'gwreic y gellir dywedut idi y bot yn deckaf o'r gwraged, ac yn diweiraf, ac yn haelaf, ac yn doethaf, ac yn vonhedickaf. Vy arglwydes i yw honn racko, a Iarlles y Ffynnawn y gelwir, gwreic y gwr a ledeist di doe.' (*Owein* 14)

Yn Llst 58, ar y llaw arall, ni cheir y gohirio cynnil:

y forwyn attebodd ag y ddwad Varglwyddes i yw hi, gwraig ir gwr ddu y
lleddasti ddoe; a hon y elwyr Jarlles y Ffynnon. (46)

Cymharer yr olygfa pan fo Owain a Gwalchmai yn ymladd. Fel y sylwodd
Roberts, 'enwir Owain yn unig pan adnebydd y naill ohonynt y llall', a'r
enwi yn 'amseru perffaith':[42]

Ac ar hynny dyrnawt a rodes y marchawc y Walchmei hyt pan droes yr
helym y ar y wyneb mal y hadnabu y marchawc panyw Gwalchmei oed.
Ac yna y dywawt Owein, 'Arglwyd Walchmei . . .' (*Owein* 19)

Eithr ni cheir y cynildeb hwnnw yn Llst 58:

Ag yno dyrnod y roes Owen y walchmai hud pan dores bykley y viswrn
ef megis y hadnaby Owain ef, ag yno y dwad Owain o Arglwydd
walchmai . . . (51)

Awgrymwyd eisoes fod y llawysgrifau canoloesol yn creu sefyllfaoedd
sydd yn tueddu i fod yn fwy dramatig na Llst 58. Techneg a ddefnyddir i
atgyfnerthu hyn yw cyflwyno union eiriau'r cymeriadau yn hytrach nag
araith anunion,[43] ac yn fwy arbennig, symud o'r naill gyfrwng i'r llall, fel y
bo'r union eiriau yn dwyn y pwys mwyaf.[44] Mae'n arwyddocaol na
ddigwydd hyn yn Llst 58, fel y dengys yr enghreifftiau canlynol:

Owein (J 111)	Ac y dywawt Owein gwbyl o'e gerdet idaw – 'ac yn ymgeissaw a'r marchawc yssyd yn gwarchadw y ffynnawnn y mynnwn vy mot.' (11)
Llst 58	Ag y dwede ynte r kwbwl oi gerdded, o dreigl, ai daith, gan dwedyd y mynne efe weled y Marchog oedd yn kadw r ffynnon . . . (43)
Owein (J 111)	A datkanu eu kyfranc a orugant idaw mal y datkanassei y uorwyn y nos gynt; 'ac Owein a pallwys idi, ac am hynny y llosgwn ninneu hi.' 'Dioer,' heb yr Owein . . . (28)
Llst 58	A datglaru y wnaethont yn r vn modd ag y dwedasse r forwyn iddo. Ag yno y dwad Owain . . . (57)
Owein (J 111)	Y dywedassant wynteu panyw merchet ieirll oedynt, ac ny dothoedynt yno namyn a'r gwr mwyhaf a garei bop un onadunt gyt a hi. 'A phan doetham ni yma ni a

gawssam lewenyd a pharch ac an gwneuthur yn vedw
. . .' (29)

Llst 58 dwedassont hwythe mae merched Jeirll kyfoethogion
oeddynt, ag na dauthont yno heb ei gwyr priodolion
gidag hwynt, ag mae yna y lladassyt hwy . . . (57–8)[45]

Yn yr enghraifft olaf, defnyddir araith union yn J 111 i gynnig eglurhad ar
y sefyllfa.[46] Gwneir yr un peth yn gynharach yn y testun, wrth i Iarlles y
Ffynnon sgwrsio â Luned:

Owein (**J 111**) 'Lunet,' heb hi, 'nyt oes wed kerdetwr ar yr unben
hwnn.' 'Py drwc yw hynny, arglwydes?' heb y Lunet. (16)

Yn Llst 58, ar y llaw arall, ni roddir unrhyw reswm dros ei drwgdybiaeth.
Awgryma hyn fod gan y llawysgrifau canoloesol fwy o ddiddordeb yn y
cymeriadau, yn eu hanian a'u cymelliadau. Yn wir, atgyfnerthir hyn mewn
sawl man arall. Fel y sylwodd Roberts,[47] dechreua Cynon ei stori gan
dynnu sylw at yr hyn a ysgogodd yr anturiaeth: 'drythyll oedwn, a mawr
oed vy ryvic' (*Owein* 2) – ni chyfeirir at yr agweddau hyn ar ei gymeriad yn
Llst 58. Nid yw Cynon yn ceryddu'r gŵr melyn yn Llst 58, eithr yn y
testunau canoloesol:

A dywedut inheu bot yn vadws ym kaffel a ymdidanei a mi, ac nat oed yn
y llys bei kymeint ac eu drycket ymdidandynnyon.'Ha vnben,' heb y gwr,
'ni a ymdidanem a thi er meitin ony bei lesteir ar dy vwytta; ac weithion ni
a ymdidanwn a thi.' (*Owein* 4–5)

Dim ond yn y testunau cynnar y ceir hefyd unrhyw gyfeiriad at deimladau
Cynon ac at ddilema'r gŵr:

Ac yna edrych a oruc y gwr arnaf i, a gowenu, a dywedut wrthyf, 'Pei na
thebyccwn dyfot gormod o ouut ytti o'y venegi yt, mi a'e managwn yt yr
hyn a geissy.' A chymryt tristyt a goueileint ynof a wneuthum am hynny;
ac adnabot a oruc y gwr arnaf hynny, a dywedut wrthyf, 'Kanys gwell
genhyt ti,' heb ef, 'menegi ohonaf i ytti dy afles no'th les, mi a'e managaf
. . .' (*Owein* 5)

Yn yr un modd, eglura Luned pam y dylai fod o gymorth i Owain yn J 111:
'ac oed iawn y wreic wneuthur da ytti. Duw a wyr na weleis i eirmoet was
well no thidi wrth wreic. O bei gares itt, goreu kar gwreic oedut; o bei
orderch itt, goreu gorderch oedut' (*Owein* 12).[48] Sylwer hefyd fod Cai yn
gymeriad mwy cecrus yn y testunau canoloesol, fel y tystia ei eiriau wrth

Wenhwyfar: 'nyt mwy o volyant y Owein a dywedeist di no minneu' (*Owein* 10), a'i gyhuddiad mai ar gam y bwriwyd ef i'r llawr gan y marchog du (sef Owain) y dydd cyntaf (*Owein* 19).

Mae un man arbennig yn nhestun J 111 sydd yn cynnwys llawer iawn mwy o wybodaeth na Llst 58, sef y darn agoriadol, hyd at ddechrau chwedl Cynon.[49] Egyr J 111 â fformiwla agoriadol gyffredin: 'Yr amherawdyr Arthur oed yg Kaer Llion ar Wysc. Sef yd oed yn eisted diwarnawt . . .' (*Owein* 1).[50] Mae agoriad Llst 58 yn llai ffurfiol: 'Megis ir oedd Arthur foreugwaith o haf . . .' (37), heb unrhyw gyfeiriad at Gaer Llion nac at Arthur fel amherawdr. Â'r testun yn ei flaen i ddweud yn syml: 'ai Farchogion ou ddeuty (fal ir oedd ei harfer y fod)', yn hytrach na rhestru'r cymeriadau fel yn J 111, lle sonnir hefyd am Gwenhwyfar a'i llawforynion 'yn gwniaw wrth ffenestyr', ac am Glewlwyd Gafaelfawr, porthor llys Arthur, a'i swyddogaeth. Arthur yw ffocws y cameo yn J 111, yn eistedd ar 'demyl o irvrwyn' yng nghanol yr ystafell cyn syrthio i drymgwsg. Nid yw Arthur Llst 58 yn rhoi unrhyw gyfarwyddiadau i'w farchogion, ac ni sonnir amdano'n cysgu er, yn ddiddorol, sonnir amdano'n deffro ar ôl i Gynon adrodd ei stori (42). Ceir cecru bywiog trwy gyfrwng araith union yn J 111 wrth i Gynon ac Owain ddadlau pwy sydd am adrodd 'ymdidan'; araith anunion a ddefnyddir yn Llst 58 heblaw am un araith gan Gynon. Ar y llaw arall, ceir tri sylw yn Llst 58 nas ceir yn J 111. Mae'r ddau gyntaf yn cynnig eglurhad ar arferion yr oes, wedi eu gosod gan yr ysgrifydd mewn cromfachau, y tu allan i brif rediad y testun:

ai Farchogion oi ddeuty *(fal ir oedd ei harfer y fod)* (37)

y naill o honynt y ofynnodd y Gaehir ag ir lleill or kyfeillion; y ddoent hwy y fwyta golwython *(canys felly ei galwent hwy ei Brekfast)* (37)[51]

Fel y nododd Thomson, ymddengys nad oedd ystyr 'golwython' yn eglur i'r sawl a greodd yr ail eglurhad.[52] Mae'r trydydd sylw eto, er yn dod o enau Cynon, yn ymdrech ar ran golygydd i ddiffinio'r hyn a ddisgwylid mewn 'ystori': 'fal y kaffom riw athrawiaeth dda, rinweddol neu wrol' (37), hynny yw, mynegir yn glir ar ddechrau'r testun mai chwedl ac iddi elfen foesol gref sydd i ddilyn. Sylwer hefyd ar y termau generig a ddefnyddir yn y ddau destun: 'ymdidan' ac 'ymdidanwr' yn J 111, 'ystori' a 'storiwr' yn Llst 58, er mai 'chwedl' yw'r term a ddefnyddir yn y ddau destun wrth i Gynon gloi ei berfformiad.[53] Awgrymir, felly, nad oedd ystyr enerig arbennig i 'ymdidan' erbyn yr ail ganrif ar bymtheg, os nad cyn hynny.

Fel y gwelwyd eisoes, felly, ceir ar y cyfan fwy o wybodaeth a mwy o fanylion o lawer yn y testunau canoloesol. Eithr, fel yn y tair enghraifft uchod, ceir o bryd i'w gilydd fanylion yn Llst 58 heb ddim i gyfateb â hwy yn J 111 a Pen 4. Un enghraifft arwyddocaol, efallai, yw'r ddau gyfeiriad at 'ffenestr *wydr*' yn Llst 58 (38 a 46).[54] Ceir hefyd dripled a ddefnyddir ddwywaith yn Llst 58 – 'fyngherdded, fy nhreigl, am taith' (38), 'oi gerdded, i dreigl, ai daith' (43) – a ffurf fyrrach a ddefnyddir ddwywaith – 'fyng-herdded am taith' (40), 'y gerdded ay dreigl' (52). Wrth i'r gŵr du roi cyfarwyddiadau i Gynon, dywedir bod y llech 'o vaen marmor (40) – 'llech wawr' sydd yn Pen 4 ond 'llech varmor' yn J 111 (*Owein* 7).[55] Sylwer hefyd ar yr enghreifftiau canlynol:

Llst 58	***Owein***
mewn kadeirie o esgyrn Morfilieid (43)	y mywn kadeireu eureit (11)
a chwedy kymryd o hono i genad gan wr y tu (43)	—
yno Owain wedy kymryd pwyll, yn ddilwfr, y fwriodd gawgaid or Dwr am ben y llech (43)	a bwrw kawgeit o'r dwfyr ar y llech (11)
ef y glowe dychan kwynfannys (44)[56]	ef a welei varchawc yn dyuot ar hyt y dyffryn (11)
Kynhaliaeth y ffynnon ar kawg yw kynhaliaeth di gyfoeth di (48)[57]	ony elly di gynnal y ffynnawn ny elly gynnal dy gyuoeth (16)
a thrigo yn r ystafell gidag Owain yspaid o dair wythnos, ac ymhen y tair wythnos dwad y orig elined at r Jarlles (48)	Ac yno y bu hi gyt ac Owein yny oed amser idi dyuot o lys Arthur (16)
a Mynegaf eiddynt, o ran fod y Jarlles yn weddw (49)	a menegi udunt uot y hiarllaeth yn wedu (17)[58]
trigodd dair blynedd ynghyfair y tri mis y trigiodd Arthur gidag ef (51)	ef a drigywys teir blyned yg kyfeir y trimis[59]
eithr y march ar harnais y gymerth ef (54)	—
yn wraig rynweddol tra fy hi fyw (57)	a hi a uu wreic idaw tra uu vyw hi (29)

Wrth gymharu arddull Llst 58 ag arddull y testunau canoloesol, daw sawl nodwedd i'r amlwg. Mae testun cyflawn J 111 yn hwy na Llst 58 – ceir mwy o fanylion, mwy o unedau fformiwläig, mwy o gymariaethau, a mwy o bwyslais ar y gweledol a'r dramatig. Mae'r saernïo gofalus yn bradychu llenor ymwybodol a chanddo ddiddordeb yn ei gymeriadau a'u teimladau. Gellir cytuno â Brynley F. Roberts fod 'rhai o nodweddion y stori lafar wedi'u meithrin, eu datblygu, a'u troi'n rhinweddau arddull llên ymwybodol gelfydd gan awdur *Owein*', hynny yw, 'awdur' testun J 111/Pen 4.[60] Yn sicr, ni ddigwydd hyn i'r un graddau yn nhestun Llst 58.

Proffil o ysgrifydd Llst 58

Beth, felly, a ddywed hyn oll wrthym am Llst 58 ac am natur y berthynas rhwng y llawysgrif honno a'r testunau canoloesol o 'Iarlles y Ffynnon'? Cyn tynnu unrhyw gasgliadau, buddiol fyddai rhoi sylw i ysgrifydd Llst 58 ac i'w weithgarwch yn gyffredinol. Awdur y llawysgrif yw Siors Wiliam Gruffudd, Penybenglog, plwyf Meline yn sir Benfro (1584–*c*.1655), tirfeddiannwr, hynafiaethydd a chyfreithiwr. Fe'i penodwyd yn ysgrifennydd cyhoeddus yn sir Benfro gan Gyngor Cymru a'r Gororau, a bu'n ddistain barwniaeth Cemais.[61] Priododd yn 1605 â Maud, ferch Siams Bowen, Llwyn-gwair, ac Elen, ferch Siôn ap Syr Wiliam Gruffudd o'r Penrhyn, Gwynedd. Yr oedd Gruffudd yn perthyn i gylch arbennig a ymddiddorai mewn hanes a hynafiaethau yn sir Benfro, gwŷr megis George Owen Henllys, Robert Holland a George Owen Harry.[62] Mae'n eithaf tebyg mai George Owen a'i hysbrydolodd i fod yn sgrifwr cain – medrai ddefnyddio pum arddull lawysgrifol wahanol, fel y nodwyd eisoes. Yn wir, dywed Robert Dyfi amdano:

> A gŵr a sgrifenna gerdd
> Myrddin, Taliesin, dlyswerdd,
> A llaw'r angel a welwn
> Fel preintio, lle'r hapio hwn.[63]

Bu'n gyfrifol am bump o'r llawysgrifau yng nghasgliad Llanstephan, a'r pwyslais ynddynt ar achyddiaeth[64] ac ar goffáu teulu Penybenglog: Llst 38 (barddoniaeth gan wahanol feirdd i rai o uchelwyr gogledd Penfro, gan gynnwys 14 cerdd i deulu Penybenglog); Llst 62 (yn cynnwys rhestr o ddisgynyddion Owain Gwynedd a chofnod byr o'i hanes a'i gyfnod); Llst 101 (achau teuluoedd gogledd Penfro a sir Gaerfyrddin); Llst 138 (tt. 23–35 yn llaw Gruffudd, ac yn cynnwys achau'r teulu).[65] Mae Llst 58 (70 tudalen) yn cynnwys fersiwn talfyredig o *Brut y Tywyssogion* hyd at 1100, ynghyd ag esboniadau ar ymyl y ddalen yn Saesneg; *Ystori . . . Owain ab Eirien, Jarll y Kawg*; a chyfieithiad o *Ffydd Sylfester ychel escob Rüfain yn amser Kestennyn amherodr Rüfain*. Ni wyddys ai ef a oedd yn gyfrifol am gyfieithu'r fersiwn hon o'r fuchedd.[66] Yn sicr, yr oedd ganddo wybodaeth o Ladin, Saesneg a'r Gymraeg, ac enw ganddo hefyd am fod yn '(g)yfieithwr call'.[67]

Mae'r canu sydd ar glawr i Benybenglog yn dyst i'r croeso mawr a roddid gan y teulu i'r beirdd. Canodd Dafydd Emlyn gywydd marwnad i Wiliams Gruffudd, tad Siors, a cheir cywydd moliant gan Robert Dyfi i Siors ei hun. Y mae gweddill y canu, fel y dengys Euros Jones Evans, ar ffurf englynion moliant i Siors ac i'w gartref gan Ddafydd Llwyd Mathew,

Harri Hywel, Robert Dyfi, Rhisiart Gruffudd 'alias Clerke Eynon', Siams
Emlyn a'r Prydydd Coch. Ceir hefyd englyn gan Siams Dafydd Wiliam
i groesawu Siors Gruffudd adref o'i wyliau yn Llundain, a dau englyn i
Elen, ei ferch, a Gwen Wiliam, ei chwaer ordderch, gan Ddafydd Llwyd
Mathew.[68] Rhoddir sylw arbennig yn y canu i arfbais teulu Penybenglog a
ddisgrifir gan Robert Dyfi fel a ganlyn:

> Llew cefnog doniog a dynn – did euraid,
> > Da darian llys dan fryn;
> Llew gwâr yn cario lliw gwyn,
> Llew cu hael, llew Cuhelyn.[69]

Fodd bynnag, nid yw Gruffudd yn hapus â'r manylion, a noda gyferbyn
â'r englyn – 'kam ddeskrior bais arfau' – gan mai melyn (*or*) ac nid gwyn
(*argent*) oedd y llew ar arfbais Penybenglog! Cywirir y gwall gan y bardd
mewn englyn arall ar yr un tudalen:

> Llew Brytan buan bob awr, – gwŷl feirddion,
> > Glew fawrddysg perffeithfawr;
> Llew llawfaeth â llu lliwfawr,
> Llew Cuhelyn melyn mawr.[70]

Ceir hanes arfbais Penybenglog gan Richard Fenton:

> Of this house was Howel Gawr, so surnamed for defeating the French
> king's champion, when he got for his arms, *gules*, a lion rampant *or*, in a
> true lover's knot *argent* between four fleurs de lys, their stalks tending to
> the centre of the escutcheon.[71]

Y mae llew aur yn symbol weddol gyffredin ar arfbais; eithr rhoddid sylw
arbennig i lew Penybenglog, a hynny mewn 'ffenest orchestol' yn y cartref.
Canodd Harri Hywel i'r ffenestr yn 1642:

> Pen'benglog rywiog, reiol – ei harfau,
> > Wiw luniau olynol,
> Ar y ffenest orchestol:
> Pedwar glain ar hugain rhòl.

> Perffaith doi, odiaith nodedig, – iawnteg
> > Aur breintiad urddedig;
> Pob llin draw, pob llen a drig,
> Pen tŷ o wydr peintiedig.[72]

Tybed ai dyna un rheswm pam yr apeliodd chwedl 'Owein' at Ruffudd Penybenglog? Sylwyd eisoes mai ffenestr *wydr* yw'r ddwy ffenestr yn nhestun Llst 58. Ai ceisio dwyn i gof y ffenestr liw yn ei gartref oedd y bwriad, ac awgrymu cysylltiad rhwng llew Owain a llew Penybenglog, hynny yw rhwng teulu Penybenglog a theulu Rheged? Syniad apelgar, ond pur annhebygol, hwyrach, yn arbennig o gofio mai 'gwyn' yn hytrach na 'melyn' yw lliw yr anifail yn Llst 58. Wedi dweud hynny, yr oedd sawl teulu yn honni cysylltiad ag Urien a'i fab. Cyfeiriwyd eisoes at un o ddisgynyddion honedig Urien Rheged, Syr Rhys ap Tomas o Ddinefwr.[73] Yr oedd ganddo gysylltiadau â theulu gwraig Gruffudd Penybenglog: urddwyd Siams ab Owain, Llwyn-gwair, yn farchog am gefnogi Syr Rhys ap Tomas yn ei ymgyrch o blaid Harri Tudur. Ond yr oedd cysylltiad pellach rhwng Gruffudd a Syr Rhys ap Tomas. Syr Rhys a gomisiynodd destun 'Y Seint Greal' a geir yn llawysgrif NLW 3063E (Most 184), ac a ysgrifennwyd, mae'n debyg, rhwng 1485 a 1525.[74] Yn ddiweddarach, bu'r llyfr yn eiddo Dafydd Llwyd Mathew, un o'r beirdd a ganodd i Ruffudd Penybenglog. Mae'n amlwg fod perthynas agos rhyngddo a'i noddwr: yn Llst 38, heblaw cerddi yn llaw Gruffudd, ceir hefyd enghreifftiau o law Dafydd Llwyd Mathew ei hun. Tybed a welodd Gruffudd destun Mathew o 'Y Seint Greal', a thybed ai dyma'r cymhelliad dros fynd ati i gopïo testun Arthuraidd? Yn sicr, yr oedd 'Iarlles y Ffynnon' yn chwedl boblogaidd ymysg y beirdd hynny a ganai i deuluoedd Penfro. Canodd Lewys Glyn Cothi, er enghraifft, gywydd mawl i Domas ap Phylip, Castell Pictwn, a'i briod Siân, ferch ac aeres Harri Dwnn, gan dynnu ar gymariaethau o fyd y chwedlau Cymraeg canoloesol. Cymherir Siân â Luned, morwyn Iarlles y Ffynnon:

> Â'i wayw Tomas yw Owain
> Ab Urien, brins gerbron brain;
> Meistres Siân, lle yr hanyw,
> Luned ac ail Indeg yw;[75]

Priododd Siôn fab Syr Tomas ag Elisabeth ferch Syr Wiliam Gruffudd o'r Penrhyn, un o brif gartrefi nawdd Gwynedd.[76] Mewn cywydd moliant iddo, canmolir ei wraig hithau a'i galw'n 'Luned hael o Wynedd'.[77] Ceir awgrym cryf fod gan Ruffudd ddiddordeb mewn chwedlau; dywed Robert Dyfi am Benybenglog:

> Tŷ paradwys, top Prydain,
> Tŵr Penfro'n goleuo glain,
> Lle caf wraidd holl gyf'rwyddyd
> Cymraeg o waith Cymru i gyd . . .[78]

343

Gwyddom hefyd fod Gruffudd, yn 1620, wedi copïo'r chwedlau teuluol a ysgrifennodd David Thomas, Parc y Pratt, ar gyfer George Owen.[79] Sonia un o'r chwedlau hyn am Guhelyn Fardd yn mynd i blas iarll Caerwrangon, ac yn cysgu yn ystafell yr iarll er mwyn bod ar gael i adrodd straeon wrtho drwy'r nos! Mab i Wynfardd Dyfed oedd Cuhelyn, ac yn ei flodau tua 1100–30.[80] Yr oedd Gruffudd Penybenglog yn honni bod yn ddisgynnydd iddo. Tybed ai cyd-ddigwyddiad yw bod gan Guhelyn a Gruffudd yntau ddiddordeb mewn chwedleua? Mae'r cwestiynau a'r posibiliadau yn ddiddiwedd!

Diweddglo

Y nod ar ddechrau'r bennod oedd ceisio codi'r llen, ryw fymryn, ar y broses o drosglwyddo testun o'r Oesoedd Canol i'r cyfnod modern cynnar. Yr awgrym yw bod Llst 58, er yn destun diweddarach na J 111 a Pen 4, yn cynrychioli ffynhonnell hŷn a mwy amrwd, ffynhonnell sydd yn agosach o lawer at fersiwn llafar o'r chwedl nag yw testunau'r Llyfrau Gwyn a Choch. Mae'r nodweddion ieithyddol yn awgrymu bod gwaith Gruffudd Penybenglog a'i wreiddiau'n ddwfn yn yr Oesoedd Canol, a bod cynsail ei destun yn perthyn i ogledd Cymru. Dyma'r patrwm a welodd Peter Wynn Thomas wrth gymharu'r fersiynau canoloesol o 'Peredur'; yn wir, dyma a awgrymwyd ganddo, er yn dra phetrusgar, wrth gymharu'r gwahanol fersiynau o 'Gereint fab Erbin'.[81] Ni wyddys beth oedd ffynhonnell Gruffudd. Yn sicr, yr oedd ganddo ef ei hun gysylltiadau teuluol â gogledd Cymru; yr oedd beirdd o'r gogledd hefyd yn mentro i ogledd Penfro – sylwer bod Siôn Mawddwy yn cwyno am i dri bardd o Wynedd, sef Gruffudd Hafren, Rhisiart Phylip a Siams Dwnn, geisio'r blaen arno yng Nghilycyffaith, cartref Tomas Llwyd, adeg gwyliau'r Nadolig yn 1613.[82] Yr hyn a ddaw i'r amlwg yw mai cyfnod o rwydweithio deinamig – a chymhleth – oedd y cyfnod hwn ar ddechrau'r ail ganrif ar bymtheg. Y mae Siors Wiliam Gruffudd, Penybenglog, yn un o'r gwŷr hynny sydd yn pontio'r cyfnod canol a'r modern, a'i chwedl am 'drafaelion Owain ap Eirien Iarll y Cawg' yn taflu goleuni nid yn unig ar weithgaredd byrlymus yr hynafiaethydd ei hun ond hefyd ar holl ddatblygiad rhyddiaith naratif yn y Gymraeg.

Nodiadau

[1] Mae'n debyg mai Pen 4 yw'r copi cynharaf (canol y bedwaredd ganrif ar ddeg), tra bo J 111 a J 20 yn perthyn i ddiwedd y bedwaredd ganrif ar ddeg neu ddechrau'r bymthegfed: gw. MWM 36–64. Am fwy o fanylion, gw. *Owein or Chwedyl Iarlles y Ffynnawn*, gol. R. L. Thomson (Dublin, 1968), ix–x.
[2] Am fwy o fanylion, ynghyd â sylwadau ar berthynas y testunau, gw. *Owein* ix–xi,

xii–xvi, ac R. M. Jones, 'Astudiaeth Destunol a Chymharol o Owain a Luned' (Traethawd MA, Prifysgol Cymru, Caerdydd, 1951), 6–18. Ceir golygiad o'r chwedl (testun y Llyfrau Gwyn a'r Coch) yn *Owein*; trawsysgrifiad o J 20 gan Robert M. Jones, 'Y Rhamantau Arthuraidd', B, 15 (1952-4), 114–16, sydd yn cyfateb i lau. 1–148 yng ngolygiad Thomson; a thrawsysgrifiad a chyfieithiad o Llst 58 gan R. L. Thomson, 'Iarlles y Ffynnon: The Version in Llanstephan MS. 58', SC, 6 (1971), 57–89 (Llst 58 o hyn allan).

[3] Jones, 'Astudiaeth Destunol', 10.

[4] Jones, 'Astudiaeth Destunol', 18.

[5] Thomson, 'Iarlles y Ffynnon', 57.

[6] *Owein* xi–xii. Trafodir natur teitlau yn y cyfnod canol gan Sioned Davies, *Crefft y Cyfarwydd: Astudiaeth o Dechnegau Naratif yn y Mabinogion* (Caerdydd, 1995), 45–6.

[7] Brynley F. Roberts, 'Ystoria', B, 26 (1974-6), 13–20. Trafodir y termau generig yn gyffredinol yn Davies, *Crefft y Cyfarwydd*, 16–20.

[8] GTA, XIII, ll. 67–72; ceir cyfeiriadau pellach yn XIII.1–3; VII.51; LXI.63; XCVIII.66. Gw. hefyd sylwadau Robert M. Jones, 'Y Rhamantau Cymraeg', LlC, 4 (1957), 214–15, a TYP 482–3.

[9] Gw. y drafodaeth ar d. 343.

[10] Trafodir y cysyniad o 'ffrâm' yng nghyd-destun perfformiad gan Richard Bauman, *Verbal Art as Performance* (Illinois, 1977) a *Story, Performance, and Event: Contextual Studies of Oral Narrative* (Cambridge, 1986). Yng nghyd-destun y chwedlau Cymraeg canoloesol, gw. Davies, *Crefft y Cyfarwydd*, 129–37.

[11] Davies, *Crefft y Cyfarwydd*, 78–9.

[12] *Owein* cii. Eto, i ni heddiw, anodd esbonio epilog y Du Traws sydd fel petai'n 'atodiad' ar ddiwedd y chwedl. Yn ôl Goetinck, chwedl onomastig syml sydd yma, yn esbonio'r enw Ysbyty Ifan: gw. Glenys W. Goetinck, *Peredur: A Study of Welsh Tradition in the Grail Legends* (Cardiff, 1975), 11. Awgrym Tony Hunt, ar y llaw arall, yw mai'r *Ruhepunkt* terfynol ydyw: epilog ar ddiwedd chwedl gyffrous sydd yn tawelu'r gynulleidfa cyn cloi, nodwedd a welir mewn chwedlau gwerin drwy Ewrop ('The Art of *Iarlles y Ffynnawn* and the European *Volksmärchen*', SC, 8/9 (1973/4), 107–20 (t. 118). Sylwer hefyd ar eiriau W. F. Brewer, 'The Story Schema: Universal and Culture-Specific Properties', yn *Literacy, Language and Learning. The Nature and Consequences of Reading and Writing*, gol. D. R. Olson, N. Torrance ac A. Hildyard (Cambridge, 1985), 167–94: 'In many oral traditions stories contain a conventionalized epilogue that makes a metacomment on the story, gives a summary, or gives some postresolution information about the characters' (t. 183).

[13] Glasynys, 'Cofiannau', *Y Brython* (Mai, 1860), 231.

[14] Jones, 'Astudiaeth Destunol', 24.

[15] Jones, 'Astudiaeth Destunol', 18.

[16] Hoffwn ddiolch i'r Athro Peter Wynn Thomas am ei sylwadau wrth lunio'r adran hon.

[17] Thomson, 'Iarlles y Ffynnon', 57.

[18] Gall fod yr ysgrifydd wedi anghofio dotio ambell waith.

[19] 'Pwl o ysgolheictod' a welir yma, yn nhyb R. M. Jones, ynghyd â dylanwad Siôn Dafydd Rhys ('Astudiaeth Destunol', 47).

[20] Sylwer na cheir un enghraifft o *goruc* yn ferf lawn yn y testun hwn, eithr ceir enghreifftiau o *gwneuthur*. Gw. pennod Peter Wynn Thomas yn y gyfrol hon.

[21] Jones, 'Astudiaeth Destunol', 47.

[22] Eithr ffurf dafodieithol yw *tyma*/*tyna* a ddefnyddir hyd heddiw yn y Wenhwyseg.

[23] Sylwer mai'r ffurf yn WM a J 111 yw *amryua(e)l aniueileit* (*Owein* 7); ceir dwy enghraifft yn J 111 o *diffeith vynyded* (10 a 21).

[24] Llaw eidalaidd a ddefnyddir hefyd wrth ysgrifennu llawer o'r enwau priod, eithr nid yn ddi-eithriad: *Gwenhwyfar* (38), *Elined* (47, 48, 54, 57), *Arthur* (48, 50, 51, 54, 57, 58), *Cai* (50), *Gwalchmai* (50), *Gair lleon* (51), *Gaerlleon ar wysk* (57), *Eirien* (55), *Arglwydd* (h.y. Owein) (55), *Prydwas* (57).

[25] Dyma lle ceir yr holl enghrefftiau o *dh* (gw. uchod). Gall fod yr ysgrifydd yn cysylltu'r orgraff â'r llaw arbennig hon.

[26] Dilynir canllawiau Peter Wynn Thomas yn 'Middle Welsh Dialects: Problems and Perspectives', B, 40 (1993), 17–50; 'Haenau *Breudwyt Maxen*: Ymarferiad mewn Archaeoleg Destunol' yn YB, 23 (1997), 73–99; 'Cydberthynas y Pedair Fersiwn Ganoloesol', yn *Canhwyll Marchogyon: Cyd-destunoli Peredur*, gol. Sioned Davies a Peter Wynn Thomas (Caerdydd, 2000), 10–49.

[27] Enghraifft o orgywiro sydd yma: ni cheir (-j-) yn nharddiad y gair (< *go* + *llwyth*), (gw. GPC *s.v. golwyth*).

[28] Thomas, 'Cydberthynas y Pedair Fersiwn Ganoloesol', 42, n.8.

[29] Thomas, 'Cydberthynas y Pedair Fersiwn Ganoloesol', 28–30.

[30] Wrth gymharu, dyfynnir o destun Thomson, sydd yn gyfuniad o J 111 a Pen 4. Tynnir sylw at wahaniaethau rhwng J 111 a Pen 4 os oes iddynt unrhyw arwyddocâd o safbwynt y drafodaeth. Cyfyngir y gymhariaeth bresennol i destunau Llst 58, Pen 4 a J 111.

[31] Sylwer sut y defnyddir y fformiwla 'diheu oed gan' yn gyson yn nhestun y Llyfr Coch.

[32] Sylwer mai *gwywaw* a geir hefyd yn J 111, yn hytrach na *kwynaw*.

[33] Ynglŷn â'r defnydd o fformiwlâu yn chwedlau'r Mabinogion, gw. Davies, *Crefft y Cyfarwydd*, 104–88.

[34] Ni cheir dim i gyfateb i'r unedau canlynol ychwaith: 'ellyn a'e charn o asgwrn eliphant a deu ganawl eureit ar yr ellyn' (*Owein* 14); 'peis a swrcot a mantell o bali melyn ac orffreis lydan yn y vantell o eurllin' (*Owein* 16). Diddorol sylwi na ddefnyddir 'eliphant' o gwbl yn Llst 58; yn hytrach, os oes cyfatebiaeth, yna 'morfil' a ddefnyddir. Gw., er enghraifft, 'gorflwch o ascwrn eliphant' (*Owein* 14) a 'gorflwch o asgwrn morfil' (Llst 58, 47).

[35] Cymharer testun Pen 4 a Pen 14 o 'Peredur' (Sioned Davies, 'Cynnydd *Peredur vab Efrawc*', yn *Canhwyll Marchogyon*, gol. Davies a Thomas, 65–90, 74–5). Am drafodaeth bellach ar y fformiwla ymlaen, gw. Davies, *Crefft y Cyfarwydd*, 159–66.

[36] Wrth restru'r anifeiliaid, sylwer bod Pen 4 yn nodi 'llewot' yn eu plith, gan roi rhagrybudd, efallai, o episod y llew yn ddiweddarach yn y chwedl.

[37] Mae'r darn hwn ar goll yn Pen 4.

[38] Brynley F. Roberts, '*Owein* neu *Iarlles y Ffynnon*', YB, 10 (1977), 124–43 (t. 127).

[39] Roberts, '*Owein*', 129.

[40] Sylwer bod y disgrifiad ohoni yn llawer manylach yn J 111 nag yn Llst 58.

[41] Roberts, '*Owein*', 131.

[42] Roberts, '*Owein*', 134.

[43] Heblaw areithiau ychwanegol, ceir hefyd yn J 111 ddeng enghraifft o araith union yn cyfateb i araith anunion yn Llst 58. Gweddol debyg yw patrwm y tagio ar y cyfan. O'r 93 araith sydd yn gyffredin i J 111 a Llst 58, y prif wahaniaeth yw na cheir tagiau tawtolegol yn Llst 58 (ceir 7 enghraifft yn J 111).

[44] Roberts, '*Owein*', 128. 'Fade-in' yw'r term a ddefnyddir gan Deborah Tannen yn *Talking Voices: Repetition, Dialogue, and Imagery in Conversational Discourse* (Cambridge, 1989).

[45] Symudir i araith union yn y frawddeg nesaf: 'Ar gwr y biau r plas hwn y ddygod ein haur an harian ein meirch am dillad ag am gadawodd ninne megis noethion . . .' (58).

[46] Ni cheir yn Llst 58 ychwaith y cyfeiriad at Owain yn benteulu i Arthur, na'r cyfeiriad at 'trychant cledyf Kenuerchyn a'r vranhes' (*Owein* 30).

[47] Roberts, '*Owein*', 130.

[48] Sylwer ar y cytbwysedd yn y frawddeg olaf.

[49] Ceir 334 o eiriau yn J 111, a 141 o eiriau yn Llst 58. Mae'r darn hwn ar goll yn Pen 4.

[50] Trafodir fformiwlâu agoriadol gan Davies yn *Crefft y Cyfarwydd*, 129–34.

[51] Sylwer na chyfeirir at 'golwython' yn Llst 58, 54, pan ddisgrifir Owain yn paratoi bwyd yng nghwmni'r llew. Defnyddir yr enw ddwywaith yn y darn cyfatebol yn J 111 a Pen 4 (*Owein* 25–6).

[52] *Owein* 59, n. 4.

[53] Am drafodaeth ar y termau, gw. Roberts, 'Ystoria', 13–20; Davies, *Crefft y Cyfarwydd*, 18–20; Patrick K. Ford, 'The Poet as *Cyfarwydd* in Early Welsh Tradition', SC, 10/11 (1975/6), 152–62.

[54] Gw. y drafodaeth isod, tt. 342–3.

[55] Gw. sylwadau Roberts, '*Owein*', 137.

[56] Geiriau'r gŵr du wrth Owain oedd 'daw kwynfan a thychan mawr arhud y dyffryn' (40); cymharer y testunau canoloesol: 'ti a glywy tuchan a chwynuan mawr yn dyfot ar hyt y dyffryn' (*Owein* 7).

[57] Noder y cyfeiriad at y 'kawg' – wedi'r cyfan, 'Iarll y Kawg' yw teitl Owain yn y testun hwn.

[58] Ceir gwahaniaeth diddorol yma – y cyflwr o fod yn weddw yn cael ei drosglwyddo o'r cymeriad, yr Iarlles, i'r wlad ei hun. Ai yn Llst 58 y ceir y ffurf gynharaf, tybed?

[59] Ni cheir awgrym yn y testunau canoloesol mai ffeirio a wneir yn yr achos hwn.

[60] Roberts, '*Owein*', 135. Dangosodd fod datblygu creadigol hefyd yn nodwedd o adeiladwaith y chwedl. Yn y testunau canoloesol, er enghraifft, mae Cynon yn cyfarch Cai yn ysbeidiol trwy gydol ei 'ymddiddan', a hyn yn ein hatgoffa mai stori o fewn stori sydd yma. Ni ddefnyddir y ddyfais hon, fodd bynnag, yn Llst 58. Gw. hefyd Davies, *Crefft y Cyfarwydd*, 80.

[61] Gw. Francis Jones, 'Griffith of Penybenglog: a Study in Pembroke Genealogy', THSC (1938), 125–53. Ceir hanes plwyf Meline a'r cylch yn E. T. Lewis, *North of the Hills* (Haverfordwest, 1972).

[62] Am fanylion pellach, gw. Euros Jones Evans, 'Noddwyr y Beirdd yn Sir Benfro', THSC (1974), 123–69; B. G. Charles, *George Owen of Henllys: A Welsh Elizabethan* (Aberystwyth, 1973); *The Description of Pembrokeshire: George Owen of Henllys*, ed. Dillwyn Miles (Llandysul, 1994).

[63] Evans, 'Noddwyr y Beirdd', 163. Ffurfia'r llinellau hyn ran o'r unig gywydd sydd gennym i Ruffudd, 'y pur Gymro' – canu englynol yw'r gweddill.

[64] Yn ôl Jones, 'Griffith of Penybenglog', 138: 'Of all the early genealogists he is the only one who has given authorities for his statements, and may thus be truly described as a pioneer of modern scientific research.'

[65] Am fwy o fanylion, gw. Jones, 'Griffith of Penybenglog', 125–7.

[66] Ceir testun Cymraeg mewn pum llawysgrif arall: Hafod 8 (cyn 1561); Mostyn 159 (1586–7); Llst 34 (ddiwedd yr 16g.); Pen 217 (1607–11); Llst 137 (tua 1640). Nodir yn glir mai Syr Huw Pennant a gyfieithodd y fersiynau o'r fuchedd a geir yn Llst 4 a Pen 217. Yn wir, gwyddys iddo gyfieithu sawl un o'r bucheddau a geir yn *Legenda Aurea* Jacobus de Voragine. Byddai ymchwil bellach yn taflu goleuni ar y berthynas rhwng y chwe chopi Cymraeg o Fuchedd Sylvester, ac yn fodd i ddatgelu mwy wrthym, efallai, am ffynonellau Gruffudd Penybenglog. Yr wyf yn ddiolchgar i Diana Luft am ei sylwadau ar y pwnc.

[67] Englyn dienw i Ruffudd (Llst 38, 184), a ddyfynnwyd yn Evans, 'Noddwyr y Beirdd', 162.

[68] Gw. Evans, 'Noddwyr y Beirdd', 164. Gw. hefyd ei draethawd ar yr un pwnc, 'Noddwyr y Beirdd yn Sir Benfro' (Traethawd MA, Prifysgol Cymru, Aberystwyth, 1974).

[69] Llst 38, 182. Evans, 'Noddwyr y Beirdd', 164.

[70] Trafodir hyn gan Jones, 'Griffith of Penybenglog', 139–40, a chan Evans, 'Noddwyr y Beirdd', 164.

[71] Richard Fenton, *A Historical Tour Through Pembrokeshire* (Brecknock, 1903; golygiad cyntaf, 1811), 310.

[72] Evans, 'Noddwyr y Beirdd', 164–5. Gw. hefyd sylw Fenton, *Historical Tour*, 309–10: 'Penybenglog, ranked with the first (mansion) in its day . . . it has been kept in a state of decent repair, and till within these few years, one of its windows exhibited the pride of ancestry in painted glass.'

[73] Am fanylion pellach gw. John Davies, *Hanes Cymru* (Llundain, 1990), 208–13.

Dienyddiwyd ŵyr Syr Rhys, Rhys ap Gruffudd, yn 1531 – fe'i cyhuddwyd o gynllwynio gyda brenin yr Alban i'w ddyrchafu ei hun yn rheolwr Cymru: 'Rhan o'r dystiolaeth yn ei erbyn oedd y ffaith iddo bwysleisio'i gysylltiad â hen frenhinoedd y Cymry wrth fabwysiadu'r enw Fitzurien' (Davies, *Hanes Cymru*, 212).

[74] Gw. sylwadau Ceridwen Lloyd-Morgan, yn YSG xv–xviii.

[75] Evans, 'Noddwyr y Beirdd', 138.

[76] Sylwer bod Maud, gwraig Gruffudd Penybenglog, yn ferch i Elen, ferch Siôn ap Syr Wiliam Gruffudd.

[77] Evans, 'Noddwyr y Beirdd yn Sir Benfro' (traethawd), 42.

[78] Evans, 'Noddwyr y Beirdd' (THSC), 163.

[79] Mae'r chwedlau hyn yn enghreifftiau ardderchog o grefft y cyfarwydd yn y cyfnod. Fel y dywed Francis Jones, 'The tales are written in a lively style, in much the same way as they would have been spoken. They are simple, well told, packed with incident, and contain no unnecessary words': 'Family Tales from Dyfed', THSC (1953), 61–83 (t. 73). Yn nhyb Jones, '(Gruffudd) improved the presentation, grammar, and arrangement, and inserted a few additional facts' (t. 64).

[80] Am fanylion, gw. CBT I, 25–44 (golygwyd yr awdl fawl ddienw i Guhelyn Fardd gan R. Geraint Gruffydd).

[81] Papur a draddodwyd yn y Cylch Trafod Rhyddiaith, Adran y Gymraeg, Prifysgol Cymru, Caerdydd, 19 Hydref, 2002.

[82] Evans, 'Noddwyr y Beirdd', 145.

15

Prolegomena i Astudiaeth Lawn o Lsgr. NLW 3026, Mostyn 88 a'i Harwyddocâd

MORFYDD E. OWEN

Mewn llith yn *A Guide to Welsh Literature* II cyflwynodd John Ellis Caerwyn Williams yr arolwg gorau o farddoniaeth Gutun Owain a chynnwys ei lawysgrifau a gafwyd hyd yn hyn.[1] Diben y bennod hon[2] yw ceisio gosod cyd-destun i ran o gynnwys un o'r llawysgrifau hynny er cof am werinwr caredig, a gyflawnodd lawer ac a fu'n noddwr digymrodedd i'w etholedig rai. Gwelir ei eisiau.

Yr oedd Gutun Owain yn fardd-achyddwr, herodr a chopïydd a gysylltid yn arbennig ag un o ganolfannau dysg mwyaf nodedig Cymru yn y bymthegfed ganrif, sef Abaty Sistersaidd Glyn-y-groes a'i gyffiniau.[3] Ar sail ei farddoniaeth gosodir ei *floruit* yn fras yn y cyfnod rhwng 1455 a 1500.[4] Hynny yw, bu fyw mewn cyfnod gwleidyddol a meddyliol cyffrous. Parodd Rhyfeloedd y Rhosynnau gyfathrach agosach rhwng Cymry a Saeson a adlewyrchir yn y canu brud. Daeth llwyddiant Harri Tudur yn 1485 â gwobrau bras i'r Cymry a'i cefnogodd; y mae'r cysylltiad agos a fu rhwng Harri a'i fab a swyddogion y Goron yn ardal Glyn-y-groes yn hysbys.[5] Cyfranogent o'r newydd o ddysg a syniadaeth feddyliol Lloegr a'i llysoedd. Yr oedd y llysoedd hynny gyda'u hastrolegyddion o feddygon yn fwrlwm o weithgarwch propagandyddol deallusol. Dywedir mai cyfnod y Rhyfel Can Mlynedd oedd, ymhlith pethau eraill, awr anterth gweithgarwch astrolegol daroganol.[6] Yn y bymthegfed ganrif yr oedd Lloegr yn ogystal yn dechrau teimlo'r cyffro a dyfai yn yr unfed ganrif ar bymtheg yn Ddadeni Dysg. Amlhawyd copïau o lawysgrifau, a rhai lliwgar yn eu plith; dechreuodd yr argraffwasg a daeth unigolion preifat yn berchenogion ar lyfrgelloedd cyfoethog.[7] Gartref yng Nghymru yr oedd hi'n Ganrif Fawr y canu mawl cywyddol ac yr oedd abadau Glyn-y-groes ymhlith ei noddwyr pwysicaf.[8] Ffynnodd cwltiau seintiau lleol ac adnewyddwyd yr eglwysi a gysegrwyd iddynt.[9] Yn erbyn y cefndir hwn y copïodd Gutun Owain Lawysgrif Mostyn 88.

Y mae Mostyn 88 yn arbennig am sawl rheswm; nid y rheswm lleiaf yw'r ffaith ei bod yn cynnwys cyfluniau lliwgar – ffenomenon anghyffredin mewn llawysgrifau Cymraeg, a dichon fod y llawysgrif yn haeddu cael ei thrafod am y rheswm hwnnw yn unig. Yma ystyrir i bwy y'i hysgrifennwyd, beth yw natur ei chynnwys a pham y'i copïwyd.

Y Llawysgrif

Daeth Mostyn 88 i'r Llyfrgell Genedlaethol yn rhan o gasgliad Mostyn o lawysgrifau.[10] Y mae nodyn ar y blaen yn dweud mai rhif 77 ydoedd yn Llyfrgell Gloddaeth. Cofnodwyd y llawysgrif yn nghatalog Syr Thomas Mostyn yn 1692.[11] Eisoes yn 1658, fodd bynnag, yr oedd William Maurice wedi rhestru llawysgrifau Robert Vaughan ac fe'i cofnodwyd yn rhif 58 yn y catalog hwnnw.[12] Ac atseinio geiriau Mr Daniel Huws, y mae'n un o lawysgrifau Hengwrt a ddihangodd i feddiant teulu Mostyn yn ystod ail hanner yr ail ganrif ar bymtheg.[13] Llawysgrif femrwn â rhwymiad cain o femrwn gwyn mewn cyflwr eithriadol o dda ydyw. Cynhwysa'r llawysgrif yn ei stad bresennol afaelion memrwn wedi eu rhwymo â thair dalen bapur i ffurfio pedwar plyg.

Dyma gyfansoddiad plygion y llawysgrif:

1^{18}, hynny yw 36 o dudalennau
2^{10}, hynny yw 20 tudalen
3^{10}, hynny yw 20 tudalen
4^{10}, hynny yw 20 tudalen.

Anghyffredin iawn mewn llawysgrifau Cymraeg yw cael plyg yn cynnwys deunaw ffolio neu unrhyw beth y tu hwnt i ddeuddeg.

Yn ôl safonau Cymreig y mae memrwn Mostyn 88 o ansawdd gwych. Y mae ymylon y tudalennau yn anwastad ac ni cheir ôl cropio diweddar arnynt. Un nam a geir ar y memrwn, sef ar waelod tudalennau 35–6. Y mae maint y tudalennau yn weddol reolaidd, hynny yw tua 16cm yn eu lled a 23cm yn eu hyd. Ysgrifennwyd testunau rhyddiaith Cymraeg y llawysgrif o fewn ffrâm a riwliwyd yn daircolofnog gyda cholofn wag yn y canol. Y mae gofod yr ysgrifennu yn gyson iawn. Ni cheir unrhyw ôl tyllu a seilir y llinellu ar y llinellau fertical. Ysgrifennwyd y cwbl â phwynt tenau ac y mae'n eglur iawn i'w ddarllen. Llyfr ydyw, felly, yn ôl pob tebyg, a fwriadwyd ar gyfer llyfrgell mynachlog neu unigolyn cyfoethog.

Ni cheir unrhyw rifo cynnar ar ddalennau Mostyn 88, eithr rhifwyd y tudalennau o 1 i 79 gan law fodern. Ni cheir unrhyw arwyddeiriau na chipeiriau. Y mae'r plyg cyntaf, sef tudalennau 1–36, yn hunangynhaliol o ran ei gynnwys, sydd yn astrolegol neu yn grefyddol neu yn feddygol. Ffurfia tudalennau 1–36 blyg ar wahân i weddill y llawysgrif. Gan fod y dyddiadau 1487 a 1489 a geir yn y rhan hon o'r llawysgrif yn wahanol i'r dyddiad a roddir yn yr ail ran, y mae'n bosibl, ond yn annhebygol, fod y plyg hwn wedi bodoli yn llyfryn ar wahân i weddill y llawysgrif ar un adeg.[14] Yr oedd cyfuno llyfrynnau, yn enwedig llyfrynnau yn cynnwys deunydd meddygol, i lunio llawysgrif yn gyffredin iawn yn Lloegr yn ystod y bymthegfed ganrif[15] a cheir o leiaf un enghraifft nodedig ymhlith y llawysgrifau meddygol Cymraeg, sef llawysgrif Rhydychen Bodleian Rawlinson 467.[16] Cynnwys plygion eraill Mostyn 88 yw copi o 'Fuchedd Martin Sant', tt. 37–63, ac o achau anghyflawn yn olrhain ach brenhinoedd Cymru yn ôl at Adda, tt. 64–85. Llawysgrif na orffennwyd ei chopïo ydyw Mostyn 88.

Gellir cynnig dyddiad gweddol bendant i'r llawysgrif ar sail y dyddiadau a roddir yn y testunau. Y mae'r tabl ar gyfer penderfynu dyddiadau gwyliau symudol yr eglwys Gristnogol dros gyfnod o bron i ddau gant o flynyddoedd, a geir ar ddudalen 25 yn y plyg cyntaf, yn cynnwys y geiriau *oed krist eleni yw 1487*. Mewn man arall yn y rhan gyntaf, t. 10, sonnir am gwblhau testun cyffelyb yn 1489. Copïwyd ail brif eitem y llawysgrif, sef 'Buchedd Martin', yn ôl yr *explicit* a geir ar d. 53, yn 1488.[17] Dichon fod hyn yn golygu mai copi o lawysgrif neu lawysgrifau cynharach yw'r cwbl.

Hanes y Llawysgrif

Ysgrifennwyd y rhan fwyaf o'r llawysgrif (tt. 9–83) gan Gutun Owain. Oherwydd y farddoniaeth a ganodd, gwyddys rhywfaint am ei noddwyr a'i gysylltiadau.[18] Yr oedd ganddo gysylltiad agos ag abaty Glyn-y-groes. Cysylltir amryw o lawysgrifau Cymraeg yr Oesoedd Canol â'r fynachlog honno.[19] Teulu a oedd yn nodedig am eu cysylltiad â'r fynachlog oedd teulu Trefor.[20] Disgynyddion Adda ab Awr oedd y Treforiaid. Priodolir y cyfieithiad o 'Buchedd Martin' a geir yng nghanol y llawysgrif i ryw Siôn Trefor, a bu cryn ddadlau ynglŷn â phwy yn union oedd y Siôn Trefor hwnnw. Y farn ddiweddaraf yw mai Siôn Trefor Hen o Fryncunallt ym mhlwyf Llanfarthin, eglwys a gysegrwyd ar enw Martin, ydoedd.[21] Yr oedd y Siôn hwnnw yn gyfoeswr hŷn i Gutun Owain ac yn gymydog iddo.[22] Yn ei farwnad i Siôn soniodd Gutun amdano fel 'athro mawr' a dywedodd 'Barwn yn nysc hwn nis caf'.[23]

Teulu arall a ddisgynnai o'r un cyndad ac a berthynai yn ogystal i'r Treforiaid trwy briodas[24] oedd teulu Edwards o'r Waun. Yr oedd Edward neu Iorwerth Hen, yr Iawn, wedi priodi â Catherine, etifeddes Llywelyn ap Madog ap Llywelyn ab Ieuaf ab Adda ab Awr o Drefor, gweddw David Trefor ab Iorwerth ab Ieuan ab Ieuaf ab Adda ab Awr. Canodd Gutun Owain gywyddau mawl a marwnad i fab Edward Hen a Catherine, sef John ab Edward (Siôn Edwart) o'r Waun Isaf, safle'r Plas Newydd yn ddiweddarach.[25] Cyplyswyd enw Siôn Edwart ag enwau Siôn Trefor a'r Abad Dafydd ab Ieuan ab Iorwerth fwy nag unwaith gan Guto'r Glyn.[26] Derbynnydd Swydd y Waun o Orffennaf 13 Henry VI hyd at 22 Henry VII ydoedd,[27] a chefnogydd i Siasbar Tudur, iarll Penfro.[28] Bu farw Siôn yn 1498 gan adael gweddw, tri mab a thair merch.[29] Cofnodir marwolaeth John Edwards ar 23 Mai 1498 ar waelod y tudalen o Galendar Mostyn 88 ar gyfer Mai.[30] Priod John Edwards oedd Gwenhwyfar, merch Elis Eutun o Riwabon. Yr oedd Gwenhwyfar yn chwaer hefyd i Siôn ab Elis Eutun, 'partisan actif et devoué de Henri Tudor', un arall o noddwyr Gutun Owain, a gafodd diroedd yn ardal Rhiwabon a Wrecsam yn wobr am ei gefnogaeth i'r Tuduriaid.[31] Sonnir am y cysylltiad â'r Eutuniaid ym marwnad Gutun Owain i Siôn Edwart. Bu farw Gwenhwyfar hithau ar 29 Awst 1520, ffaith a gofnodir ar waelod y tudalen ar gyfer Awst.[32] Mab hynaf John Edwards oedd William Edwards, aelod o osgorddlu Harri VIII, Ceidwad Parc y Waun a Chwnstabl y Waun,[33] a briododd â Catherine, merch John Hooke o Ledbroc. Bu farw'r ddau ohonynt yn 1532. Cofnodir marwolaeth Catherine ar 30 Mawrth 15[32] yn Mostyn 88.[34] Y mae'n bur sicr felly o edrych ar y cofnodion personol hyn fod y llawysgrif ym meddiant teulu Edwards, teulu pwysig o swyddogion y Goron, erbyn y 1490au. Y tebyg yw mai i John Edwards *alias* John ab Edward Hen *alias* Siôn Edwart y cynhyrchwyd y llawysgrif, neu o leiaf ddeunaw ffolio cyntaf y llawysgrif, a bod cofnodion teuluaidd wedi eu hychwanegu ato yn amser William Edwards, efallai gan William Edwards ei hunan oherwydd ni cheir cofnod o farwolaeth William ar y calendar. Ni cheir unrhyw help i leoli'r llawysgrif yn nodiadau ymyl gweddill y tudalennau, er yn ddiau, y gellid awgrymu bod y testunau a ddewiswyd yn adlewyrchu awyrgylch byd y noddwr, os Siôn Edwart neu ei fab ydoedd.

Y Testunau

Buchedd Martin

'Buchedd Martin' yw ail destun y llawysgrif. Nawddsant Ffrainc oedd Martin Sant o Tours. Ffurfiodd ei fuchedd batrwm ar gyfer bucheddau diweddarach trwy wledydd Cred. Cyfieithiad o destun cyfansawdd a seiliwyd ar *Vita, Epistulae* a *Dialogii S. Martini* gan Sulpicius Severus sydd yn sail i'r fuchedd Gymraeg.[35] Daethai cwlt Martin yn gynnar i Brydain ond cryfhaodd ei ddylanwad ar ôl y Goncwest Normanaidd. Cysegrwyd eglwys Llanfarthin iddo. Nid annisgwyl fyddai i Gutun Owain gopïo i Siôn Edwart gyfieithiad o 'Buchedd Martin' a wnaethpwyd gan berthynas agos iddo mewn ardal lle'r oedd Martin yn nawddsant ac mewn plwyf yn agos at y Waun.[36]

Y Testun Achyddol

Testun achyddol cyfansawdd anghyflawn yw hwn yn gorffen gydag enw Asclopitotus.[37] Y mae'r rhan gyntaf o'r testun yn rhestru'r llinachau beiblaidd a geir ar ddechrau *Y Bibyl Ynghymraec*, sef y fersiwn Cymraeg o *Promptuarium Bibliae* Petrus Pictaviensis. Cynllun cydamseryddol ac achyddol oedd i'r *Promptuarium Bibliae* yn wreiddiol, ond collwyd y ffrâm linachol honno bron yn gyfan gwbl yn *Y Bibyl Ynghymraec* a ysgrifennwyd ar ffurf naratif.[38] Yn nhestun canolog y *Promptuarium* a'r *Bibyl* wrth olrhain ach yr Iesu ceir amlinelliad o hanes Noe a'i ddisgynyddion gan ddilyn llinach Sem mab Noe, eithr ychwanegwyd ato hanes disgynyddion Japhet mab Noe. Disgyn o Japhet a wnaeth brenhinoedd Lloegr hwythau, er enghraifft, yn ôl ach linellog Edward IV, ach sydd yn cynnwys rhyw fath o bropaganda Iorcaidd, a geir yn llawysgrif Rhydychen Bodleian Lyell 33.[39] Cyfansoddwyd yr ach ar ôl 1469, yn ôl y catalog, a deilliodd yn y pen draw o waith Petrus Pictaviensis.[40] Dichon mai ffasiynau Seisnig a symbylodd y Cymry i ymddiddori mewn materion hanesyddol, a hyn yw'r rheswm am y sylw a roddid i faterion hanesyddol a hynafiaethol mewn llawysgrifau o Gymru ar ddiwedd y bymthegfed ganrif a nododd Mr Daniel Huws.[41]

Yn nhraddodiad hanesyddiaeth Gymraeg daeth hanes y llinach o Japhet hyd Brutus yn rhagarweiniad i'r hanes cenedlaethol fel y'i ceir yn *Ystoria Dared* a *Brut y Brenhinedd.*[42] Dyma oedd sail y cymhlethdod o achresi yn olrhain tras cymeriadau hanesyddol Cymru yn ôl at gymeriadau'r tri gwaith traddodiadol hyn. Yn wahanol i destun *Y Bibyl Ynghymraec* ei hun, patrwm llinachol cyfochrog, tebyg i eiddo'r *Promptuarium Bibliae*, a geir i'r achau yn Mostyn 88, hynny yw, ceir 'patrwm cysefin o liniau etifeddiaeth cyfochrog gyda nodiadau testunol' rhyngddynt'.[43] Cyfeiriwyd at ffurf testun Mostyn 88 gan Thomas Jones fel tystiolaeth bosibl i'r ffaith fod fersiwn o'r *Bibyl* ar gael unwaith yn y Gymraeg a gadwodd batrwm llinachol ei gynsail.[44] Cedwir yr un patrwm llinachol yn ail ran yr achau yn Mostyn 88 sydd yn dilyn hanes disgynyddion Brutus. Diwedda'r testun gyda rhestr anorffenedig o frenhinoedd Prydain a seiliwyd ar waith Sieffre o Fynwy.[45] Corfforir yn y testun arfbeisiau un ar ddeg o gyndeidiau chwedlonol brenhinoedd Cymru wedi eu hysgrifennu mewn inc gwyrdd.[46]

Testun cyfansawdd ydyw trydydd testun Mostyn 88, felly, yn adlewyrchu tuedd y bymthegfed ganrif i lunio achau mawreddog a hefyd ddiddordeb y cyfnod yn yr herodraeth yr oedd Gutun yn arbenigwr arni.[47] Paham, ar wahân i ddiddordeb cyfoes mewn achau, y cynhwyswyd yr achau arbennig hyn yn y llawysgrif? Dichon fod yr ateb i'w gael o edrych ar gerddi'r beirdd i Siôn Edwart o'r Waun. Cerdd a rôi bwyslais mawr ar achau'r noddwr yw cywydd moliant Gutun i Siôn Edwart. Cymherir ef â Bleiddudd, un o frenhinoedd ach Mostyn 88, ac â Brutus. Fel disgynnydd i dri theulu brenhinol Cymru olrheiniai Siôn ei ach yn ôl at Brutus.[48] Priodol iawn felly, os i Sion Edwart yr ysgrifennwyd Llawysgrif Mostyn 88 yn ei

Morfydd E. Owen

chyfanrwydd, fyddai cynnwys ach Frutusaidd ynddi a phriodol hefyd yw geiriau Gutun Owain iddo:

> Arwain avr, ŵyr Ieuan wyd,
> O ryw Addaf[49] a wreiddwyd;
> Dy gorff val Bleiddvd a gaf
> Yn ossawc y Wavn Issaf.
> Ti y sydd val Brvtvs, Siôn,
> Tir Ierwerth yw'r tav'r owron.[50]

Wrth gyfarch Wiliam mab Siôn soniodd Tudur Aled am ei ddiddordeb yntau mewn achau ac arfbeisiau:

> Torri, â'th inc, o'r tri tho,
> Achau, arfau, a cherfio;
> Mae'r cronig mawr, cywreinwaith,
> Mewn un llaw, mwy no'n holl iaith . . .[51]

Yr Adran Galendraidd

Trown yn awr at blyg cyntaf llawysgrif Mostyn 88. Y mae tudalennau 2, 3 a 6 wedi eu hysgrifennu yn Saesneg yn cynnwys deunydd astrolegol; dilynir gan 27 tudalen, lle mai'r Gymraeg yw'r iaith. Dechreuir trwy restru cynnwys y tudalennau:

1. Pytiau yn ymwneud â materion seryddol poblogaidd. Gallent fod yn aralleiriadau mewn Cymraeg o'r hyn a geir yn Saesneg ar y Rota ar d. 5.
2. Cyfres o ddyddiau ffodus ac anffodus. Ychwanegwyd pennawd mewn llaw ddiweddarach[52] yn dweud: *Theis are meere foleries or superstitious vanities.* Dyma'r eitemau:
   (a) *There have been three perylous mundaes in the year.*
   (b) *Three unlucky daes to be born on.*
   (c) *The three best daes of any monyth to begin any good worke or to take a Jorney upon.*
3. Gwag.
4. Plât llyfr Teulu Mostyn gyda'r llofnod 'Th Mostyn 1744. No 77'.
5. *Rota* gyda nodiadau Saesneg.
6. Enwau arwyddion y sidydd gyda sylwadau ar eu cyneddfau; *Aries ys good/ Taurus ys not so . . .*
7. Tabl sidyddol.
8. Gwag.

Newidia llaw y llawysgrif ar ôl hyn ac y mae'r rhan Gymraeg sydd yn dilyn yn fwy lliwgar ac yn fwy soffistigedig yn ôl safonau'r oes.

354

9. *Volvella.*
10. Tablau eglwysig.
11. Cyflun o gorff dyn yn dangos y mannau gwaedu a'u pwrpas: cyflun *Homo Venarum.*
12. Tabl planedol.
13–24. Calendar.
25. Tabl eglwysig
26. Dyn y Sidydd neu gyflun *Homo Signorum.*
27. Tabl eglwysig.
28. Cylch iwrosgopi neu *Tabula Urinarum.*
29–35. Traethodau iwrosgopig a gwlybyrol.
36. Rhestrau rhifyddol meddygol.

Cydnabyddir mai llaw Gutun Owain, llaw llyfr Gymreig a geir yn adran Gymraeg Mostyn 88 o dudalen 9 ymlaen. Y mae mwy nag un llaw yn yr adran sydd yn ymestyn o dudalen 1 i 8; y maent yn nodweddiadol o lawiau llyfr ysgrifennydd diwedd y bymthegfed ganrif. Awgryma steil y rhain gyfnod ychydig yn ddiweddarach ar gyfer eu hysgrifennu na steil llaw y Gymraeg. Dichon mai llaw Wiliam Edwards a geir yn rhai ohonynt. Ar wahân i ddau eitem, sef y *rota* ar dudalen 5 a'r tabl a geir ar dudalen 7, prognosticasiwn cyffredinol sy'n perthyn i fyd astroleg boblogaidd yw deunydd y rhan gyntaf o'r plyg. Cyflun crwn yn dilyn patrwm cyffredin a geir mewn gweithiau astrolegol a meddygol yw'r *rota* hon. Arni ceir pedwar pwynt y cwmpawd, rhestr o arwyddion y sidydd o gwmpas yr ymyl a chyfeiriad at y gwlybyrau a'r gwyntoedd a gysylltir â hwy. Gellir cymharu'r cyflun ag enghraifft arall a geir mewn llawysgrif o waith John o Arderne a argraffwyd gan P. M. Jones.[53] Deilliai cyfluniau o'r fath o gysyniadau ynglŷn â natur y greadigaeth, lle y credid bod cysylltiad rhwng *macrocosm* y bydysawd a *microcosm* y corff dynol a'r gwlybyrau a'i cyfansoddai. Dengys y cyflun hwn y cysylltiad rhwng pwyntiau'r cwmpawd, y gwyntoedd a'r gwlybyrau, a'i bwrpas oedd 'to orientate the reader generally in regard to macrocosmic influences on man'. Y mae patrwm cyflun o'r fath y tu ôl i gyfres o englynion gan Ddafydd Nanmor. Dyfynnir yr englyn cyntaf:

> Dwyrain twym, sych medd i'm deurudd, – lle
> Maharen, Llew, Saethydd,
> Tân yw'r elment uwch nentydd,
> Eira yw'r gwynt ar war gwŷdd.[54]

Ar dudalen 7 ceir tabl yn rhoi llythrennau i ddyddiau'r misoedd yn dangos patrwm mis y lleuad a mis y calendar drwy flwyddyn y sidydd, gan ddechrau gydag Ebrill ac Aries, dros 19 blynedd cylch y Pasg. Y mae'r tabl yn debyg i'r *pagina regularis*, seiliedig ar waith Beda, a gyhoeddodd Syr Ifor Williams wrth drafod Darn y Computus yn y Gymraeg.[55]

Y mae'r rhan Gymraeg, tt. 9–36, yn fwy lliwgar o lawer a llawer mwy soffistigedig a gwyddonol o ran techneg llawysgrifau. Edrychir isod ar yr eitemau fesul un.

9. *Volvella* y Lleuad

Dechreua'r adran Gymraeg â *volvella*. Dyfais symudol ar gyfer lleoli'r haul a'r lleuad yn y sidydd oedd y *volvella*.[56] Y mae gan *volvella* Mostyn 88 dri disg o wahanol feintiau a osodwyd ar ben ei gilydd. Rhydd y cylch allanol enwau arwyddion y sidydd, eu hansoddau a'u graddau. Dengys y rhifau ar yr ail ddisg ddyddiau cylch y lleuad. Dangosir adeg y lleuad gan amrywiadau'r lliw yng nghylch allanol y lleuad ar y disg mewnol. Byddai'r sawl a'i defnyddiai yn gosod disg yr haul (disg symudol a phwyntydd arno) ar y diwrnod a nodwyd ar y disg allanol. Wedyn gosodir disg mewnol y lleuad ar y diwrnod o'r lleuad a nodwyd ar ddisg yr haul a byddai'r sawl a oedd yn ei ddefnyddio yn gallu darllen pa arwydd o'r sidydd y'i gosodir arno. Cedwir *volvellae* o'r fath mewn llawer o lawysgrifau Lladin a chofnodir tua deuddeg ohonynt mewn llawysgrifau a ysgrifennwyd mewn Saesneg Canol.[57] Y mae *volvella* llawysgrif Rhydychen, Ashmole 789, f. 363, llawysgrif o'r bymthegfed ganrif, yn dwyn y cyfarwyddiadau canlynol ynghylch sut i ddefnyddio'r *volvella*:

Pone volvellam solis super gradum in quo sol fuerit illo die et volvellam lune super aetatem lune et ipsa volvella ostendet tibi signum et graduum lune et foramen quomodo luna secundum eius etatem nobis apparebit et figura iuxta centrum quomodo luna in se apparebit quia continue una medietas lune illuminabitur a sole nisi ın eclipsi lune tantum. [58]

(Gosod *volvella* yr haul ar y radd yr ymddengys yr haul ynddi y diwrnod hwnnw, a *volvella* y lleuad uwchben oedran y lleuad, a bydd y *volvella* honno yn dangos arwydd a gradd y lleuad iti a'r agorfa yr ymddengys y lleuad inni trwyddi yn ôl ei oedran, a'r ffigur yn nesaf at y canol sut yr ymddengys y lleuad ynddo, oherwydd goleuir un hanner o'r lleuad yn ddi-dor gan yr haul ac eithrio yn unig pan fo diffyg ar y lleuad.)

Er mwyn defnyddio'r *volvella* yr oedd angen calendar i roi gradd y sidydd a diwrnod cylch y lleuad (Ffigur 1).

10. *Tablau Eglwysig*

Gwnaethpwyd y tabl a ysgrifennwyd mewn coch a du, ar gyfer 1489 i gofnodi'r wybodaeth sydd ei heisiau i gyfrif dyddiadau gwyliau symudol y flwyddyn Gristnogol ar gyfer y 122 blwyddyn rhwng 1367 a 1489 ac ar gyfer y 140 blwyddyn rhwng 1489 a 1729 (*recte* 1629) gan ddefnyddio rhifau aur a llythrennau'r Sul (Ffigur 2). Y gwyliau a nodir yw: *sul cytaf* [sic] *o'r glan grawys*; *y pasg*; *y grawys haf*; *y sul gwyn, wythnose or nodolic yr grawys glan ar dyddie dros ben*; *wythnose or Sulgwyn wyl ieuan ar dyddie dros benn*; *wythnose or sulgwyn yr grawys aiaf.*[59]

11. Homo venarum – *Mannau Gwaedu.*

Llun syml du a gwyn o gorff dyn yn dangos y gwythiennau, sef lleoliad y mannau gwaedu a'u dibenion, yw hwn.[60] Yr oedd gollwng gwaed ar adegau addas ar gyfer yr iach neu fel ffurf o driniaeth ar gyfer y claf yn gyffredin yn yr Oesoedd Canol. Yn y cyflun hwn o fannau gollwng gwaed, ymestyn llinellau o bwyntiau gollwng gwaed at gylchoedd mewn inc coch yn cynnwys enwau'r gwythiennau a'r afiechydon a wellheir trwy waedu o wythiennau penodol. Adlewyrcha'r cyflun yr wybodaeth a gyflwynir yn y rhan fwyaf o draethodau ar bwnc gollwng gwaed. Dylid sylwi ar un nodwedd. Dangosir pum gwythïen yn agos at y penelin gan gynnwys 'y wythen rudd', hynny yw y rhydweli, ar gyfer gollwng gwaed. Dywedir bod hyn yn tarddu o draddodiad Arabaidd; ni ddangosir ond tair gwythïen mewn lluniau hŷn sydd yn tarddu o draddodiad Groeg a Rhufain.[61] Y mae amrywiaeth mawr yn y delwau dynol a ddefnyddid yn yr enghreifftiau o'r cyflun hwn a gedwir yn y llawysgrifau. Y mae ffurf llun Mostyn 88 yn debyg i'r hyn a geir yn llawysgrif Rhydychen Ashmole 789 gyda'r gwahaniaeth sylfaenol fod y geiriau wedi eu hysgrifennu yn y Gymraeg (Ffigur 3). Fersiwn o Galendar Nicholas o Lynn a geir yn llawysgrif yr Ashmolean.

12. *Tabl y Planedau*

Tabl o saith colofn a ymranna'n ddwy ran. Dengys y rhan uchaf rym y gwahanol blanedau ar gyfer pob awr o'r dydd o ddydd Sul tan ddydd Sadwrn, rhoddir enwau'r planedau mewn coch a du. Dengys yr ail, sydd â'r pennawd mewn inc gwyrdd, 'llyma bellach oriev y planeb [sic] y nos o vachlud haul oni gyvoto', eu grym ar gyfer oriau'r nos (Ffigur 4).

13–24. *Calendar*

Calendar eglwysig parhaol am bedwar cylch metonig ar gyfer deuddeg mis y flwyddyn yn dilyn yn fras ddull Sarum.[62] Y lle mwyaf cyffredin i ffeindio calendrau o'r fath fyddai misalau a brefiarïau. Dengys Calendar Mostyn 88 gryn debygrwydd i Galendar Nicholas o Lynn.[63]

Cynhwysa'r Calendar dair cyfres o golofnau. Yn y colofnau ar y chwith rhoddir gwybodaeth ynglŷn â dyddiau'r mis gan gynnwys eu rhifau, oriau'r planedau, oriau'r goleuni a'r tywyllwch, prifiau'r lloer a llythyren y Sul, sef y llythrennau o A i g a ddynodai ddyddiau'r wythnos o Sul i

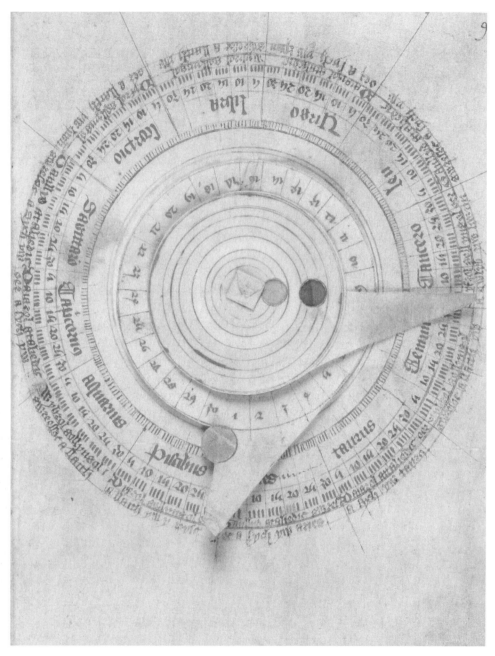

Ffigur 1 Y *Volvella*

358

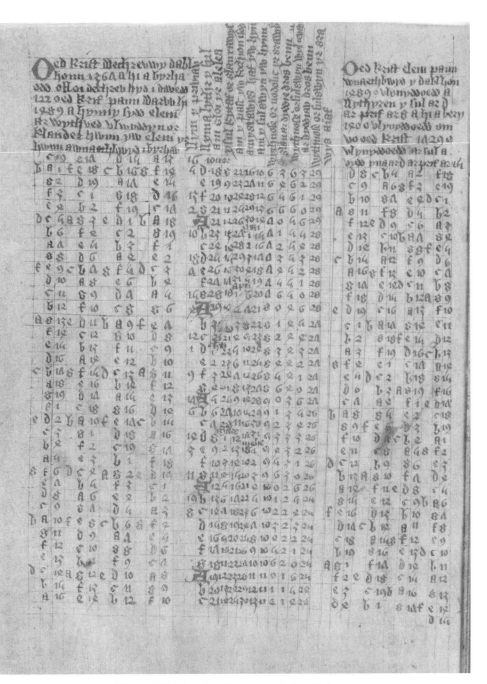

Ffigur 2 Tablau Gwyliau Symudol yr Eglwys

359

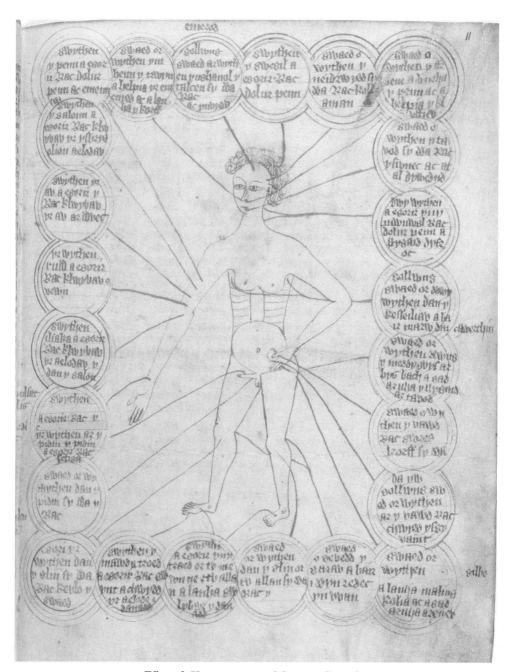

Ffigur 3 *Homo venarum*; Mannau Gwaedu

360

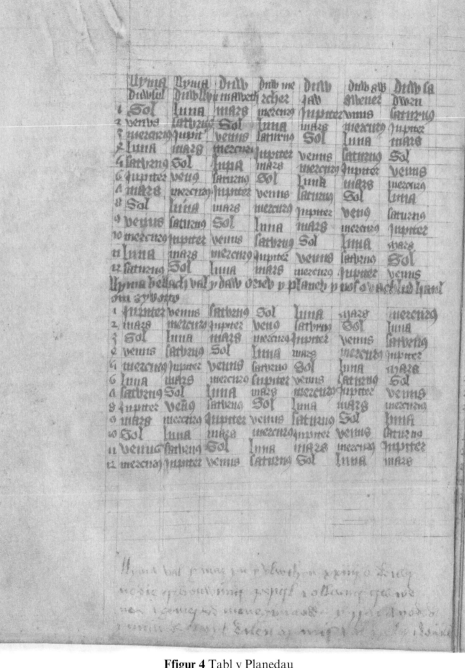

Ffigur 4 Tabl y Planedau

Sadwrn.[64] Yn yr adran ganol ceir pennawd a dwy lythyren addurnedig KL yn dynodi *Kalends* (diwrnod cyntaf) o flaen enw'r mis yn y Gymraeg a'r Lladin. Yn y golofn gyntaf o dan y pennawd dynodir â chroes ddu ddyddiau peryglus (Eifftaidd) y mis.[65] Yn yr ail golofn rhoddir dydd-iadau'r mis yn ôl yr arfer Rufeinig gan nodi *Kalendae, Nones* ac *Ides*. Yn y drydedd golofn rhoddir dyddiadau mis y sidydd. Nodir dechreuad teyrnasiad yr arwydd perthnasol yn y bedwaredd golofn. Er enghraifft, nodir dechrau teyrnasiad i *Aquarius* gyferbyn ag Ionawr 11. Yn yr un golofn nodir gwyliau'r Eglwys (y prif wyliau mewn inc coch) a *mevilia*,[66] gan gynnwys gwyliau seintiau pwysicaf gwledydd Cred, yn tarddu, yn ôl pob tebyg, o Galendar Sarum,[67] gwyliau ychydig o seintiau Sacsonaidd a Gwyddelig, ynghyd â gwyliau llawer o seintiau Cymreig y cysylltir y rhan fwyaf ohonynt â gogledd Cymru ac yn arbennig â'r gogledd-ddwyrain.[68] Ychwanegwyd rhai o'r rhain gan lawiau diweddarach.[69] Nodir hefyd ddechrau a diwedd Dyddiau'r Cŵn.[70] Rhydd y colofnau ar yr ochr dde dablau lloerol ar gyfer pedwar cylch metonig, sef y cylchoedd o 19 blynedd a reolai ddyddiad y Pasg. Rhoddir dyddiadau ac amser cyfnewid y lloer gan nodi oriau a munudau o dan y penawdau: y cyfnewid, yr awr y newidia, y munud y newidia. O dan y colofnau nodir y gwahanol gylchoedd metonig. Rhoddir dyddiadau'r cylchoedd ar waelod y colofnau ar dudalennau 22 a 23, sef o 1481 hyd 1500, o 1500 hyd 1518, o 1518 hyd 1536 ac o 1536 hyd 1554. Ychwanegwyd wrth ymyl chwith y tudalen *verso* ac wrth ymyl de y *recto*, yn yr un llaw ag a geir ar dudalen 7, lythrennau a gyfetyb i'r llythrennau a ddynodir yn y tabl ar dudalen 7. Ar waelod pob tudalen mewn llaw sydd yn edrych yn debyg i'r llaw a nodai farwolaeth aelodau teulu Edwards rhestrir 'dyddiau perygl' pob mis sydd yn cyfateb i ddau o'r dyddiadau a nodir yn y Calendar (Ffigur 5).

25. *Tabl Eglwysig*
Tabl mewn coch a du o natur gyffelyb i'r un a geir ar dudalen 10 ar gyfer penderfynu dyddiadau gwyliau symudol y flwyddyn Gristnogol dros y cyfnod o 1477 hyd 1624. Yng nghanol y tabl ceir y geiriau: 'oed krist eleni yw 1487'.

26. Homo signorum – *Dyn y Sidydd*
Dyma lun mwyaf pwerus y llawysgrif (Ffigur 6). Ymestyn corff Dyn y Sidydd o ben y tudalen hyd at ei waelod. Y mae ganddo wallt gweddol hir a barf sydd yn frithwyrdd o ran eu lliw. Ymestyn ei freichiau i ochr y tudalen ar ongl o 45 gradd oddi wrth y corff; y mae'r breichiau yn annaturiol o hir. Fel mewn nifer o gyfluniau, gosgedd debyg i eiddo'r Iesu mewn lluniau canoloesol o'r Croeshoeliad sydd gan Ddyn y Sidydd yn Mostyn 88.[71] Yn gorffwys ar ei gorff ceir holl arwyddion y sidydd. Gorwedd maharen

brithwyrdd ar ben Dyn y Sidydd yn rhoi capan iddo a tharw coch ar ei wegil, na welir ond ei ben a'i bedrain. Ymestyn ar ei freichiau ddau blentyn ieuanc noeth sydd yn edrych fel merch a bachgen a gwallt gwyrdd ganddynt, mae cranc brith chwe choes ar ei frest, a saif llew coch odano. O dan hwnnw ceir morwyn yn dal plentyn neu, o bosibl, cofleidir morwyn â gwallt gwyrdd mewn gwisg goch gan ddyn ieuanc mewn gwyrdd, a safant hwy ar belydr croes tafolen. O dan y dafolen ceir rhyw fath o greadur ymlusgol gyda'i gynffon wedi ei phlygu a smotiau coch a gwyrdd arni. O dan hwnnw ceir dyn ar ffurf *centaur* gyda gwaelod ei gorff yn goch yn dal bwa a saeth, ac odano ef afr â'i chanol wedi ei lapio mewn cylchoedd tebyg i gragen malwoden, a'r rhan isaf yn ymestyn i gynffon hir a all fod yn perthyn i ryw greadur y môr; yn nesaf deil dyn â gwallt melyn mewn gwisg goch ddau biser a dŵr gwyrdd yn arllwys ohonynt. Wrth draed Dyn y Sidydd y mae dau bysgodyn wedi croesi. O gwmpas y ffigur ceir ysgrifen mewn du a choch yn cynnwys rhybuddion rhag gwaedu neu gynnig triniaeth lawfeddygol ar adegau sydd yn anaddas yn ôl safle'r haul yn arwyddion y sidydd.

Eisoes, yn y ganrif gyntaf oc, mewn cerdd o enw'r 'Astronomicon' gan Manilius, cysylltesid rhannau'r corff dynol ag arwyddion y sidydd gan ddechrau gydag *Aries* wrth y pen a gorffen gyda *Pisces* wrth y traed. Y drefn arferol yw cysylltu *Aries* (y Maharen) â'r pen, *Taurus* (y Tarw) â'r gwddf, *Gemini* (yr Efeilliaid) â'r ysgwyddau, *Cancer* (y Cranc) â'r fron neu'r galon, *Leo* (y Llew) â'r ystlysau, *Virgo* (y Forwyn) â'r bol, *Libra* (y Fantol) â'r lwynau, *Scorpio* (y Sarff) â'r aelodau rhywiol, *Sagittarius* (y Saethydd) â'r cluniau, *Capricorn* (yr Afr) â'r pengliniau, *Aquarius* (y Dyfrwr) â'r crimogau a *Pisces* (y Pysg) â'r traed.[72] Cyfeirir at y patrwm hwn gydag ychydig o oleddfiadau mewn llu o destunau, gan gynnwys rhai a ysgrifennwyd yn y Gymraeg, gydol yr Oesoedd Canol.[73] Cedwir hefyd gannoedd o enghreifftiau o luniau o Ddyn y Sidydd mewn llawysgrifau ledled Ewrop.[74] Y mae enghraifft o gamgopïo yn rhybuddion yr enghraifft hon; camleolir y rhybudd ar gyfer cyfnod y Pysg, sef *Pisces*, sydd yn awgrymu mai copi a geir yma. Os oedd G. J. Williams yn gywir nad oedd llawer o Ladin gan Gutun, dichon mai camleoli a ddigwyddodd wrth iddo gopïo cyfieithiad o'r geiriau sydd yma. Er mai confensiynol yw'r rhan fwyaf o'r delwau o'r arwyddion a geir yn y cyflun, rhaid nodi nodweddion arbennig rhai ohonynt. Noder mai gafr môr wedi ei lapio mewn cragen a chynffon ganddi a gynrychiola'r arwydd *Capricorn*.[75] Y mae hyn yn draddodiadol; fe'i cysylltir â'r ffaith fod Rhagfyr, mis *Capricorn*, yn adeg wleb.[76] Adlewyrcha'r symbol am *Virgo* o bosibl y ddelw draddodiadol lle mae'r forwyn yn dal plentyn.[77] Y mae'r ddelw sydd yn cynrychioli'r Scorpio yn ymddangos yn debyg iawn i'r organau a orwedd o dani. Y mae'r delwau hyn eto yn debyg iawn i'r sawl a geir ar Ddyn y Sidydd yn llsgr. Rhydychen Ashmole 759, f. 1.

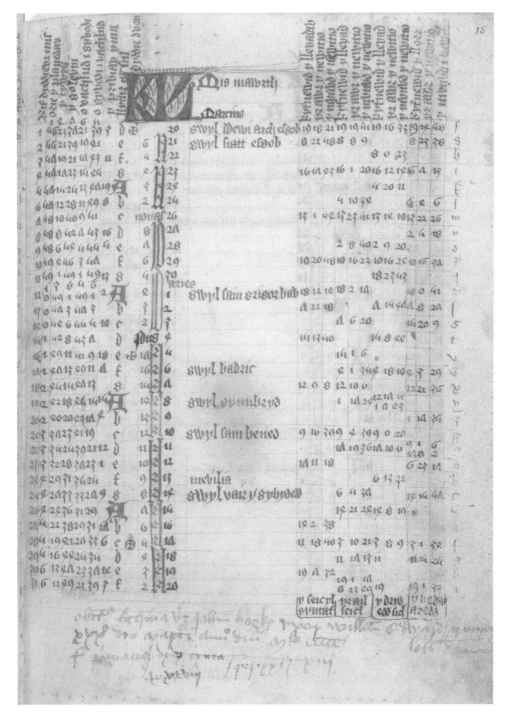

Ffigur 5 Calendar, y tudalen ar gyfer Mawrth

364

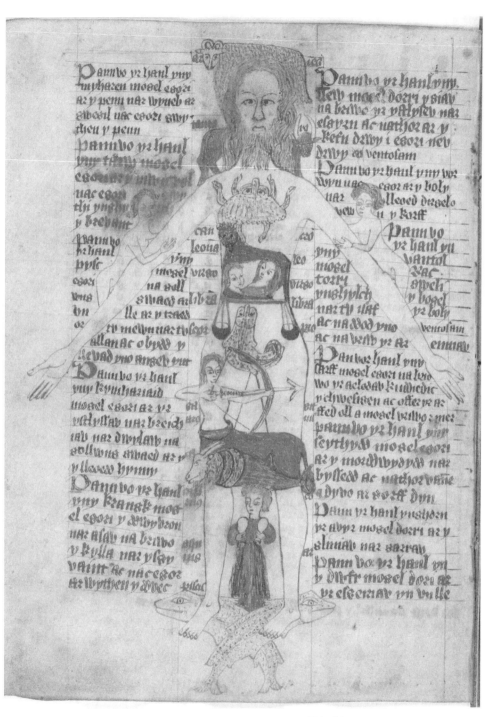

Ffigur 6 *Homo signorum*; Dyn y Sidydd

27. *Tabl Astrolegol*

Dau dabl a ysgrifennwyd mewn coch a du yn dangos grym arwyddion y sidydd bob diwrnod o'r mis trwy'r flwyddyn (Ffigur 7).[78]

28. Tabula urinarum – *Cylch iwrosgopi*

Y pennawd yw: 'Tabl yw hon o amrhvaelion liwiau ar urin a dyfroedd dynion'. Un o'r prif ddulliau o ddarganfod natur clefyd oedd trwy edrych ar y trwnc neu y dŵr. Eisoes yn yr ail ganrif oc yr oedd Galen wedi cysylltu deiagnosis a phrognosis a seiliwyd ar ddamcaniaeth ynglŷn â'r anghyfartaledd yn y pedwar gwlybwr a geid yn y corff dynol, sef gwaed, ffleuma, y bustl du a'r bustl melyn. Dynodid yr anghyfartaledd (*dis-equilibrium*) i'r meddyg trwy newidiadau yn lliw a chynnwys yr iwrin. Ar sail yr athroniaeth hon sefydlwyd cyfundrefn o gyfarwyddiadau a elwid yn iwrosgopi i esbonio cymeriad lliw'r iwrin i fod yn erfyn hylaw i feddyg a chlaf fel ei gilydd.[79]

Cynrychiolir hyn mewn ffurf weladwy gan ddiagramau o gylch o wydrau iwrin, ugain yn eu rhif fel arfer, yn dangos amrywiaeth yn lliw'r iwrin a fwriadwyd erbyn diwedd yr Oesoedd Canol at ddefnydd lleygwyr a meddygon fel ei gilydd.[80] Y mae cylch iwrin Mostyn 88, sydd heb ei liwio i gyd, yn disgrifio lliwiau'r iwrin yn y gwahanol fflasgiau a'r clefydau a adlewyrchir ganddynt yn y cylch o gwmpas yr ymyl. Dosbartha'r cylch-oedd yn y canol liwiau mewn grwpiau. Ceir nifer o enghreifftiau o hyn ymhlith y llawysgrifau Cymraeg a diddorol nodi bod yr un cylch ag a geir yn Mostyn 88 gyda'r geiriau mewn Saesneg ar gael ar daflen yn llawysgrif Bangor 25710 a ddyddir i'r ail ganrif ar bymtheg (Ffigur 8).

29–36. *Traethawd Iwrosgopi*

Nodiadau sydd yn traethu ar yr egwyddorion gwlybyrol a orwedd y tu ôl i'r cylch iwrosgopig a geir yn dilyn y cyflun. Ceir nifer o enghreifftiau o'r un traethawd wedi eu cadw mewn llawysgrifau Cymraeg diweddarach.[81] Cedwir yr un traethawd wedi ei ysgrifennu yn Lladin yn y *Vade mecum* a ddisgrifiwyd gan Talbot.[82]

36. *Cyfres o* aphorisms *rhifyddol*

'Wyth rann sydd mewn dyn'[83] (seiliedig ar waith Aristotlys); y pâr: 'Tri thew anesgor' a'r 'Tri thenau anesgor'; [84] y 'Tair hirnych gwely';[85] 'Tri kyfyrgoll meddic';[86] 'Lleiaf meddeginiaeth'; 'Mwyaf meddeginiaeth'.[87] Y mae'r rhain i gyd yn gyffredin yn y casgliadau meddygol Cymraeg canoloesol. Ffurfient ran o rethreg y testunau hynny a gydymffurfiai â rhethreg frodorol gweithiau ymarferol dosbarthiadau dysgedig Cymreig eraill y cyfnod.[88]

Arwyddocâd Mostyn 88, 1–37

Fel y gwelwyd, cymysgedd o destunau yn ymwneud ag amser a'r bydysawd ynghyd â deunydd meddygol a geir yn rhan gyntaf Mostyn 88. Yr oedd y fath gymysgedd o destunau yn gyffredin iawn mewn llawysgrifau ledled Ewrop erbyn y bymthegfed ganrif.

Beth yw arwyddocâd y casgliadau hyn? Y mae cynsail y casgliadau yn syniadau'r Oesoedd Canol cynnar am wyddor amser a dylanwad damcaniaeth yr hiwmorau a thymhorau'r lleuad ar fywyd dyn. Yr oedd sefydlu calendrau cywir ar gyfer y tymhorau a phatrwm y flwyddyn Gristnogol yn bwnc o bwys mawr i eglwyswyr ac eraill yn ystod yr Oesoedd Canol.[89] Hanfod y broblem o sefydlu calendar oedd cysoni'r gwahaniaeth rhwng hyd y lleuadrod a hyd yr heulrod yn nhroad y flwyddyn.

Adlewyrchid hyn mewn nifer helaeth o lawysgrifau yn cynnwys calendrau yn dilyn y lleuadrod a'r heulrod ynghyd â thablau'r Pasg. Cyfeirir at wyddor creu'r calendrau a thablau fel *Computus*.[90] O'r Oesoedd Canol cynnar ymlaen cysylltid deunydd meddygol prognostig a reolwyd gan wybodaeth o safle'r lleuad â'r tablau hyn. Yn enghraifft o'r duedd hon rhestrodd Faith Wallis yn ei herthygl ar lawysgrifau calendraidd[91] gynnwys meddygol llawysgrif Vatican City, Biblioteca Apostolica Vaticana Pal. lat. 485, a gopïwyd yn y nawfed ganrif. Dechreua'r casgliad â deunydd megis tablau i sefydlu lle'r lleuad ar 1 Ionawr, lle'r lleuad yng nghylch y sidydd, dyddiau naid; tablau yn dangos oedran y lleuad ar gyfer pob mis ac ar ba ddiwrnod o'r wythnos yr oedd dydd cyntaf pob mis trwy gylch 19 blynedd Tabl y Pasg. Deunydd *Computus* neu wyddor sefydlu amser oedd hyn. Ceir yn ogystal fân destunau yn trafod dyddiau Eifftaidd, sef diwrnodiau anffodus y flwyddyn ar gyfer clefyd a thriniaeth feddygol, a chalendar dietetig ar gyfer deuddeg mis y flwyddyn.[92] Ffurfiant gyda'i gilydd *Lunarium* bychan, sef casgliad o gyfarwyddiadau a'u gwyddor yn seiliedig ar batrwm troad y lleuad. Yr oedd a wnelai pob un o'r testunau lledfeddygol hyn â phwysigrwydd amser.

Gyda dyfodiad astroleg farnedigaethol o destunau Groeg ac Arabaidd i'r Gorllewin yn y ddeuddegfed ganrif a'r drydedd ganrif ar ddeg, trawsnewidiwyd peth ar y cysyniadau poblogaidd ynglŷn â'r elfennau pwysig a berthynai i wyddor mesur amser. A dyfynnu Wallis:

> Computists shifted their interests from predicting the date of Easter to predicting eclipses and conjunctions . . . and the planets joined the sun and the moon as criteria for ordering one's regimen or predicting the outcome of a disease.[93]

Ceid lliaws o lawysgrifau meddygol-*computus* yn dangos dylanwad

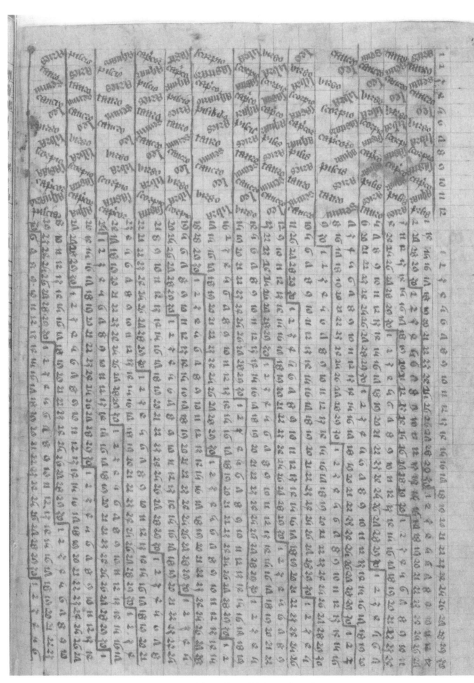

Ffigur 7 Tabl Astrolegol

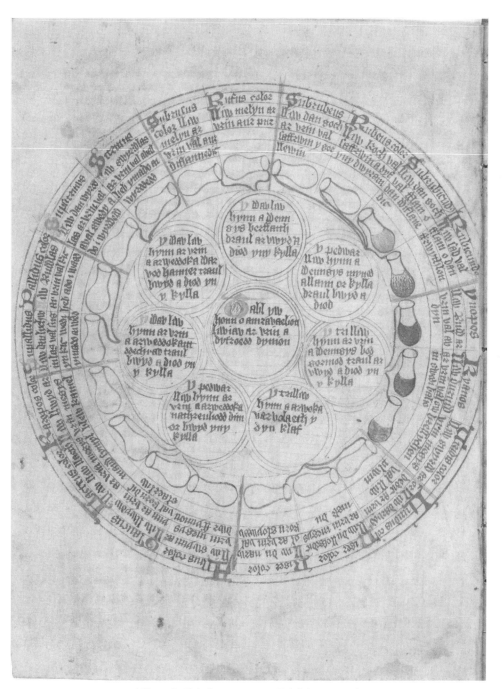

Ffigur 8 *Tabula urinarum*; Cylch iwrosgopi

369

amlycach o fyd astroleg. Goroesodd rhai o'r rhain ar ffurf *codices* eithaf bychan megis llawysgrif Rhydychen Bodleian Savile 39 a ysgrifennwyd yn Lloegr tua 1436 yn cynnwys 11 ffolio yn unig. Yn y *codex* ceir calendar, rhestr o ddyddiau naid rhwng 1387 a 1507, *Volvella*, *Homo signorum*, *Tabula urinarum*, a thablau ar gyfer arwyddion y sidydd. Goroesodd casgliadau cyffelyb eraill ar ffurf calendrau plyg fel yr un y cedwir lluniau ohono yn Llyfrgell Wellcome a ddisgrifiwyd gan Talbot.[94] Bwriedid y rhan fwyaf o'r calendrau plyg yn *Vade mecum* ar gyfer meddygon: cynlluniwyd hwy ar ffurf pamffledi, wedi eu clymu â rhubanau, y gallai meddygon eu cario o gwmpas yn hongian wrth eu gwregys fel cyfeirlyfrau hwylus iddynt wrth eu gwaith.[95] Dechreua'r llawysgrif a drafododd Talbot â chalendar; wedyn ceir rhestr hardd a lliwgar o eclipsau'r haul a'r lleuad rhwng 1398 a 1462. Yn dilyn yr eclipsau ceir tabl o arwyddion y sidydd ar gyfer pob dydd gyda llun lliw o'r *Homo signorum*. Wedyn daw rhestrau pellach sydd yn dangos nid yn unig y diwrnod pryd y mae gan y sidydd rym ond hefyd yr awr o'r diwrnod. Wrth ochr y rhain ceir cyfres y pedwar gwlybwr: sef y gwaed, y ffleuma, y bustl du a'r bustl melyn, fel y gellid gweld ar unwaith sut yr oedd y lleuad wrth basio trwy wahanol drefedigaethau'r planedau yn effeithio ar bedwar gwlybwr y corff. Y mae a wnelo adran nesaf y llawysgrif â gollwng gwaed a cheir llun o'r *homo venarum* gyda chylchoedd o'i gwmpas yn disgrifio'r gwythiennau â'r clefydau sy'n gysylltiedig â hwy, tebyg i'r hyn a geir yn Mostyn 88. Dilynir y cwbl gan draethawd ar sut i ollwng gwaed. Diwedda'r casgliad â chylch iwrosgopig a thrafodaeth ar yr iwrin yn Lladin sydd yn cyfateb yn union i'r un a geir yn llawysgrif Mostyn 88 yn y Gymraeg.[96] Yr hyn sydd yn drawiadol am gynnwys Mostyn 88 yw ei fod yn dangos: yn gyntaf, fod marchnad i'r fath destunau yn y Gymraeg, ac yn ail, fod Gutun yn gwybod am eitemau fel y trioedd meddygol a oedd wedi eu hen sefydlu yn y traddodiad llawysgrifol Cymreig, ac iddo gyfuno'r deunydd hwnnw â'r cyfluniau.

Pan gynigiais arddangosfa boster yn seiliedig ar Mostyn 88 i Gynhadledd Ryngwladol Hanes Meddygaeth yn 1994[97] tybiais mai copi o *Vade mecum* meddyg a geir yn Mostyn 88. Eithr y mae digon o dystiolaeth o Loegr y bymthegfed ganrif fod casgliadau o'r un fath ag a geir yn y llawysgrif Gymraeg yn cael eu cynhyrchu ar gyfer lleygwyr cyfoethog a diwylliedig.[98] Gellid tybio mai copi o un o'r rhain a geir yn llawysgrif Gutun Owain. Yr enwocaf o'r calendrau a gynhyrchwyd i leygwyr yn Lloegr efallai yw'r calendar a gynhyrchwyd gan y Brawd Nicholas o Lynn ar gyfer John o Gaunt, dug Caerhirfryn.[99] Calendrau tebyg yw *Kalendarium* John Somer a gyfansoddwyd yn 1380 ar gyfer Joan, gweddw y Tywysog Du.[100] Cynnwys arferol calendrau o'r fath yw tablau gwyliau symudol y flwyddyn, rhestrau o eclipsau, agweddau a safleoedd y planedau a'r sidydd, y gwythiennau a'u safle a'r clefydau a gysylltir â hwy a'r tablau iwrin. Ceir lluniau lliwgar ynddynt, fel arfer o *Homo signorum*, *Homo venarum*, cylch iwrosgopi, a *volvella*.

Yn Lladin yr ysgrifennwyd y rhan fwyaf o'r calendrau hyn. Eithr un o nodweddion llythrennedd Seisnig yn y bedwaredd ganrif ar ddeg a'r bymthegfed ganrif oedd y cynnydd yn y nifer o lawysgrifau a gopïid yn yr iaith frodorol.[101] Dangosodd Linda Voigts fod y Saesneg a'r Ffrangeg yn cael eu defnyddio fwyfwy ar gyfer gweithiau meddygol dysgedig o'r prifysgolion yn ogystal ag ar gyfer gweithiau lled boblogaidd yn y bymthegfed ganrif. Cyfeiria at lawysgrif Caergrawnt, Gonville a Caius 84/166 a gynhyrchwyd ar gyfer John Argentine, profost Coleg y Brenin, Caergrawnt, un o feddygon mwyaf dysgedig yr oes. Y mae'r llawysgrif wedi ei chyfansoddi o bedwar llyfryn, dau a hanner ohonynt yn cynnwys gweithiau meddygol dysgedig a ysgrifennwyd yn Lladin, ond y mae'r gweddill, a ysgrifennwyd yn Saesneg, yn cynnwys gweithiau meddygol mwy poblogaidd megis calendrau, iwrosgopi a sut i ollwng gwaed.[102] Ceir enghraifft o gymysgedd ieithyddol cyfatebol ymhlith y llyfrau meddygol o Gymru. Er enghraifft, yn llawysgrif Hafod 16 cofnodwyd testunau mewn Ffrangeg, Lladin a Chymraeg[103] ac yn BL Add 14912 y mae cymysgedd o Ladin a Chymraeg.[104] Cymysgedd o ieithoedd a geir hefyd yn Mostyn 88 ond o Saesneg a Chymraeg y tro hwn. Y mae'r darnau Saesneg diweddarach a geir ar ddechrau Mostyn 88, fel y gwelsom, ar y cyfan yn perthyn i draddodiad mwy poblogaidd na'r darnau Cymraeg.

Nodwedd arall ar hanes llawysgrifau Lloegr y cyfnod yw bod tystiolaeth am gyfresi o lawysgrifau yn cynnwys deunydd tebyg i'w gilydd yn gynnyrch yr un ganolfan neu ysgrifwr. Trafododd Voigts gasgliad Sloane o lawysgrifau fel enghraifft o hyn.[105] Sonia am y canolfannau hyn fel 'publishing houses' ar gyfer testunau cyn oes yr argraffwasg. Daw hyn â ni at weithgarwch Gutun Owain ei hunan.

Ni ellir ystyried Mostyn 88 heb edrych ar rai eraill o lawysgrifau Gutun Owain.[106] Ceir calendrau mewn tair arall o'i lawysgrifau: sef Peniarth 27i; Peniarth 186A a Rhydychen, Coleg Iesu 141.[107] Casgliad o ddeunydd hanesyddol a geir yn llawysgrif Coleg Iesu a gopïwyd o bosibl yn 1471. Ar ddechrau'r casgliad ceir calendar anghyflawn ar gyfer y misoedd o Fai i Hydref. Calendar tebyg i Mostyn 88 ydyw a'i fartyroleg yn cynnwys gwyliau'r un seintiau lleol. Y mae'r testun dilynol yn debyg i destun achyddol Mostyn 88. Mwy perthnasol ar gyfer ein hastudiaeth ni yw llawysgrifau Peniarth 27i a Pheniarth 186A. Llawysgrif anghyflawn a thoredig yw Peniarth 27i, 20.5cm wrth 15cm. Y mae 16 tudalen i'r llawysgrif fel y'i cadwyd ac y mae'r tudalennau cyntaf ac olaf yn annarllenadwy. Dechreua'r llawysgrif â chalendar, tt. 1–12. Yr un seintiau gogledd-ddwyreiniol a geir fwy neu lai yma ag yn Mostyn 88.[108] Ychwanegwyd cyfres o frawddegau ynglŷn ag arwyddocâd arwyddion y sidydd, tebyg i'r rhai a ddefnyddiwyd gan Ddafydd Nanmor yn sail i gyfres o englynion.[109] Dilynir y calendar gan lun o'r *Homo signorum* sydd ychydig yn wahanol i'r llun a geir yn llawysgrif Mostyn, t. 26; y mae'r rhybuddion sidyddol yn y drefn gywir yn yr enghraifft hon ond y mae manylion y llun ychydig yn wahanol, ffaith sydd yn awgrymu bod y llun o bosibl, ond nid yn sicr, yn tarddu o ffynhonnell wahanol. Dilynir y llun gan dabl eglwysig (t. 14) a gyfetyb o ran teip i'r un a geir ar dudalen 10 yn Mostyn 88, a chan restr o'r planedau (t. 15) a gyfetyb i Mostyn 88, t. 12, a thabl seryddol (t. 16) a gyfetyb i Mostyn 88, t. 27.

Llawysgrif fechan 16.5cm wrth 12.6cm mewn cyflwr eithriadol o dda yw Peniarth 186A. Yn eithriadol ymhlith llawysgrifau Cymreig o'r cyfnod canol, pan gatalogwyd hi gan J. Gwenogvryn Evans, yr oedd gan y llawysgrif ei rhwymiad gwreiddiol, sef darn o groen dafad a fflap arno.[110] Dechreua eto gyda chalendar symlach y tro hwn (tt. 1–12) sydd yn defnyddio rhifau Rhufeinig ond yn cofnodi'r un gwyliau seintiau, fwy neu lai, ag a geir yng nghalendrau eraill Gutun Owain ond ychwanegir y tro yma gyfarwyddiadau o ryw *regimen* misol.[111] Dilynir y calendar gan dabl yn dweud sut i benderfynu amseriad gwyliau symudol y flwyddyn sy'n cyfateb o ran teip i'r un a geir ar ddalen 25 yn Mostyn 88 – ar wahân i'r ffaith mai rhifau Rhufeinig a arferir yn hytrach na rhai Arabaidd. Wedyn ar dudalen 14 ceir dau destun bach rhyddiaith, sef rhestr o gatgorau (*ember-days*) a thriawd ar y *mevilia*[112] (gwylnosau yr eglwys). Diwedda'r llawysgrif â *volvella* o'r un patrwm ag a geir yn Mostyn 88. Hyd y gwelaf, ni cheir unrhyw arwyddion amlwg i'n helpu i wybod ar gyfer pwy yr ysgrifennwyd dwy lawysgrif galendraidd casgliad Peniarth. Eithr, a barnu wrth eu tebygrwydd i ddechreuad llawysgrif Mostyn, digon tebyg iddynt hwythau hefyd gael eu llunio gan Gutun Owain ar gyfer ei noddwyr o'r gogledd-ddwyrain.

Y Noddwyr

Gwyddys erbyn hyn gryn dipyn am ddiddordebau diwylliannol perchenogion Mostyn 88, Siôn Edwart a'i fab Wiliam, diolch i'r Athro D. J. Bowen a Dr Llinos Beverley Smith.[113] Ar wahân i dystiolaeth y canu mawl i'w dysg a'u diddordebau cerddorol, pwysleisiodd yr Athro Bowen fod ymgeleddiad y teulu hwn, ac yn enwedig William Edwart, o'r delfryd o'r ysgolhaig o fonheddwr, a arddelid gan lys y Tuduriaid, yn atseinio trwy'r farddoniaeth a ganodd Gutun iddynt.[114] Copïodd Siôn Edwart ei hunan lawysgrifau NLW 423 a BL Add 46846.[115] Y mae'r naill a'i phrif gynnwys yn waith gramadeg Lladin, nodweddiadol o'i oes, wedi ei losio yn Saesneg er mwyn dysgu gramadeg trwy gyfrwng y Saesneg.[116] Y mae'r llall yn llyfr amrywiol yn dangos bod a wnelai ei chopïydd â materion gwleidyddol a gweinyddol. Cymysgedd o Ladin, Saesneg a Chymraeg yw'r deunydd a geir yn y llyfr amrywiol. Yr oedd Siôn, fel nifer o'i gyfoeswyr, yn ôl pob tebyg, yn dairieithog. Ymhlith yr eitemau Cymraeg ceir rhai pethau sydd yn ddiddorol o safbwynt natur Cymreictod Siôn Edwart, sef cyfres o gydfodau neu ddogfennau cyfreithiol a ddengys ddatblygiad organig yn y gyfraith frodorol Gymraeg a gwybodaeth o'i geirfa.[117] Ceir enwau John Edwards a'i fab, William, ar lawysgrif BL Add 46846, ffaith sydd yn awgrymu mai William a etifeddodd lyfrgell ei dad. Y mae llawysgrif LlGC 423 yn arbennig o ddiddorol o safbwynt y drafodaeth hon gan fod ynddi galendar a thablau. Awgrymwyd hefyd mai Siôn Edwart oedd biau llawysgrif Coleg y Drindod Dulyn, 367 sydd yn cynnwys testunau meddygol, llaw-ddewiniaeth a gramadeg.[118]

Cyn gorffen rhaid cyfeirio at y calendar a geir yn llyfr gramadeg John Edwards yn ei law ei hunan. Yn dilyn y gramadeg y mae calendar (ff. 83ʳ–88ᵛ) gyda'r dyddiad 1481 uwch ei ben.[119] Dilyna'r un patrwm ag a geir yng nghalendar Mostyn 88, hynny yw, y mae iddo dair cyfres o golofnau a'r un math o wybodaeth sydd ynddo. Dilyna'r calendar ddull Sarum ond y tro hwn calendar Lladin yn ei hanfod a geir. Y mae'r rhan fwyaf o'r gwyliau a gofnodir yn brifwyliau eglwysig neu yn wyliau seintiau gwledydd Cred yn gyffredinol er bod rhaid nodi cynnwys enw Collen yn eu plith, sef nawddsant Llangollen nid nepell o Lyn-y-groes, sydd o bosibl yn lleoli ffynhonnell y calendar. Eithr cynhwysa rai elfennau brodorol Cymreig. Ceir enwau'r misoedd yn y Gymraeg yng nghornel uchaf pob tudalen ac mewn llaw ddiweddarach ychwanegwyd nifer sylweddol o wyliau seint-iau Cymreig yn ogystal â rhai ychwanegol o Galendar Sarum.[120] Ychwanegwyd enwau'r seintiau weithiau yng nghorff y fartyroleg yn y golofn ganol ond bryd arall ysgrifennwyd hwy wrth ymyl de y calendar. Y mae un o'r ychwanegiadau hyn yn awgrymu bod yr ysgrifydd yn gyfarwydd â llawysgrif Peniarth 186. Ar gyfer 5 Tachwedd cofnodir gŵyl *Sancte Gwenvavis*, a cheir y ffurf *wennvav?a* yn Peniarth 186 a gywirwyd yn *gwenfrewy*. Dilynir y calendar gan gyfres o dablau. Ar ff. 89ʳ ceir dau dabl ynglŷn â darganfod dyddiad gwyliau symudol yr eglwys rhwng 1463 a 1567, gan ddefnyddio rhifau aur a llythrennau'r Sul, tablau o'r un math ag a geir yn Mostyn 88, tt. 10 a 25. Ceir ar f. 89ᵛ dabl o'r un math ag a geir ar dudalen 12 yn Mostyn 88 yn esbonio sut i ddarganfod y blaned lywodraethol ar gyfer pob awr o bob diwrnod o'r wythnos ac arno'r pennawd: 'Hore diei incipiende ab ortu solis'. Ar ff. 89ᵛ–90ʳ ceir tabl yn dweud sut i ddarganfod lleoliad y lleuad: 'Tabula ad sciendum signorum et gradum lune omni die,' a gyfetyb i'r hyn a geir ar dudalen 27 o Mostyn 88, ac o'i blaen: 'Canon tabule lune'. Awgryma'r calendr hwn yn ogystal â Mostyn 88 fod gan John Edwards ddiddordeb mewn calendrau a chwltiau'r seintiau a'i fod o bosibl wedi golygu calendar ei lyfr gramadeg gan gyfeirio at Peniarth 186, neu fod y ddwy yn tynnu ar yr un ffynhonnell.

Y mae llawysgrifau calendraidd Gutun Owain a chalendar Siôn Edwart, felly, yn awgrymu bod calendrau cymhleth, lliwgar yn boblogaidd ymhlith boneddigion y gogledd-ddwyrain yn y bymthegfed ganrif. Awgryma'r farddoniaeth fod pynciau astrolegol yn boblogaidd gan y beirdd. Yr un patrwm o destunau ag a oedd yn gyffredin yn y Lloegr gyfoes a ddefnyddid yn y llawysgrifau calendraidd hyn. O ba le ac ar hyd pa ffordd y daeth y ffasiwn? Ai trwy fynachlog Glyn-y-groes? Awgryma'r rhestr gymhleth o seintiau a gysylltir ag eglwysi gogleddol a gogledd-ddwyreinol fod y calendar yn tarddu o ganolfan eglwysig yn esgobaeth Llanelwy neu ei fod o dan ddylanwad sefydliad o'r fath. Eithr rhaid cofio bod diddordeb mewn cyltiau lleol yn byrlymu; ailadeiladwyd yr eglwysi plwyf a gysegrid i'r seintiau lleol yn y bymthegfed ganrif. Byddai unrhyw leygwr yn ymwybodol o bwysigrwydd seintiau eu cynefin a'u gwyliau mabsant.[121]

Eithr beth am y cysyniad o greu'r casgliadau calendraidd hyn ar gyfer noddwyr cefnog? Yn fwy nag unwaith yn y bennod hon enwyd un o'r Tuduriaid ac, fel y gwelsom, yr oedd Siôn Edwart a Siôn Eutun, ei frawd yng nghyfraith, un arall o noddwyr Gutun Owain, yn gefnogwyr i achos y llinach honno. Arweiniodd digwyddiadau 1485 a'r blynyddoedd cyn hynny at gysylltiadau agosach â llys y brenin yn Llundain. Fel y gwelsom, cysylltir calendar enwog Nicholas o Lynn ag enw un o'r Lancastriaid enwocaf, sef John o Gaunt, mewn cenhedlaeth gynharach ac yr oedd llu o rai llai adnabyddus yn gysylltiedig â chymeriadau hanesyddol bwysig.[122] Eithr Cymraeg yw iaith y calendrau a'r testunau eraill a gopïwyd gan y bardd Gutun Owain.Yr oedd Siôn Edwart yntau yn ymwybodol o'r traddodiad calendraidd Cymraeg a Chymreig. Dengys ei waith ei fod yn hyddysg mewn tair iaith: Lladin, Cymraeg a Saesneg, a chyfeiriodd Tudur Aled ato fel *ieithydd teg*.[123] Nodwedd a gysylltir â gwaith ymgeleddwyr y Dadeni Dysg yn yr unfed ganrif ar bymtheg yng Nghymru oedd ymwybyddiaeth o'r angen i gyfoethogi'r iaith Gymraeg trwy gyflwyno ynddi ddysg newydd ac estron. Ai hadau'r delfrydau hyn a welir yn y llawysgrifau calendraidd, cyfuniad newydd o'r brodorol, fel enwau'r seintiau a'r trioedd meddygol, a'r estron? Ai ton newydd o ffasiynau llysaidd Llundain a symbylodd swyddogion y Brenin yn y Waun a Rhiwabon i chwenychu trysorau *intelligentsia* Lloegr i fod yn rhan o'u llyfrgelloedd hwy? Parasant eu troi i'w hiaith eu hunain. Trwy lwc yr oedd gan yr iaith Gymraeg honno ddigon o adnoddau i amsugno'r deunydd newydd hwn ac yr oedd Gutun Owain, yr ysgrifydd cywrain a dawnus, wrth law i'w gopïo.

A'm gair olaf; yn ddiau dylai llwyddiant y rhai a drosglwyddodd y ddysg esoterig hon mewn ffordd mor hardd a chywrain yn y bymthegfed ganrif ddal i fod yn ysbrydoliaeth i'r sawl a geisia mor ddygn i ehangu gorwelion y Gymraeg, chwe chanrif yn ddiweddarach.

Nodiadau

[1] J. E. C. Williams, 'Gutyn Owain', *A Guide to Welsh Literature* II, gol. A. O. H. Jarman a G. Rh. Hughes (Swansea, 1979; arg. newydd Cardiff, 1997)), 263–77.

[2] Mawr yw fy nyled i ddysg tri chyfaill: fy mhriod Dr Howard E. F. Davies, Mr Daniel Huws a Mr Graham Thomas. Darllenodd Dr Brynley Roberts fy nheipysgrif, yn ôl ei arfer. Diolchaf i'r pedwar ohonynt.

[3] Ceir map defnyddiol o noddwyr Gutun Owain yn OPGO, blaenddalen.

[4] Thomas Roberts, 'Llawysgrifau Gutun Owain a Thymor ei Oes', B, 15 (1952–4), 99–109.

[5] Gw. D. J. Bowen, 'Guto'r Glyn a Glyn-y-groes', YB, 20 (1995), 149–81.

[6] P. Westfield, *Astrology* (London, 2001), 130–5.

[7] Erthygl werthfawr ar y cefndir yw P. J. Lucas, 'The Growth and Development of English Literary Patronage in the Later Middle Ages and Early Renaissance', *The Library*, 6th series, IV, no. 3 (September 1982), 220–47. Gw. hefyd K. Harris, 'Patrons, Buyers and Owners: the Evidence for Ownership and the Rôle of Book Owners in Book Production and the Book Trade', yn *Book Production and Publishing in Britain 1375–1475*, gol. Jeremy Griffiths a Derek Pearsall (Cambridge, 1989), 345–402; C. M. Meale, 'Patrons, Buyers and Owners: Book Production and Social Status', yn ibid., 200–38.

[8] Gw. er enghraifft, Bowen, 'Guto'r Glyn a Glyn-y-groes'.

[9] Glanmor Williams, *The Welsh Church from Conquest to Reformation* (Cardiff, 1961), yn enwedig 441–57, sydd yn dal â'r arolwg gorau o'r maes.

[10] RMWL i, 16–18; *Catalogue of Mostyn Manuscripts*, National Library of Wales, 1975.

[11] Gw. Daniel Huws, 'Sir Thomas Mostyn and the Mostyn Manuscripts', MWM 303–29, ac yn enwedig, tt. 307 a 328.

[12] Gw. Daniel Huws, 'Robert Vaughan', MWM 287–302 , ac yn enwedig t. 314.

[13] Diddorol sylwi bod dwy o'r llawysgrifau calendar a ddisgrifir isod yn deillio o lyfrgell Peniarth.

[14] Y mae unffurfiaeth patrwm yr ysgrifennu yn yr adrannau rhyddiaith o blaid ystyried y llawysgrif yn un uned.

[15] L. Voigts, 'Scientific and Medical Books', yn *Book Production and Publishing*, gol. Griffiths a Pearsall, 345–402, yn enwedig t. 353 a n.37.

[16] Cyfansoddwyd llawysgrif Bodleian Rawlinson 347 (*c.*1400), nad yw'n cynnwys ond deunydd meddygol, o bedwar pamffledyn, ff. 1–16^v; ff. 17^r–38^v; ff. 39^r–71^v; ff. 72^r–94^v.

[17] 'John Trevor a droes y vuchedd honn or llading yn gymraec a gvttvn owain ai hysgrivennodd pan oed[d] oed Krist Mil cccc Lxxxviij o vlynyddoedd yn amser Hari Seithved nid amgen y drydedd vlwyddyn o goronedigaeth yr vn Hari', E. J. Jones, 'Buchedd Sant Martin', B, 4 (1937–9), 189. Cymeraf mai cyfeirio at ddyddiad y copïo a wna'r *explicit*.

[18] Yr oedd Gutun Owain neu Ruffudd ap Huw ab Owain yn ddisgynnydd i Iorwerth ap Cynddelw, brawd Iarddur ap Cynddelw o Arllechwedd Uchaf. Brodor o Dudlyst ydoedd yn dal tir yn Llanfarthin (Williams, 'Gutyn Owain', 262). Am ei waith a'i gysylltiadau, gw. OPGO, Michael Siddons, *Welsh Heraldry*, i (Aberystwyth, 1991), 123–5, ac yn arbennig erthygl ardderchog D. J. Bowen, 'I Wiliam ap Siôn Edwart, Cwnstabl y Waun', YB, 18 (1992), 142.

[19] Er enghraifft, gan Huws, MWM 23; *idem*, 'The Manuscripts' yn *Lawyers and Laymen*, gol. T. M. Charles-Edwards *et al.* (Cardiff, 1986), 128–30; B. F. Roberts, *Brut Tysilio* (Abertawe, 1980).

[20] Perthyn i lwyth Tudur Trefor yr oedd Siôn ap Rhisiart, abad Glyn-y-groes (*c*.1455/61–(?)1480), a Syr William Trefor, plentyn siawns i Robert, brawd Siôn Trefor Hen, yn gaplan iddo (OPGO 120). Yr oedd Dafydd ab Ieuan ab Iorwerth (1480–1503), a ddaeth yn abad ar ei ôl yntau, yn ddisgynnydd hefyd i Dudur Trefor: gw. yn arbennig, bellach, Bowen, 'Guto'r Glyn a Glyn-y-groes', 157 a 174.

[21] Gw. J. Y. W. Lloyd, *The History of the Princes, the Lord Marcher and the Ancient Nobility of Powys Fadog*, iv (London, 1884), 78. Nodwyd bodolaeth llyfrau Siôn Trefor, Bryncunallt, gan Robert Vaughan, gw. Huws, 'Robert Vaughan', MWM 301. Rhoddir ei ach yn OPGO 202 fel 'fils d'Edwart ap Dafydd ap Ednyfed gam ap Ierwerth Voel, ap Ierwerth Vychan ap yr Hen Ierwerth ab Owain ap Bleddyn ap Tudur ap Rys Sais . . . [ap Tudur Trevor]'.

[22] Am y gwahanol safbwyntiau ynglŷn â phwy oedd Siôn Trefor, gw. Jones, 'Buchedd Sant Martin', 189; *idem*, 'Sion Trevor, Llyfr Arveu and Buchedd Sant Martin' B, 5 (1929–31), 33–40; Ifor Williams, 'Siôn Trefor o Wigynt', B, 5 (1929–31), 40–4; E. D. Jones, adolygiad ar *Medieval Heraldry*, gol. E. J. Jones, yn THSC, 1942, 198–205; a cf. Siddons, *Welsh Heraldry* i, 31.

[23] OPGO 203 (ll. 6), 205 (ll. 10).

[24] Gw. n.21. Mr Daniel Huws a'm rhoes ar drywydd y teulu hwn.

[25] OPGO LV a LVI. Canwyd iddo yn ogystal gan Ddeio ab Ieuan Ddu, Guto'r Glyn a Hywel Cilan. Rhoddodd Bachellery, OPGO 288, ei ach fel 'Sion ap Ierwerth ab Ieuan ab Adda ab Ierwerth Ddu ab Ednyfed gam ap Ierwerth Voel, ap Ierwerth Vychan ap yr Hen Ierwerth ab Owain ap Bleddyn ap Tudur ap Rys Sais . . . ap Tudur Trevor' a chyfeiriodd ato fel 'Proche parent de Siôn Trefor Hen'. Am yr ach bellach, gw. P. C. Bartrum *Welsh Genealogies AD 1400–1500* (Aberystwyth, 1983), 1686.

[26] GGGl XCVI.23 a 26, CXIV.51 a 53; cf. Bowen, 'Guto'r Glyn a Glyn-y-groes'.

[27] Lloyd, *History of Powys Fadog*, IV, 63; Llinos B. Smith, 'The Grammar and Commonplace Books of John Edwards of Chirk', B, 34 (1987), 174–84.

[28] GLM LXXIV.69–70: 'Band dy dad, bondid ydoedd,/ ban fu raid, i Benfro oedd?'

[29] Lloyd, *History of Powys Fadog*, IV, 63–4.

[30] 'obitus johannis edwards armigeri xxiii die maii anno domini mille cccc lxxxx vij lettera dominical g'. Mae'n debyg mai hyn oedd y sail i osodiad J. Gwenogvryn Evans, 'died 1498', yn RMWL i, 812, wrth restru cynnwys Pen 130 (nid 30) – dyddiad a amheuwyd gan Smith, 'Grammar and Commonplace Books', 178, n.1 ar sail y ffaith fod enw Siôn Edwart yn digwydd fel tyst ar weithred a berthynai i'r flwyddyn 1499/1500, ac eto gan Bowen, 'I Wiliam ap Siôn Edwart', 142.

[31] OPGO 268. Ceir achau teulu Eutun yn Pen 287, t. 101. Yr oedd y llawysgrif gyfraith, Pen 34, yn eiddo i Edward ap Roger, ŵyr Siôn ab Elis, gw, RWML, i, 367 a'r troednodyn.

[32] Cofnodwyd ei marwolaeth ar dudalen 20, 'obitus gwenhoyvar verch elis. xxix die augusti anno domini mille ccccc xx lettere dominicali g'. Cf. Lloyd, *History of Powys Fadog*, IV, 63, a rydd ei henw fel Gwenllian.

[33] Bowen, 'I Wiliam ap Siôn Edwart', 143.

[34] 'obitus katrina verch johannis hookes uxor william edwards armigeri xxx die martis anno domini mille ccccc[xxxij] lettere dominicali f' (t. 15). Dynoda'r bachau petryal fod bwlch yn y llawysgrif.

[35] Jones, 'Buchedd Sant Martin', 179.

[36] Cymharer sut y copïwyd Buchedd Dewi i Ruffudd ap Trahaearn, disgynnydd i deulu'r Arglwydd Rhys, gan Ancr Llanddewibrefi, plwyf a gysegrwyd ar enw Dewi, Idris Ll. Foster, 'The Book of the Anchorite of Llanddewibrefi', PBA, 36 (1950), 197–226 (tt. 218–19).

[37] Ceir testun cyfatebol yn llaw Gutun yn J 141, f. 4.

[38] Gw. y Rhagymodrodd i *Y Bibyl Ynghymraec*, gol. Thomas Jones (Caerdydd, 1940), xlix.

[39] Y mae rholiau fel hyn yn gyffredin. Cedwir tua hanner dwsin yn Llyfrgell Genedlaethol Cymru (gwybodaeth gan Mr Daniel Huws).

[40] Albinia de la Mare, *Catalogue of the Collection of Medieval Manuscripts Bequeathed to the Bodleian Library, Oxford, by James P. R. Lyell* (Oxford, 1971), 82. Am y cefndir Seisnig yn gyffredinol, gw. Antonia Gransden, 'Propaganda in Early English Medieval Historiography', *Journal of Medieval History*, 1 (1975), 363–81; C. Allen 'Yorkist Propaganda: Pedigree, Prophecy and British History in the Reign of Edward IV', yn *Patronage, Pedigree and Power*, gol. C. Ross (Gloucester, 1979), 172–5; C. M. Meale, 'Patrons Buyers and Owners: Book Production and Social Status', yn *Book Production and Publishing*, gol. Griffiths a Pearsall, 205, 215.

[41] MWM 22–3.

[42] Jones, *Y Bibyl*, xlvi–xlvii, a cf. Thomas Jones, 'Historical Writing in Medieval Wales', *Scottish Studies*, 12 (1968), 15–27.

[43] Thomas Jones biau'r geiriau, *Y Bibyl*, xxx, a galwodd yn ogystal sylw at batrwm rôl achau Brogyntyn I.

[44] Jones, *Y Bibyl*, li.

[45] Cf. y rhestrau o *Brenhinoedd y Cymry* a argraffwyd yn P. C. Bartrum, *Early Welsh Genealogical Tracts* (Cardiff, 1966), er enghraifft, 48–9, 121.

[46] Gw. Siddons, *Welsh Heraldry*, i, 32 a 41.

[47] Ceir copi o'r un testun fwy neu lai yn un arall o lawysgrifau Gutun sef J 141, ff. 1–3.

[48] OPGO 389 a'r nodyn ar lau. 9–11 gan gyfeirio at Pen 129, tt. 90–1.

[49] Tybed a oes amwysedd yn y cyfeiriad hwn? Er mai enw un o gyndeidiau Siôn oedd Adda, ys gwn a oes cyfeiriad cudd hefyd at Adda, ein tad ni oll, a enwir ar ddechrau ach y llawysgrif?

[50] OPGO LV. 7–12.

[51] GTA LXIII. 43–7.

[52] Llaw Jasper Gruffudd a geir yma fel mewn mannau eraill yn y llawysgrif, er enghraifft 23, 63, 65, 72, 82, gw. R. Overden, 'Jasper Gruffudd', *British Library Journal*, 20 (1994), 107–39.

[53] P. M. Jones, *Medieval Medicine in Illuminated Manuscripts* (London, 1996), 20; efe biau'r geiriau a ddyfynnwyd isod wrth drafod *rota* gyffelyb a gedwir mewn llawysgrif o waith John o Arderne. Cf. hefyd y lluniau a geir yn E. Wickersheimer, *Manuscrits Latins de Médecine du haut Moyen-Âge dans les Bibliothèques de France* (Paris, 1966), plât X, gyferbyn â thudalen 150.

[54] PWDN XXXIX. 1–4 (a gw. nodyn t. 200).

[55] Cf. Ifor Williams, 'The Computus Fragment', B, 3 (1926–7), 245–61, yn enwedig t. 248.

[56] Am *volvellae*, gw. yn arbennig R. T. Gunther, *Early Science at Oxford*, II (Oxford, 1923), 234–44, sydd yn rhestru nifer o *volvellae* ac yn rhoi lluniau o rai ohonynt; S. G. Lindberg, 'Mobiles in Books', *The Private Library*, series 2 (Summer, 1979), 49–82; H. Bober, 'The Zodiacal Miniature of the *Tres Riches Heures*', *Journal of the Warburg and Courtauld Institute*, 11 (1948), 24–6 (ceir ar d. 25 restr o rai llawysgrifau yn cynnwys *volvellae*); Jones, *Medieval Medicine,* 55–7; Sophie Page, *Astrology in Medieval Manuscripts* (London, 2002), 54–5. Y llun mwyaf poblogaidd a atgynhyrchir yn y llyfrau yw'r un o lsgr. BL Egerton, sef llyfr *The Barber Surgeons of York*, serch y ffaith fod y *volvella* yn anghyflawn. Am lun o'r *volvella* honno, gw., er enghraifft, Jones, *Medieval Medicine*, 56.

[57] R. H. Robbins, 'Medical Manuscripts in Middle English', *Speculum* 45 (1970), 396–7.

[58] Am lun o'r *volvella* honno, gw. Gunther, *Early Science at Oxford*, II, ffig. 93, rhwng tt. 238 a 239. Y mae'r tebygrwydd rhwng llawysgrif Ashmolean 789 a Mostyn 88 yn haeddu mwy o sylw nag a roddwyd yma.

[59] Y mae tablau cyffelyb i'w cael yn rhan o'r *Llyfr Gweddi Gyffredin* hyd heddiw.

[60] Gw. Bober, 'Zodiacal Miniatures', 24–6; J. E. Murdoch, *Antiquity and the Middle Ages, An Album of Science* (New York, 1984), 316.

[61] L. Voigts and M. R. McVaugh, *A Latin Technical Phlebotomy and its Middle English Translation*, Transactions of the American Philosophical Society, 74 (Philadelphia, 1984), 4; hefyd L. Voigts, 'Scientific and Medical Books', 390, n.28.

[62] Am galendrau yn gyffredinol gw. *A Handbook of Dates*, ed. C. R. Cheney, revised by M. Jones (Cambridge, 2000) a'r gweithiau y cyfeirir atynt yno.

[63] *The Calendar of Nicholas of Lynn*, gol. S. Eisner (Athens, Georgia, 1980).

[64] J. D. North, *Chaucer's Universe* (Oxford, 1988), 87, n.1.

[65] Am *dies aegri* neu *dies aegyptiaci* mewn calendrau gw. *The Ancient Kalendar of the University of Oxford*, 45, gol. C. Wordsworth (Oxford, 1904), xxvii–xxx. Am ddyddiau Eifftaidd a'u harwyddocâd, gw. W. R Dawson, 'Some Observations on the Egyptian Calendars of Lucky and Unlucky Days', *Journal of Egyptian Archaeology*, 12 (1926), 206–64; R. Steele, '*Dies Aegyptiaci*', *Proceedings of the Royal Society of Medicine*, 12 (1919), 108–21; M. Förster, 'Die Altenglischen Verzeichnisse von Glücks- und Unglückstagen', *Studies in English Philology*, gol. Kemp Malone a Martin B. Ruud (Minneapolis, 1929), 258–77.

[66] Y *vigilia*, sef y gwylnosau o flaen y prif wyliau, gw. isod n.112. Am restr hir o enghreifftiau gw. J. Fisher, 'The Welsh Calendar', THSC, 1894–5, 102–3.

[67] Ymhlith y seintiau estron y cofnodir eu gwyliau yn y Calendar, ni welaf ond tair gŵyl na sonnir amdanynt yng Nghalendar Sarum, sef Gŵyl Sain Denis ar gyfer 25 Mai; Gŵyl Sant Lednart ar gyfer 19 Mehefin; a Gŵyl Melbro a ychwanegwyd gan law Jasper Gruffudd ar gyfer 25 Mehefin yn ôl y fersiynau o Ddull Sarum a argraffwyd yn W. Maskell, *Monumenta Ritualia Ecclesiae Anglicanae*, III (Oxford, 1882), 186–223.

[68] Gweler y rhestr yn yr Atodiad (tt. 382–4). Bwriadaf drafod y *martyrologia* mewn man arall.

[69] 25 Mehefin, *Guyl Melbro*; 16 Awst, *Gwyl koyf*; 28 Awst, *Guyl Austin*; 9 Medi, *guyl y delu vyu* (sef gwylmabsant y Ddelw Fyw yn yr Wyddgrug, gw. S. Baring-Gould a J. Fisher, *Lives of the Cambro-British Saints*, I (London, 1907) sydd hefyd yn cofnodi'r farddoniaeth yn cyfeirio ati); 16 Medi, *gwyl gwen Edith*, 17 Medi, *Gwyl Lambert*; 30 Medi, *Guyl S Jerom*; 16 Hydref, *guyl velangel*; 1 Tachwedd, *Ael haearn*; 2 Tachwedd, *Guenfreui*; 29 Tachwedd, *guyl Sadurn*. Awgrymodd Mr Graham Thomas fod ysgrifen yr ychwanegiadau sydd yn cynnwys y ffurf *guyl* yn edrych yn debyg i eiddo Roger Morris a gopïodd 'Buchedd Martin' o Mostyn 88 i BL 14967, 244–65.

[70] 14 Gorffennaf: *y kwn yn dechre*; 5 Medi: *yma tervyna dyddie y kwn*. Dyma'r adeg y byddai y seren *Canis Major* uchaf yn yr awyr.

[71] Yr oedd y tebygrwydd mor drawiadol weithiau fel y parodd i rai eglwyswyr gamddeall y delwau fel lluniau o'r Iesu. Tynnodd Sophie Page sylw at achlysur yn 1557 pryd yr arswydodd Nicholas Harpsfield, archesgob Caergaint, o ddarganfod bod gwasanaethau eglwysig yng nghapel Egerton yn cael eu gweinyddu o flaen delw o ddyn noeth a amgylchynwyd gan ddeuddeg arwydd y sidydd; gw. Page, *Astrology in Medieval Manuscripts*, 56.

[72] Gw. er enghraifft, Murdoch, *Antiquity and the Middle Ages*, 315–17.

[73] Am gyfeiriadau, gw. M. E. Owen, 'Manion ?Meddygol', *Dwned*, 7 (2001), 43–63.

[74] Am drafodaeth ar Ddyn y Sidydd, gw., er enghraifft,, Bober, 'The Zodiacal Miniature', 1–34; Gunther, *Early Science in Oxford*, III, 13–25; C. H. Talbot, 'A Medieval Physician's Vade Mecum', *Journal of the History of Medicine and Allied Sciences*, 16 (1961), 212–33; Jones, *Medieval Medicine*, 53–5; Voigts, 'Scientific and Medical Manuscripts', 357 a 358; M.-J. Imbault-Huart, *La médecine au moyen âge à travers les manuscrits de la Bibliothèque Nationale* (Paris, 1983), platiau 14–18.

[75] North, *Chaucer's Universe*, 94, n.14, lle y sonnir am 'Capricorn in a snail's shell'.

[76] R. H. Allen, *Star Names: Their Lore and Meaning*, (London, 1963), 137; Page, *Astrology in Medieval Manuscripts*, 41.

[77] Yn yr Aifft uniaethwyd Virgo gan Eratosthenes ac Avienus â'r dduwies Isis, a bortreadwyd weithiau 'clasping in her arms the young Horus, the infant Southern sungod, the last of the divine kings. This very ancient figuring reappeared in the Middle Ages as the Virgin Mary with the child Jesus, Shakespeare alluding to it in Titus Andronicus as the "Good Boy in Virgo's lap"; and Albertus Magnus, of our 13th century, asserted that the Saviour's horoscope lay there': Allen, *Star Names*, 462–3.

[78] Cf. Voigts, 'Scientific and Medical Books', 357.

[79] Gw. Jones *Medieval Medicine*, 45; Voigts, 'Scientific and Medical Books', 376–8, ac am destunau gw. H. Leisinger, *Die lateinischen Harnschriften Pseudo-Galens* (Leipzig, 1925); K. Wentzlau, *Frühmittelalterliche und salernitanische Harntraktate* (Leipzig, 1924).

[80] Gw. Gunther, *Early Science in Oxford*, III, 25–32; Jones, *Medieval Medicine*, 45–6 ac am lun o'r meddyg yn edrych ar y fflasgiau, gw. Murdoch, *Antiquity and the Middle Ages*, plât 183.

[81] Gw., er enghraifft, BL Add 14936, f. 58; 15020, f. 3^v; 14913, f. 85^v; Haf 11, f. 5.

[82] Talbot, 'A Medieval Physician's Vade Mecum', 212–33. Gw. hefyd L. P. Thorndike a P. Kibre, *A Catalogue of Incipits to Medieval Scientific Manuscripts*, (London, 1963), 1026–7: *Partes corporis humani creati sunt ut Aristoteles dicit.*

[83] Gw., er enghraifft, BL Add 14912, f. 63^v; Haf 16, 96; CM 116, f. 82^v; CM 124, f. 17^v; Llst 117, 277; NLW 5474, 253; NLW 22362, f. 28^v; Pen 47 ii, 14; Pen 172, 223–4; Pen 216, 76; Pen 204, 235–6; Pen 267, 265–6.

[84] Gw., er enghraifft, BL Add 14912, f. 64^v, Haf 16, 96; CM 124, f. 17; Llst 10, 19; NLW 872, 463; NLW 5269, f. 45; NLW 22362, f. 28^v; Pen 204, 236–7.

[85] Gw., er enghraifft, BL Add 14912, f. 63^v; 14979, f. 42; Haf 16, 96; CM 116, f. 82^v, CM 124, f. 17^v; Llst 117, 277; Pen 47, ii, 14, Pen 172, 223, Pen 216, 76, Pen 267, 265.

[86] Cf., er enghraifft, Card 58, 10 a Most 56, 61 am *Tri Chyfeilorn meddyg.*

[87] Am y pâr, gw., er enghraifft, Haf 16, 96; BL Add 14912 f. 65^r; Card 58, 28.

[88] Morfydd E. Owen, 'Gwŷr Dysg yr Oesoedd Canol a'u Dulliau Rhyddiaith', YB, 17 (1990), 60.

[89] Ar wahân i un enghraifft o galendar litwrgaidd, mewn testunau meddygol a chyfreithiol y cedwir calendrau fel arfer. Ceir, er enghraifft, galendrau yn y llawysgrifau meddygol BL Add 14912, J 22, ?esgus feddygol Pen 27i a 186; yn y llawysgrifau cyfraith a gedwir yn Pen 40 a Wynnstay 36, a gw. Daniel Huws, 'Llawysgrif Melangell', LlC, 25 (2002), 24.

[90] Tystiolaeth i ddiddordeb cynnar y Cymry yn y pwnc yw 'The Computus Fragment', a olygwyd gan Ifor Williams yn B, 3 (1926–7), 245–61.

[91] F. Wallis, 'Medicine in Medieval Calendar Manuscripts', yn *Manuscript Sources of Medieval Medicine*, gol. M. R. Schleissner (New York and London, 1995), 105–43.

[92] Ceir enghreifftiau ymhlith y testunau meddygol canoloesol Cymraeg, er enghraifft P. Diverres, *Les plus ancien texte des Meddygon Myddveu* (Paris, 1913), 62–8 a cf. A. Beccaria, *I Codici medicina del periodo presaliterno*, (Roma, 1956) *passim*; Wickersheimer, 'Les manuscrits latins de médecine', 24–5, 40–1, 59, 172. Am y *genre* yn gyffredinol gw., er enghraifft, Frank-Dieter Groenke, *Die frühmittelalterlichen lateinischen Monatskalendarien. Text – Übersetzung – Kommentar* (Traethawd, Institut für Geschichte der Medizin der Freien Universität Berlin, 1986 a bellach A. Falileyev, M. E. Owen, *The Leiden Leechbook* (i ymddangos)).

[93] Wallis, 'Medicine in Medieval Calendar Manuscripts', 119.

[94] Talbot, 'A Medieval Physician's Vade Mecum'.

[95] Gw. Jones, *Medieval Medicine*, 53.

[96] *Proceedings of the 34th Congress on the History of Medicine*, Glasgow 4–8 Medi 1994.

[97] Cynhyrchwyd y poster a oedd yn cynnwys atgynhyrchiadau o luniau ac o'r *volvella* gan Mr Elgan Pugh a'i gyd-weithwyr yn Adran Adfer y Llyfrgell Genedlaethol a bu eu gwaith yn rhyfeddod ac yn destun edmygedd i bawb gan gynnwys yr Athro Caerwyn.

[98] Dywed North, *Chaucer's Universe*, 87–8: 'Calendars are of many different sorts, but central to all of them, at least in the fourteenth century, were their ecclesiastical components . . . the letters Kl signifying the beginning of each month are likely to be illuminated, and the names of the festivals picked out in blue, red, or black, to indicate the liturgical importance of the various days . . . Calendars were often things of great beauty.'

[99] *The Kalendarium of Nicholas of Lynn*, gol. Eisner. Ceir nifer o wahanol fersiynau o'r Calendar hwn.

[100] *The Kalendarium of Nicholas of Lynn*, gol. Eisner, 8.

[101] Harris, 'Patrons, Buyers and Owners', 353 a n.37.

[102] Voigts, 'Scientific and Medical Books' , 383.

[103] RMWL, ii, 318–20, I. B. Jones, 'Havod 16', EC, 7 (1955/6), 46–75, 270–339; 8 (1958/9), 66–97, 346–93.

[104] M. E. Owen, 'Meddygon Myddfai, a Preliminary Survey of Some Medical Writings in Welsh', SC, 9/10 (1995), 210–33; *eadem*, 'The Medical Books of Medieval Wales and the Physicians of Myddfai', *The Carmarthen Antiquary* (1995), 35.

[105] Gw., er enghraifft, L. Voigts, ' "The Sloane Group": Related Scientific and Medical Manuscripts from the Fifteenth Century in the Sloane Collection', *British Library Journal*, 16 (1990), 26–57.

[106] Nid wyf yn sicr fy mod yn cytuno â'r drefn amseryddol a gynigiwyd i'r llawysgrifau hyn gan Roberts, 'Llawysgrifau Gutun Owain', ond ni fanylaf yma.

[107] RMWL, i, 345, 1013; ii, 35–6.

[108] RMWL, i, 1013 lle y nodir y seintiau sydd yn wahanol i Most 88.

[109] Trafodais yr arwyddion hyn a'u perthynas â thestun astrolegol yn M. E. Owen, 'Manion ?Meddygol'. Ceir nodiadau cyffelyb ynglŷn ag arwyddion y sidydd yng nghalendr y Bedel dyddiedig *c.*1505, a gyhoeddwyd yn *The Ancient Kalendar of the University of Oxford*, 45 (Oxford, 1904*)*, 46–57.

[110] RMWL i, 1013.

[111] Am *regimina* o'r fath, gw. uchod n.93.

[112] Ni chynigir tarddiad cyflawn i'r gair *mevilia* yn GPC 2403. Mentraf awgrymu mai cyfuniad o *mei* (hanner) + *gwyliau* ydyw gan mai'r noswylio cyn y brifwyl a olygir gan y gair.

[113] Smith, 'Grammar and Commonplace Books'; Bowen, 'Guto'r Glyn a Glyn-y-groes'; *idem*, 'I Wiliam ap Siôn Edwart'.

[114] 'I Wiliam ap Siôn Edwart', yn enwedig 151–4.

[115] MWM 23; Smith, 'Grammar and Commonplace Books'.

[116] Ceir disgrifiad manwl o'r llsgr. a'i chynnwys yn seiliedig i raddau ar nodiadau a roddwyd i'r awdur gan Mr Daniel Huws, yn D. Thomson, *A Descriptive Catalogue of Middle English Grammatical Texts* (New York, 1979), 105–14. Trafodir y cynnwys yn Smith, 'Grammar and Commonplace Books', 179–83.

[117] J. Beverley Smith, 'Cydfodau o'r Bymthegfed ganrif', B, 21 (1964–6), 309–24.

[118] Thomson, *Descriptive Catalogue,* 112.

[119] Gw. yn arbennig Thomson, *Descriptive Catalogue*, 109–110.

[120] Smith, 'Grammar and Commonplace Books', 179. Y mae'r ychwanegiadau Cymreig yn arbennig o gyfoethog ar gyfer mis Tachwedd. Y mae nifer sylweddol ohonynt, megis Llechid a Fflewyn, ag eglwysi wedi eu cysegru iddynt ym Môn ac Arfon.

[121] Gw. WCCR 441–57.

[122] Ceir rhestr o rai o'r rhai mwyaf lliwgar yn Bober, 'Zodiacal Miniatures', 25.

[123] GTA LXIII. 62.

Atodiad

Seintiau sydd o'u swyddi'n gorffwys

Un o hynodion Calendar Mostyn 88 ydyw'r nifer mawr o wyliau seintiau Cymreig a restrir ynddi. Fel rhan o waith ar y gweill ynglŷn â *martyrologia* calendrau Cymraeg diwedd yr Oesoedd Canol rhestrwyd y seintiau a gofnodir ac uniaethwyd hwy â'r hyn a wyddys am eu cysegriadau yng ngogledd Cymru. Ychydig iawn o gysegriadau sydd i'r rhan fwyaf ohonynt yn ne Cymru – y mae un ohonynt, sef Dewi, hyd y gwelir, heb eglwys wedi ei chysegru iddo yn y Gogledd ond erbyn y bymthegfed ganrif cydnabyddir Gŵyl Dewi yn y rhan fwyaf o galendrau Prydeinig. Naturiol fyddai ei chorffori yng nghalendar Mostyn 88. Cynhwysir tri sant estron yn y rhestr, sef Padrig, Oswallt a Martin neu Marthin, y ddau olaf oherwydd agosrwydd eu heglwysi at gartref Siôn Edwart yn y Waun. Dengys y mapio pa mor lleol ydyw'r rhan fwyaf o'r cysegriadau; ceir clwstwr o gysegriadau i'r un seintiau ym Môn. Awgryma hyn ddau beth: cysylltiadau teuluol Siôn Edwart â Môn a chysylltiadau rhwng eglwysi'r gogledd-ddwyrain a Môn[1] a all darddu o gyfnod pan oedd Gwynedd mewn grym yn y Berfeddwlad.

Nodyn

[1] Er enghraifft, priodwyd Siôn Wyn, mab Siôn Edwart ag Elizabeth, merch Huw Lewys o Fôn, un o lwyth Hwfa Môn, gw. Lloyd, *History of Powys Fadog*, IV, 63.

Tabl 1

Yma rhestrir gwyliau y seintiau Cymreig y ceir eu henwau yng nghalendar Mostyn 88 ac fel y'u cofnodir yn RMWL gyda dyddiadau eu gwyliau. Cynhwysir tri sant nad ydynt yn Gymry, sef Oswallt, Padrig a Marthin. Dilynir y rhain gan enwau'r eglwysi a gysegrir ar eu henwau yng ngogledd Cymru yn ôl Baring-Gould a Fisher, *Lives of the Cambro-British Saints.* Cyfeiria'r rhifau sydd yn dilyn yr enwau at y symbolau ar y map o'u dosraniad (t. 384). Pan fo'r ŵyl yn cyfeirio at gysegriad arbennig megis 'Garmon yn Iâl' rhoddir bachau petryal o gwmpas y cysegriadau eraill a restrir; gwneir yr un fath wrth restru cysegriadau un o bâr o seintiau, er enghraifft 'Erbin ac Elien' a phan fo cysegriad yn dwyn cof am sant megis am Badrig yn y cysegriad i 'Ieuan gwas Padrig'.

Ionawr:

12	**Llwchhaiarn**	Llanllwchhaiarn 63, Llamyrewig 64
13	**Elien**	Llaneilian 42, Llaneilian yn Rhos 43
25	**Dwynwen**	Llanddwyn 34
31	**Melangell**	Pennant Melangell 81

Chwefror		
1	**San Ffraid**	Diserth 19, Llansantffraid Glan Conwy 72, Llansantffraid Glyn Ceiriog 69, Llansantffraid ym Mechain 71, Llansantffraid Glyndyfrdwy 70, Capel Sanffraid, Caergybi
4	**Dilwar**	heb gysegriad
13	**Dyfnog**	Llanrhaeadr yng Nghinmeirch 66
14	**Meugan**	Llanrhudd 67, Llandegfan Môn 37

Mawrth		
1	**Dewi Archesgob**	
17	**Padrig, [Ieuan gwas Padrig**	Cerrigydrudion 15]
19	**Cynnbryd**	Llanddulas 33

Ebrill		
4	**Tyrnog**	Llandyrnog 39
5	**Derfel gadarn**	Llandderfel 32
7	**Llywelyn a Gwrnerth**	Trallwng 82
21	**Beuno**	Clynnog 14, Aberffraw 1, Botwnnog 5, Cargiwch 11, Aberriw 2, Llanycil 76, Gwyddelwern 23, Betws Cydewain 4

Mai		
13	**Mael a Sulien**	Corwen 15, Cwm 17
21	**Collenn**	Llangollen 56
27	**Melangell**	Pennant Melangell 81
29	**Erbin**	Erbistog 20

Mehefin		
1	**Tegla**	Llandegla 36
3	**Cwyfen**	Llangwyfan 60
13	**Sannan**	Llansannan 68
15	**Trillaw**	Llandrillo yn Edeirnion 37, Llandrillo yn Rhos 38
15	**[Curig**	Capel Curig 8, Llangurig 58]
15	**Curig ac Elidan**	Llanelidan 44
22	**Gwennvrewy**	Treffynnon 83, Gwytherin 24

Gorffennaf		
3	**Peblig**	Llanbeblig 31
4	**Marthin Esgob**	Llanfarthin 83
6	**Vrfyl**	Llanerfyl 45
11	**Cowair**	Llangywer 62
13	**Doewan**	Llanrhaeadr ym Mochnant 65
31	**Garmon yn Iâl**	Llanarmon yn Iâl 30, [Llanarmon Dyffryn Ceiriog 28, Llanfechain 47, Llanarmon Mynydd Mawr 29, Castell Caereinion 12, Capel Garmon 8]

Awst		
5	**Oswallt**	Croesoswallt 16

Medi

1	**Silin**	Gwrecsam 22, Llansilin 73
2	**Sulien**	
11	**Deinioel**	Bangor 3, Penarlâg 25, Marchwiail 79, Wrddymbre 84, Llanuwchllyn 74
24	**Mwroc**	Llanfwrog 50, Llanfwrog 51
25	**Meugan**	Llanrhudd 67, Llandegfan 37

Hydref

1	**Silin a Garmon**	Llanfechain 47, Castell Caereinion 12, Llansilin 74
5	**Canhaval**	Llangynhafal 61
16	**Melangell**	Pennant Melangell 81
22	**[Gwynnoc**	Llanwnog 75, Llanfachreth 46]
	Gwynnoc a Noe	Capel Gwynnog a Noe Llangwm (Dinmael) 60

Tachwedd

3	**Cristiolus**	Llangristiolus Môn 57
5	**Cybi**	Caergybi 6, Gwytherin 23
7	**Cynngar**	Yr Hob 26, Llangefni 54
8	**Tysilio**	Meifod 80, Llandysilio 40
11	**Marthin**	Llanfarthin 85
12	**Cydwaladr**	Llangadwaladr Môn 52, a Dinbych 53
13	**Brutys**	Llanferres 48
21	**Digain**	Llangernyw 55
27	**Gallgof**	Llanallgo 27

Rhagfyr

17	**Tydecho**	Llanymawddwy 77, Mallwyd 78, Garthbeibio 21, Capel Tydecho 10

Map o ogledd Cymru yn dangos y cysegriadau i'r seintiau Cymreig a restrir yng Nghalendar Mostyn 88.

Dengys y map ddosraniad cysegriadau i seintiau brodorol a restrir yng nghalendar Mostyn 88 yng ngogledd Cymru. Ychydig iawn o gysegriadau i'r un seintiau a geir yn y de. Cyfeiria'r rhif wrth ymyl pob symbol at gysegriad yn y rhestr. Ni lwyddwyd i adnabod yr holl eglwysi a enwir yn *Lives of the Cambro-British Saints*, eithr dangosir y mwyafrif.

Mynegai

Mae'r rhifau mewn teip trwm yn cyfeirio at luniau